Saving mothers lives in Japan

日本の妊産婦を救うために 2020

企画　石渡　勇　　池田智明
監修　日本産婦人科医会医療安全部会
　　　妊産婦死亡症例検討評価委員会
編集　関沢明彦　　長谷川潤一

東京医学社

巻頭言

　日本産婦人科医会の妊産婦死亡報告事業が2010年にスタートして10年が経とうとしています。妊産婦死亡症例検討評価委員会はほぼ毎月小委員会を行い通算99回，本委員会は3カ月ごとに開催し42回を数えます（2019年12月現在）。また，「母体安全への提言」は2010年から開始し，これまでに9巻が発刊され，日本産科婦人科学会学術講演の生涯研修プログラムでは毎年「提言」の内容が解説されています。本事業は，社会的にも定着してきた感があります。一方，「日本の妊産婦を救うために2015」の発刊から5年が経ちますが，この間に多くの変化がありました。

　第一は，教育・研修プログラムが構築されたことです。2015年からの日本母体救命システム普及協議会（J-CIMELS）が提供する母体蘇生シミュレーション事業（J-MELS）です。これには，救急医療との連携が大きな力となりました。ベーシックコース講習会は500回，受講者は10,000人を超え，すべての都道府県で行われるようになりました。

　第二は，無痛分娩関係学会・団体連絡協議会（JALA）の設立です。われわれは，2017年4月16日の日本産科婦人科学会学術講演会において，「無痛分娩を提供する施設では，器械分娩や分娩時異常出血，麻酔合併症などに適切に対応できる体制を整える」と緊急提言しました。マスコミがこの問題を取り上げようとしたため，その後，社会問題に発展しました。それを受けて，厚生労働省特別研究班からJALAとなり，無痛分娩に関係する産婦人科，麻酔科関係の学会・団体や日本医師会，日本看護協会と連携しています。

　第三は，妊産婦死亡原因として産科危機的出血が減少してきたことです。2010年には全妊産婦死亡の30％近くでしたが，2019年には約10％までに低下してきています。一方，心肺虚脱型羊水塞栓症，心血管疾患，肺血栓塞栓症，感染症による死亡は変わらず，その他，褐色細胞腫，劇症型1型糖尿病，劇症肝炎など稀な疾患も出現しています。死因も多彩になってきており，予防の観点からも工夫していく必要に迫られています。

　第四は，自殺による妊産婦死亡がクローズアップされてきました。2005～2014年の10年間における，東京都23区の妊産婦の自殺は63例，死亡率は8.7であり，大阪市や三重県での調査でも同様の結果でした。現在，妊産婦のメンタルヘルス問題にも取り組んでいます。

　以上の変化については，今回の改訂版で，それぞれの分野の中心的研究者によって詳しく述べられています。健やか親子21（第2次）は2024年までに，妊産婦死亡率を出産10万対2.8にする目標を立てました。2017年の死亡率は3.4です。今後，妊婦の高年齢化や高度生殖医療による重症合併症をもつ妊婦の増加，妊婦への保健や医療提供の変化など，健やか親子21の目標を達成できる可能性を，決して楽観視できない要因があります。

　本書籍が，健やか親子21の目標を達成するのに役立つのみでなく，妊産婦の安全そして安心のために，多くの方に使っていただき，役立つことを希望しています。

厚生労働科学研究費補助金（地域医療基盤開発推進研究事業）研究代表者
日本産婦人科医会医療安全委員会　委員長
池田　智明

執筆者一覧 (出現順)

池田智明
三重大学産科婦人科学教室

大里和広
三重中央医療センター総合周産期母子医療センター

桂木真司
榊原記念病院産婦人科

石渡 勇
石渡産婦人科病院

田中佳世
三重大学産科婦人科学教室

長谷川潤一
聖マリアンナ医科大学産婦人科学

中田雅彦
東邦大学大学院医学研究科産科婦人科学講座，東邦大学医療センター大森病院産科婦人科

新垣達也
昭和大学産婦人科学講座

山本依志子
国立成育医療研究センター政策科学研究部

関沢明彦
昭和大学産婦人科学講座

貞広智仁
東京女子医科大学八千代医療センター救急科・集中治療科

廣瀬陽介
東京女子医科大学八千代医療センター救急科・集中治療科

山畑佳篤
京都府立医科大学救急・災害医療システム学／救急医療学教室

若狹朋子
近畿大学奈良病院病理診断科

竹内 真
大阪母子医療センター病理診断科

金山尚裕
浜松医科大学医学部附属病院 病院長

田村直顕
浜松医科大学産婦人科学講座

小田智昭
浜松医科大学産婦人科学講座

植田初江
国立研究開発法人国立循環器病研究センター病理部

松本博志
大阪大学大学院医学系研究科法医学教室

照井克生
埼玉医科大学総合医療センター産科麻酔科

村越 毅
聖隷浜松病院総合周産期母子医療センター産婦人科

田中 基
名古屋市立大学大学院医学研究科麻酔科学・集中治療医学分野 周産期麻酔部門

加藤里絵
昭和大学麻酔科学講座

室月 淳
宮城県立こども病院産科，東北大学大学院医学系研究科胎児医学分野

田中博明
三重大学産科婦人科学教室

橋井康二
ハシイ産婦人科

角倉弘行
順天堂大学麻酔科学・ペインクリニック講座

奥富俊之
北里大学病院周産母子成育医療センター産科麻酔部門

相良洋子
さがらレディスクリニック

仲村将光
昭和大学産婦人科学講座

早田英二郎
東邦大学医療センター大森病院産婦人科

小林隆夫
浜松医療センター

椎名由美
聖路加国際病院循環器内科

神谷千津子
国立循環器病研究センター産婦人科

丹羽公一郎
聖路加国際病院心血管センター

吉田和道
京都大学大学院医学研究科脳神経外科学

高橋 淳
国立循環器病研究センター脳神経外科

宮本 享
京都大学大学院医学研究科脳神経外科学

吉松 淳
国立循環器病研究センター小児循環器・産婦人科部門

小谷友美
名古屋大学医学部附属病院総合周産期母子医療センター

高倉 翔
三重大学産科婦人科学教室

安田貴昭
埼玉医科大学総合医療センターメンタルクリニック

目　次

巻　頭　言 ………………………………………………………………………………… ii
執筆者一覧 ………………………………………………………………………………… iii
略　語　一　覧 …………………………………………………………………………… vi

♥ 総　論

妊産婦死亡の定義　　　　　　　　　　　　　　　　　　　　　　　　　大里　和広　002
日本の妊産婦死亡率の変遷と社会環境の変化　　　　　　　　　　　　　桂木　真司　006
日本産婦人科医会の妊産婦死亡報告事業の現状　　　　　　　　　　　　石渡　勇　010
厚生労働科学研究「妊産婦死亡班」の取り組み　　　　　　　　田中　佳世，池田　智明　018
10年間の妊産婦死亡報告事業における事例検討からみた成果　　　　　　長谷川潤一　023
Saving Mothers' Lives 2020：10年間を振り返っての提言　　　池田　智明，中田　雅彦　030
国際的な妊産婦死亡の現状からの提言　　　　　　　　　　　　　　　　新垣　達也　033
リンケージ解析からみた妊産婦死亡の現状と国際比較　　　　　　　　　山本依志子　039
J-CIMELSの成り立ちと活動目標　　　　　　　　　　　　　　　　　　　関沢　明彦　044

♥ 基　本　編

バイタルサインと異常の早期発見　　　　　　　　　　　　　　貞広　智仁，廣瀬　陽介　054
妊産婦急変時の初期対応　　　　　　　　　　　　　　　　　　　　　　山畑　佳篤　060
妊産婦死亡の病理解剖　　　　　　　　　　　　　　　　　　　　　　　若狭　朋子　067
子宮と胎盤の病理検査　　　　　　　　　　　　　　　　　　　　　　　竹内　真　071
羊水塞栓症の血清検査と子宮病理検査　　　　　　　金山　尚裕，田村　直顕，小田　智昭　075
妊産婦に合併する重篤な循環器疾患の病理　　　　　　　　　　　　　　植田　初江　082
司法解剖　　　　　　　　　　　　　　　　　　　　　　　　　　　　　松本　博志　089
麻酔が関連する妊産婦死亡　　　　　　　　　　　　　　　　　　　　　照井　克生　095

♥ 治　療　編

産科危機的出血における初期治療　　　　　　　　　　　　　　　　　　中田　雅彦　100
産科危機的出血における手術療法　　　　　　　　　　　　　　　　　　村越　毅　104
産科危機的出血におけるカテーテル治療　　　　　　　　　　　　　　　村越　毅　109
「産科危機的出血への対応指針2017」に沿った輸血法　　　　　　　　　田中　基　113
母体の心肺蘇生法　　　　　　　　　　　　　　　　　　　　　　　　　加藤　里絵　122
死戦期帝王切開　　　　　　　　　　　　　　　　　　　　　　　　　　室月　淳　130

♥ システム編

内科，外科等の診療科と情報共有　　　　　　　　　　　　　　　　　　田中　博明　136
妊婦への薬物投与と放射線検査　　　　　　　　　　　　　　　小田　智昭，金山　尚裕　139
搬送時のスムーズな情報伝達　　　　　　　　　　　　　　　　　　　　新垣　達也　145
救急医との連携と日々のシミュレーション　　　　　　　　　　　　　　山畑　佳篤　150
母体救命のための地域内の連携とJ-CIMELSの研修会　　　　　　　　　　橋井　康二　155

緊急時に備えた輸血システム	照井　克生	160
産科麻酔の実施体制	角倉　弘行	165
>> **column**「産科麻酔に関連する重篤な合併症の発生率」	角倉　弘行	168
周産期医療に麻酔科医が積極的にかかわれるような環境整備	奥富　俊之	169
周産期メンタルヘルスケア対策としての地域連携システム	相良　洋子	175

❤ 各　論

直接産科的死亡

弛緩出血	仲村　将光	182
前置胎盤	長谷川潤一	188
癒着胎盤	長谷川潤一	195
胎盤早期剥離	長谷川潤一	204
子宮破裂，産道裂傷	長谷川潤一	211
子宮内反症	早田英二郎	215
妊娠高血圧症候群，HELLP症候群，子癇	中田　雅彦	219
羊水塞栓症 ―心肺虚脱型羊水塞栓症，子宮型羊水塞栓症	小田　智昭，田村　直顕，金山　尚裕	226
肺血栓塞栓症	小林　隆夫	233

間接産科的死亡

周産期心筋症	椎名　由美	243
致死性不整脈	神谷千津子	249
先天性心疾患	丹羽公一郎	254
大動脈解離	田中　博明	261
心血管系合併症	桂木　真司	268
脳出血	吉田　和道，高橋　淳，宮本　享	274
脳梗塞	吉松　淳	279
てんかん	小谷　友美	284
劇症型溶血性レンサ球菌感染症	中田　雅彦	291
敗血症	貞広　智仁	297
>> **column**「Sequential Organ Failure Assessment（SOFA）スコア」	貞広　智仁	303
その他の感染症 ―オウム病，結核，大腸菌 等	早田英二郎	304
悪性腫瘍	高倉　翔，桂木　真司，池田　智明	310
自殺，精神疾患	安田　貴昭	313

業　績　一　覧	319
索　　　引	324
>> 病理解剖のお願い	巻末

略語一覧

ACS	acute coronary syndrome	急性冠症候群
AED	automated external defibrillator	自動体外式除細動器
Ai	autopsy imaging	死亡時画像診断
ALS	advanced life support	二次救命処置
APTT	activated partial thromboplastin time	活性化部分トロンボプラスチン時間
ARDS	adult respiratory distress syndrome	急性呼吸窮迫症候群
AT	antithrombin	アンチトロンビン
BLS	basic life support	一次救命処置
BMI	body mass index	肥満指数
BNP	brain natriuretic peptide	脳性ナトリウム利尿ペプチド
CPR	cardiopulmonary resuscitation	心肺蘇生法
CT	computed tomography	コンピュータ断層撮影
CTA	computed tomography angiography	コンピュータ断層血管撮影
CTR	cardiothoracic ratio	心胸郭比
DIC	disseminated intravascular coagulation	播種性血管内凝固症候群
DWI	diffusion weighted image	拡散強調像
EIA法	enzyme immunoassay	酵素免疫測定法
ER	emergency room	救急治療室
FDP	fibrin / fibrinogen degradation products	フィブリン/フィブリノゲン分解産物
FFP	fresh frozen plasma	新鮮凍結血漿
Fib	fibrinogen	フィブリノゲン
FLAIR	fluid attenuated IR	フレアー法
GAS	group A Streptococcus	A群溶血性レンサ球菌
IVR	interventional radiology	血管内治療法
JCS	Japan Coma Scale	ジャパン・コーマ・スケール
LDH	lactate dehydrogenase	乳酸脱水素酵素
MRA	magnetic resonance angiography	磁気共鳴血管撮影
NICU	neonatal intensive care unit	新生児集中治療室
NPV	negative predictive value	陰性的中率
NSAIDs	nonsteroidal anti-inflammatory drugs	非ステロイド性抗炎症薬
PaCO2	partial pressure of arterial carbon dioxide	動脈血二酸化炭素分圧
PC	platelet concentrates	濃厚血小板
PCPS	percutaneous cardiopulmonary support	経皮的心肺補助
PEA	pulseless electrical activity	無脈性電気活動
PGF2α	prostaglandin F2α	プロスタグランジンF2α
PT-INR		プロトロンビン時間の国際標準比
PTT	partial thromboplastin time	部分トロンボプラスチン時間
RBC	red blood cells	赤血球濃厚液
RIA法	radioimmunoassay	ラジオイムノアッセイ法
SI	shock index	ショックインデックス
SIRS	systemic inflammatory response syndrome	全身性炎症反応症候群
SpO2	oxygen saturation of peripheral artery	動脈血酸素飽和度
STN	sialyl Tn antigen	シアリルTn抗原
TIA法	turbidimetric immunoassay	免疫比濁法
WBC	white blood cell	白血球
ZnCP	zinc coproporphyrin 1	亜鉛コプロポルフィリン

▶ 総　論
基本編
治療編
システム編
各　論

SAVING MOTHERS LIVES IN JAPAN 2020

総論

妊産婦死亡の定義

厚生労働省の定義

厚生労働省の統計に用いる主な用語の解説によると，妊産婦死亡率は表1のように定義される[1]。妊産婦死亡は基本的にはWHOの定義(ICD-10MM)[2]を採用しており，表2のように定義される[1]。

表1 妊産婦死亡率の定義

妊産婦死亡率
　＝年間の妊産婦死亡数／年間出産数(出生数＋死産数)
　　(または年間出生数)×100,000

表2 WHOの定義(ICD-10MM)

妊娠中または妊娠終了後満42日未満の女性の死亡で，妊娠の期間および部位には関係しないが，妊娠もしくはその管理に関連した，またはそれらによって悪化したすべての原因によるものをいう。ただし，不慮または偶発の原因によるものを除く。その範囲は，直接産科的死亡[*a]および間接産科的死亡[*b]に原因不明の産科的死亡，産科的破傷風およびヒト免疫不全ウイルス(HIV)病を加えたものである。

[*a] 直接産科的死亡：妊娠時における産科的合併症が原因で死亡したもの。
[*b] 間接産科的死亡：妊娠前から存在した疾患または妊娠中に発症した疾患により死亡したもの。これらの疾患は，直接産科的原因によるものではないが，妊娠の生理的作用で悪化したものである。

妊産婦死亡の定義	
妊産婦死亡	妊娠中または妊娠終了後満42日未満の女性の死亡。妊娠もしくはその管理に関連したまたはそれらによって悪化したすべての原因によるもの。直接産科的死亡及び間接産科的死亡に原因不明の産科的死亡，産科的破傷風及びヒト免疫不全ウイルス(HIV)病を加えたもの
後期母体死亡	分娩後42日を超えてから1年未満の女性の間接または直接母体死亡

(厚生労働統計に用いる主な比率及び用語の解説. http://www.mhlw.go.jp/toukei/kaisetu/index-hw.html)[1]

WHOの定義(ICD-10MM)

前述の定義に加えてWHOのICD-MM[2]では，分娩後42日を越えてから1年未満の女性の直接または間接母体死亡を後期母体死亡(late maternal death)と定義している。

本妊産婦死亡症例検討評価委員会の定義

前述の厚生労働省の定義と同様の直接産科的死亡および間接産科的死亡，原因不明の産科的死亡とさらに偶発的妊産婦死亡(妊娠中または産褥に偶然起こった妊娠と関連のない原因による死亡)を加え(表3)，期間も後期母体死亡まで含めて統計に加え，本妊産婦死亡症例検討評価委員会で検討している。

妊産婦死亡の原因は国や地域によって大きな違い

表3 本妊産婦死亡症例検討評価委員会による妊産婦死亡の分類とその定義

分類	定義
直接産科的死亡	妊娠時における産科的合併症が原因で死亡したもの
間接産科的死亡	妊娠前から存在した疾患又は妊娠中に発症した疾患により死亡したもの。これらの疾患は，直接産科的原因によるものではないが，妊娠の生理的作用で悪化したもの
偶発的妊産婦死亡	妊娠中又は産褥に偶然起こった妊娠と関連のない原因による死亡

表4 妊産婦死亡の分類

分類	詳細内容	直接/間接/偶発
1. 産科危機的出血	1a. 弛緩出血，1b. 子宮型羊水塞栓症（DIC先行型羊水塞栓症），1c. 前置胎盤，1d. 癒着胎盤，1e. 子宮破裂，1f. 産道損傷（頸管裂傷を含む）1g. 子宮内反症，1h. 常位胎盤早期剥離，1q. その他	直接
2. 肺血栓塞栓症		直接
3. 羊水塞栓症（古典的・心肺虚脱型）		直接
4. 脳実質内出血	4a. 妊娠高血圧症候群，4b. 子癇，4c. HELLP症候群，4d. 動静脈奇形，4e. 動脈瘤・解離，4f. もやもや病，4q. その他，4r. 不明	直接・間接
5. くも膜下出血	5a. 動脈瘤，5q. その他	間接
6. 感染症	6a. A群溶血性レンサ球菌感染症，6q. その他	直接・間接
7. 妊娠高血圧症候群	7a. 妊娠高血圧腎症，7b. 子癇，7c. HELLP症候群，7d. その他	直接
8. 異所性妊娠		直接
9. 心血管疾患	9a. 大動脈解離，9b. 先天性心疾患，9c 後天性心疾患，9q. その他	間接
10. 悪性疾患		間接
11. 麻酔・蘇生	11a. 麻酔，11b. 蘇生	直接
12. 事故		偶発
13. 自殺	13a. 精神疾患，13q. その他	自殺
14. 犯罪		偶発
15. その他		直接・間接・偶発
16. 不明		不明

があり[3]，本妊産婦死亡症例検討評価委員会では，日本の妊産婦死亡調査の現状に合わせた分類を行った。

直接産科的死亡と間接産科的死亡，原因不明の産科的死亡，偶発的妊産婦死亡，後期母体死亡はさらに表4のように16に分類される。以下にその分類について解説する。

1. 産科危機的出血

出血に直接関連する産科的な疾患や状態である。すべて直接産科的死亡に分類される。本妊産婦死亡症例検討評価委員会の分類で特徴的な部分は，ICD-MMでpostpartum haemorrhageとされている部分を「1a. 弛緩出血」と「1b. 子宮型羊水塞栓症（DIC先行型羊水塞栓症）」とに分けた。子宮型羊水塞栓症は剖検や摘出した子宮の組織があり，子宮の組織内に羊水成分を認める場合，亜鉛コプロポルフィリン（Zn-CP）とシアリルTn抗原（STN）の羊水塞栓症の血清診断と臨床症状，臨床検査所見を併せて総合的に診断される。羊水塞栓症の血清診断と臨床症状，臨床検査所見等で子宮型羊水塞栓症が疑わしい場合で子宮の病理組織診断が得られない場合はDIC先行型羊水塞栓症と診断される。

2. 肺血栓塞栓症（PTE：pulmonary thromboembolism）

WHOのICD-10（ICD-MM）分類では，大分類の5番目で直接妊産婦死亡の「5. その他の分娩の合併症 Other obstetric complication」のなかの小分類である産科的塞栓症（obstetric embolism）に，羊水塞栓症と同列で分類されている。わが国ではPTEは

総論　妊産婦死亡の定義

頻度が高く，妊産婦死亡の原因の上位を占める疾患であり，本妊産婦死亡症例検討評価委員会では単独で大分類の一つとし羊水塞栓症とは区別して分類した。また，産科危機的出血は，すべて直接産科的死亡とする。

3. 羊水塞栓症（古典的・心肺虚脱型）

直接産科的死亡である。臨床経過，検査所見等から羊水塞栓症であると考えられ，組織学的に剖検組織内に胎児成分を認めた場合を確定羊水塞栓症と定義し，臨床的羊水塞栓症の診断基準を満たしたものを臨床的羊水塞栓症と定義した。本妊産婦死亡症例検討評価委員会では両者ともこの分類に含まれる。

4. 脳実質内出血

頭蓋内出血はわが国の妊産婦死亡の原因のなかでも上位を占める疾患である。このため単独で大分類とした。直接産科的死亡と間接産科的死亡の両方を含んでいる。「4a. 妊娠高血圧症候群」，「4b. 子癇」，「4c. HELLP症候群」による死亡は直接産科的死亡に分類される。「4d. 動静脈奇形」，「4e. 動脈瘤・解離」，「4f. もやもや病」，「4q. その他」，「4r. 不明」は基本的に間接産科的死亡に分類する。

5. くも膜下出血

くも膜下出血は「4. 脳実質内出血」と同様頭蓋内出血であるが，病態が違うものとして別に分類し，すべて間接産科的死亡とする。

6. 感染症

A群溶血性レンサ球菌感染症は周産期に妊産婦死亡を引き起こす感染症のなかで最も頻度が高く重要であるため「6a. A群溶血性レンサ球菌感染症」，「6q. その他」と分類した。間接産科的死亡としていたが，寄生虫感染や明らかなSTD（sexually transmitted diseases），ウイルス肝炎，結核，原虫感染等以外の感染症はICD-MMでは8つの分類番号（classification group number）のうちのNo.7, non-obstetric complication (O98)；間接的妊産婦死亡に分類されているが，子宮内感染や尿路感染感染症，産褥熱等はClassification group number 4；pregnancy related infectionに分類されているので，直接産科的死亡に分類する。

7. 妊娠高血圧症候群

直接産科的死亡に分類される。注意すべき点は妊娠高血圧症候群が背景にある頭蓋内出血は「4a. 妊娠高血圧症候群」に分類する。

8. 異所性妊娠

直接産科的死亡に分類する。

9. 心血管疾患

周産期心筋症も含めすべて間接産科的死亡に分類する。

10. 悪性疾患

すべて間接産科的死亡に分類する。

11. 麻酔・蘇生

ICD-MM[2]では「6. 予期しない管理の合併症（Unanticipated complication of management）」として直接産科的死亡に分類されている。これと同様に直接産科的死亡に分類する。

12. 事故

偶発的妊産婦死亡に分類する。

13．自殺

妊娠前より罹患していた精神疾患が増悪したのか，産褥精神病や産後うつ病かをはっきりと診断することが難しい場合が多いため，本妊産婦死亡症例検討評価委員会では直接，間接に分けず自殺としてきた。ICD-MM[2]においては妊産婦の自殺はICD-10コードのChapter XX（X60-84）に分類され，ICD-MMでは直接死亡の"Other"カテゴリーに分類される。42日以上1年未満の場合O96.0（late maternal death from direct obstetric cause）に分類される。Center for Maternal and Child Enquiries[4]のレポートではICD-MMで分類されているが，分析においてはpsychiatric causesをドラッグやアルコールによるものとその他の自殺と分けている。

14．犯罪

偶発的妊産婦死亡に分類する。

15．その他

直接産科的死亡，間接産科的死亡，偶発的妊産婦死亡がすべて含まれる。

16．不明

分類は不明となる。

妊産婦死亡症例検討評価委員会では国際的な研究発表や他国との比較のために上記の定義・分類に加えてICDのコーディングを開始した。しかし，ICDの分類方法についてはあまり現実にそぐわないとの批判もあり[5]，われわれ妊産婦死亡症例検討評価委員会としてはこれまでの定義・分類方法も合わせて使用していく予定である。

文献

(1) 厚生労働統計に用いる主な比率及び用語の解説．http://www.mhlw.go.jp/toukei/kaisetu/index-hw.html
(2) The WHO Application of ICD-10 to deaths during pregnancy, childbirth and the puerperium：ICD-MM. http://apps.who.int/iris/bitstream/10665/70929/1/9789241548458_eng.pdf?ua=1
(3) Say L, et al：Global causes of maternal death：a WHO systematic analysis. Lancet Glob Health 2：e323–333, 2014 doi：10.1016/S2214-109X（14）70227-X
(4) Saving Lives, Improving Mothers' Care. Lessons learned to inform maternity care from the UK and Ireland Confidential Enquiries into Maternal Deaths and Morbidity 2014–16 https://www.npeu.ox.ac.uk/downloads/files/mbrrace-uk/reports/MBRRACE-UK%20Maternal%20Report%202018%20-%20Web%20Version.pdf
(5) van den Akker T, et al：Maternal mortality：direct or indirect has become irrelevant. Lancet Glob Health 5：e1181–e1182, 2017 doi：10.1016/S2214-109X（17）30426-6

（大里 和広）

総論

日本の妊産婦死亡率の変遷と社会環境の変化

はじめに

わが国の妊産婦死亡率は，年々減少傾向を示している。医学全般の進歩を背景とした産婦人科医療の発展が基盤となっていることは間違いないが，そのほかにも，社会環境の改善，医療に対する国民意識レベルの向上等の関与も考えられる。2015〜2017年の妊産婦死亡はそれぞれ50，43，47人であり，1年間の出生数は約100，97.7，94.6万であることから，妊産婦死亡の発生率は1/21,000人となる。わが国の妊産婦死亡率は1950〜2010年の約60年間で約1/120に減少した。今回の妊産婦死亡率は2010〜2012年とほぼ同等である。また，妊産婦死亡の世界平均は1/250である。

本稿ではわが国の妊産婦死亡率の変遷と社会環境の変化に関して考察する。

分娩場所の変化

妊産婦死亡が1950年以降減少の一途をたどった原因として，医学の発展とともにわが国における分娩場所が大きく変化したことがあげられる。

図1[1)]は分娩場所の年次推移を示している。1950年には病院，診療所での分娩率は5％であったがその後1960年代，1970年代の高度経済成長期に病院，診療所併せて45％（1960年），85％（1970年）に急増している。助産所による分娩を併せると，病院，診療所，助産所での施設分娩が1970年には90％を超えた。この時期に妊産婦死亡率は，1950年の95/10万人から1970年には28/10万人に急速に減少した。日本経済が飛躍的に成長を遂げた1954〜1973年の19年間は高度経済成長期と称され，自宅分娩から医療機関への分娩のシフトが起こり，医療体制の整備とともに妊産婦死亡率，新生

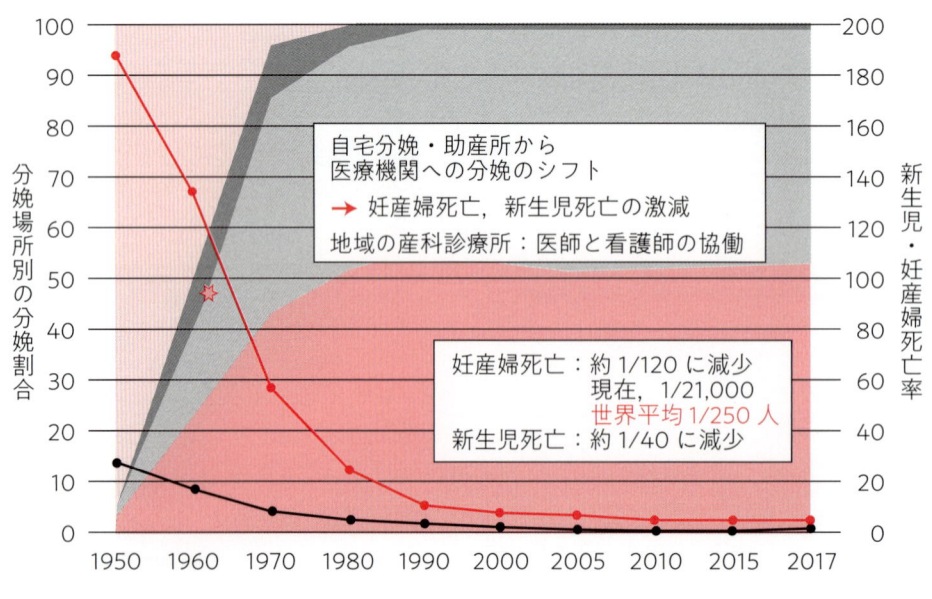

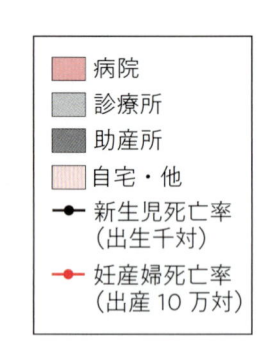

図1 分娩場所別の分娩割合および新生児・妊産婦死亡率の推移

（母子衛生研究会（編）：母子保健の主なる統計－平成30年度刊行－2018. 2019)[1)]

児死亡率ともに激減した（表）。全国の医学部，看護学校が増設されたのもこの時期であり，その後1973年をピークとする第2次ベビーブームに向けて出生数が増加した時期とも一致する（図2）。図3に示すように1950年以降1990年まで全国の病院数も連続して増加し1998年には病院，診療所での出生が全国平均で98％となり，施設分娩が一般的な時代へと変化した。

高い妊産婦死亡率と全国妊産婦死亡登録制度の開始

図4[1]は妊産婦死亡率（出生10万対）の諸外国との比較を示している。1965年のわが国における妊

表　わが国の景気の変遷

1950～1953年	朝鮮戦争による特需景気
1955～1957年	神武景気（31カ月）『もはや戦後ではない』[2]
1958年	なべ底不況＊経済成長率は－にならず
1958～1961年	岩戸景気（42カ月）『投資が投資をよぶ』[3] 1960年池田隼人内閣が『所得倍増計画』を発表
1964年	東京オリンピック開催。この年，オリンピック景気（24カ月）
1965年	40年不況
1965～1970年	いざなぎ景気（57カ月）
1973年	第一次石油ショック
1985年	円高不況（この年の秋以降の急激な円高は一時不況をもたらす）
1986～1990年	平成景気　バブル経済
1997年～	平成不況

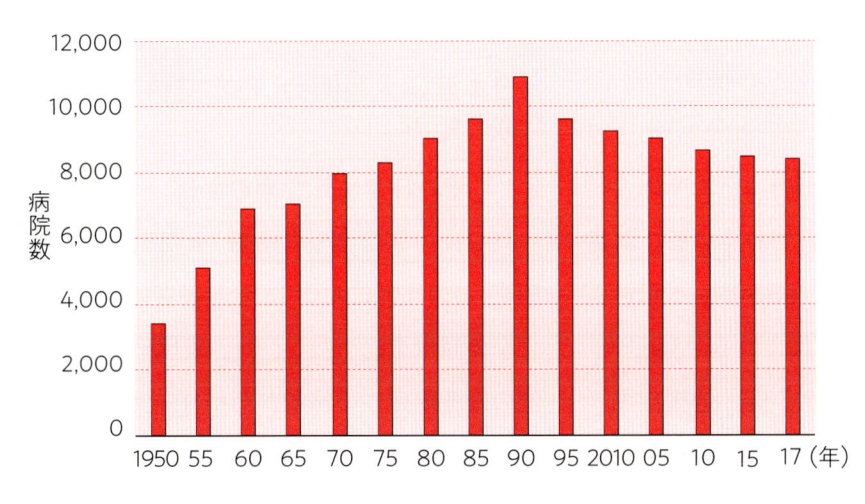

図2　出生数推移（万人）

図3　医療施設数の推移
※一般診療所を除く

総論　日本の妊産婦死亡率の変遷と社会環境の変化

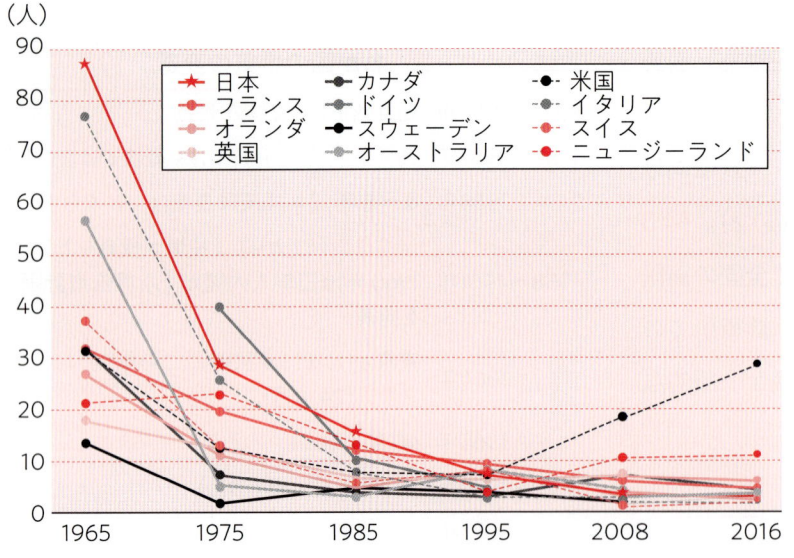

図4　各国の妊産婦死亡率の推移（出生10万対）
※2016年データは暫定値を含む。
（母子衛生研究会（編）：母子保健の主なる統計―平成30年度刊行― 2018・2019）[1]

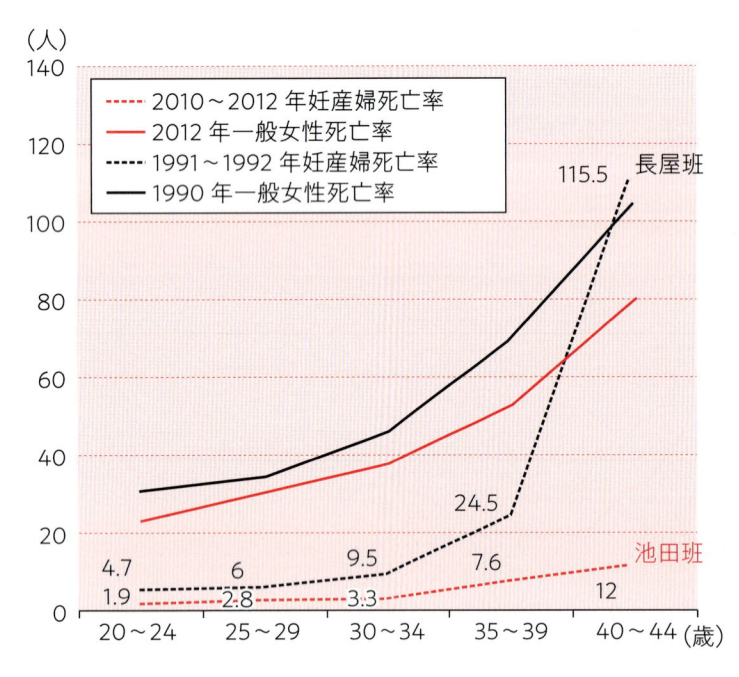

図5　各年齢における一般女性と妊産婦の死亡率の比較
この20年間、全年齢層において妊産婦死亡率の減少を認めたが、特に高年妊娠における死亡の減少がこの20年間の妊産婦死亡の著減に貢献している。

産婦死亡率の高さは先進国のなかで最も悪かった。そのため、日本産婦人科医会報の記述では1970年2月、妊産婦死亡調査委員会が発足し7支部（北海道、青森、群馬、東京、大阪、広島、鹿児島）に設置された。そのなかで妊産婦死亡調査は日本産婦人科医会の重要事業であることは明記されている。本格的な全国妊産婦死亡登録制度は1980年から開始され、以後、毎年集計報告が行われている。1982年の30例の妊産婦死亡（羊水塞栓7例、弛緩出血7例、妊娠中毒症4例、子宮破裂4例等）に対して妊産婦死亡をいかに防ぐかが真剣に討議された。

日本産婦人科医会、日本産科婦人科学会の取り組み

20年間の妊産婦死亡率の変化

1991～1992年（長屋班）と2010～2012年（池田班）との比較において、全年齢層において妊産婦死亡率の減少を認めた（図5）。長屋班においては197例の妊産婦死亡の解析が行われ、池田班においては現在152例の解析が終了しているが、20～24歳、

25〜29歳，30〜34歳，35〜39歳，40〜44歳における死亡率は長屋班，池田班の順に4.7→1.9，6.0→2.8，9.5→3.3，24.5→7.6，115.5→12.0と，前述のように全年齢層において妊産婦死亡率の減少を認め，特に高年妊娠における死亡が著減した。周産期医療システム，輸血用血液供給体制，ハイリスク妊婦の高次施設への紹介率の増加によるものと考察される。

文献

(1) 母子衛生研究会（編）：母子保健の主なる統計－平成30年度刊行－ 2018. 2019
(2) 経済企画庁：経済白書 神武景気「もはや戦後ではない」．内閣府，1956
(3) 経済企画庁：経済白書 岩戸景気「投資が投資を呼ぶ」．内閣府，1960

（桂木 真司）

総論

日本産婦人科医会の妊産婦死亡報告事業の現状

はじめに

　本来，周産期医療はリスクの高い医療である。妊娠・分娩・産褥と連続したダイナミックに変化する妊産婦と，子宮内環境・脆弱性・ストレス・先天異常等に影響される胎児の双方を管理し，正常分娩（母児ともに健全）へと誘導する過程であるが，偶発的であるがゆえ事故を避けられない一面もある。

　医療者はこれらのリスクを承知の上で，より安全で質の高い医療の提供に努力してきた。偶発事例が発生した場合は，その原因を究明し，再発防止にも努めてきた。日本産婦人科医会（以下，医会）では組織をあげて医療安全に取り組んできており，その一貫として，「偶発事例報告事業」を2004年4月に開始している。全国の会員と都道府県産婦人科医会の協力によって，偶発事例を収集し，分析そして体系化して，医療安全に資する提言をするとともに，その研修（例えば，母体救命，新生児救命）を通じて「医療の安全と質の向上」にも取り組み，同時に，偶発事例に遭遇した会員への支援も行ってきた。

　わが国では1940年当時は，妊産婦死亡率は出産10万対39.6人であった。戦後，高度経済成長期に入り，医学医療の進歩，生活水準の向上，周産期医療システムの構築，輸血用血液供給体制の整備等で妊産婦死亡は年々減少してきた。2017年の死亡率は10万対3.4人[1]である。

　医会は1970年に重点事業として妊産婦死亡調査委員会を，1980年には本格的な全国妊産婦死亡登録制度を，さらに2004年に偶発事例報告事業を開始したが，毎年報告される妊産婦死亡症例数は25～30例であり，厚生労働省の50例の約半数であった。そこで，すべての妊産婦死亡を収集するために妊産婦死亡報告事業を2010年から独立した事業とした。

　厚生労働省の「母子保健の主なる統計」[1]妊産婦死亡は，人口動態統計として死亡診断書に基づいた統計で，死亡後14日以内に届け出なければならない。したがって，病理解剖の結果，真の死亡原因が判明しても死亡届に反映されない。一方，医会は産後1年までの妊産褥婦死亡を調査しており，死亡原因等は評価委員会で決定している。したがって，厚生労働省の統計とは異なるものである。本誌においては，2015年に報告した「日本の妊産婦を救うために2015」[2]での記述も含め，最近の医会の取り組みについて報告したい。

妊産婦死亡報告事業について

　医会は，2010年1月より妊産婦死亡症例届け出システム[3,4]を構築し，開始した。妊産婦死亡の原因分析と再発防止を検討するには，すべての事例の報告と，分析に必要なデータ・Ai・病理解剖報告が重要である。剖検率は40％弱で，しかも法医解剖も割合が多かった。妊産婦特有の疾患も多く，通常の病理解剖所見では不十分なこともあり，剖検マニュアル[5]を作成し，全国の病理学教室，法医学教室，周産期センター，救急救命部等に送付した。本事業の目的は，①速やかなる会員への支援，②医学的な死因究明，③再発防止，④周産期医療システムの再構築，および⑤医療安全に向けた提言である。

日本の妊産婦を救うために2020

```
妊産婦死亡　連絡票

公益社団法人日本産婦人科医会　殿
　妊産婦死亡がありましたので報告いたします。
　　➤ 記載された住所に後日　妊産婦死亡調査票を送付いたします。
　　➤ 妊産婦死亡があった場合は速やかに本票を日本産婦人科医会および都道府県産
　　　婦人科医会までご提出ください。

| 施設名 | |
| --- | --- |
| 住　所 | 〒 |
| 電話番号 | |
| E-mail | |
| 担当者もしくは代表者 | |
| 報告日 | 西暦　　年　　月　　日 |
| 死亡日 | 西暦　　年　　月　　日 |
| 患者氏名イニシャル | 氏　　　　名　　　　患者年齢 |

提出先：FAX：03-3269-4730
郵送先：〒162-0844　新宿区市谷八幡町14　市ヶ谷中央ビル4階
```

図1　妊産婦死亡連絡票（様式3-1）
（日本産婦人科医会：妊産婦死亡連絡票. https://www.jaog.or.jp/about/project/document/ns）[6]

妊産婦死亡届け出の手順

　報告する事例は，①妊娠・分娩中および分娩後1年未満の女性の死亡事例で，②間接妊産婦死亡および妊娠と直接関連のない妊産婦死亡（例えば，交通事故，自殺等）も含む。妊産婦死亡が発生した場合は，早急に，医会ホームページから「妊産婦死亡連絡票」[6]をダウンロード（https://www.jaog.or.jp/about/project/document/ns）するか，報告事業の概要（2011年版）[3]中の連絡票をコピーし，記入の上，医会本部および所属産婦人科医会にFAX等で送付する（図1）[6]。当該分娩医療機関は，後日医会本部からは送付された調査票（表1）に記入し，医会に郵送する。また，評価委員会等で原因分析のためにさらに詳細な情報が必要な場合は，追跡調査票を当該機関に送付し，必要事項を記述の上医会に郵送する。なお，警察への届け出，医療事故調査制度への報告対象の判断等，苦慮されている場合も相談に応じている（図2）。

妊産婦死亡報告様式

　様式は報告事業の概要に記載されている[3]。

　妊産婦死亡連絡票，妊産婦死亡調査票A，妊産婦死亡調査票B，妊産婦死亡調査票C，妊産婦死亡調査票D，妊産婦死亡調査票Eがある。無痛分娩を実施した死亡事例は，無痛分娩そのものが原因でない事例も含め，麻酔専門医と詳細に検討する。その際，無痛分娩にかかわる調査票（図3）の記入もお願いしている。

総論　日本産婦人科医会の妊産婦死亡報告事業の現状

表1　妊産婦死亡調査票の内容(産婦人科施設が提出する書類)

調査票A　都道府県，施設名，妊産婦死亡日，妊娠時期，妊産褥婦イニシャル臨床診断，解剖有無，解剖所見，死亡原因，医事紛争発展の可能性，施設内での原因調査委員会等の開催の有無，事例の問題点・争点，搬送先の有無，具体的な臨床経過

調査票B
1. 死亡者の社会・経済状態(国籍，居住所，職業，学歴，婚姻，生活状態，支払区分)
2. 健康状態(普段の状態，慢性疾患，既往歴・合併症)
3. 既往・妊娠・分娩(回数，異常，処置)
4. 今回の妊娠経過(初診，母子健康手帳，定期健診)
5. 妊娠中の状態(身長，体型，体重，印象，妊娠初期の異常および治療，妊娠中の異常，母体疾患)
6. 分娩について(死亡時期，分娩年月日時刻，分娩時の妊娠週数，分娩の場所，分娩の管理者，分娩様式，陣痛誘発・促進，産科麻酔，帝王切開の適応，分娩所要時間，分娩時出血，産科異常の有無)
7. 産褥と胎児・新生児について(児の数，児の生死，児体重，分娩中産褥の異常)
8. 死亡に関連した異常の発現について(異常発現時の症状，症状発現後の受診)
9. 死亡時の状況(日時，場所，異常発現後に受診(紹介)した施設，死亡時の取扱者，時間的経過，主要死亡診断名)
10. 救命のために行った処置(手術・処置，輸液，血液製剤，輸血等)
11. 死因と解剖
12. 担当医の印象
13. 担当医師としての死亡原因，今後の対策，事後処理等についての意見

調査票C
A．妊産婦死亡「発生状況」質問票(1)産科出血
　　出血は予測可能でしたか，血液型等の輸血の事前準備は，患者モニタリングの状態は何を行っていましたか，人員の配置状態，輸血の準備状態，止血法として行った処置，出血と輸液・輸血の経過，輸血を投与開始時の所見，応援医師，高次施設への搬送，産科DICスコア
A．妊産婦死亡「発生状況」質問票(2)敗血症
　　以下の所見がありましたか(発熱，白血球増加・減少)，細菌学的検査，検出された病原体，感染に関する治療や臨床経過
A．妊産婦死亡「発生状況」質問票(3)内科的・外科的疾患合併
　　疾患を記載，妊娠前から診断されていたか，遺伝的・家族歴，本合併症と死亡との関連
A．妊産婦死亡「発生状況」質問票(4)血栓塞栓症(肺血栓)
　　診断時期，静脈血栓の発症部位，血栓塞栓症の既往，血栓素因，最近の長時間の飛行機・バス・自動車での移動，その他のリスク，BMI，母体の妊娠中や分娩中に血栓塞栓予防の有無，死亡に至った経緯
A．妊産婦死亡「発生状況」質問票(5)異所性妊娠
　　妊婦は妊娠を知っていたか，出血する前の状態，死亡する過程

調査票D
B．麻酔関係：特殊質問票(1)施行状況
　　麻酔科診察依頼，死亡場所と時期，麻酔前の患者合併症，麻酔担当医，麻酔場所，麻酔法，気道確保，気管挿管器具
B．麻酔関係：特殊質問票(2)施行状況
　　脊髄くも膜下麻酔の穿刺部位，手術中の麻酔法の変更，麻酔時間，術中出血，筋弛緩薬からの回復，麻酔覚醒時の場所，麻酔中の合併症
B．麻酔関係：特殊質問票(3)環境要因抽出票
　　麻酔要因，施設・設備的要因，人的要因，コミュニケーション要因

調査票E
C．自殺関連：質問票(1)自殺の状況
　　自殺の日時，自殺の時刻，自殺の場所，自殺の手段，自殺の準備，遺書の有無，希死念慮や自殺に関する発言
C．自殺関連：質問票(2)心理社会的な危険因子
　　自殺企図・自傷行為の既往，違法薬物等の使用歴，望まない妊娠，経済的困窮，妊娠出産によって生じた身体疾患や身体的苦痛等
C．自殺関連：質問票(3)家族歴
　　家族構成，精神医学的問題の家族歴等
C．自殺関連：質問票(4)精神的治療
　　精神疾患・精神障害の病歴，妊娠による産科初診時点での精神科通院，妊娠中～産後の精神症状の変化，自殺前の最終の精神科受診時期，自殺直前の向精神薬の処方
C．自殺関連：質問票(5)産科医の関与
　　妊娠初期：既往歴についてのスクリーニング，リスク因子
　　妊娠中期・出産時：不安やうつについてのスクリーニング，EPDSや赤ちゃんへの気持ち質問票の使用
　　産後2週間，産後1カ月：EPDSや赤ちゃんへの気持ち質問票の使用
C．自殺関連：質問票(6)その他

◇管理者によって本制度の報告の対象か否か判断できない場合に、相談票をFAXして下さい。

医療事故調査制度　相談票

報告日	平成		年		月		日		曜日

施設名											
所在地	郵便番号										
管理者氏名									印		
連絡先	役職				氏名						
	電話				FAX						
	Eメール										
患者氏名	イニシャル				患者性別	男性		女性			
患者生年月日	明 大 昭 平		年	月	日	歳	※1ヵ月以下の新生児は日、時間を記入	ヵ月	日	時間	
死亡日時	平成		年	月	日	時間		時		分	
診療科											
疾患名									不明		
臨床経過（既往歴、初発症状、バイタルサインの変化、処置等を記載）											
死亡前後の状況											
推定の死因											
医療と死因との関連が疑われる点											
死亡の予期	管理者	予期していた		予期していなかった		不明					
	担当医	予期していた		予期していなかった		不明					
ご遺体の保管	院内		患者宅		葬儀社等		火葬済				
	その他										

※現時点では不明な点は、不明と記載して下さい。

日本産婦人科医会
fax 03-3269-4730
tel 03-3269-4739
月～金 9:00～17:00

医会に連絡がとれないときは
「医療事故調査・支援センター」における
相談対応体制
センター tel 03-3434-1110

図 2　医療事故調査制度　相談票

妊産婦死亡報告事例の原因分析の流れ

医会本部に郵送されてきた調査票は病院名，患者名等，個人情報をすべてマスキングし，症例検討評価委員会に郵送する。原因分析担当医（報告者：リポーター）は症例評価結果報告書案を作成する。構成は「報告書病名，事例概要，死因の推定（事例の経過および推定される病態変化などからみた考察），医療行為の問題点，今後の医療に望まれる臨床情報，症例から得られた情報から発信するべき提言」からなる。症例検討評価小委員会（構成員 39 人は，産婦人科医 23 人，麻酔医 6 人，救急医 1 人，循環器専門医 1 人，病理医 3 人，法医 2 人，脳神経医 1 人，精神科医 2 人，その他必要に応じ専門医追加）が開催（毎月）され，報告書案は各専門の立場から検討され，仮報告書が作成される。当該機関で遺族への説明等を急ぐ場合は，仮報告書は当該機関へ送られるが遺族には送られない。仮報告書は 3 カ月ごとに開催される症例検討評価本委員会（構成員 35 人，産婦人科医 32 人，麻酔医 1 人，循環器専門医 1 人，弁護士 1 人）でさらに検討され，最終報告書が作成され，医会本部にて確認の上，当該分娩機関および所属産婦人科医会に送付される。無痛分娩を実施した死亡事例は小委員会で作成された仮報告書をさらに無痛分娩関係学会・団体連絡協議会（JALA：The Japanese Association for Labor Analgesia）から推薦された

無痛分娩症例での発生事象（無痛分娩との因果関係は問わない）

（麻酔中の事象）
- □心停止
- □心室細動
- □重篤な不整脈
  （具体的に　　　　　　　　　　　　　）
- □心電図ST低下／上昇
- □高度徐脈（＜40/分）
- □高度頻脈（＞140/分）
- □高度低血圧（収縮期血圧＜60mmHg）

- □呼吸停止
- □呼吸数低下（＜10/分）
- □呼吸数増加（＞25/分）
- □SpO₂＜90%

- □意識消失
- □痙攣
- □興奮・不穏
- □意識レベル低下
- □耳鳴り
- □口唇のしびれ感

（産後明らかになった母体事象）
- □硬膜外血腫
- □末梢神経障害
  （　　　　　　　　　　　　　　　　）
- □麻酔終了後72時間に残存する下肢麻痺
- □麻酔終了後72時間に残存する下肢しびれ感
- □麻酔終了後72時間に残存する排尿／便障害

（産科的事象）
- □羊水塞栓症
- □輸血を要した産後過多出血
- □会陰裂傷（Ⅳ度）

（母体予後に関する事象）
- □母体死亡
- □母体低酸素脳症
  （ランキンスケール＊：1・2・3・4・5）
  （評価日：　　　年　　月　　日）
- □母体神経障害の残存
  （障害の内容：
  　　　　　　　　　　　　　　　　　）
  （評価日：　　　年　　月　　日）

（児の事象）
- □死産
- □児死亡
- □児の後遺障害
  （障害の内容：
  　　　　　　　　　　　　　　　　　）
  （評価日：　　　年　　月　　日）
- □児の分娩外傷
  （　　　　　　　　　　　　　　　　）

（その他の事象）
報告すべきと判断された有害事象をお書きください
（　　　　　　　　　　　　　　　　　）

図3　無痛分娩 有害事象　調査票

麻酔専門医によって検討も加え作成する（図4）。

妊産婦死亡評価の手法

　責任追求を目的とするものではなく，「なぜ起こったか」等の原因を明らかにするとともに，再発防止，医療の質の向上を目的とする。原因分析にあたっては，既往歴，妊娠経過，分娩経過，分娩後の経過，地域周産期医療システム，輸血用血液の供給体制等を分析する。医学的評価にあたっては，検討すべき事象の発生時に視点をおき，その時点での妥当な処置はどうであったかの観点で，事例を分析する。また，再発防止・医療の質の向上につなげる観点から，改善点についても指摘する（図5）。

妊産婦死亡再発防止への提言：妊産婦死亡症例検討評価委員会との関係

　個々の事例情報を体系的に整理・蓄積・分析することにより，疾患・病態ごとの発症・進行変化等，共通点が見つかるとともに，その時点における適切な治療方法も浮かび上がってくる。また，その地域における周産期医療の問題点，輸血用血液の供給体制の問題点

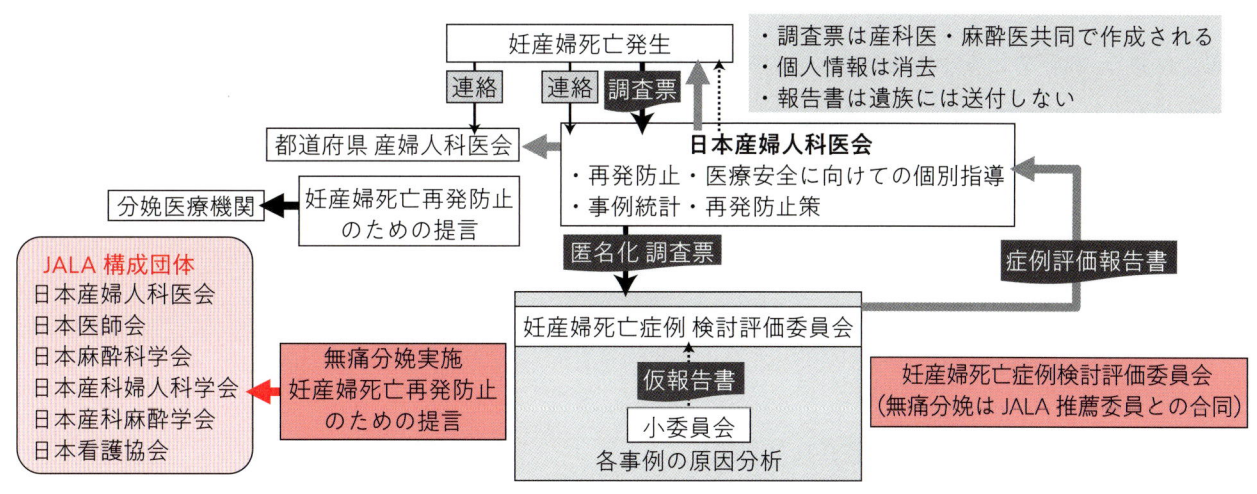

図 4　妊産婦死亡事例検討の流れ（無痛分娩も含む）

無痛分娩を実施した死亡事案の流れを赤で示した。（厚生労働科学研究ならびに循環器病研究開発費研究班による症例検討評価委員会委員長　三重大学医学部産婦人科教授　池田智明）

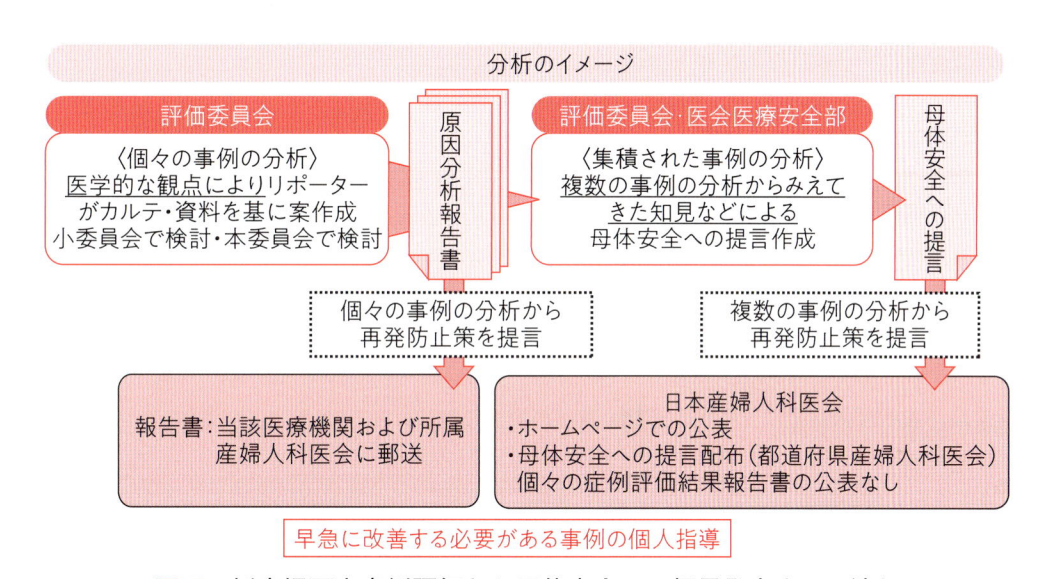

図 5　妊産婦死亡事例評価から母体安全への提言発出までの流れ

等，個々の医療機関ばかりでなく，地域として改善しなければならない課題が浮かび上がってくる。池田班・医会医療安全部では，毎年，改善しなければならない重要な課題を 5 つ程クローズアップして提言として発信している。また，早急な改善が必要な事項については医会・日本産科婦人科学会にも報告し，産婦人科診療ガイドラインに反映させている。

これまでの提言は母体安全への提言 2018[7]に列挙されている。特に重要でさらなる改善が必要な項目は繰り返し提言に盛り込まれている（表2）。さらなる安全に向けて，他診療科・他職種との連携および一次医療機関と高次医療機関との連携が必要である。これらの対策が実って危機的産科出血による死亡は減少している。

再発防止・医療の質の向上に向けた取り組み

現在は会員からの報告をもとに妊産婦死亡事例を収集しているが，救急救命センターに搬送された事例は産婦人科医が関与していない場合は報告から漏れ

る場合もあり，前項の救急救命部とのさらなる連携が必要になり，本事業への協力をお願いしている。また，現在，司法解剖結果の情報が得にくい状況であり，医会は剖検時には要請を受けて臨床の立場から協力している。

医会は公益法人であり，不特定かつ多数の者の健康・福祉等，利益の増進に寄与する活動をしている。医療行為における重大な問題を起こした当事者に対して，その内容によっては直接関係した事項に関する再研修制度を構築し，より安全な医療を行うための仕組みを確立するとともに，自浄活性化を図り支援を行うべきと考えている。

表2　母体安全への提言に記載された回数

1. 危機的産科出血への対応 9回
2. 病理解剖を勧める 4回
3. バイタルサインの重要性を認識する 3回
4. 精神疾患とメンタルヘルスの重要性 3回
5. 母体救命の教育プログラムに参加する 3回
6. 劇症型A群溶血性レンサ球菌感染症等，感染症への注意 2回
7. 常位胎盤早期剥離・癒着胎盤への対応 2回
8. 脳卒中の予防 2回
9. 羊水塞栓症への対応 2回
10. 無痛分娩を含む麻酔に関するもの 2回
11. 心血管系合併妊娠への留意点 2回

1．会員支援事業

報告書等で指摘された問題点の改善にあたり，当該医療機関の取り組みを支援する事業(医療安全に向けての会員支援事業)も2014年度から開始している。会員からの支援要請を受けて医療安全部が当該産婦人科医会の医療安全担当理事と連携し，支援にあたる(図6)。

支援1：改善点を再度説明し，その方策立案を支援する。

支援2：改善策を検討・実行し，その結果の報告

【会員への支援の趣旨】
・公益法人としての責務
「不特定かつ多数の者の利益の増進に寄与する」
・医療行為における重大な問題を起こした当事者に対して，その内容によっては直接関係した事項に関する再研修制度を構築し，より安全な医療を行うための仕組みを確立
・日本産婦人科医会として自浄活性化を図り支援を行うべき
・再発防止・医療の質の向上

【対応する組織】
日本産婦人科医会および都道府県産婦人科医会医療安全部会

【対象】
・産科医療補償制度原因分析委員会および妊産婦死亡症例評価委員会から連絡を受けた症例で当該医師が支援を求めるとき
・医師賠償責任保険からの要請があったとき
・医療安全部が必要と考えた症例

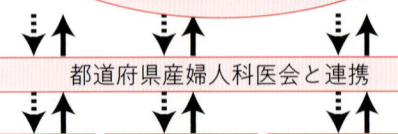

【支援の方法】
支援1：改善点の指摘
支援2：改善策を検討・実行し，その結果の報告を求める
支援3：会員を訪問・直接支援し，改善を求め，その結果の報告を求める
都道府県産婦人科医会担当役員等の同席または日産婦医会医療安全部が単独で

図6　医療安全に向けての会員支援事業

を求める。

支援3：会員を訪問・直接支援し，改善を求め，その結果の報告を求め検証する。

2. 日本母体救命システム普及協議会（J-CIMELS）

妊産婦死亡のさらなる減少を目指すため，あらゆる職種の周産期医療関係者に標準的な母体救命法を普及させるとともに，効果的な母体救命医療システムの開発とその実践を促進すること，およびこれによる妊産婦への質の高い医療の提供と，周産期医療の向上を通じて社会の福祉に貢献することを目的に協議会を設立した。この協議会は医会を中心に7つの団体と3つの協賛団体とで構成され2015年から活動している。

3. 妊産褥婦のメンタルヘルス事業

欧米では妊産婦死亡原因の第1位は自殺である。最近，監察医務院と大学との共同研究で明らかになった[8]。また，児童虐待も年々増加している。このような状況を改善するためには，妊産婦のメンタルヘルスケアが重要であり，医会は2016年周産期メンタルヘルスプロジェクトを立ち上げ活動している。

4. 無痛分娩関係学会・団体連絡協議会（JALA）

無痛分娩にかかわる妊産婦死亡事例が社会問題となり，2017年度厚生労働特別研究事業「無痛分娩の実態把握及び安全管理体制の構築についての研究」（代表 海野信也）では，安全な無痛分娩を提供するために必要な診療体制に関する提言，無痛分娩にかかわる医療スタッフの研修体制の整備に関する提言，無痛分娩の提供体制に関する情報公開の促進のための提言，無痛分娩の安全性向上のためのインシデント・アクシデントの収集・分析・共有に関する提言を取りまとめ，その実践を目的にJALAが設立された。さらに，平成30年度厚生労働科学研究費補助金「周産期医療の質の向上に寄与するための，妊産婦及び新生児の管理と診療連携体制についての研究」（代表 池田智明），分担研究班「無痛分娩の安全な提供体制の構築のための諸体制の開発に関する研究」（研究分担 海野信也）とも協働で事業を展開し，医会に事務局を置き活動している。

おわりに

医会は妊産婦死亡報告事業を本格的に開始し，10年を迎えた．その間「母体安全への提言」を発刊し，また，5年ごとに「日本の妊産婦を救うために」を刊行している。ひとえに，わが国の周産期医療の発展のために寄与している。各医療機関においては原因を分析し報告することが医療安全への第一歩となる。また，報告されてきた事例を集大成し，多くの医療機関で共有することが大切である。さらに，地域医療として医師確保のみならず医療供給体制，輸血用血液供給体制等の整備が重要である。国・自治体と一体となって医療安全文化が構築されていくことを願っている。

文献

(1) 母子衛生研究会（編）：母子保健の主なる統計－平成30年度刊行－2018, 2019
(2) 石渡 勇，池田智明（企画），関沢明彦，長谷川潤一（編）：日本の妊産婦を救うために2015, 東京医学社，東京，2015
(3) 日産婦医会医療安全委員会：偶発事例報告事業・妊産婦死亡報告事業（報告事業の概要），2011
(4) 石渡 勇，他：妊産褥婦死亡の届出と登録. 周産期医41（増刊号）：1012–1015, 2011
(5) 金山尚裕，他：妊産婦死亡剖検マニュアル. 妊産婦死亡に対する剖検マニュアル委員会, 2010
(6) 日本産婦人科医会：妊産婦死亡連絡票. https://www.jaog.or.jp/about/project/document/ns
(7) 妊産婦死亡症例検討評価委員会，日本産婦人科医会：母体安全への提言2017, 2018
(8) 竹田 省：妊産婦死亡"ゼロ"への挑戦. 日産婦会誌68：1815–1822, 2016

（石渡 勇）

総論

厚生労働科学研究「妊産婦死亡班」の取り組み

はじめに

われわれの厚生労働科学研究費による妊産婦死亡に関する研究は，2006年以降，継続的に取り組まれている（表1）。ここで，これまでの活動を振り返ってみる。

厚生労働科学研究における妊産婦死亡に関する研究の歴史

これまでの妊産婦死亡に関する厚生労働科学研究としては，1995年度から始まった厚生省（当時）心身障害研究「妊産婦死亡の防止に関する研究（主任研究者　東京女子医科大学教授　武田佳彦）」がある。この研究の特記すべき業績は，分担研究として行われた「妊産婦死亡の原因の究明に関する研究（主任研究者　国立医療・病院管理研究所主任研究官　長屋　憲）」である。厚生省（当時）情報統計部に登録されていた1991，1992年の妊産婦死亡症例230例のうち，調査可能であった197例に関与した施設である病院，診療所，助産所，計327施設について，周産期専門の医師が現地聞き取り調査を行った。その結果，72例（36.5％）が総合的に判断して「救命の可能性」があったと結論づけられた[1]。また，先進諸国中，わが国で妊産婦死亡が高い理由として，分娩施設と医師，助産師が相対的に分散していることをあげた。この種の研究はデスレビューとして当時としては画期的であり，医学的，行政的にみても理にかなった結論であった。しかし，その公表の仕方から一部で批判の対象となり，その後このような

表1　「妊産婦死亡」に関する2006年度からの厚生労働科学研究の名称

2006〜2008年度
厚生労働科学研究費補助金子ども家庭総合研究事業「乳幼児死亡と妊産婦死亡の分析と提言に関する研究」

2009〜2011年度
成育疾患克服次世代育成基盤研究事業「妊産婦死亡及び乳児死亡の原因究明と予防策に関する研究」

2012〜2013年度
地域医療基盤開発推進研究事業「わが国の妊産婦死亡原因の主要疾患に関する研究」

2014〜2015年度
地域医療基盤開発推進研究事業「周産期医療と他領域との効果的な協働体制に関する研究」

2016〜2017年度
地域医療基盤開発推進研究事業「周産期搬送に関する研究」

2018〜2020年度
健やか次世代育成総合研究事業「妊産婦死亡に関する情報の管理体制の構築及び予防介入の展開に向けた研究」
地域医療基盤開発推進研究事業「周産期医療の質の向上に寄与するための，妊産婦及び新生児の管理と診療連携体制についての研究」

研究は継続されなかった。

厚生労働科学研究「妊産婦死亡班」の再出発

2006年には，厚生労働科学研究費補助金子ども家庭総合研究事業「乳幼児死亡と妊産婦死亡の分析と提言に関する研究」によって，妊産婦死亡に関する研究が再開された。2006〜2008年度の3年間の研究成果である最終報告書に，5つの提言を行ったが，それぞれについて以下に解説する。

（提言1）死亡診断書に妊娠チェック欄を加える等，妊産婦死亡とその状況について正確に把握する

妊産婦死亡統計の「過少届出問題」は，先進諸国において早くから指摘されており，正確な統計を行うためにさまざまな取り組みや提言を行ってきた。例えば，死亡診断書に妊娠していたか否かを記載する，妊娠チェック欄を設ける等である。また，妊娠可能年齢の女性の死亡診断書と出生証明書の間で，年齢，住所，名前等をマッチングするリンケージ法も米国を中心に行われている。われわれは，2007年における10〜49歳女性の16,301件の死亡票と，死亡日からさかのぼって1年間以内の出生票を，女性の生年月日と住所地符号でリンケージした。その結果，妊産婦死亡として届けられていない死亡で，実際には妊産婦死亡として数えられるべき症例は，少なくとも17例の間接産科的死亡と，5例の直接産科的死亡の計22例があると推定した（表2）。2005年の国の統計による妊産婦死亡は62例であるが，それにこの22例を追加すると，妊産婦死亡率は35％増加して5.7から7.4となる。また，間接産科的死亡は20％から，欧米並みの41％になることがわかった。

（提言2）脳血管障害，急性心疾患，敗血症等の母体救急疾患にも対応できるように周産期医療体制を再構築する

2008年に，都立墨東病院の妊婦脳出血死亡例に端を発した分娩の安心・安全問題において，本研究班の妊娠関連脳血管障害に関するデータ，例えば，脳出血は1カ月に全国で約10例発生しているというデータが活用された[2]。この際，妊婦の一般救急の充実を求めて，「周産期医療と救急医療の確保と連携に関する懇談会」が厚生労働省で開かれ，2010年の周産期医療整備指針改正につながった。この懇談会において，産婦人科，救急救命科，新生児科との連携が模索されたが，脳神経外科，循環器科等の関連診療科は参加しておらず，その点でバランスを欠いていたことは否めない。

われわれ厚生労働科学研究班は，2008年に全国の周産母子医療センターと大学病院に，一般救急疾患（敗血症等のICU疾患，成人急性脳疾患，成人急性心疾患，成人外傷）に対応可能か否かをアンケート調査した[3]。その結果，総合周産期母子医療センターの約1/4の施設が，一般救急症に対応不可能と答えた。そのほとんどは，子ども病院がセンターを標榜している施設であった。日本では，未熟児新生児医療センターを基盤に，周産期医療センターが展開してきた経緯があるが，これら施設は，成人の救急疾患に対応できないという問題が明らかになったのである。その後，行政的には，母体救急医療は一般救急医療に包含されて取り扱われるようになっている。しかし，母体と胎児という2つの生命を取り扱う特殊性に十分な配慮がなされなければならない。

（提言3）周産期医療内の医師・助産師・看護師の協働体制（スキルミックス）を確立する

本研究班が発足した時代には，産科医や助産師等の周産期に携わる職種の絶対数が不足していることが大きな問題となりつつあった。妊産婦死亡減少のみでなく，周産期死亡等の減少にも配慮したシステ

表2 レコードリンケージ法にて妊産婦死亡登録漏れが疑われた22例の内訳（2005年）

間接妊産婦死亡：17例	直接妊産婦死亡：5例
脳出血・くも膜下出血：10例	肺血栓塞栓症：5例
急性心臓死：5例	
心筋症：1例	
大動脈解離：1例	

総論　厚生労働科学研究「妊産婦死亡班」の取り組み

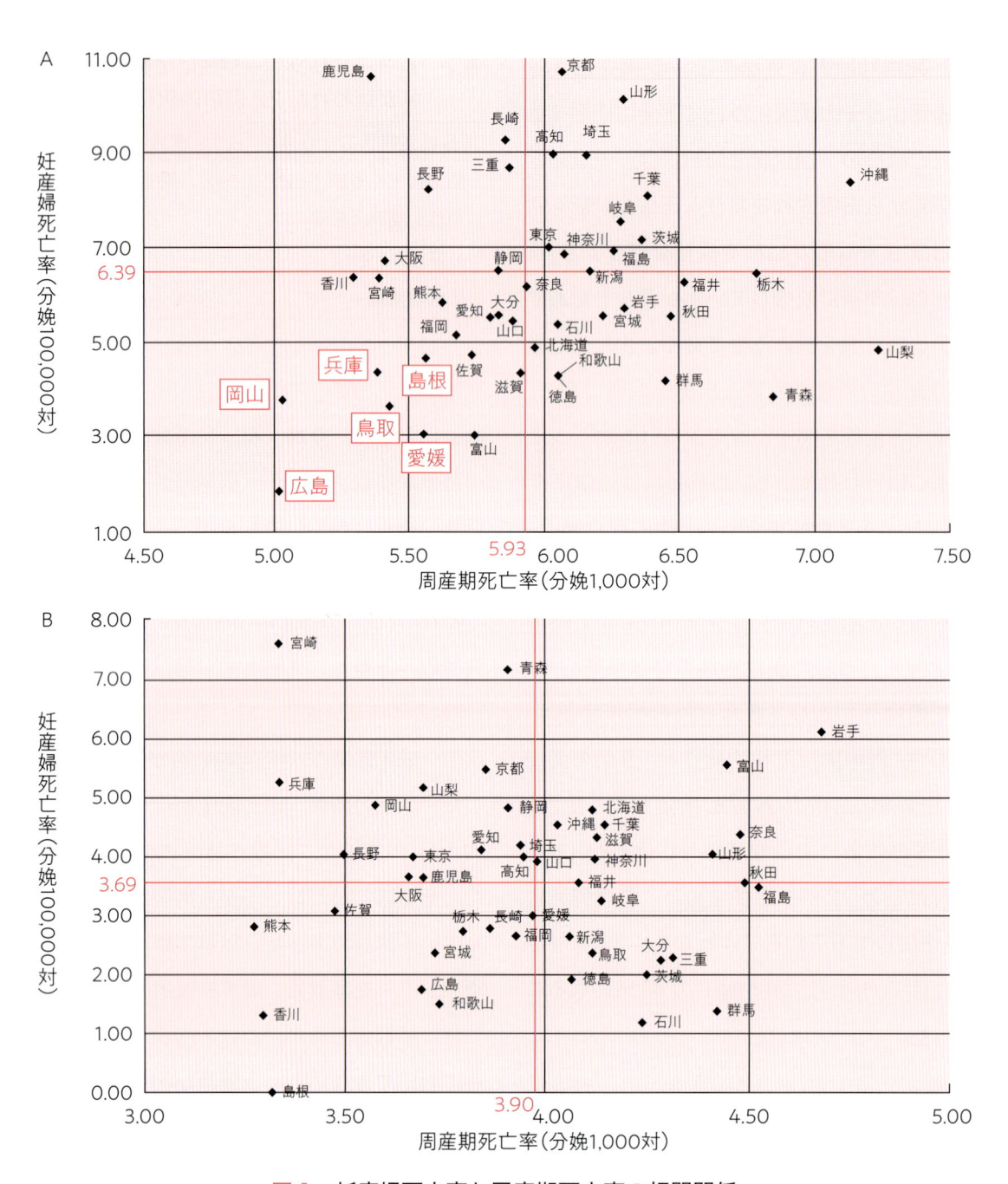

図1　妊産婦死亡率と周産期死亡率の相関関係
A：1995〜2004年の10年間　B：2008〜2017年の10年間

ムが必要であり，これらに成功している地域に学ぶという目的で，都道府県ごとの妊産婦死亡率と周産期死亡率をプロットした。妊産婦死亡率を1年間で表すと，1人の増減でも大きく変化するため，1995〜2004年の10年間の平均を計算した（図1）。妊産婦死亡率が最も低い県は広島県（1.84）であり，その他，愛媛，鳥取，岡山，島根と中四国地方の諸県が低い値であった。周産期死亡率からみても，これらの地域が優れていた。その後の分析により，この地域は，比較的早期から周産期施設の集約化と重点化が推し進められたことと，人的な周産期ネットワークが良好であること等が，周産期医療の指標が良好である理由と考えられた。

〔提言4〕専門性・信頼性・中立性を担保した妊産婦死亡の評価システムを構築する

2006年2月，福島県立大野病院において産婦人科医師が業務上過失致死罪および医師法（異常死届出義務）違反のため逮捕された事件は，検察に対して，産婦人科医のみでなく医療界からの強い批判と抗議を引き起こした。帝王切開術の手技という医療行為が，刑事裁判の対象として裁かれたためである。この事件の前（2005年）から，医療の透明性を求めて内科学会を中心に，「診療行為に関連した死亡の調査分析モデル事業」が始められていたが，大野病院事件はこの流れを加速し，「医療安全調査委員会」法案が検討された。政権が交代したためにこの流れは一時中断したが，再度2014年6月には医療法の改正に医療事故調査制度が盛り込まれ，2015年10月から施行された。

わが国の妊産婦死亡の調査と評価に関するモデル事業

われわれ厚生労働科学研究班はモデル事業として，2006年から，独自に妊産婦死亡の第三者評価を始めた。国立循環器病センター（当時）の倫理委員会承認を得た後に行ったが，当時のモデル事業は，現行のものと，①当該産科施設と遺族の同意を得ること，②調査者が直接，施設にうかがい聞き取り調査することの2点が異なる。概要は以下である。

対象として，日本産科婦人科学会周産期委員会データベースから，2004～2005年の2年間の死亡例を抽出した。当該施設長と産婦人科診療科長の承諾を得た場合に限り，死亡患者遺族の承諾を書面と口頭で得た。遺族の承諾を得た症例に対して，施設長，産婦人科診療科長に調査票（症例の社会的背景，妊娠分娩の経過，死亡に至る経緯等）を送付し，当該施設から一部調査票が返送されてきた後に，選抜された調査担当者が，全調査票の回収を兼ねて当該医療の関係者に面接を行った。調査担当者は，調査した結果から当該症例の症例報告書を作成し，評価委員による症例検討評価委員会を開催し，死亡に直接結びついたと考えられる原因の確定と救命の可能性についての検討を合議によって行った。

その結果，モデル事業として5例において，死亡した医療機関と遺族の同意が得られ検討した。一方，その他の7例は，医療施設の同意が得られず先に進めなかった。遺族の不同意で検討されなかった症例はなかった（表3）。医療施設側にこの事業へ参加することの動機づけを強くする方策と，日本産科婦人科学会周産期データベース以外に対象の確保策を考えることが必要であった。その後，2010年に日本産婦人科医会の協力を得て，現行の妊産婦死亡登録事業となったが，その間，5年を要した。

表3　妊産婦死亡の調査と評価に関するモデル事業

情報収集と評価ができた症例
1. 羊水塞栓症
2. チアノーゼ性先天性心疾患
3. 自宅における突然死
4. 帝王切開後肺塞栓
5. 脳出血

当該施設の同意が得られず情報収集と評価ができなかった例
1. 肝臓癌
2. 産褥うつ病自殺
3. 悪性リンパ腫
4. 肺塞栓症
5. HELLP症候群
6. 原発性肺高血圧症
7. 妊娠高血圧症候群，脳出血

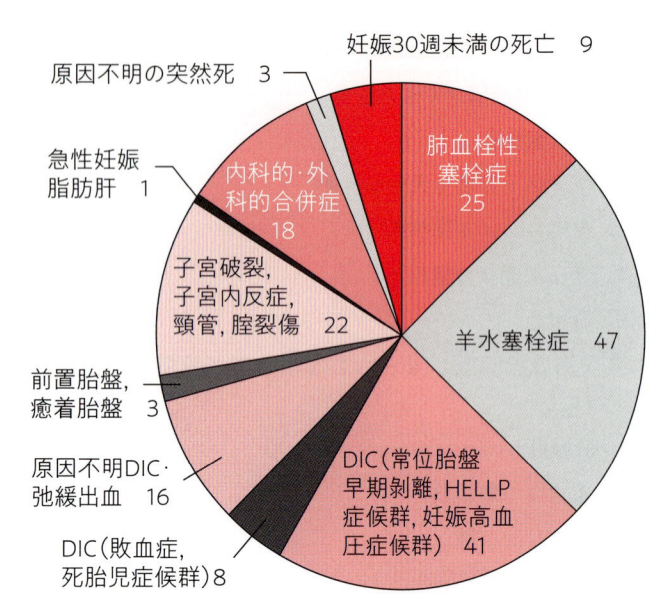

図2 解剖所見に基づく疾患別妊産婦死亡の割合（1989〜2004年，剖検輯報193例）

われわれ研究班は，まず過去の剖検結果を調査すべく，1989〜2004年の日本病理剖検輯報に登録された妊産婦死亡193例について検討した（図2）。最も多い原因は羊水塞栓症であり，解剖診断と臨床診断の異なることの多かった疾患は，羊水塞栓症，敗血症・死胎児によるDIC，産道裂傷，内科的・外科的合併症であった[4]。

次に，2010年，英国にならって，病理検査と剖検の標準化のために「妊産婦死亡剖検マニュアル」を作成し，全国の病理部門，法医学教室および周産期センターに約1,200部を配布した。

おわりに

以上，厚生労働科学研究「妊産婦死亡班」の取り組みを述べてきたが，今後の課題として，これら5つの提言のさらなる充実を行っていきたいと考えている。

〔提言5〕妊産婦死亡に対する病理検査および解剖検査ガイドラインを作成する

妊産婦死亡において，病態と死との関連を考案し，正確な死因を究明するために解剖検査（剖検）は必須である。しかし，わが国において，妊産婦死亡という稀で比較的特殊な領域において，必ずしもすべての病理医および法医が十分な知識をもち合わせているとは限らない。英国で行われている妊産婦死亡の登録，評価方式は，個々の報告に対して，剖検の質を評価し，妊産婦死亡の剖検にあたっての注意点を具体的にガイダンスとして普及させている。わが国においても，同様なシステムの構築と啓発を行う必要があった。

文献

(1) Nagaya K, et al：Causes of maternal mortality in Japan. JAMA 283：2661-2667, 2000
(2) Yoshimatsu J, et al：Factors contributing to mortality and morbidity in pregnancy-associated intracerebral hemorrhage in Japan. JOGR 40：1267-1273, 2014
(3) 池田智明, 他：妊娠に合併した一般救急疾患受け入れに関する全国アンケート. 厚生労働科学研究費補助金子ども家庭総合研究事業「乳幼児死亡と妊産婦死亡の分析と提言に関する研究」, 111-207, 2007
(4) Kanayama N, et al：Maternal death analysis from the Japanese autopsy registry for recent 16 years：significance of amniotic fluid embolism. JOGR 37：58-63, 2011

（田中 佳世，池田 智明）

総論

10年間の妊産婦死亡報告事業における事例検討からみた成果

妊産婦死亡報告事業がはじまる背景

わが国の妊産婦死亡率は，かつて欧米に比較して高く，1950年には人口10万分娩に対し161であった。そこから40年の間に妊産婦死亡率は急速に低下した（6ページ図1参照）。この背景には，自宅分娩から，診療所，病院へと分娩場所がシフトしてきたことがあげられる。また，分娩に伴う出血に対する輸血用血液製剤の供給体制の整備等といった医療や医療行政の進歩も影響していると考えられる。しかし，1990年代は，妊産婦死亡率は10以下となったものの，依然，欧米に比べて高い値でとどまっていた。この理由は，欧米に比べて分娩施設が小規模で，施設あたりの医師数の少ないことが影響していると考えられた。産科出血や妊娠高血圧症候群等は，一旦重症化すれば，多くの医療資源を要するため，このような疾患の集中管理には限界があり，治療が遅れがちになると考えられる。現在においては2000年から大きく変わらず，約半数の分娩は有床診療所で行われている。したがって，わが国においては分娩機関の機能分担と連携が円滑に機能する周産期医療体制づくりが重要である。

日本産婦人科医会は，2004年から偶発事例報告事業を実施してきたが，それらの報告では，妊産婦死亡の50％程度しか把握できないという現状があった。また，他の偶発事例と同じ報告フォームでは，報告内容が妊産婦死亡に特異的でないため，必要な情報が不十分であり，死因の分析に対応できる状況にはなかった。妊産婦死亡は，発生頻度が低く，羊水塞栓症等，妊産婦の特殊な原因で発生することが多いことから，確実に事例を収集して，詳細な分析を行って原因を究明するとともに，再発防止に活用することが医療安全対策上，重要であると考えられた。より詳細に原因分析を行い，そこから得られた情報をもとに再発防止策を提言していくことで，より安全な周産期医療の実現を目指すこと，また，妊産婦死亡への対応に苦慮する会員を支援することを目的に妊産婦死亡報告事業を立ち上げることとなった。

具体的には，日本産婦人科医会に集められた詳細な死亡例の報告を匿名化し，厚生労働科学研究費補助金（研究代表者 池田智明）で行われていた妊産婦死亡症例検討評価委員会で解析するという流れである。毎月（8回は国立循環器病研究センター，4回は日本産婦人科医会本部）開催される，12名の産婦人科医，4名の麻酔科医，さらに数名の他科医によって構成される「妊産婦死亡症例検討評価小委員会」によって事例検討がなされ，報告書案を作成する。その後，年に約4回開催される「妊産婦死亡症例検討評価本委員会」を経て，最終的な症例検討評価報告書を1例1例作成している。開始から10年経過した現在，さらに多くの各種専門家委員が加わりながら，同様な体制で検討を続けており，これまでに300例を超える事例を解析してきた。

当初の妊産婦死亡の再発防止に向けた提言

本事業が最初の1年でとった死因の統計で最も多かった死因は出血性ショックであり，死因の3割

を占めた。それは、それ以前から変わらず妊産婦死亡の主因であった。

分娩に出血はつきものであり、多くの産科医療提供者は出血に慣れているものである。それ故に、出血に細心の注意が払われずに出血性ショックによって死亡する例は少なくなかった。例えば表のような妊産婦死亡事例の報告が当時の典型例であった。

このように、日常診療でしばしば経験する産後出血の経過であっても死亡に至るか否かは紙一重であることから、いかにしてそのような状態を見つけ出すかということが、まず発信すべき再発防止のための情報であると考えられた。そこで、妊産婦死亡症例検討評価委員会が毎年発刊する「母体安全への提言」で、最初に掲げられたのが「バイタルサインに注意する」という提言であった。バイタルサインは、診療の基本中の基本であるが、母体救急の現場においては、どうしても婦人科臓器への関心ばかりが先行し、バイタルサインはあまり注視されていない現状があった。バイタルサインのなかで母体の全身状態を簡便に知ることのできるshock index（SI）を中心にみることが、出血性ショックを見逃さないためのポイントであることを強調した。

また、感染症等の問題を危惧して遅れがちな輸血の開始についても、初年度の提言に盛り込まれた。産科出血においては、特に常位胎盤早期剥離や羊水塞栓症等では、フィブリノゲンの著明な減少を伴うDICに陥りやすく、凝固因子を含むFFPの早期使用の重要性を提唱した。

産婦人科をとりまく部署との連携の重要性

前述したように、わが国の半分の分娩は有床診療所で行われている。ひとたび母体急変が起きた場合、人手不足に陥り、高次施設に搬送しなければならな

表　妊産婦死亡事例の報告（10年前の典型例）

事例1　20歳代，初産婦
妊娠41週、自然陣痛発来後、順調に分娩進行したが、子宮口全開大後に微弱陣痛のためクリステレルで分娩し（3,100g、Apgarスコア9点）、会陰切開を縫合した。分娩後2時間の出血は合計200g、4時間で450gであったため、メチルエルゴメトリンの使用を開始した。分娩後7時間で出血は合計1,200gとなり補液を追加した。超音波検査で子宮内に遺残のような所見を認めたため、胎盤鉗子、キュレットで除去したところ、出血が600gでた。その後も1時間出血が持続していたので酸素を投与。トンボ針を静脈留置針に変更した。意識は清明であったが、血圧76～40mmHgと低下したため、ソルコーテフを使用しながらAB型の赤血球を手配したが、クロスマッチ採血が困難であり、意識消失となった。その後、心臓マッサージを開始、輸血を行ったが、分娩後12時間で死亡確認となった。

事例2　30歳代，経産婦
満期産の誘発分娩にて、児頭の吸引とともにクリステレル圧出法を行って分娩に至った。外出血は分娩時160g、1時間値20g。分娩時100回/分未満であった母体心拍数が、分娩直後から100回/分以上となり、分娩1時間後には120～130回/分となった。血圧は70～80/24～60mmHgであった。意識低下も起こり、分娩後2時間で心停止。蘇生を行い、輸血を開始した。高次施設へ搬送したが、出血性ショックで死亡確認となった。

いという問題がある。いかに速やかに高次施設に搬送し、集学的治療に持ち込むかが救命のポイントである。長年、多くの事なき分娩を取り扱ってきた産婦人科医にとって、「安易に搬送すべきでない」という考え方を払拭することは容易なことではなかった。高次施設においても診療科をまたいで協働して治療を行うということも、診療科間の高い壁がないわけではなかった。

速やかな母体救命を目指す上では、病診の連携、救急医学科や麻酔科等の全身管理医、特別な合併症をもつ場合の専門科の医師の力を借りる必要がある。そのためには、over triage, over treatmentを容認する体制で臨まなければならない。依頼した側

図1 妊産婦死亡症例検討評価委員会の活動

「母体安全への提言」の発刊　出血性ショックに関する提言

2010年〜：
- バイタルサインに注意せよ
- SIを指標にする
- 輸血をためらわない

2011年〜：
- 搬送をためらわない
- 地域の実情に合わせて一次施設と高次施設でコミュニケーションをとる

2012年〜：
- 輸血は赤血球だけでなくFFPも同時に使用する
- 救急医学科，麻酔科などの全身管理医と協働する

2013年〜：
- 産科出血の止血に習熟する
- 急変母体，出血性ショックの母体の初期対応に習熟する

2014年〜：
- 緊急時の対応を策定する

2015年〜：
- 出血性ショックによる母体急変による妊産婦死亡の回避のためバイタルサインを再確認する
- 母体のフィブリノゲン値を測定する

2017年〜：
- 母体急変のシミュレーションプログラムに参加する

2010年〜：妊産婦死亡報告書事業の開始
日本産婦人科医会の全国での母体安全に関する講演
2011年〜：日本産科婦人科学会学術講演会での生涯研修プログラムにおける母体安全への提言講演
2014年〜：J-CIMELSの設立に向けた準備
2015年〜：J-MELS Basic courseの開催
2016年〜：J-MELS Advance courseの開催

も，依頼された側もその認識をもって，各論はあるにせよ，大事に至らなくてよかったという共通目標をもって協働できることを目標にしなければならないと考えられた。

このことを広く知ってもらうためには，日本産婦人科医会，妊産婦死亡症例検討評価委員会による妊産婦死亡報告事業の存在のアピール，毎年発刊される「母体安全への提言」の周知が必要であった。そして，毎年開催される日本産科婦人科学会の学術集会の生涯研修プログラムでは，2012年以降，毎年この提言に関連するセッションが設けられるようになり，わが国の多くの産婦人科医にその存在が知れ渡るようになった（図1）。

妊産婦死亡報告事業から教育システム構築へ

2010年に妊産婦死亡報告事業が開始され，妊産婦死亡症例検討評価委員会が原因分析を行い，再発防止に向けた提言を行ったものの，妊産婦死亡数の減少は実質的に確認できない状況が続いた。2014年の厚生労働科研研究班での課題として，「妊産婦死亡における救急との連携を模索せよ」と厚生労働省から要請があったこともあり，救急医学科の医師と産科医による事例検討会が行われた。事例検討より得られた指摘事項は，産科医療機関における危機的状況に対する初期対応の問題，医療機関内多職種の連携体制構築の必要性，救急医療と産科医療の交流の促進，産科医に対する教育研修プログラムの必要性等があげられた。

これらの問題を改善させるために，あらゆる職種の周産期医療関係者に標準的な母体救命法を普及させるとともに，効果的な母体救命医療システムの開発とその実践を促進することで，質の高い周産期医療の提供を目指すこととなった。

余談ではあるが，本研究班に関連する委員らが所属する施設で古典的羊水塞栓症が発症した。分娩中に予徴なく数分で心停止し，半日以上輸血やマンパワーをフルで使う蘇生が行われた。輸血は赤血球だけでも1万mLを超え，ただただポンピングで輸血を続けており，半ば救急医学科の医師らの蘇生中止

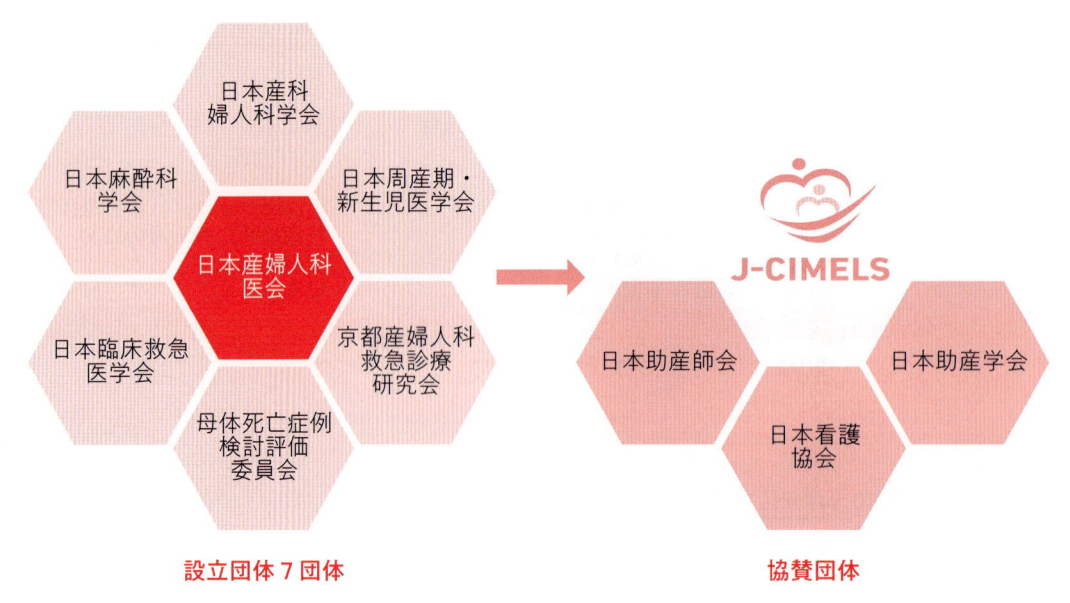

図2 日本母体救命システム普及事業（2015年 設立）
目的：妊産婦死亡のさらなる減少を目指すため，あらゆる職種の周産期医療関係者に標準的な母体救命法を普及させるとともに，効果的な母体救命医療システムの開発とその実践を促進すること，およびこれによる妊産婦への質の高い医療の提供と周産期医療の向上を通じて社会の福祉に貢献するべく協議会が設立された。

基準を超えかかろうとしている時に，母体は急激に改善傾向を示して，無事退院となった。この事例を経験した全身管理を専門とする医師らは，妊産婦は非妊娠女性とは違う体力をもつこと，新しい生命の誕生という特殊な状況にあること等の産科の特殊性を実感した。妊産婦死亡を防止する取り組みの重要性が認識され，その後の全身管理医が積極的に妊産婦の救命にかかわる流れとなった。

日本母体救命システム普及事業（J-CIMELS）の設立

これらの背景をもとに，わが国の周産期事情に合った母体救命に関する教育・研修プログラムが必要であると考えられた。救命救急や麻酔科等の全身管理を専門にする医師より学ぶこと，救命救急の分野では以前より進んでいるシミュレーション学習を通して産婦人科医が学ぶ必要性があると考えられた。このことは日本産科婦人科学会や日本周産期新生児医学会のなかでも別途議論されていた。そのようななか，京都産婦人科医会の先生方が，先行して地域の母体救命のためにシミュレーションコースを実践，展開していた（京都プロトコール）。このような母体救命に対する気運が重なって，2015年に日本母体救命システム普及事業（J-CIMELS：Japan Council for Implementation of Maternal Emergency Life Support System）が設立された（図2）。京都プロトコールをもとに作成された，搬送元にあたる一次施設をシミュレーションの現場としたベーシックコースが2015年10月にはじまり，1年遅れて搬送を受ける高次施設を想定したアドバンスコースが始まった。

妊産婦のショックの原因は多岐に渡る。出血性ショックは，早期発見と適切な初期対応，輸血を含めた集学的治療を行うことで，多くの妊産婦を救える可能性が高いが，病勢の強い羊水塞栓症や敗血症等の末梢循環の異常やDICを伴うショックの救命は難しい。しかし，ショックの原因は違えども，初期対応や蘇生の基本対応に違いはない。周産期医療に

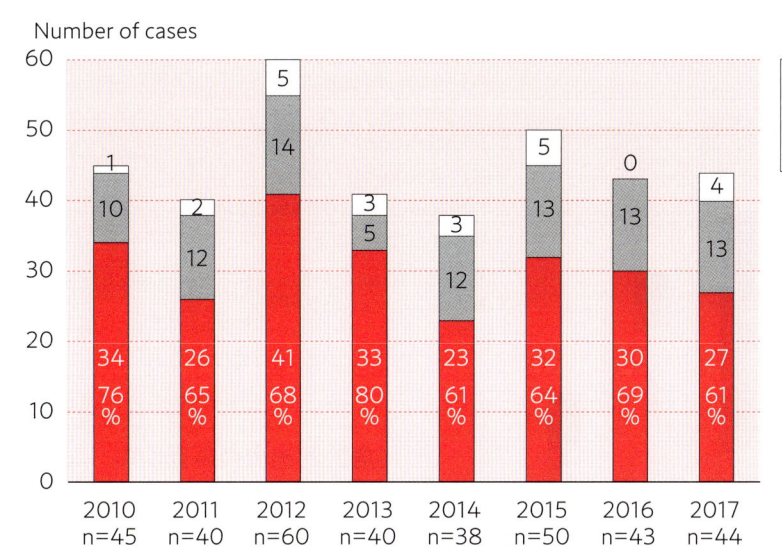

図3 わが国の妊産婦死亡の原因の範疇の年次推移

(Hasegawa J, et al：Decline in maternal death due to obstetric haemorrhage between 2010 and 2017 in Japan. Sci Rep 9：11026, 2019)[1]

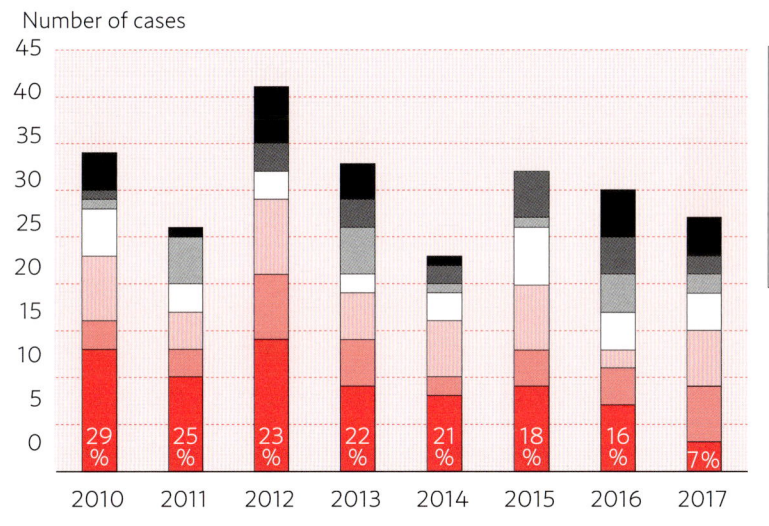

図4 妊産婦死亡の産科危機的出血による原因の割合の年次推移

(Hasegawa J, et al：Decline in maternal death due to obstetric haemorrhage between 2010 and 2017 in Japan. Sci Rep 9：11026, 2019)[1]

携わるものは，シミュレーションを通して最新の心肺蘇生法や全身管理法を身に付ける必要があり，全身管理医と相互に理解して協力することで，わが国の妊産婦の安全性は確実に向上するであろうというコンセプトである．

妊産婦救命の意識の高まり

妊産婦死亡の中で，直接と間接産科的死亡の比率の年次推移(図3)[1]と，産科危機的出血によるものの割合の年次推移(図4)[1]を示す．年々死因に占める産科危機的出血の割合は減少しており，2010年では29％あったものが，2017年では10％を切った[1]．産科危機的出血の中での子宮型羊水塞栓症以外の事例の死亡数は年々減少傾向にある．産科危機的出血を原因とする事例は確実に減少傾向にあり，逆に特殊な感染症等，間接産科的死亡が相対的に増加している．2016年の死因の第1位は，劇症型A群溶血性レンサ球菌を中心とする感染症であった(図5)．

図5 産科危機的出血の原因別の年次推移

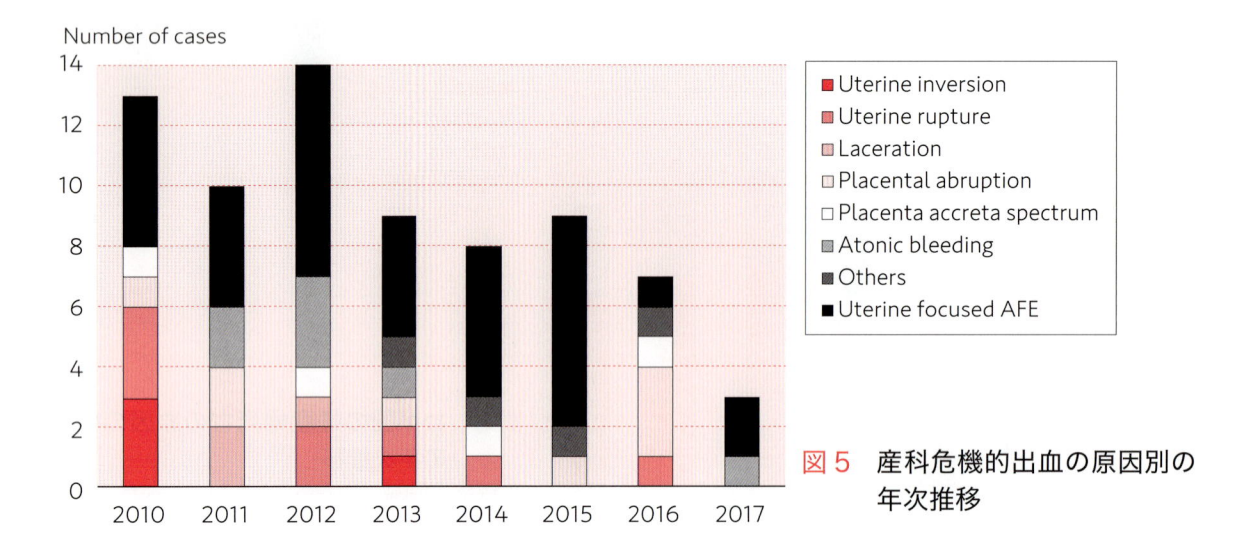

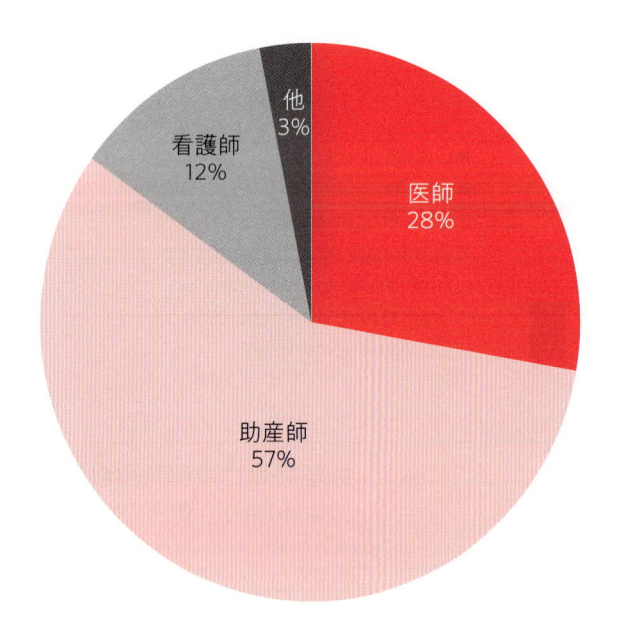

図6 J-MELSベーシックコース：受講者内訳
（2019年12月末現在）

「母体安全への提言」の発刊以来，強調してきたバイタルサインへの注意，産科出血への初期対応等の知識だけでなく，J-CIMELSの活動を中心としたシミュレーションコースの展開によって，速やかな輸血や母体搬送，施設内・施設間のコミュニケーション等が改善されてきた結果であると信じている。実際，2018年度にはJ-CIMELSの研修コースであるJ-MELS（Japan Maternal Emergency Life-Saving System）のベーシックコースは全国47都道府県すべてで開催され，受講者は2019年12月末で14,590人を超えた。受講者の内訳をみても助産師が半分以上であり，急変した妊産婦へfirst touchする可能性の高い職種の多数の受講は多大なる好循環を生んでいると考えられる（図6）。2018年に日本産婦人科医会の医療安全部で行った，各医療施設における2010年以降の産科医療上の改善点に関する調査では，各医療施設が自らで多くの改善を行ったことが明らかとなった（図7, 8）。少なくとも妊産婦死亡事例のなかで出血性ショックによるものが著明に減少したことは，周産期医療にかかわる一人ひとり，医療施設ごとの努力の積み重ねであると考えている。実際，毎月検討される全国の妊産婦死亡の事例検討においても，先に提示したような緩やかに進む出血事例や出血の過小評価による出血性ショックによる死亡例の報告は確実に減少している。

妊産婦死亡症例検討評価委員会の展望

毎月の妊産婦死亡症例検討評価委員会において，発足当時からのメンバーである産婦人科医，麻酔科医，救急医，病理医，法医の委員で分析可能な事例

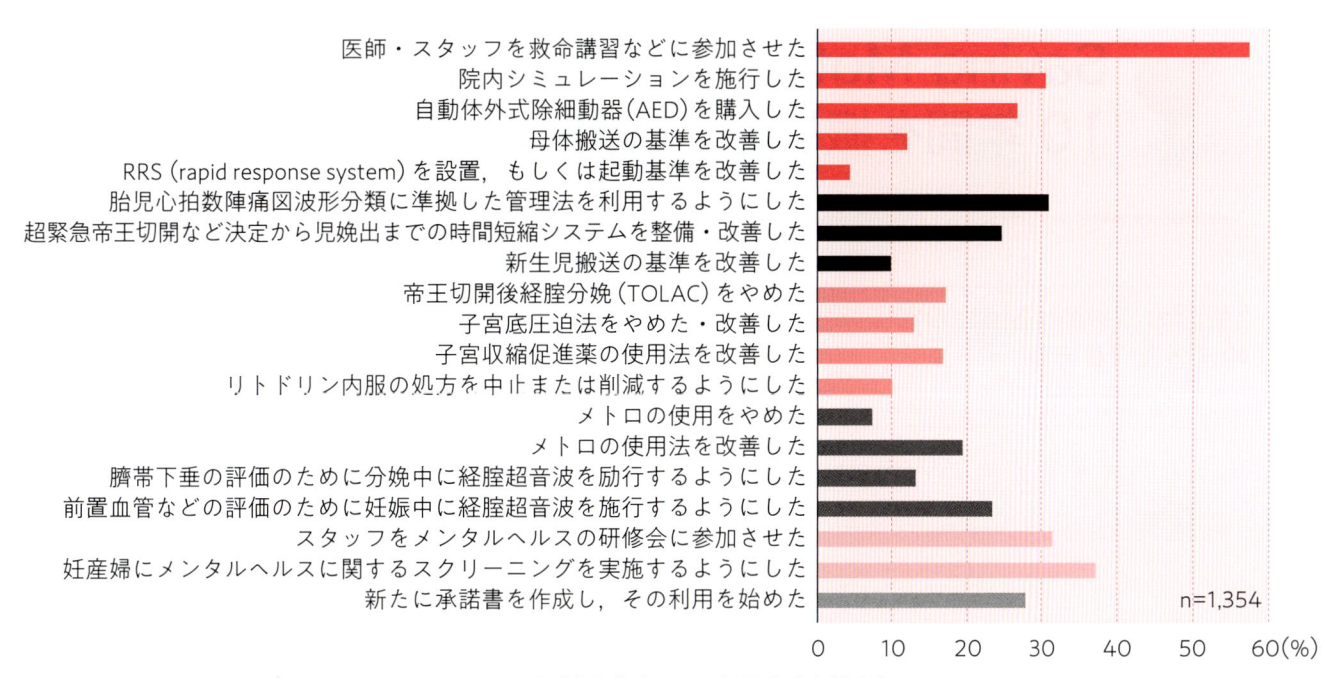

図7　産科医療上での変更点(改善点)

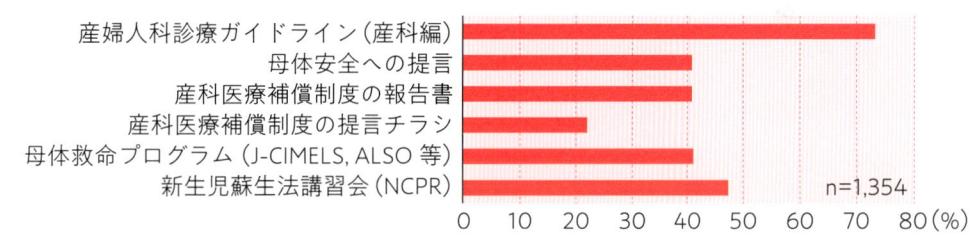

図8　改善の契機となった媒体

が少なくなった一方，相対的に増加しつつある間接産科的死亡では，各内科専門医，脳神経外科医，精神科医の先生方に専門的知見を確認しないと解析困難な事例が少なくない．この変化は，これから益々顕著になってくるものと思われ，検討会のあり方もこの変化への対応が求められている．

また，欧米での妊産婦死亡の死因のトップが自殺であるといわれるように，わが国でも同じ傾向にあることも明らかになりつつある．妊産婦死亡事例の収集方法，統計方法から見直さなければならないという課題もある．

さらなる母体安全の向上のための課題として，搬送前の心停止例への救急救命士のかかわり，精神疾患関連による自殺，産科麻酔管理等の問題も山積されており，J-MELSのシミュレーションシナリオにバリエーションをつける等の工夫が必要であると考えている．このような活動によって，さまざまな原因で死亡している妊産婦を1人でも救っていくために，地道な努力を続けていく必要がある．

文献

(1) Hasegawa J, et al：Decline in maternal death due to obstetric haemorrhage between 2010 and 2017 in Japan. Sci Rep 9：11026, 2019

（長谷川　潤一）

総論

Saving Mothers' Lives 2020：
10年間を振り返っての提言

"英国のSaving Mothers' Lives"から始まった10年間

　妊産婦死亡を登録し検討評価する制度を50年以上継続している英国のCMACE (The Centre for Maternal and Child Enquiries)が3年ごとに発刊しているSaving Mothers' Lives[1]は，妊産婦死亡症例検討評価委員会のメンバーにとって，妊産婦死亡登録と評価システムの基盤を作り死因調査を開始した当初から模範となる非常に刺激的なものであった。「死因調査を全国規模で行い，調査によって得られた現状と改善策を広めることで，母と子の健康状態をよりよきものにすることを目的とする」とうたった英国のこの取り組みは，その手法において非常に印象的である。これまでわが国の医療は，個々の医師や医療機関が個々の患者や疾病に対してさまざまな取り組みを行いながら，徐々に医療技術やシステムにおける問題点を改善し進歩してきた。医療においてエビデンスが問われるようになって久しいが，われわれはcase-control study, randomized-control study等の臨床試験によって得られる新たな知見，多変量解析によって明らかにされた関与因子というものを見出す医療統計手法等，つまり，いかに客観性を重視するかに力点をおいた解析方法に慣れてしまっている。しかし，個々の死亡症例を検討するという，どちらかといえばnarrative-based medicineに位置づけられる，あたかも時代を逆行するように思える個々の事例の検討が，妊産婦死亡のさらなる減少に確実に役立つと，検討委員会のメンバーは考えている。

　"ヒトの死亡率は100％である"といわれるが，確かに寿命は避けられないものであるし，ある程度の年齢を経れば死に至る疾病に罹患することも事実として受け入れざるを得ない。われわれは家族や知人等の死に直面しながら育ち，また医療者である限り，目の前の患者の命が尽きる瞬間に医療の限界を感じながら"死"の現実を受け入れて日々を過ごしている。そのなかで，妊産婦死亡率は10万人あたり数人という，ほかの疾病に比べてきわめて低率であるために，日々妊産婦の医療にかかわっているわれわれにさえ，妊産婦死亡という事実は日常診療の情景としてはあり得ない現実として，強烈に何かを訴えかけてくる。産科診療にかかわる医療者のなかには，職業人として働く数十年の期間において，一度も妊産婦死亡を経験しない人も少なからずいる。そのような状況において，妊産婦やその周囲の方々が，妊娠という現象に関連して死を想像することは，あまりないのではと思う。しかし，残念であるが本書に記載されているように，わが国では1年間に数十人の妊産婦の命が失われている。

　妊産婦死亡の死因調査と提言の作成は，一人ひとりの死という重い現実を真摯に受け止めながらも，すでに英国では長年にわたり行われていた地道な作業を模範として，わが国の妊産婦死亡症例を見つめ直す作業から始まった。

ハインリッヒの法則との相反と共存

　労働災害における経験則の一つとして有名なものに，ハインリッヒの法則[2]があげられる。1件の「重

症」以上の災害があれば，その背後に29件の「軽症」の災害があり，300件もの「ヒヤリ・ハット」が起きているという。この「1：29：300」の法則は，提唱されて長年経た現在では労働災害のみならず鉄道や航空輸送そして医療分野に取り入れられ，日常診療のなかで「ヒヤリ・ハット分析」が積極的に行われるようになり，医療機関におけるリスクマネジメントの基本の一つとなっている。日常の業務におけるアクシデントをなくせば重大な事故はなくなる，不安全行動と不安全状態をなくせばアクシデントも重大な事故もなくなるという，このハインリッヒの調査から得られた教訓は，災害防止におけるバイブルとして広く世界中に浸透している。

この理論を妊産婦死亡に適用した場合，1件の妊産婦死亡の背景に29件の妊産婦にとっての危機的状況が存在し，300件の妊産婦にとっての軽微なリスクが発生しているといえる。ハインリッヒの法則とは数値に多少の違いがあるとしても，妊産婦死亡を防止するためにはその背景に存在する軽微なリスクを防止することが，対策として非常に重要であることを示している。

一方，個々の妊産婦死亡症例を検討するという今回の手法は，この法則とは全く方向性が相反するものである。妊産婦死亡の背景となる軽微なリスクが明らかで，ある程度因果関係が明確であれば，それらのリスクの発生を防ぐ対策を練ることで妊産婦死亡は減少すると思われる。しかし，長年にわたる先人の努力，多くの疾病に関する知識の蓄積，周産期医療に対する種々の政策等の環境整備が進んだおかげで，現在では，わが国の妊産婦死亡率は諸外国と比較してきわめて低率であり，具体的，効果的，効率的な対策を見出すのは，返って困難な状況にあると思われる。そのような状況において，個々の妊産婦死亡という重い現実から問題点を浮き彫りにし，対策を検討し，提言を立案し，さらに検証を進めるという手法は，時間と人的労力は必要となるものの，たくさんの重要なメッセージをわれわれに提供してくれる。

提言の変遷

2011年に"母体安全への提言2010"として，最初の6つの提言を発出した。2010年に1年間行った妊産婦死亡症例の調査によって浮き彫りになった問題点から提唱されたこれらの提言には，一つの特徴があった。医療における基本ともいえるバイタルサイン，蘇生法，輸血法といった個々の医療者，個々の医療機関の「技能」として大切なものを再認識し充実してもらうこと，羊水塞栓症や脳出血といった妊産婦死亡につながる重篤な疾患に対する「知識」を深めてもらうこと，そして妊産婦死亡が発生した場合の報告システムを普及し，妊娠婦死亡の調査を充実させるための「協力」を得るといったものである。妊産婦死亡につながる重篤な疾患の診断と管理の習熟，妊産婦死亡に至らないように防止する医療技術の習熟という2つの柱によって，「個」の力が増加することで妊産婦死亡の減少への効果を期待したものであった。

しかし，翌年以降，さらに分析を継続したことで新たな問題点が浮き彫りになった。妊産婦死亡症例のなかには，脳出血，肺血栓塞栓症(PTE：pulmonary thromboembolism)，心血管系疾患等，産科医のみで対応することが困難な疾患が含まれており，施設内外の各診療科との不十分な連携が死亡につながり得ること，母体搬送，救急連携を含めた地域の医療連携において，重篤な妊産婦の取り扱いシステムの構築が死亡の減少につながる可能性のあること等である。そのため，他診療科との患者情報の共有や1次から3次医療機関までを含んだ地域での妊産婦救急システムの構築の重要性を，提言として盛り込むことになっ

た。これは，「個」の力のみならず「団体」や「社会」といった，総合的な力の増進の重要性を強調するもので，個々の医療者や医療機関を点とすれば，個々の医療者同士を結ぶ線，医療機関同士を結ぶ線をいかに充実させるかが，もう一つの重要な課題であることが認識され，提言につながった。それに加え，可能な限り病理解剖を推奨することによって医学的に正確な情報を蓄積し，妊産婦死亡という重大な悲劇からより多くのことを学べるように提言した。

このように個々の力を充実させ，点と点を結ぶネットワークの構築に力点をおくことで，徐々に問題点の抽出と改善策の策定が行えるようになるとともに，妊産婦死亡事例の調査法にも変化が必要になった。産科医，麻酔科医，循環器科医，脳外科医等の他の診療科の医師による専門的な分析に加え，病理学・法医学的見地からの解剖所見の解析，救急医による初期対応の検討等，分析にかかわる専門家の関与を促すとともに，事例登録票を適宜改訂し，分析がより容易に，かつ的確に行えるような努力を継続してきた。

2020年以降の提言に向けての展望

年間40〜50例にのぼる妊産婦死亡症例に対する詳細な検討は今後も引き続き必要で，妊産婦の生命を救うためには，個々の事例から得られた情報を分析して提言を作成し続けることがこれからも重要な第1の柱となる。今後の提言においても，妊産婦死亡にかかわる疾患の理解，診断や管理法におけるさまざまな提案を引き続き行っていくことになるであろう。第2の柱は，各診療科や診療部門を交えた連携の充実，各地域における医療事情を考慮した病診連携の拡充といったことに具体的な方策を提案していくことになると思われる。ひとえに連携といっても，どのようなシステム構築が望ましいか，場合によってはある地域や医療機関をモデルとした検討も必要かもしれない。さまざまな具体例をこれまでの提言に取り上げてきたが，時代の変遷，医療事情の変化に応じて，提言を風化させないために2本の柱についても常に改訂を繰り返していくことが必要になる。またこれらの手法を通じて，ハインリッヒの法則における軽微なリスクを防止する提案も，引き続き行わなければならないであろう。

また，今後の情報発信の方法にも，異なった取り組みが必要になるであろう。妊産婦死亡を念頭においた学習システムの構築，妊産婦に対する救急処置や蘇生法等，医療技能の向上に向けた技能教育システムの構築といった具体的な取り組みがあれば，より充実したものになると思われる。医療者を対象とした具体的な学習の機会，技能向上のためのトレーニング法の提案等，これらのシステム構築には各種学会や日本産婦人科医会，国の行政組織や自治体等，多方面の協力が必要になるであろうし，明確な具体像は現時点ではないが，妊産婦死亡を減少させるために必要な第3の柱になるであろう。今後は妊産婦死亡症例検討会のみならず，大きな枠組みでの活動が必要になると思われる。

妊産婦死亡という貴重な命が失われる過程を分析することで，まだまだ多くのことを学ぶことができるであろうし，たくさんの改善策を見出すことができるであろう。残念ながら失われた一人ひとりの妊産婦の命が，医療者に一つひとつ警鐘を鳴らしているという現実を受け止め，妊産婦の生命を救うための努力を続けていきたいものである。

文献

(1) Cantwell R, et al：Saving Mothers' Lives：Reviewing maternal deaths to make motherhood safer：2006-2008. The Eighth Report of the Confidential Enquiries into Maternal Deaths in the United Kingdom. BJOG 118 (Suppl 1)：1–203, 2011
(2) ハインリッヒ HW, 総合安全工学研究所：ハインリッヒ産業災害防止論, 海文堂出版, 東京, 1982

（池田 智明，中田 雅彦）

総論

国際的な妊産婦死亡の現状からの提言

はじめに

2000年に国連で採択された「国連ミレニアム開発目標」では，2015年までに世界の妊産婦死亡率を1990年の3/4に減少させることが達成目標として掲げられた。この開発目標を継承して2015年に国連で採択された「持続可能な開発目標」では，2030年までに世界の妊産婦死亡率を70未満（妊産婦10万人あたりの死亡数）に削減することが達成基準として盛り込まれている。このように，妊産婦死亡は世界的にも重要な問題で，率先して解決すべき課題として取り上げられている。英国では妊産婦死亡の登録・検討評価を行う制度が50年以上の歴史を有している。また，妊産婦死亡が増加している米国では，妊産婦死亡の登録体制を強化している。各国の妊産婦死亡の実情を紹介し，日本の現状と比較する。

世界の妊産婦死亡

1. 世界の現状

WHO（世界保健機関）の報告[1,2]では，2015年の世界全体での妊産婦死亡率は216で，1990年の妊産婦死亡率385と比較すると2015年には44％減少している。2015年の妊産婦死亡数は年間303,000人である。

表1に主要国の妊産婦死亡率を示す[1〜3]。先進国全体での妊産婦死亡率は12である一方，発展途上国では239であり，妊産婦死亡の99％は発展途上国，特に全体の65％はアフリカ諸国で生じている。妊産婦死亡率が最も高い国はアフリカにあるシエラレオネの1,360である。女性の生涯にわたる妊産婦死亡リスクとして，15歳の女性が最終的には妊娠出産が原因で死亡する確率は，高所得国では3,300人に1人であるが，低所得国では41人に1人であり，大きな格差がある。日本の2017年度の妊産婦死亡率は3.4と他の先進国のなかでは低いほうであり，1990年と比較して着実に減少している。一方，主要先進国のなかで妊産婦死亡率が増加傾向にあるのは米国のみである。

WHOの妊産婦死亡のレポート[2]では，世界の妊産婦死亡の原因の80％は，産科出血，感染症，妊娠高血圧症候群，危険な流産手術によるものである。

表1 世界の妊産婦死亡率

地域	妊産婦死亡率	年度	国	妊産婦死亡率	年度
世界	385	1990	日本	8.2	1990
	216	2015		3.4	2017
先進国	12	2015	米国	28.7	2015
発展途上国	239	2015	オーストラリア	2.6	2015
北アフリカ	70	2015	英国	4.5	2015
南アフリカ	546	2015	オランダ	3.5	2016
東アジア	27	2015	ドイツ	3.3	2015
南アジア	176	2015	フランス	4.7	2014
東南アジア	110	2015	韓国	9.6	2015
西アジア	91	2015	中国	27.0	2015
中央アジア＆コーカサス	33	2015	ブラジル	64.2	2015
ラテンアメリカ	60	2015	メキシコ	43.2	2015
オセアニア	187	2015	シエラレオネ	1,360	2015

妊産婦死亡率とは，妊産婦10万人あたりの死亡数

表2　各国の妊産婦死亡のレポート

	症例の対象期間(年)	症例の登録地域	報告・解析された妊産婦死亡数*	直接産科的死亡の割合	間接産科的死亡の割合	後発妊産婦死亡数#
英国	2016〜2018	全国	259人	38%	49%	286人
米国	2008〜2017	一部(9州)	237人	−	−	43人
日本	2010〜2018	全国	390人	60%	25%	12人

*：英国は，妊娠中から妊娠終了後42日未満の死亡数．米国と日本の妊産婦死亡数は，妊娠中から妊娠終了後1年以内の死亡数
#：定義は，妊娠終了後42日以降から1年未満の死亡数

2. 世界の妊産婦死亡を減らすためには

適切なタイミングに，適切な医療従事者がいる医療機関へアクセスすることができれば，ほとんどの妊産婦死亡を防ぐことが可能である。

主要な死亡原因への予防として下記があげられる。
・産科出血に対する出生直後のオキシトシン予防投与
・感染症に対する適切な衛生管理と迅速な治療
・子癇発作，重篤な合併症に至る前の妊娠高血圧症候群の把握と，マグネシウム製剤の予防投与等の適切な管理

発展途上国では20歳未満の妊産婦死亡が多いため若年層の望まない妊娠の予防が必要であり，適切な家族計画，安全な中絶手術の実施が求められる。社会的問題として，貧困，医療資源への距離，情報不足，不十分な医療サービス，文化的慣習があげられ，これらの障壁は排除されるべきである。

「持続可能な開発目標」のためには，世界および各国に，妊産婦に対する適切な保健・医療システムの整備と，そのシステムへのアクセスの改善が求められる。また，各国の保健システムの向上とともに，妊産婦死亡の正確な数や実態把握のための症例登録システムの構築が必要である。

各国の妊産婦死亡の現状

次に，英国，米国の妊産婦死亡のレポートを取り上げ，日本の妊産婦死亡の現状と比較する。

1. 英国の妊産婦死亡レポート

英国における妊産婦死亡症例を登録し，検討評価する制度は50年以上の歴史があり，MBRRACE-UK (Mothers and Babies：Reducing Risk through Audits and Confidential Enquiries across the UK)によって運営されている。報告された症例データの解析を基に，"Saving Lives, Improving Mothers' Care"というレポートが毎年発刊されている。2018年には2014〜2016年の3年間の妊産婦死亡症例を解析したレポート[4]を要約し，紹介している。

2. 米国の妊産婦死亡レポート

妊産婦死亡の増加が問題になっている米国では，2016年に妊産婦死亡症例を全米で共有するように症例登録システムを強化した。2018年に報告された全米のうちの9州の妊産婦死亡症例が共有され，Maternal Mortality Review Committeesが解析したレポート[5]が要約され，紹介されている。

3. 各国の現状と日本との比較

前述の英国および米国のレポート[6]，日本の母体安全への提言2018の概略を表2に示す。図1〜3には各国の妊産婦死亡の原因別人数・割合を，表3には妊産婦死亡の主要な原因を，表4には英国と日

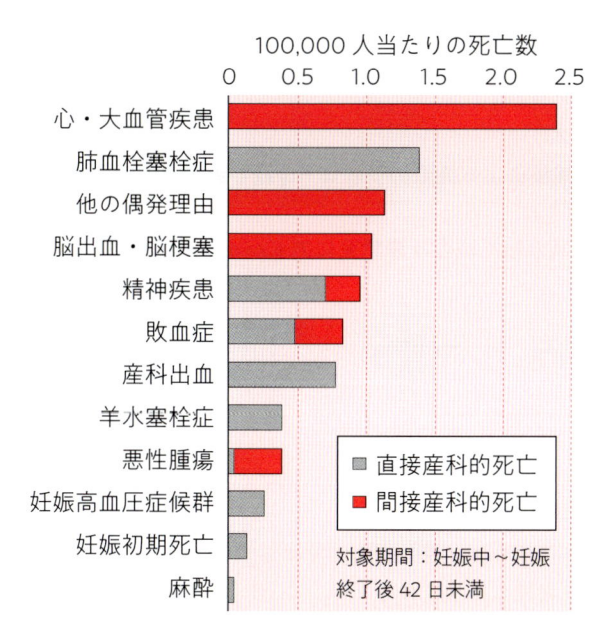

日本の妊産婦を救うために 2020

図1 英国の妊産婦死亡の原因別人数

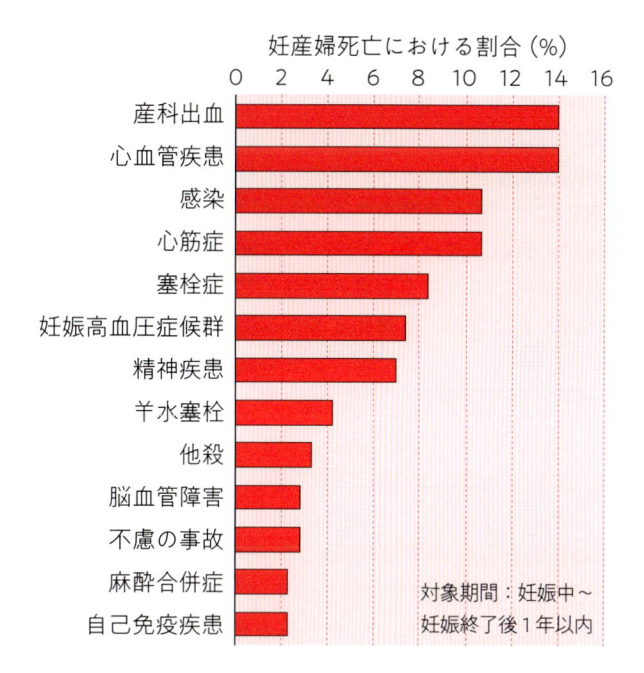

100,000人当たりの死亡数 (0〜2.5)

原因	
心・大血管疾患	約2.4
肺血栓塞栓症	約1.4
他の偶発理由	約1.2
脳出血・脳梗塞	約1.1
精神疾患	約1.0
敗血症	約0.9
産科出血	約0.8
羊水塞栓症	約0.5
悪性腫瘍	約0.5
妊娠高血圧症候群	約0.3
妊娠初期死亡	約0.2
麻酔	約0.05

■ 直接産科的死亡　■ 間接産科的死亡
対象期間：妊娠中〜妊娠終了後42日未満

図2 米国の妊産婦死亡の原因別割合

妊産婦死亡における割合（%）（0〜16）

原因	%
産科出血	約14
心血管疾患	約14
感染	約11
心筋症	約11
塞栓症	約9
妊娠高血圧症候群	約8
精神疾患	約7
羊水塞栓	約5
他殺	約4
脳血管障害	約4
不慮の事故	約4
麻酔合併症	約3
自己免疫疾患	約3

対象期間：妊娠中〜妊娠終了後1年以内

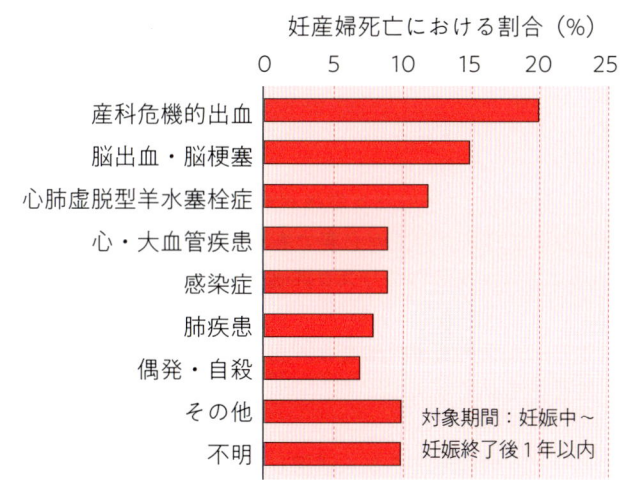

図3 日本の妊産婦死亡の原因別割合

妊産婦死亡における割合（%）（0〜25）

原因	%
産科危機的出血	約20
脳出血・脳梗塞	約15
心肺虚脱型羊水塞栓症	約12
心・大血管疾患	約9
感染症	約9
肺疾患	約8
偶発・自殺	約7
その他	約10
不明	約10

対象期間：妊娠中〜妊娠終了後1年以内

表3 各国の主な妊産婦死亡の原因

		主な原因
英国	妊産婦死亡 直接産科的死亡	肺血栓塞栓症，産科出血，自殺
	間接産科的死亡	心・大血管疾患
	偶発的死亡	悪性腫瘍・他殺
	後発妊産婦死亡	悪性腫瘍，自殺，薬物・アルコール
米国	妊産婦死亡	産科出血，心血管疾患，感染
	後発妊産婦死亡	心筋症，精神疾患，塞栓症
日本	妊産婦死亡 直接産科的死亡	産科危機的出血，脳血管障害，羊水塞栓（心肺虚脱型）
	間接産科的死亡	心・大血管疾患，脳血管障害，感染症
	後発妊産婦死亡	自殺，悪性腫瘍

表4 産科出血による妊産婦死亡の原因別頻度

英国		日本	
原因	頻度	原因	頻度
前置胎盤，癒着胎盤	29%	子宮型羊水塞栓症	48%
羊水塞栓症	29%	胎盤早期剥離	10%
弛緩出血	23%	子宮破裂	10%
胎盤早期剥離	10%	弛緩出血	9%
胎盤遺残	6%	癒着胎盤	7%
産道裂傷	3%	子宮内反	5%
		産道裂傷	5%

本の産科出血による妊産婦死亡の原因別頻度を示した。

英国では間接産科的死亡が半数を占めているが，日本では直接産科的死亡が多い。しかし，日本の直接産科的死亡の割合は減少傾向にあり，2015年からは50％を切って，英国と同様に間接産科的死亡の

35

表5　英国の提言

社会に対するメッセージ
- 死亡した妊婦の大多数は，複数の健康問題やリスクを有している
- 多くの薬は妊娠にとって安全であり，継続的な薬の服用や予防接種による病気の予防は，母親と赤ちゃんの両方を健康に保つための最良の方法である
- 身体に意識を向ける。妊娠中の危険な徴候・症状を理解し，症状が続く場合は専門家にアドバイスを求める
- 妊産婦死亡のリスクは黒人女性とアジア人女性で高い
- 年齢が高いほど妊産婦死亡のリスクが高くなる
- 太りすぎ，あるいは肥満の女性は妊娠初期から血栓症のリスクが高い

重要な分野に関するメッセージ
全体のケアを向上させるために
- 人種間にある妊産婦死亡率の違いを是正する
- メンタルヘルスについての情報を医療機関で共有する
- 複数の合併症と社会的リスク因子を有する妊産婦をケアする実践的なガイダンスを実施する
- 妊娠中の薬物療法の継続・中止は，母児への有益性とリスクを考慮して決定する

＊産科出血に対するケアの向上のために
- 出血を認識することは依然として重要であり，絶えず出血の原因である4T（弛緩，組織遺残，裂傷，凝固障害）を鑑別する
- 32週の時点で前回帝王切開創部を覆う胎盤を有する妊婦は，癒着胎盤のリスクを考慮して，麻酔科にコンサルトを行い，緊急時を想定した手術の準備を行う

＊肺血栓塞栓症に対する予防と治療のために
- より簡便で再現性のある血栓症リスクの評価方法が必要である
- 血栓予防の必要性のある妊産婦に対して，確実な処方と内服継続をサポートする体制が必要である
- BMI高値の妊婦には，静脈血栓塞栓症の症状についての情報提供を行うべきである
- すべての妊婦は，妊娠初期または妊娠前の段階で，書面による静脈血栓塞栓症のリスク評価がなされるべきである。また，入院やその他のイベントの発生時，分娩中や分娩後には，改めてリスク評価が必要である
- 流産後または異所性妊娠後に血栓予防の必要性のリスク評価を行うことは，分娩後のリスク評価と同等に重要である

＊メンタルヘルスケアの向上のために
- 妊産婦に対して救急，時間外対応，または訪問ケアを行うメンタルヘルスの医療従事者は，周産期メンタルヘルスについて理解を深めるための，専門的で継続的なトレーニングを受ける必要がある。また，地域の周産期メンタルヘルス担当者との連携が必要である
- 妊産婦および日常的ケアを行う産科医・プライマリーケア医にとって，敷居が高くなく活用しやすいメンタルヘルスケアサービスであるべきである
- 既往歴と最近の症状の変化・パターン，関連する異常行動（アルコール，薬物，暴力行為等）に対して絶えず評価する必要があり，それらに変化があった場合は要注意である。また，自傷行為の出現や母親としての自己肯定感の欠如，育児不安や焦燥感の表れも，注意すべき症状である

＊医療的弱者に対するケアの向上のために
- 家庭内の虐待，暴力の徴候に注意し，妊産婦が安心して相談できる体制が必要である
- 出産して退院した後にも継続的なケアが必要な場合は，退院前にケアプランの計画が必要である

＊悪性腫瘍合併妊産婦のケアの向上のために
- 繰り返す疼痛の訴えや頻回の鎮痛薬の使用は危険な徴候であり，悪性腫瘍の可能性も含めて原因の評価が必要である
- 悪性腫瘍を有する女性の妊娠のタイミングは，治療の必要性と予後を考慮して個別化して決定すべきである
- 乳がんは再発リスクが高いため，治療2年後までは妊娠を待つべきである
- 妊娠中および産褥期に，異常な部位に血栓が存在した場合，悪性腫瘍の徴候の可能性があるため，評価が必要である

(MBRRACE-UK：Saving Lives, Improving Mothers' Care Lessons learned to inform maternity care from the UK and Ireland Confidential Enquiries into Maternal Deaths and Morbidity 2014-16, 2018. https://www.npeu.ox.ac.uk/mbrrace-uk/reports)[4]

割合が増加している。

　各国の主要な死亡原因を比較すると，頻度の違いはあるが，産科出血，肺血栓塞栓症（PTE：pulmonary thromboembolism），心・大血管疾患，脳血管障害，羊水塞栓症，自殺，悪性腫瘍が共通した原因としてあがっている。産科出血は，英国，日本ともに羊水塞栓，癒着胎盤，常位胎盤早期剝離，弛緩出血が主な原因となっている。

　英国，米国ともに後発妊産婦死亡についてもレポートされており，主な原因である自殺・メンタルヘルスについてのレビューと提言がなされている。日本での後発妊産婦死亡の調査[7]でも，原因として自殺と悪性腫瘍が多いことが報告されており，詳細な現状の把握と対策の重要性が示唆されている。英国のレポートでは，偶発的死亡の原因である悪性腫瘍や他殺（現在，または以前のパートナーによる）についても詳細に解析されている。

各国の妊産婦死亡を防ぐための提言

　各国のレポートに記載されている妊産婦死亡の削減に向けた提言を要約して紹介する。

1．英国の提言

　レポートには，原因疾患ごとに非常に詳しいレビューと他職種の医療関係者に対する提言（表5）[4]がなされ，広く社会に発信されている。

2．米国の提言

　レポートでは，60％の妊産婦死亡が予防可能であったと推定されている。妊産婦死亡に関係する3大因子として，①患者・家族因子（妊娠中の危険な徴候，受診すべき症状についての知識の欠如），②医療従事者（誤った診断，無効な治療の選択），③医療シ

ステム・医療連携（医療従事者同士の調整不足）が抽出されている。これらの評価をもとに，表6[5]の提言がなされている。

表6　米国の提言

1) 医療者に対するトレーニングを強化する
   - 安全な分娩誘発方法，適切な鉗子・吸引分娩の施行について
   - 心臓の検査方法について
   - 薬物中毒者のケアについて
   - 死亡診断書の記載方法について
   - 救急治療室スタッフの妊産婦対応について
   - メンタルヘルス，自殺リスクのアセスメントと管理について
2) 産科出血に対する方針決定と対応を強化する
3) 妊産婦に適切なケアの選択
   - 高次医療施設の設備を充実させる
   - 地域における周産期救急医療システムを確立する
4) 必要なケア，医療資源へのアクセスを改善する
5) 患者と医療者のコミュニケーションを改善する
6) メンタルヘルスの管理を改善する
   - メンタルヘルスについての医療記録の書式
   - カウンセリングと治療のための迅速な紹介
   - 必要に応じた自殺予防やDV予防プログラムの紹介
7) 医療者間の連携・コミュニケーションを改善する
8) 評価，診断，治療プロセスを改善する
   - ICU入室基準を明確にする
   - 病的肥満妊婦の心血管系リスク評価のコンサルトを行う
9) 医療者間の連携と医療通訳のアクセスについて改善する
10) 疾患予防のためにスクリーニング，薬物予防投与，治療プログラムについて改善する

(Report from Nine Maternal Mortality Review Committees, Building U.S. Capacity to Review and Prevent Maternal Deaths, 2018. https://reviewtoaction.org/Report_from_Nine_MMRCs)[5]

各国の妊産婦死亡と提言を踏まえて

・英国，米国と比べて，日本の妊産婦死亡にはその主な原因や頻度に違いはあるが，各国のレポートに記載されている疾患ごとの問題点，臨床上の対策等は非常に参考になる。また，後発妊産婦死亡

について，今後より明らかにする必要がある。
・日本も各国と同様に，「母体安全への提言」の内容を引き続き，医療従事者のみならず，医療機関，医療政策担当者，医療・保険サービス担当者，そして妊婦やその家族に広く発信する必要がある。

文献

(1) Maternal mortality Evidence brief, WHO, 2019. https://www.who.int/reproductivehealth/publications/maternal-mortality-evidence-brief/en/
(2) Trends in maternal mortality：1990 to 2015, Estimates by WHO, UNICEF, UNFPA, World Bank Group and the United Nations Population Division, 2015. https://www.who.int/reproductivehealth/publications/monitoring/maternal-mortality-2015/en/
(3) 国立社会保障・人口問題研究所 人口統計資料集 表5-29 主要国の妊産婦死亡率：最新年次．http://www.ipss.go.jp/syoushika/tohkei/Popular/Popular2019.asp?chap=5&title1=%87X%81D%8E%80%96S%81E%8E%F5%96%BD
(4) MBRRACE-UK：Saving Lives, Improving Mothers' Care Lessons learned to inform maternity care from the UK and Ireland Confidential Enquiries into Maternal Deaths and Morbidity 2014–16, 2018. https://www.npeu.ox.ac.uk/mbrrace-uk/reports
(5) Report from Nine Maternal Mortality Review Committees, Building U.S. Capacity to Review and Prevent Maternal Deaths, 2018. https://reviewtoaction.org/Report_from_Nine_MMRCs
(6) Centers for Disease Control and Prevention, Pregnancy Mortality Surveillance System. https://www.cdc.gov/reproductivehealth/maternalinfanthealth/pregnancy-mortality-surveillance-system.htm#trends
(7) 山本依志子，国立成育医療研究センター，他：日本の妊娠中・産後の死亡の現況からわかること，厚生労働科学研究費補助金・臨床研究等ICT基盤構築研究事業「周産期関連の医療データベースのリンケージの研究」報告．http://www.jaog.or.jp/wp/wp-content/uploads/2018/09/123_20180912_2.pdf

（新垣 達也）

総論

リンケージ解析からみた妊産婦死亡の現状と国際比較

リンケージとは

　リンケージとは独立した同じ識別情報を用いて，さまざまな異なるデータベースのなかの同一の標本を抽出し，データベースの情報同士を突合させることであり，各々の情報を統合させることによって新たな事実を得ることを目的としている。

　データベースにおけるリンケージの概念は1940年代に提唱され，1959年にNewcombeがScience誌に確率的リンケージ(Probabilistic linkage)の理論の基礎を発表し[1]，それを1969年にFellegiとSunterが「レコードリンケージのための理論(A Theory For Record Linkage)」[2]として，今日でも使われている確率的リンケージの数学的な基礎を打ち立てた。米国疾病予防管理センター（CDC：Centers for Disease Control and Prevention）の癌部門は，癌患者登録のために開発してきた確率的リンケージのプログラムも公開する等，近年のコンピュータの進化や，データベースのデジタル化等がより大規模なリンケージを可能にしてきている。

　リンケージには決定的リンケージ(deterministic linkage)と確率的リンケージ(probabilistic linkage)がある。決定的リンケージとは，識別情報が全く同一のものをつなげるシンプルな方法であり，データベースの質が良いものにおいては有効である。また，確率的リンケージとは，複数の識別情報について重み付けをして同一の標本である確率を計算し，いくつかの情報が対応しない場合であっても，突合の可能性がどれくらいかを報告する手法であり，多くの識別情報をもつが曖昧な値が認められるようなデータベースでは有効な手法である。

各国での妊産婦死亡におけるリンケージの利用状況

　妊産婦死亡の定義は大まかにいうと，妊娠と関連があると考えられた女性の死亡であるが，死亡診断書（死亡届）作成時に妊娠により病態が悪化し死に至ったのかという判断が必ずしも容易ではない場合がある。また，死亡診断書（死亡届）を記入する医師が，特に他科疾患による死亡や後期死亡等では妊娠既往情報を必ずしも把握していない場合があることから，死亡診断書（死亡届）に妊娠関連の情報の記載がないと政府の妊産婦死亡統計から漏れてしまうという問題が存在する。この問題は日本だけではなく他の先進諸国でも同様であり，政府統計とは別に研究・事業レベルで妊産婦死亡を把握する試みがなされており，リンケージは有用な手段として使用されている。

　表1に他の先進諸国のリンケージその他のデータベースの利用状況を示す。

　妊産婦死亡は妊娠中から分娩後1年未満の死亡であるため，リンケージは基本的に死亡届と分娩の転帰の情報である出生届，死産届，もしくは可能であれば人工妊娠中絶のデータベースとの突合が基本となる。出生届や死産届の分娩日から1年未満に死亡届が出されている症例を抽出すると分娩後1年未満の死亡と確定できる。また，診療録とリンケージし，妊娠に関連する病名がついていれば，死亡届と突合

総論　リンケージ解析からみた妊産婦死亡の現状と国際比較

表1　各国の妊産婦死亡症例把握の試み

	死亡届の詳細な情報収集	医療従事者からの報告	チェックボックス	死亡届とのリンケージ							解剖データベース
				出生届	死産届	流産届	人工妊娠中絶データベース	カルテ	健康保険データベース	
Maternal death reviewを行っている国										
英国	○	○		○	○					○
オランダ		○	○	○	○			○		
フランス	○	○	○	○				○		
オーストラリア		○		○						○
日本		○								
Maternal death reviewは行っていないが，網羅的な症例収集が可能な国										
フィンランド	○			○	○	○	○			
スウェーデン				○					○	(○)
米国	○	○	○	○						○
デンマーク				○	○	○			○	
台湾			○	○					○	

させ，妊娠中の死亡も抽出することが可能となる。

英国やフランス等は日本産婦人科医会の妊産婦死亡症例検討評価委員会と同様，maternal death reviewを行っており，症例検討を行う前に網羅的に症例を収集するためにリンケージを用いている。英国（やオランダ）では政府機関であるOffice for National Statisticsがリンケージしたデータを提供してくれる。一方，フランスではレビューを行う組織が死亡届と出生届をリンケージする役割も担っている。米国も同様であるが，州ごとにdeath reviewをきちんとできる州とそうでない州とで事情は異なるようであり，それらのデータを国全体として収集しているのがPregnancy Mortality Surveillance Systemである。

デンマークやフィンランド等の北欧諸国は，国民一人ひとりに固有の番号が付与されており，社会保障や医療等の情報がその固有番号にひも付けされて管理されているため，出生届や死亡届，診療情報間のリンケージが可能となっている。これらの国々は網羅的に妊娠中から産後1年未満の死亡を抽出することが可能であるが，death reviewを行ってはいない。

日本の妊産婦死亡におけるリンケージの利用と限界

日本においては，国民一人ひとりの番号が医療の現場には存在しないためリンケージも一般的ではなかったが，2007年の統計法の改正と2006年から死亡届や出生届等の人口動態調査の個票情報のオンライン化が進んだため，死亡届と出生届，死亡届と死産届のリンケージが可能となった。しかし，現時点では診療録情報との突合はできず，医療保険システムも複雑で異なる保険システム間の移動がある場合，個人の追跡はできないためレセプト情報との突合も難しい等の問題があり，妊娠中の死亡はリンケージでは抽出できないという限界が存在する。また，産後に離婚等により氏名や住所を変更された場合，リンケージされずに見逃されている可能性も存在する。

また，死亡診断書に記載される事項は限られてい

図1 人口動態調査を用いた妊娠中・産後1年未満の女性の死亡の把握方法（2015～2016）

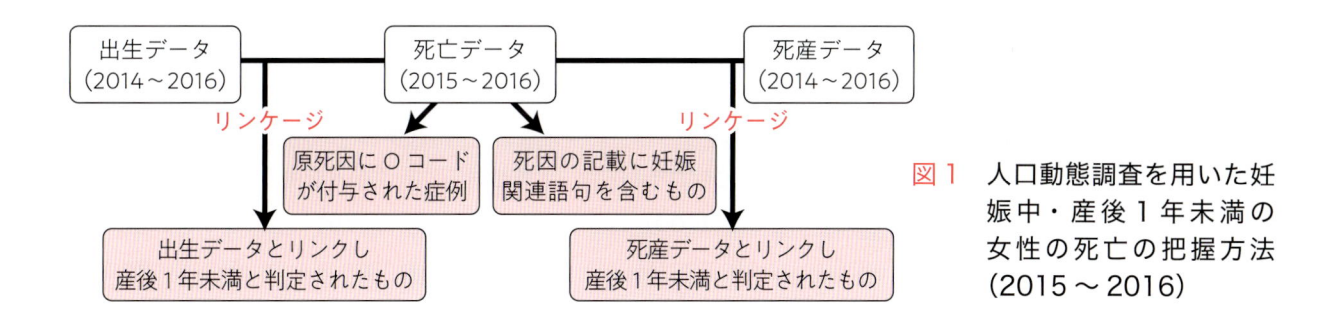

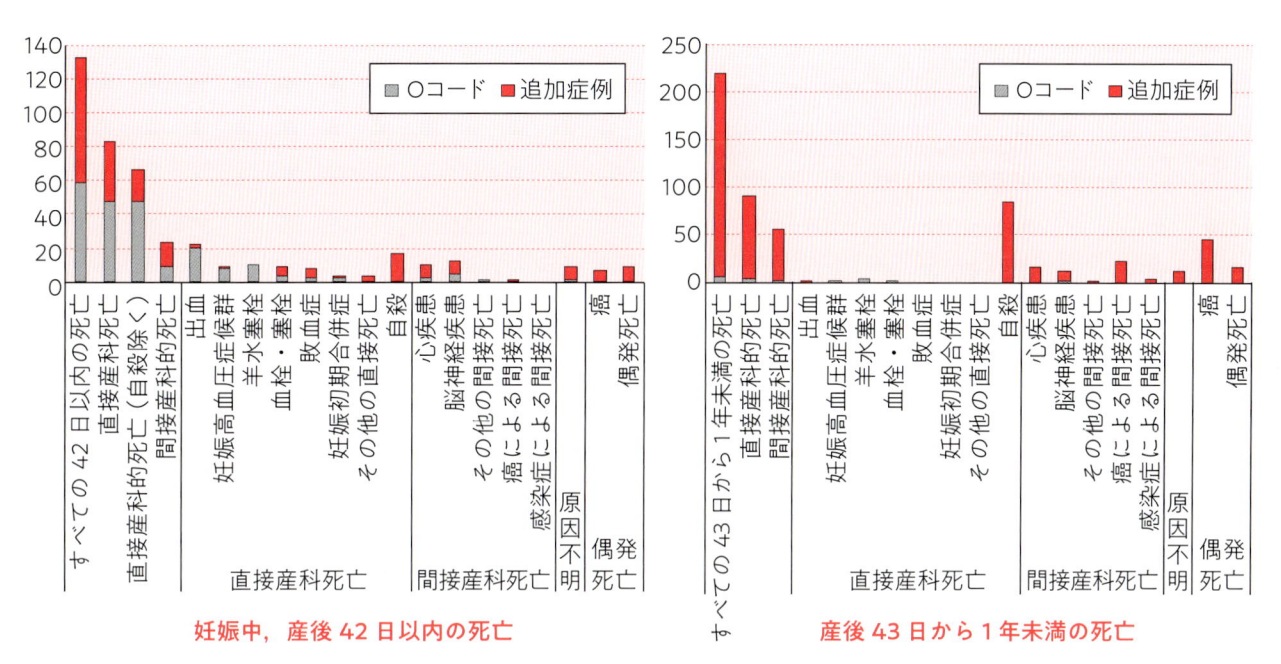

図2 妊娠中・産後1年未満の死亡の死因別統計（死因は死亡票/個票情報より推測）
分類は英国のCEMD（妊産婦死亡詳細調査検討プログラム）に基づく。

るため，その記載に基づいて行われている死因分類が正確でない可能性もある。特に自殺例において，産後うつ等の精神疾患の既往の有無等，詳細な背景情報が得られないため原死因がわからないという問題も存在する。

日本のリンケージを利用した妊産婦死亡の現況

図1に示すようにリンケージを利用し，妊娠中から産後1年未満の女性の死亡症例の抽出を行った。対象となる死亡データとその1年前の出生データと死産データの突合を行い，産後1年未満の死亡と判定された症例と，死亡診断書の死因から付けられた国際疾病分類第10版（ICD-10）コードと死因の記載の詳細からも妊娠中・産後1年未満の死亡症例を抽出した。

ICD-10では第15章の妊娠，分娩および産褥の分類にOのコードを割り当てており，政府統計の妊産婦死亡は基本的に死因としてOコードが付いたものである。また，死亡診断書の死因の記載から妊娠関連語句を検索して妊娠中や産後1年未満の死亡を抽出することができる。

このように抽出された死亡症例を死因別に分類したものが図2である。死亡症例のうちOコードが付

総論　リンケージ解析からみた妊産婦死亡の現状と国際比較

表2　各国の妊産婦死亡研究の比較

国名	研究期間	早期死亡 政府統計	MMR (OECD data)	早期死亡 研究 死亡数	/10万出生	未報告率	後期死亡 研究
フィンランド	1987〜2000	45	5.3 (2000)	114	9.99	61%	305
スウェーデン	1988〜2007	75	1.9 (2007)	164		54%	327
デンマーク	1985〜1994	92	7.5 (1997) 参考値		11.3		219
オランダ	1983〜1992 妊産婦死亡のみ		7.1 (1992)	144		26%	10
米国	1993〜1998 メリーランド州のみ	57	7.1 (1998)	137		58%	103
イタリア	2000〜2008 地方・妊産婦死亡のみ		2.3 (2008)	118	11.8	63%	142
台湾	2004〜2011	102		236		57%	
日本（本研究）	2015〜2016	73	3.7 (2016)	90（自殺を除く）	5.4	19%	147

けられた症例がグレーのバーで，妊娠中・産後1年未満の女性の死亡であるが，Oコードが付与されずリンケージ等で新たにみつかってきた症例が赤色のバーで示されている。Oコードが付けられた症例がほぼ政府統計の妊産婦死亡に相当するものと考えると，妊娠中から産後42日以内の死亡では，直接死亡症例のうち出血や妊娠高血圧症候群，羊水塞栓による死亡は妊産婦死亡としてほぼ把握されているが，自殺や血栓塞栓，間接死亡症例である心疾患，脳神経疾患による死亡がリンケージや死亡診断書の記載により新たに判明する割合が高いことがわかる。また，産後43日以降1年未満の後期死亡では自殺以外の直接死亡症例は非常に少なく，Oコード（後期死亡はO96に相当）が付与されているものも少ない。内科的疾患での死亡はリンケージで判明するが，そのなかには間接死亡症例とされるものも，妊娠と関連を認めることが難しい症例もともに含まれているものと考えられる。

自殺はICD-10では外因死に分類されるため，Oコードは基本的には付与されない。ICD-10は1990年に定義されたが，その時点では外因死を妊産婦死亡に含めるということはやや曖昧に記載されており，自殺が妊産婦死亡に含まれると明記されたのは，2010年度版からである。ただ定義として含む，とされても，未だ外因死をどのように妊産婦死亡に公式統計として報告していくか，ということは決まっておらず，これもまたこれからの妊産婦死亡統計の課題と思われる。

日本では2016年から2013年度版を採用することとなっており，死亡診断書に妊娠に関する情報を記載するよう通達されたことにより，今後の妊産婦死亡症例の把握率の上昇が期待される。

妊産婦死亡研究との国際比較

前述した現況を，他の先進諸国のレポートと比較した結果を表2に示す。妊産婦死亡研究は2000年初頭ごろに相次いで発表されており，研究で把握された死亡数と政府統計との人数の差異を単純に未報告率とすると，未報告がどれくらい存在したか，と

いう数値が出されている研究の比較を示している。おしなべて50％ほどの数値が出ており、これまでに述べてきたICD-10のコーディングの限界等からこの未報告率は0にはなることはないが、自殺例を含めないとすると2015〜2016年で19%であり、日本の未報告率は非常に低いと考えられる。

直接死亡と間接死亡の比率は、間接死亡の多い英国や、直接死亡の多いフランスやオランダ等、妊婦健診の制度や分娩制度、各国の医療システムや分娩に対する文化等の因子が大きくかかわっているように思われる。

自殺に関しては、日本では妊娠中から産後1年未満の死亡のうち、自殺が死因となっているものが1/3ほどを占め、フィンランドの27%[3]、スウェーデンの15%[4]、英国の15%[5]等と比べると、背景として国民全体の自殺率が高いこともあるが、やや高い値を示している。現在、産後健診や妊産婦のメンタルヘルスケア研修等、メンタルヘルスに対するケアを充実させる施策がとられており、今後の推移を慎重に見守るべきであろう。

文献

(1) Newcombe HB, et al：Automatic Linkage of Vital Records. Science 130：954–959, 1959
(2) Fellegi IP, et al：A Theory for Record Linkage. J Am Stat Assoc 64：1183–1210, 1969
(3) Gissler M, et al：Pregnancy-associated deaths in Finland 1987-1994 - definition problems and benefits of record linkage. Acta Obstet Gynecol Scand 76：651–657, 1997
(4) Esscher A, et al：Maternal mortality in Sweden 1988-2007：more deaths than officially reported. Acta Obstet Gynecol Scand 92：40–46, 2013
(5) Knight M, et al：Saving Lives, Improving Mothers' Care - Surveillance of maternal deaths in the UK 2011-13 and lessons learned to inform maternity care from the UK and Ireland Confidential Enquiries into Maternal Deaths and Morbidity 2009-13. National Perinatal Epidemiology Unit, University of Oxford, Oxford, 2015

（山本 依志子）

総論

J-CIMELSの成り立ちと活動目標

はじめに

　妊産婦死亡は，妊産婦本人およびその家族にとって最も幸せなはずの新しい生命の誕生という時期にその母親が死亡する，という最悪の事態であり，そのような事態を減少させる努力は産婦人科医にとって最重要課題として集中的に，また，継続的に取り組むべき課題である。また，産婦人科においては児の脳性麻痺発症も同様にきわめて痛ましい事態であり，その削減努力が求められる課題である。

　日本産婦人科医会（以下，医会）はその課題の解決のために，妊産婦死亡報告事業により妊産婦死亡事例の把握と原因分析，再発防止に向けた啓発活動を行っている。加えて，日本母体救命システム普及協議会を通して母体救命法研修会の開催を支援し，多くの産婦人科医に研修の機会を提供することで，より安全な産科（周産期）医療の実現を目指した活動を行っている。本稿では妊産婦死亡の発生を抑止するためのこれらの取り組みについて解説する。

妊産婦死亡報告事業の開始と現状

　妊産婦死亡や児の脳性麻痺といった訴訟になりうる事例の発生を防止し，より安全な周産期医療を実現する目的で，2004年，医会では偶発事例報告事業に取り組むことになった。この事業を開始することとなった直接的な背景には，当時，社会問題となっていた医療事故を繰り返す，いわゆる"リピーター医師"の存在があった。そのリピーター医師に対する専門家団体としての自主的な取り組みとして，まず実態を把握することが重要であるとの考えから偶発事例報告事業が計画された。しかし，事業開始後も事例の収集は思うように進まず，また，事例の報告内容も簡単なものであり，この事業を再発防止につなげることは難しい状況にあった。

　一方，2000年9月，147カ国の国家元首を含む189の国連加盟国代表が出席した国連ミレニアム・サミットがニューヨークで開催され，21世紀の国際社会の目標として国連ミレニアム宣言が採択された。そのなかで示された具体的な8項目の目標のなかに「妊産婦の健康の改善」という項目があり，具体的な到達目標として「2015年までに妊産婦死亡率を1990年の水準の4分の1に削減する」ことが掲げられた。わが国における1990年の妊産婦死亡率は10万出生あたり8.59で，2015年までに2.15まで削減するという目標が提示されたことになる。

　厚生労働省が推進する「健やか親子21（第1次）」事業において，2000年の6.3であった妊産婦死亡率を10年で半減して3.2とする目標が掲げられていたが，わが国の妊産婦死亡率は国際的な先進国の水準に比較して高いといわれていたこともあり，その達成が難しい状況にあった。そのため，まず妊産婦死亡の現状を把握して，対策を立案することを目的とした厚生労働省科学研究班（池田班）が2009年に発足した。そして，その事例収集への協力要請を契機に，医会では偶発事例報告事業から2010年に妊産婦死亡報告事業を独立させることに

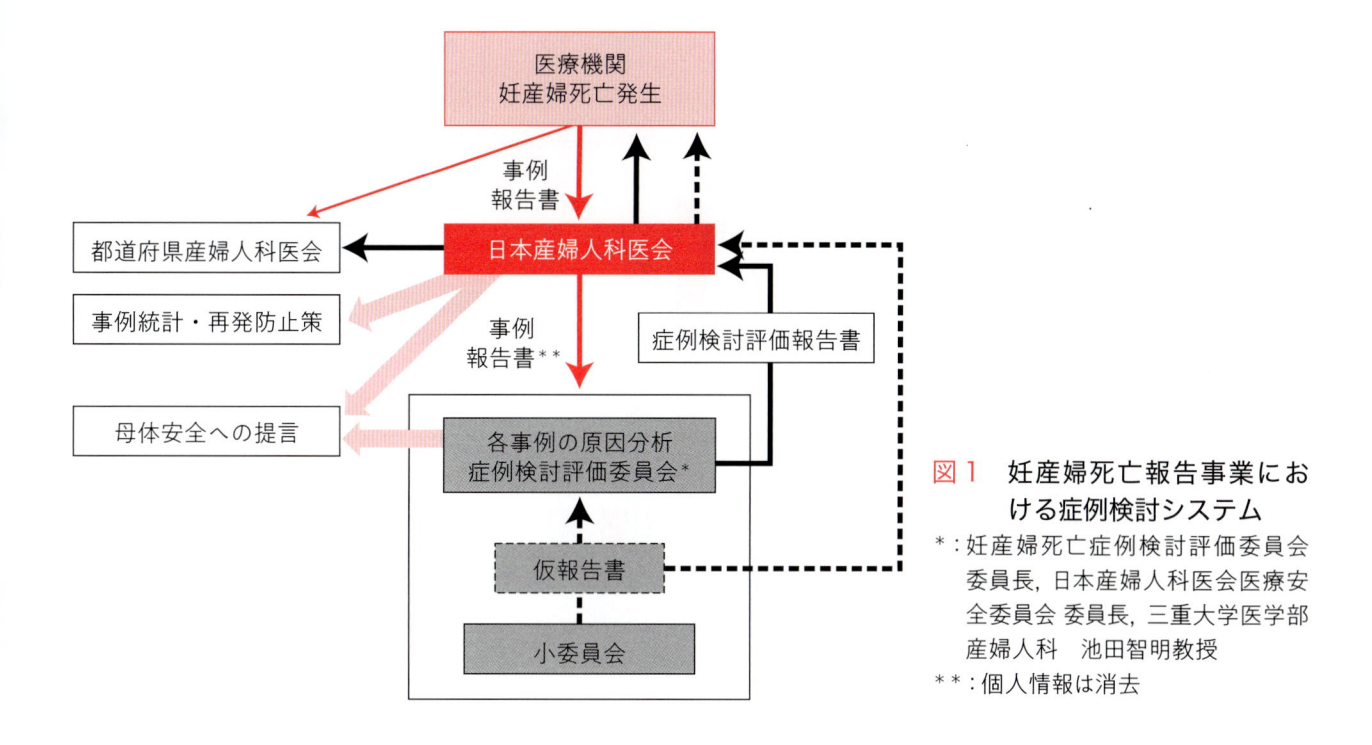

図1 妊産婦死亡報告事業における症例検討システム

＊：妊産婦死亡症例検討評価委員会 委員長，日本産婦人科医会医療安全委員会 委員長，三重大学医学部産婦人科 池田智明教授
＊＊：個人情報は消去

なった。この妊産婦死亡報告事業では医会会員に妊産婦死亡が発生した場合の報告を求めた。報告された事例は，個人情報を削除した後に医会から厚生労働科学研究班（池田班）が組織する妊産婦死亡症例検討評価委員会に原因分析が依頼される。症例検討評価委員会では，事例の死因，医学的な検討事項，事例から抽出された再発防止に向けての検討事項をまとめ，症例検討評価報告書を作成し医会に戻し，最終的には報告書が当該の医療機関に戻されて，再発防止に活用される（図1）。同時に，妊産婦死亡症例検討評価委員会と医会医療安全部会から「母体安全への提言」を毎年発出することで，再発防止に向けた啓発活動を行っている。

教育・研修システムの必要性

妊産婦死亡報告事業が定着しつつあるなか，妊産婦死亡率は緩やかに改善する傾向にあったものの2012年の妊産婦死亡率は4.0であり，「健やか親子21（第1次）」事業の目標は達成できなかった。また，妊産婦死亡報告事業が始まって以降の妊産婦死亡の報告数は減少傾向がみえない状況が続いた（図2）。

そこで，厚生労働省は2014年，厚生労働科学研究班（池田班）へ「妊産婦死亡における救急との連携を模索せよ」との要請を行い，研究分担者に昭和大学医学部救急医学科教授の有賀 徹（日本救急医学会および日本臨床救急医学会 前理事長）が加わることとなった。そして，救急医5人と産科医7人による小委員会が組織され，妊産婦死亡報告事業で検討された妊産婦死亡事例について再度，症例検討が行われた。この研究班での事例検討により，妊産婦の急変に対する初動が遅れがちである実態が指摘された。また，バイタルサインをモニタリングしていると急変前に何らかの初期徴候が現れていることから，その徴候を早期に認識してそれに対応することの重要性が指摘された。そこで，バイタルサイン等の変化に注意した管理が実践できること，また，変

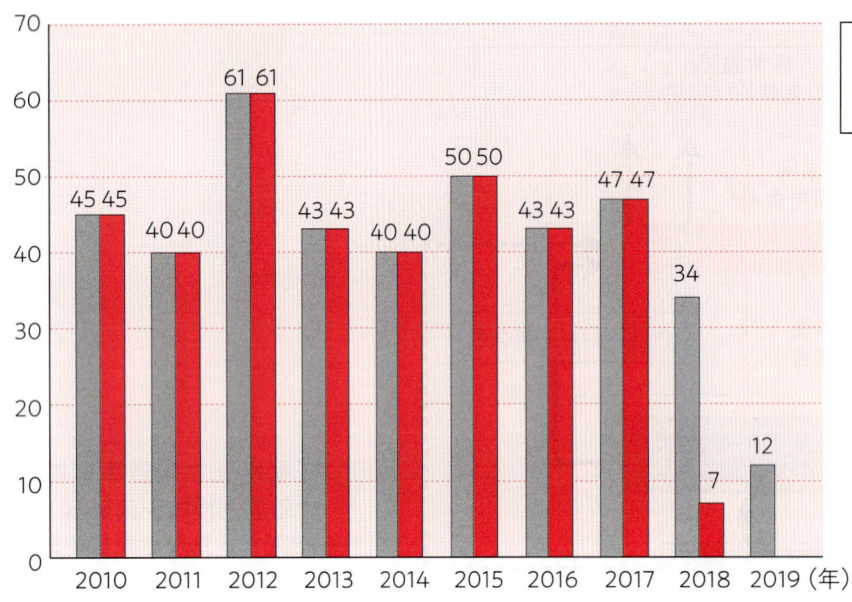

図2 妊産婦死亡報告事業に報告された事例数と解析事例数の年次推移（2010〜2019年）

報告数：408事例
解析数：376事例
（2019年3月31日現在）
■ 調査票回収数
■ 報告書送付数

年	調査票回収数	報告書送付数
2010	45	45
2011	40	40
2012	61	61
2013	43	43
2014	40	40
2015	50	50
2016	43	43
2017	47	47
2018	34	7
2019	12	

表　妊産婦死亡症例検討から抽出された産科医療の課題

1. 妊産婦の急変前にみられる初期徴候の認知とそれに対する初期対応の問題
2. 医療機関内での多職種連携体制の構築についての必要性
3. 救急医療と産科医療の交流促進の必要性
4. 最新の救急医学の知識を研修する教育研修プログラムの必要性

化を認知した段階で対応を開始するとともに，人手を集めて早め早めに集中治療につなげるべく準備すること，さらに昨今の救急医学の進歩を産科医療のなかでも広く活用できるようにすることを目指した教育研修プログラムが必要，との共通認識が形成された．この研究班で指摘された産科医療の問題点と改善策を表に列挙する．

日本母体救命システム普及協議会の設立

　厚生労働科学研究班（池田班）での検討結果を踏まえ，2015年に医会，日本産科婦人科学会，日本周産期・新生児医学会，日本臨床救急医学会，日本麻酔科学会の代表が集まって議論し，この5学会が中心となって教育研修プログラムを作ることが決定した．また，1次施設に勤務する医師，助産師等を対象にした母体救急対応の研修プログラムをすでに行っていた京都産婦人科救急診療研究会にも参加を要請すること，また，妊産婦死亡症例検討評価委員会をメンバーに加えることで，同委員会での指摘事項を迅速に研修プログラムに反映していけるようにすることが決まった．

　そして，2015年10月に前述の京都産婦人科救急診療研究会，妊産婦死亡症例検討評価委員会を加えた7団体により日本母体救命システム普及協議会（J-CIMELS：Japan Council for Implementation of Maternal Emergency Life-Saving System）が設立された．J-CIMELSでは「わが国の妊産婦死亡の一段の減少を目指すには，産婦人科医師のみでなく，救急医，麻酔科医，メディカルスタッフ等との協働及びその実践教育が重要である」という認識のもと，「妊産婦死亡の更なる減少を目指すため，あらゆる職種の周産期医療関係者に標準的な母体救命法を普及させるとともに，効果的な母体救命医療システムの開

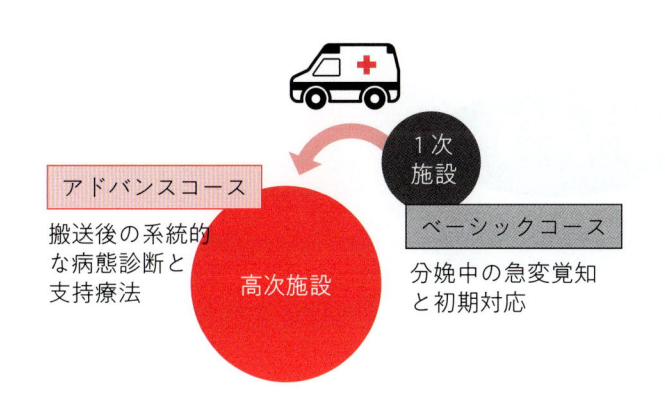

図3 J-CIMELSの研修コース「J-MELS」のコンセプト

発とその実践を促進すること，及びこれによる妊産婦への質の高い医療の提供と周産期医療の向上を通じて社会の福祉に貢献すること」を目標に取り組むこととなった。その後，日本看護協会，日本助産師会，日本助産学会が協賛団体として加わっている。

J-CIMELSでは，実際の教育研修プログラムにおいて産婦人科医が救急医・麻酔科医等の全身管理医がもつ最新の知識を学び，実際の臨床の場で活かせるように，教育・研修プログラムを開発し，分娩に携わる医療者がこのような教育・研修を受けて備えることで，周産期管理における安全性をさらに向上できると考えた。また，教育プログラムについては妊産婦急変は日常診療で産婦人科医があまり経験することではないため，患者の状態の変化に合わせて適切な評価と介入を行うことを学ぶためには，座学ではなく，実際の事例を想定したシミュレーション教育が適しているとの考え方をもとに開発することとなった。さらに，分娩に携わるすべての医療者を対象とするベーシックコースと，救急搬送されてきた妊産婦救急に対して2次，3次施設がどのように対応するかを学ぶアドバンスコースの2種のコースを用意することとした（図3）。ベーシックコースについては，当時すでに全国で教育研修の実績がある京都産婦人科救急診療研究会の妊産婦救急教育プログラム（京都プロトコール）を採用し，さらに，アドバンスコースは日本臨床救急医学会推薦の三宅康史（帝京大学教授）を中心とするプログラム作成・改訂委員会で新たに作成することが決まった。

母体救命研修会の開催状況

J-CIMELSの研修コースをJ-MELS（Japan Maternal Emergency Life-Saving System）といい，コースの概要を紹介する。J-MELSベーシックコースでは，1次施設で起きた妊産婦の急変に対し，医師，助産師，看護師3人からなる医療チームで，限られた医療資源のなか高次施設へ搬送するまでの間の管理をシナリオベースのシミュレーションを通して研修する。急変を認知したのち，バイタルサインを安定化させるために，O（酸素投与），M（モニタリング），I（静脈路確保）を行い，止血処置や薬物投与を行いながら，急変に対応した管理に関する知識とスキルを学ぶ。最終的には患者情報をサマライズして救急隊や高次施設に伝え，速やかに搬送するまでの管理を学ぶ（図4）。J-MELSベーシックコースは，京都プロトコールを採用したことで，2015年10月以降，順調に研修会が開催され，2019年9月末で692回，ベーシックインストラクターコースは71回開催され，その受講者数はベーシックコース12,969人，インストラクターコースは1,587人となっている（図5）。さらに，2019年3月で全都道府県での研修会開催が実現している。この研修会は，分娩に携わるすべての医療者が習得して，連携してチームで対応することで最大限のパフォーマンスが期待できるものであり，分娩を取り扱うすべての産婦人科医や助産師には研修を必須化したいと考えている。産婦人科 診療ガイドライン―産科編2020には，「突然の妊産婦の急変に適切に対応するための準備」

図4 J-MELSコースの基本的な研修目標

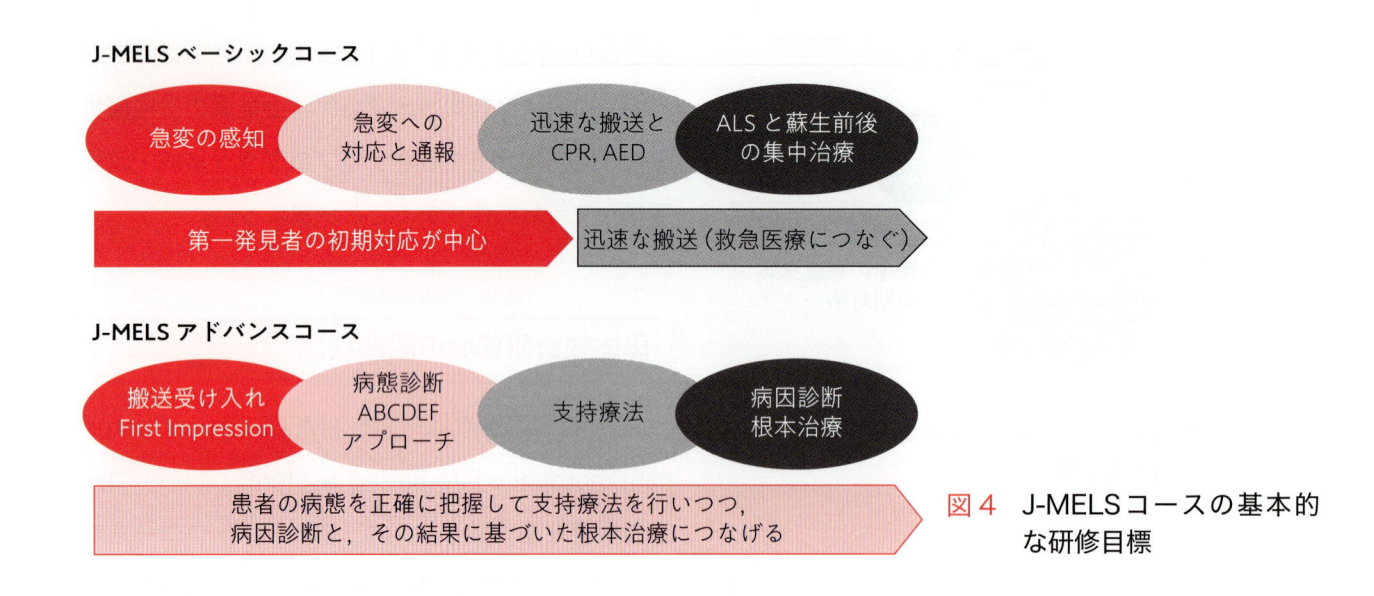

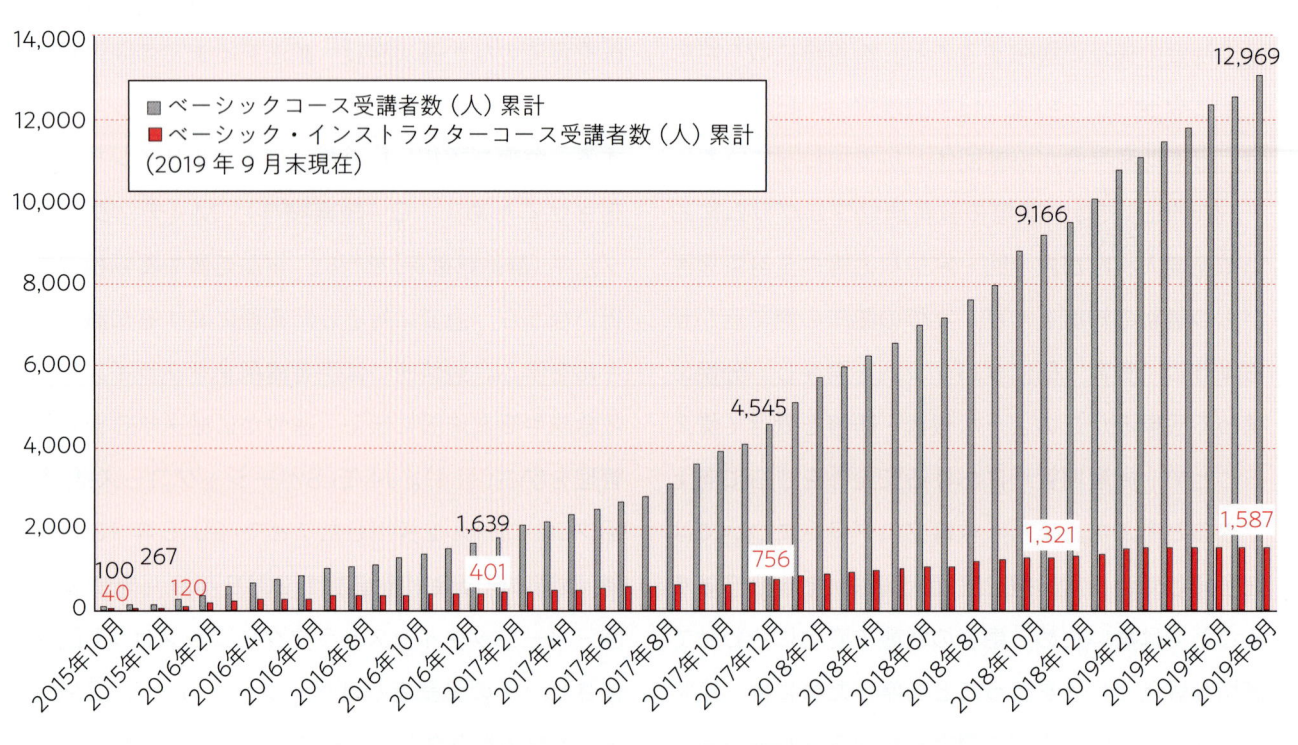

図5 J-MELSベーシックコースの受講者累計の推移

として，「母体救命の教育プログラムなどの講習会に参加する」ことが推奨されている。今後は，産婦人科専門医の受検のための必須資格として，また，日本助産評価機構が認定するクリニカルラダーレベルIII認証のアドバンス助産師の資格更新のための研修とする等，このJ-MELSベーシックコースをさらに幅広く，多くの分娩に立ち会う医療者に受講してもらえるシステムを作り上げていく必要があると考えている。

一方，J-MELSアドバンスコースは，周産期センター等の2次施設で勤務する医療者を対象とするコースで，搬送されてくる妊産婦について全身状態

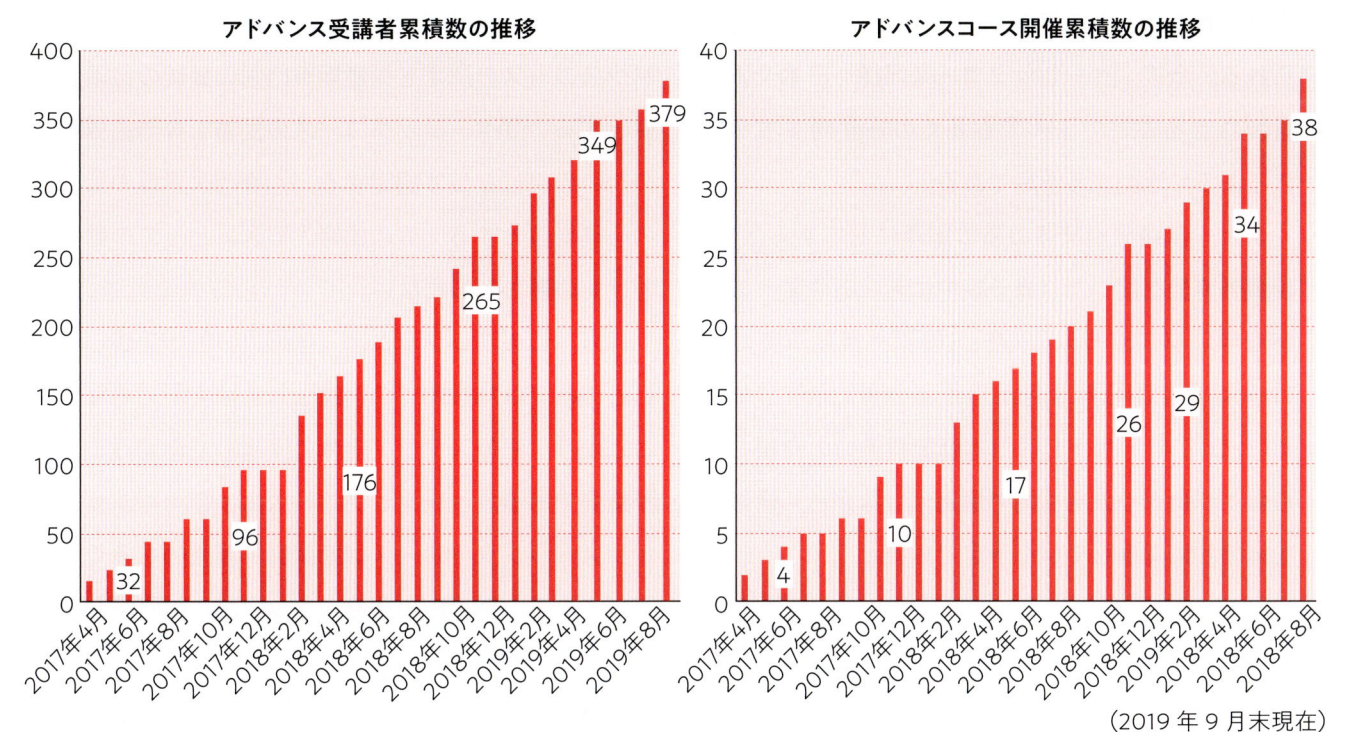

図6 J-MELSアドバンスコースの開催状況・受講者推移

（2019年9月末現在）

を評価し，支持療法を行いつつ原因検索を行って治療につなげることを系統的に研修する。高次施設へ搬送されてきた重症の妊産婦に対して，A（airway：気道），B（breathing：呼吸），C（circulation：循環），D（dysfunction of CNS：中枢神経の異常），E（exposure & environment：脱衣・体温），F（female, fetus & family：子宮，胎児，家族）について，線形アプローチ（各項目のことを解決しないと次の項目のアプローチに進めないインストラクションスタイル）での評価を行う（図4）。この線形アプローチは，実際の医療現場との乖離が問題であるが，各観察項目のトラブルを漏らすことなく把握して対応するようにトレーニングすることで，知識や技術の確認ができるメリットがある。このコースが想定する主な受講対象者は2次施設以上の医療機関の医療スタッフであるが，1次施設の医療スタッフでも高次施設で行う管理について学ぶことで，お互いの立場を理解して，より適切に急変した妊産婦に初期対応し，最適な状態で搬送につなげることが可能になると思われる[1]。

J-MELSアドバンスコースは2016年10月に第1回が開催された後，2019年9月末までに合計38コースが開催され，379人が受講した（図6）。アドバンスコースは当初，東京を中心にコースが開催されていたが，全国各地から参加した受講生のなかからインストラクターを新たに養成することで，徐々に各地域での開催が可能な状況となってきている。しかし，このコースは各グループ4人の受講生に対して全身管理医と産婦人科医の2人が指導にあたっているため，1回の開催で多くの受講生を受け入れることが難しいという現実もあり，受講者数はなかなか増えない状況にある。しかし，産婦人科医が救急医や麻酔科医といった全身管理医とコラボレーションできる高次施設からの参加が多く，この研修を契機に医療機関内の救急と産婦人科の連携体制が再構築された等という意見もあり，施設の救急

総論　J-CIMELSの成り立ちと活動目標

受け入れシステムの構築にもつながっていると考えられる。今後，ベーシックコース同様，日本全国へ普及させることで1人でも多くの妊産婦が救命できるように活動する予定である。

　また，無痛分娩関連の事故報道に対応するため，硬膜外麻酔を用いた無痛分娩中に起こる急変への対応を学ぶプログラム（J-MELS硬膜外鎮痛急変対応コース）も2018年5月から医会主催で開催している。2019年1月からは日本麻酔科学会の支援も得られ，プログラムを共同で最適化しながら，研修会を継続的に開催していく予定である。

J-CIMELSの活動と今後の方向性

　2017年4月にベーシックコースのテキストが改訂され発刊された[2]。同時に，アドバンスコースのテキストも発刊された[1]。2018年4月には，ベーシックコースのインストラクターマニュアルも発刊された[3]。この書籍は，ベーシックインストラクターの教育的スキルの標準化を目指したものである。アドバンスコースでも，インストラクターの教育的スキルを統一化し，さらに向上させるための教本を作成していくことになると思われる。J-CIMELSでは，まず，ベーシックコースを受講したのち，インストラクターになることを希望する場合，ベーシックインストラクターコースを受講することでベーシックインストラクターの資格を取得することができる。また，ベーシックコースを受講したのちにステップアップしてアドバンスコースを受講することも可能である。また，アドバンスコースでもインストラクターの養成が必須であり，希望者はコース受講時にインストラクターに相談することを勧めている。

　J-CIMELSの活動が今後さらに広く認知されていくためには，①ベーシックコースの認定を日本産科婦人科学会の専門医受験の必須条件とする，②アドバンスコースの認定を周産期専門医の受験の必須要件とする，③ベーシックコースの受講を専門医更新のための単位として認定する，④専門医更新のための必須単位とする，等の産婦人科医にとっての動機付けも必要かもしれない。

　一方，このプログラムは，産婦人科医が受講しているのみでは施設内での迅速な対応は実現できないことから，医療スタッフ全体で受講して備えることが重要である。ベーシックコースおよびベーシックインストラクターコースは助産師・看護師も多く受講している。施設内の医療スタッフがこの研修を受けることで，施設内での診療の流れが医師と医療スタッフで共有され，効率的な多職種連携による管理体制の構築が可能になる。母体に急変があった場合に役割分担して適切に初期対応を行い，高度医療につなげていくためには職種を越えた連携が必要であり，J-MELSコースのようなシミュレーションを受けることが近道であり，助産師や看護師にもベーシックコースの受講を積極的に推奨することは重要である。今後，日本助産評価機構が認定するクリニカルラダーレベルIIIの認定条件および資格更新条件にベーシックコースの受講を加えること等，検討される必要がある。

　この母体救命研修会は一度受講することで，知識が得られて，妊産婦の急変に対応できるものではない。定期的に研修会を受講して，絶えず新しい知識を整理して取り入れて備えなければ，いざという場面で役立たない。その意味で，この事業の継続的な発展が重要である。

医会が運営する体制に

　医会の使命の一つが，会員の生涯研修にあるが，

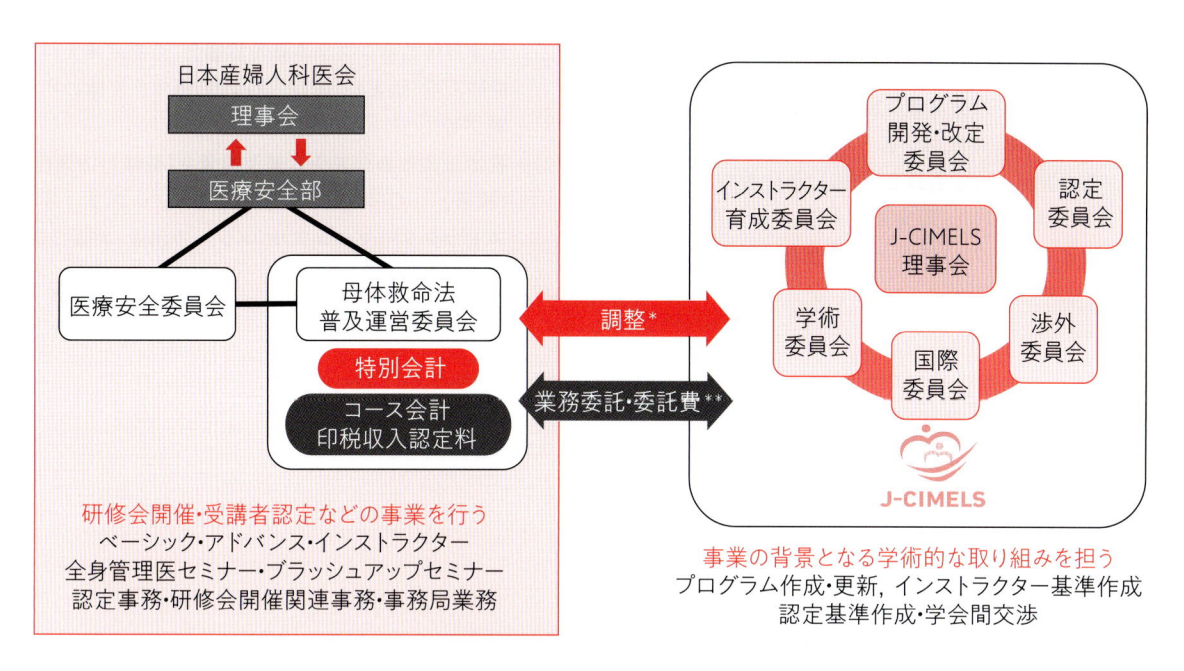

図7 日本産婦人科医会とJ-CIMELSの関係
＊運営方針について両会の意見の調整が必要な場合には意見調整する。
＊＊J-CIMELSの各委員会は年間の事業計画に基づき，予算の範囲で会議開催等を含めた事業を行う。

J-CIMELSの活動は産科医療の安全性の向上のための主要なタスクである。J-CIMELSの活動が拡がって大きくなってきたこともあり，その運営基盤を盤石なものにする必要性が生じてきた。加えて，会計上の取り扱い額も増大し，管理体制の確保の必要性も出てきた。そのような状況下で，J-CIMELSの事務局を医会内に間借りして運営する体制では，安定的な運営は見込めないとの認識から，2019年4月から医会の医療安全部内に母体救命法普及運営委員会を設置して，J-CIMELSの運営をそこに移管することになった。J-CIMELSの組織はそのまま残って，母体救命法に関連する学術的な活動を行う組織として，医会から委託を受けて活動することになった（図7）。母体救命法のコースの内容や新たなプログラムの作成には，救急医や麻酔科医等，関連学会のサポートは必須であり，これまでのJ-CIMELSの枠組みを維持したまま，運営を医会内に移管した形である。

医会には全国に都道府県産婦人科医会の組織がある。この組織を活用して，各都道府県の2次医療圏ごとにこの研修会を定期開催するシステムの構築を目指している。2次医療圏での定期的な研修会の開催は，地域の病診連携の強化にもつながる。研修会と地域の病診連携のワークショップを同時開催することも可能である。医会が運営するようになったメリットを最大限に活用して，今後，さらにJ-MELS研修会が広く，全国で開催されるようになることを期待している。

おわりに

2016年から開始した「健やか親子21（第2次）」事業では，2012年の妊産婦死亡率4.0から2025年までに3割減の2.8まで低下させるという目標が掲げられている。妊産婦死亡報告事業，J-CIMELSの研修会の開催等を通じ，わが国の妊産婦死亡が減少していくことを期待している。

文献

(1) 日本母体救命システム普及協議会(J-CIMELS)(総監修), J-MELS「日本母体救命システム」アドバンスコース プログラム開発・改定委員会(監修), 母体救命アドバンスガイドブックJ-MELS編集委員会(編). 母体救命 アドバンスガイドブック J-MELS. へるす出版, 東京, 2017

(2) 日本母体救命システム普及協議会, 京都産婦人科救急診療研究会(編著). 産婦人科必修 母体急変時の初期対応 第2版. メディカ出版, 大阪, 2017

(3) 日本母体救命システム普及協議会(監修), 山畑佳篤, 他(編著): J-CIMELS公認講習会ベーシックコース インストラクターマニュアル. メディカ出版, 大阪, 2018

(関沢 明彦)

総論

▶ 基本編

治療編

システム編

各論

SAVING MOTHERS LIVES IN JAPAN 2020

基本編

バイタルサインと異常の早期発見

▼事例　30代，初産婦

　妊娠40週，無痛分娩の目的で分娩施設に入院した。問題なく順調に分娩は進行したが，子宮口全開大後，胎児機能不全の診断で吸引2回（クリステレルを併用）施行し分娩に至った。羊水混濁は認めず，児は2,900 g，Apgarスコア6/8，臍帯動脈pH 7.0であった。吸引前の血圧は95/70 mmHg，心拍数146/分（shock index：SI＝1.5），児娩出時の血圧110/55 mmHg，心拍数145/分（SI＝1.3）であった。胎盤娩出し縫合開始した時には血圧85/50 mmHg，心拍数175/分（SI＝2.1）となっていた。不穏状態となったので，フェンタニルを中止，硫酸マグネシウム，ドパミンの投与が開始された。経腟超音波では，腹腔内や子宮内に液体貯留は認めなかった。1時間後FFP 6単位が到着し急速投与を開始した。呼びかけに「大丈夫です」と答えた。不全子宮破裂や弛緩出血も否定できず，頸管内にバルーンと腟内にヨードホルムガーゼを1 m挿入した。90分後，転院搬送のための救急車を要請した。血圧65/45 mmHg，心拍数160/分，ドパミンを増量しながら，搬送先へ向かった（搬送までの出血4,000 g，搬送までの輸液量2,500 mL，FFP 4単位）。搬送途中の救急車内で心停止となり，CPRが施行された。分娩2時間後，搬送先施設に到着した。到着時，自己心拍は再開していたが，JCS 300の昏睡状態であり，血圧60/- mmHg，心拍数50/分，直ちに気管挿管を行い，子宮双手圧迫，右外頸静脈にルートを追加し輸血ルートとしてポンピングを行った。血液ガスpH 6.5。瞳孔7/7 mm対光反射-/-。出血のコントロールは不良であり，DICの状態であった。手術室での子宮摘出のため移動準備段階でPEAとなり，CPRを再開した。救急外来で開胸し下行大動脈クランプを行った。開胸下心臓マッサージを行いながら手術室へ移動し，開腹した。総輸液，輸血量は15,000 mLに及んだ。腹腔内出血は認めなかったが，子宮は極度に弛緩していた。子宮圧迫縫合術にて子宮を縫縮し閉腹した。この間，開胸心臓マッサージが施行されていたが，自己心拍は再開しなかった。

▼評価

　分娩時の大量出血とDIC，これに引き続く出血性ショックで死亡した事例であった。破水後早期に，急激にショック状態となった。貧血の進行度合いや血小板数と比較して凝固系の異常，特にフィブリノゲンの低下が著しく，子宮型羊水塞栓症が原因であると考えられた。
　吸引分娩前の段階ですでに頻脈，血圧低下を認めSIは1を超えており，その後も改善なく経過していること，不穏状態といった意識レベルの低下がみられていることから，ショック状態が継続，悪化している。大量の輸液と早期の輸血を行うことはもちろん，さらに早い段階での転院搬送を考慮すべきと考えられた。呼吸数の変化については記録されていなかった。

> ▼提言
> ・バイタルサインの重要性を認識し，異常の早期発見に努める。
> ・特に呼吸数を記録する習慣を身につけ，この変化を見逃さないようにする。
> ・妊産婦の特殊性を考慮した状態の把握や対応，CPRに習熟する。

はじめに

　この20年間に妊産婦死亡率は大幅に減少している。しかし，妊娠・出産は基本的には病気ではなく，リスクを伴うものの本来死に至るべきではない。したがって，今後もさらに妊産婦死亡を減らす努力をしなければならない。では，どうすれば妊娠や分娩によるpreventable deathを回避することができるのだろうか。その明快な答えは，早期発見・早期治療である。発症早期に異常に気づくことができれば，危機的な状態に陥る前に治療することが可能となる。そのためには注意深い観察力や経験，知識等さまざまなスキルが必要であるが，その一つとしてバイタルサインの変化を捉える能力も非常に有用である。出血性疾患の場合，血圧のわずかな低下に気づくことができれば適切に治療できる可能性が高くなるであろうし，それよりさらに早い，血圧が下がる前の心拍数の上昇の時点で出血を疑い，的確に診断できればリスクはさらに低くなる。もし血圧計や心電図が装着されていなかった場合には，呼吸数の増加がこの変化に気づくきっかけになることもある。このように，特殊な医療機器の装着や侵襲的な処置を行わなくとも得られる，数値での客観的な情報から判断ができるという意味でも，バイタルサインは異常の早期発見に普遍的に活用できる指標といえる。

妊産婦死亡の原因疾患と初発症状

　妊産婦の危機的状態を考える上でその原因を知っておくことは重要である。2010年以降の本委員会の統計では，妊産婦死亡の原因として最も多いのは産科危機的出血であり，20％を占めていた。次いで脳出血・脳梗塞が15％，心肺虚脱型羊水塞栓症が12％，周産期心筋症等の心疾患と大動脈解離を合わせた心・大動脈疾患が9％，肺血栓塞栓症（PTE：pulmonary thromboembolism）等の肺疾患が8％，感染症（劇症型A群溶血性レンサ球菌感染症等）が9％となっていた[1]。急激な循環動態の破綻を呈する疾患が多く，速やかな診断と対応が必須である。このためには，血圧や心拍数等をはじめとしたバイタルサインのモニタリングと，その異常の早期発見が重要であることがわかる。

　また，初発症状としては，性器出血，意識障害，胸痛・呼吸困難，発熱，頭痛，ショック等があげられている。出血や意識障害，呼吸困難等，バイタルサインの変化を伴いやすい症状が多く，初発症状からの視点でもバイタルサインが有用であることがわかる。しかし一方で，胸痛や頭痛等，バイタルサインに反映されにくい症状が初発となる可能性もあることには注意が必要である。また，それぞれの症状が初発時には重篤感を伴わない可能性があることにも留意しなければならない。

基本編　バイタルサインと異常の早期発見

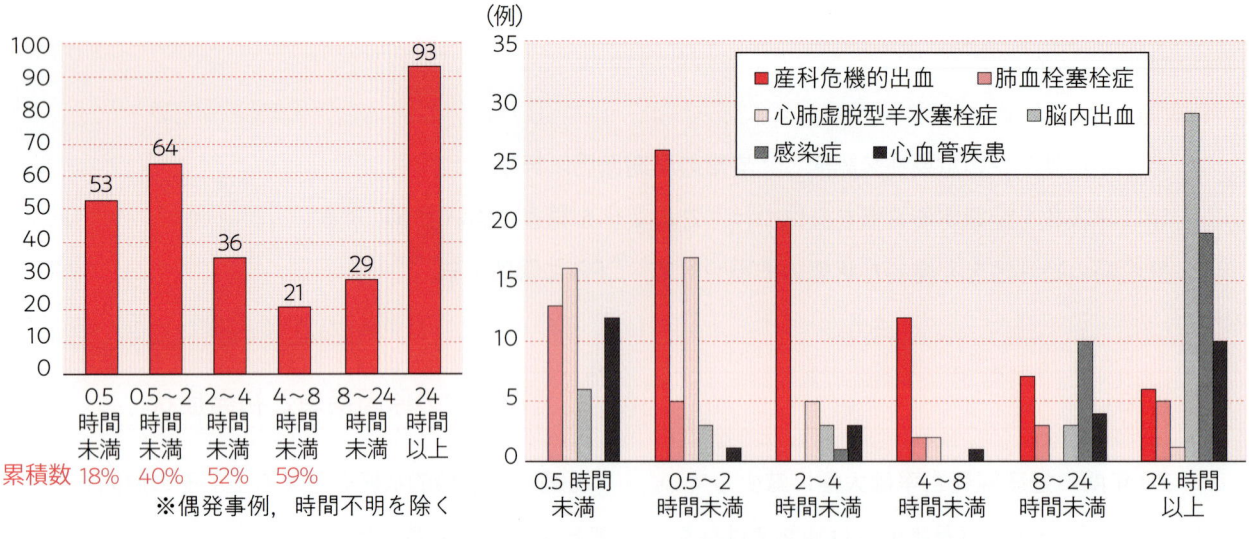

図　初発症状から初回心停止までの時間の分布(n=296)
(妊産婦死亡症例検討評価委員会・日本産婦人科医会：母体安全への提言 2017, 2018)[2]

危機的状態の早期発見とバイタルサインの活用

　産科危機的出血により妊産婦の生命が危機的状態に陥っていることを早期発見することが重要であることには，議論の余地はないだろう．そして興味深いことに，妊産婦死亡事例の検討において，初発症状から心停止に至るまでの時間が30分未満という急激な状態悪化の上に死亡となった事例は，心肺虚脱型羊水塞栓症，PTE，心・大血管疾患等の事例が多く，産科危機的出血は1例も認めていない．産科危機的出血での初発症状から心停止に至るまでの時間のピークは0.5～2時間であり，さらに2～4時間，4～8時間と続いている(図)[2]．この結果は，多くの産科危機的出血が迅速な止血や輸血等の処置により救命できる可能性があることを示唆している．このためにも異常を早期発見することが重要である上，施設間搬送を行う場合には，さらなる早期発見が必要となる．

　危機的状態への変化に，できるだけ早く気づくための一助となるのがバイタルサインの変化である．わが国では，産科危機的出血への対応ガイドラインにおいて[3]，脈拍数と収縮期血圧に注目したSI（脈拍数/収縮期血圧）が重要な指標であり，非常に簡便かつ有用であることが記載されている．1以上であれば約1.5 Lの出血量と推測され，原因検索，尿量チェック等を行い，輸血を考慮しながら十分に輸液を投与するとされる．また，1.5を超える場合には約2.5 Lの出血量と推測され，危機的出血と判断し，直ちに輸血（FFPを含む）開始，高次施設へ搬送することが推奨されている．ただ，「母体安全への提言2015」[4]の提言1にあるように，SI≧1でなくても病的な呼吸・循環不全が起きている場合があるため，SIに頼り切るのではなく個々のバイタルサインの変化を評価することも重要である．

　英国のCEMACE(The Centre for Maternal and Child Enquiries)は，2011年のレポート"Saving Mothers' Lives"のなかで，早期のバイタルサイン異常に気づき，治療や搬送等の対応をすれば予後が改善したと考えられる事例が多いことを報告している[5]．同レポート中において，妊産婦に対する早期警告システムの一つとして，modified early obstetric warning system (MEOWS)を紹介しており，これをルーチンに使用することを求めている．同スコアリングは，体温，収縮期圧，拡張期圧，心

拍数，呼吸数，意識レベル，尿量をチャート化してスコアをつけ，6点以上の場合に緊急対応を求めるものである。このような早期警告システムはほかにもいくつかあるが，多くのバイタルサインが共通して取り上げられている。本稿では「母体安全への提言2010」[6]に早期警告サインとして取り上げられた8項目について，個別に詳述することにする。

具体的な早期警告バイタルサイン

1．心拍数

心拍数は異常時に早期から変化し，100回/分以上を異常閾値とする。出血性ショックの時には，血管内血流量の低下を代償するために心拍数が増加するため，血圧低下より早期に変化がみられることとなり，早期発見のために非常に有用な項目といえる。しかし，β遮断薬の内服中には頻脈になりにくいこと，出血性ショックに対して恒常性を保つためにある時期までは上昇するものの，代償機構が破綻すると徐脈へ移行し，この場合には短時間で心停止となることにも注意が必要である。

2．経皮酸素飽和度（SpO₂）

95％未満を異常値とする。肺水腫等の肺疾患や心不全，急性PTEの鑑別に重要な項目である。酸素の不足は生命に直結するため，異常を認めた場合にはまず気道（airway），呼吸（breathing），循環（circulation）のABCを確認し，直ちに酸素投与を行う。肺血栓塞栓が疑われるエピソードがあれば心電図で前胸部誘導でのT波陰転化等の右室負荷所見や，超音波検査での右室圧上昇所見等を確認し，必要に応じて胸部造影CTで確定診断する。

3．時間尿量

臓器灌流量の低下を表す数少ない指標であり，膀胱留置カテーテルによって測定する。0.5 mL/kg/時未満を異常値とする。一般的に尿量低下は，出血や血圧低下による腎血流低下（腎前性腎不全）を表すが，腎臓そのものに障害がある腎性腎不全や膀胱留置カテーテルトラブルではないかの確認も必要である。これらを除外できれば輸液負荷や輸血を考慮し，出血等の原因がないかを検索する。

4．収縮期血圧

高血圧としては，収縮期血圧140 mmHg以上を異常値としている。「母体安全への提言2017」[1]の提言4にあるように，「HDPの分娩中，収縮期血圧が160 mmHg以上はニカルジピン等の持続静注により，積極的に降圧を図る」「Postpartum（特に産後24時間）には正常血圧を目標とした，厳重な血圧管理を行う」とされているが，この場合の処置は異常の早期発見というよりは脳卒中の発症を未然に防ぐための対応となる。

これに対し，下限値は80 mmHg未満とされる。低下を認めた際にはショックを疑い，原因検索を行いつつ対応する必要がある。多くは出血性ショックであり，四肢末梢は冷たく湿った状態となるが，発熱を認め末梢が温かい場合には感染症からの敗血症性ショックを疑う。エフェドリン等の昇圧薬を用いた場合には，ショックが進行していても血圧が低値にならない可能性があり注意が必要である。

5．拡張期血圧

同様に，高血圧として拡張期血圧90 mmHgを閾値としている。高血圧合併妊娠の重症化としては，110 mmHg以上に設定している。

出血量が増加し，単に心拍数が軽度増加する程度

の変化を超えてくると（心拍数が上昇しSIが1を超えてくると），収縮期血圧の変化が大きくないのに比較して拡張期血圧が上昇し，脈圧が低下する現象が起こる。これは，末梢の静脈が収縮し，生命維持に重要性の低い臓器の循環血液量を重要臓器に供給するための代償機構である。収縮期血圧にばかり気をとられていると，ショックがさらに次のステージへ進行するため，輸血等の医療介入が遅れないよう注意する。

6．呼吸数

呼吸は生命に直結する因子であり，いうまでもなく重要である。しかし産婦人科医は，呼吸数を確認する習慣があまりないことが指摘されている[2]。呼吸数は肺水腫等，呼吸不全を発症した場合だけでなく，苦痛が強い場合にも増加してしまう。以前は正常値の上限は25回/分，下限は10回/分としていたが，妊娠中は生理学的な変化によって呼吸数が増加するため，非妊娠時の基準を採用することは妥当ではないとされた。このため，呼吸数の異常値の基準が改定され，15回/分以下，または25回/分以上となった。繰り返しになるが，血圧や心拍数の変化に気づかなかった場合でも，呼吸数の増加や呼吸パターンの変化に気づくことで，異変を感知できることは多い。呼吸数や呼吸パターンの観察がとても重要であることを今一度強調しておきたい。

もう一点，母体安全への提言2015[4]の提言で取り上げられているように，劇症型A群溶血性レンサ球菌感染症による妊産婦死亡が一定の割合を占める現状がある。このような敗血症の発症が疑われる患者の評価に用いられるスクリーニング法として，quick SOFAがあり，この項目の一つとして呼吸数≧22回/分がある（各論「敗血症」297ページ参照）。敗血症性ショックの場合にも，呼吸数の変化が重要であることも強調しておきたい。

逆に，呼吸数が低下する場合としては，いわゆる心停止に至る直前の徐呼吸はもちろんであるが，硫酸マグネシウム中毒やオピオイド過量投与でも低下することがある。過度に低下した場合はすぐにバッグバルブマスク等を用いた呼吸の補助が必要になる。

7．意識レベル

中枢神経活動の主な指標となる。JCSを使用した場合，1桁を閾値とする。すなわち，自発的に開眼・瞬き動作・話をしている状態を正常の範疇とし，呼びかけや痛み刺激が加わらなければ開眼しない状態（2～3桁）を異常とする。ただし，明らかな意識レベル低下が確認できた場合は，心拍数の軽度上昇等と異なり，単なる早期警告サインというよりも緊急対応を必要とするサインと考えたほうがよい。まずABC（気道，呼吸，循環）を確認し，ABCの異常があればその安定化に務める。同時に血糖や電解質，薬剤等の要因がないか確認しつつ，緊急性に応じて頭蓋内病変の検索を行う。頭蓋内に出血等の異常が確認できた場合は，速やかに専門医にコンサルトをする。

8．体温

一般的に，敗血症をはじめとした感染症を除外するためによく使用される。妊婦にも同様に応用でき，38℃以上を発熱とする。感染症はそれ自体が軽症であっても早産につながることも多いため，常に気をつけておかなければならない。

体温の低下について異常値の設定はないが，通常末梢温（体表温）が測定されるため，ショック状態の際には測定不能となることが多い。測定不能となるほど末梢が冷たい，ということは，末梢循環がきわめて悪化していることを示しており，これも異変に

気がつく一つのサインとなる。

まとめ

　以上，妊産婦死亡を回避するための一助となるバイタルサイン異常をあげた。しかし，患者の病態は個々に違い，画一的に分類できるものではない。それぞれの指標はあくまで参考にすべき値であり，異常値を満たしていなくても，急変の徴候が潜んでいる可能性はあると常に考えておくべきである。そのためには，日々の患者に対して注意深い観察や正確な問診等を重視した診療が大切となってくるだろう。また，MEOWS等のスコアリングをルーチンに行い，多くのバイタルサインの変化を追うことも解決策の一つとなる。

　もう一点，急変に遭遇した場合に対応できる能力を身につけておくことも重要である。バイタルサインの異常や各病態への対応に加えて，結果的に急変してしまった場合にも対応できるように，心肺蘇生等を習得・維持しておくことが望ましい。バイタルサインを確認することで異常を早期発見し，適切な治療が行われることで，preventable deathがさらに減少することを切に願う。

文献

(1) 妊産婦死亡症例検討評価委員会・日本産婦人科医会：母体安全への提言 2018, 2019
(2) 妊産婦死亡症例検討評価委員会・日本産婦人科医会：母体安全への提言 2017, 2018
(3) 日本産科婦人科学会，日本産婦人科医会，日本周産期・新生児医学会，日本麻酔科学会，日本輸血・細胞治療学会：産科危機的出血への対応ガイドライン, 2016
(4) 妊産婦死亡症例検討評価委員会・日本産婦人科医会：母体安全への提言 2015, 2016
(5) Centre for Maternal and Child Enquiries (CMACE). Saving Mothers' Lives: reviewing maternal deaths to make motherhood safer: 2006–08. The Eighth Report on Confidential Enquiries into Maternal Deaths in the United Kingdom. Br J Obstet Gynaecol 118 (Suppl 1): 1–203, 2011
(6) 妊産婦死亡症例検討評価委員会・日本産婦人科医会：母体安全への提言 2010, 2011

（貞広 智仁，廣瀬 陽介）

基本編

妊産婦急変時の初期対応

▼**事例1** 30代，初産婦

　妊娠初期より重症妊娠悪阻のため，自宅で安静にする日が続いていた。妊娠14週，右胸痛を自覚して産婦人科を受診した。疼痛も自制内で，心拍数，血圧，SpO2に異常がないため，経過観察となった。2日後，自宅で倒れているところを夫に発見され救急搬送された。発見時，すでに心停止状態であったため，蘇生処置が続けられたが，心拍は再開せず死亡確認となった。

▼**評価**

　深部静脈血栓症（DVT：deep vein thrombosis）を発症し，肺血栓塞栓症（PTE：pulmonary thromboembolism）によって死亡した事例である。DVT発症の原因として，重症悪阻による脱水と日常生活動作の低下が考えられる。胸痛を自覚し受診した際，心拍数，血圧，SpO2に異常は認めなかったが，看護記録を見直すと呼吸数32回/分と記載されており，頻呼吸であった。胸痛で受診した時点でPTEおよびDVTを精査していれば，救命につながった可能性がある。

▼**事例2** 30代，経産婦

　妊娠40週，頸管拡張後，オキシトシンでの誘発を開始した。子宮口が6 cmまで開大したところで，軽度の呼吸苦の訴えと多呼吸（35回/分）が出現した。60分後，突然の血圧低下と頻脈を認め，意識レベルが急激に低下した。同時に胎児徐脈が出現し，吸引分娩を行った。分娩直後に母体は心停止となり心肺蘇生が開始された。院内の全身管理医に連絡し，協働で集学的治療を施したが，死亡確認となった。

▼**評価**

　誘発分娩中に羊水塞栓症を発症し，突然の心停止になり死亡した事例である。病態の進行がきわめて早く，救命の困難な事例であった。本事例では，羊水塞栓症の初発症状として心拍数，血圧の変化に先行して，呼吸状態の変化が出現していた。胎児徐脈が出現した時には母体状態の悪化も念頭において初期対応する必要があった。

▼ 提言
- 母体急変の前徴としての呼吸数の変化を見逃さない。
- 早期警告サイン（PUBRAT）として，心拍数，SpO₂，時間尿量，収縮期血圧，拡張期血圧，呼吸数，意識レベル，体温の8項目を密に観察する（表1）。
- バイタルサインの異常を捉え，速やかにABC〔気道（A：airway），呼吸（B：breathing），循環（C：circulation）〕のサポートを行う。
- 妊産婦が急変した時には，救急医をはじめとした他科の医師に援助を求めることを躊躇しない。

表1　早期警告サイン「PUBRAT」

心拍数	≧100/分 bpm，≦51 bpm
経皮酸素濃度	≦95%
時間尿量	<0.5 mL/kg/時間
収縮期血圧	≧140 mmHg，≦101 mmHg
拡張期血圧	≧90 mmHg
呼吸数	≦15回/分，または≧25回/分
意識レベル	JCS1桁を超える
体温	≧38.0℃

はじめに

妊産婦の急変に対しては，急変の認識と即時の初期対応開始が必要である。最終的には診断に基づいた治療が必要となるが，初期対応が迅速に行われなければ，診断に行きつくまでに心停止に陥ったり，診断時には全身状態が悪化して重篤な障害を残したりすることがある。急変を認識するためにはABC（気道，呼吸，循環）の異常に注意を払い，異常があればいち早くバイタルサインをチェックする。バイタルサインとは血圧のみでなく，脈拍数，呼吸数，SpO₂ も含まれる。出血がある場合には出血量カウントのみならず，shock index (SI) や末梢冷感・発汗等から出血量やショックの進行を評価する。急変発生現場が一次施設の外来であれ，高次施設の病棟であれ，急変の認識と初期対応で行うべきことは共通している。そして診断がつく前から高次施設や他診療科との連携を図り，多くの医療スタッフと協働して治療にあたる。生命維持のために必要な初期蘇生を身につけることが大切である。

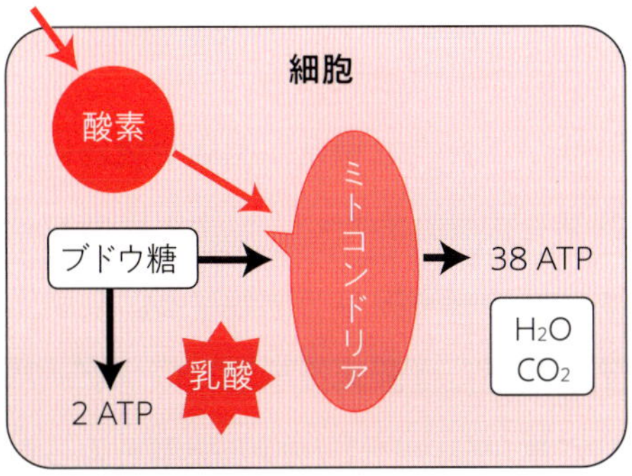

生命維持の基本

急変とは，生命徴候が不安定な状態に陥っている状態である。不安定な状態と判断すれば直ちに初期治療介入を行って生命徴候の安定を図る。生命徴候が安定している，もしくは安定化させることができた後に考えるべきことは，身体機能の温存である。母体急変時に守るべき生命は母児の生命，そして守るべき機能としては母体の妊孕性の維持と母児の身体機能である。ただし，生命は機能に優先するということは常に念頭におく必要がある。急変対応の概説に先立ち，生命維持の基本を確認しておく。

基本的な生命維持は臓器・組織の適切な酸素化によってなされている（図1）。個々の細胞が活動を維持するためのエネルギーは主にアデノシン三リン酸（ATP：adenosine triphosphate）が用いられる。ATPは細胞内のミトコンドリアで効率的に生成される。ATPの効率的な生成のためには酸素が必要であり，

図1　生命維持の基本

基本編　妊産婦急変時の初期対応

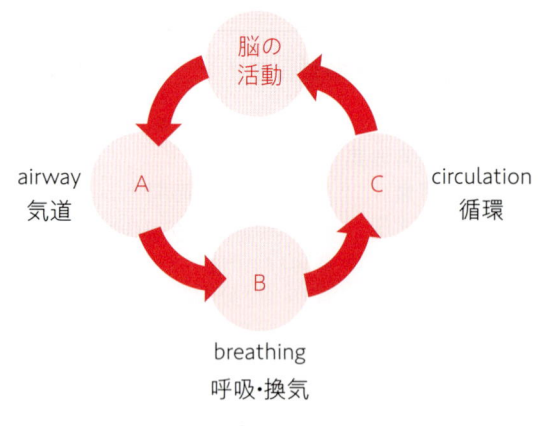

図2　生命維持のサイクル

1つのブドウ糖と酸素からは38のATPが生成され，最終的にH₂OとCO₂になる。酸素が不足すると1つのブドウ糖からは2つのATPしか生成できず，乳酸が貯留していく。ショックや局所的な血流障害が存在する患者の状態を評価するためには乳酸値測定が有用である。

　個々の細胞の酸素化を維持するためには，①酸素が血中に取り込まれること，②血液が適切に循環して臓器・組織への灌流が適切に維持されていること，の2点が必須である。生命維持のために司令は脳から出される。脳からの司令により胸郭の呼吸運動が起こる。気道（A：airway）が開通していれば肺胞に新鮮な空気が達し，ガス交換（O₂の取り込み，CO₂の排出）という呼吸（B：breathing）がなされる。血中に取り込まれた酸素は赤血球内のヘモグロビンと結びつき，血液に乗って全身の臓器や組織に運ばれて細胞に受け渡される循環（C：circulation）が行われる。脳も臓器の一つであり，適切に酸素化された血液が適切に灌流することにより正常な活動が維持される。これが最も単純化した生命維持のサイクルである（図2）。

　生命維持のサイクルはつながって1つの輪になっており，どこかで障害を受けると，次第に全体に影響が出て不安定になる。そのため，生命徴候が安定しているかどうかを判断するためには脳の活動＋ABCの状態を観察して評価し，異常があればその異常を正常化すべく直ちに治療介入する必要がある。生命徴候の観察と評価は，診療のさまざまな段階でそれぞれ適切な方法を用いて繰り返し行う。

安定化のための初期治療介入

　脳の活動＋ABC，もしくはバイタルサインのいずれかで異常を認めて不安定と判断すれば，診察と並行して初期治療介入を行う。初期対応が遅れれば遅れるほど状態は悪化するため，まずは躊躇せずに初期治療介入を開始する。初期対応は急変が発生した現場にいる限られた人数で開始するため，疾患特異的な治療ではなく，全身状態の安定化，すなわちABCを安定化させることを優先する。体の隅々の細胞まで安定して酸素を届けることをイメージしながら行動すればわかりやすい。同時に応援を呼ぶことも躊躇しない。一次施設であれば救急隊と高次施設に連絡し，高次施設内であれば救急科や集中治療科・麻酔科等，全身管理に慣れた診療科にも応援を依頼する。

　最初期に必要になる初期治療介入は酸素投与（O：oxygen），モニター監視（M：monitoring），静脈路確保（I：IV route）の3点である。まとめて初期治療介入の「OMI」とすると覚えやすい。

1.「O：oxygen（酸素投与）」

　生命徴候が不安定な場合，組織や臓器に少しでも多くの酸素を送り込みたい。急変と判断すれば，いち早く高濃度の酸素投与を開始する。高濃度の酸素を投与するためには酸素投与器具にリザーバーを装着し，高流量（10〜15L/分）の酸素を流しながら常にリザーバーが膨らんでいることを確認する。自発

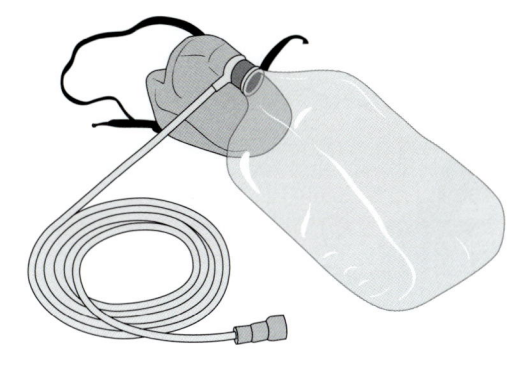

図3 リザーバー付きフェイスマスク

表2 酸素流量とおよその吸入酸素濃度

鼻カニュラ		マスク		リザーバー付きマスク	
酸素流量(L/分)	吸入酸素濃度(%)	酸素流量(L/分)	吸入酸素濃度(%)	酸素流量(L/分)	吸入酸素濃度(%)
1	24				
2	28				
3	32				
4	36	4	36		
		5	40		
		6	44	6	60
		7	48	7	70
		8	52	8	80
		9	56	9	90
		10	60	10	90〜

呼吸がしっかりとある場合はリザーバー付きフェイスマスク(図3)で投与し，自発呼吸が弱い場合はリザーバーを装着したバッグ・バルブ・マスク(BVM)で補助換気を行う(補助換気の方法については後述)。主な酸素投与器具と酸素投与時の酸素濃度の目安を表2にあげる。急変時は細胞レベルで酸素不足になっていることが多く，まず高濃度酸素投与を開始して，必要がなければ流量を下げればよい。

2.「M：monitoring（母体のモニタリング）」

バイタルサインを測定した後，継続的にバイタルサインを監視するためにモニタリングを行う。モニタリングにより経時的な状態変化を捉えやすくなるとともに，初期治療介入への反応を確認することができる。治療介入に対してバイタルサインの改善があればその治療を続行し，バイタルサインが改善しなければ別の治療介入を考えなければならない。モニタリングには通常，心電図モニターとSpO2モニターを使用する。

3「I：IV route（静脈路確保）」

生命徴候が不安定であれば，早期に静脈路を確保しておく。静脈路が確保されていれば，必要時にいつでも輸液を含めた薬物療法を開始することができる。大量輸液や輸血の可能性を考えれば，末梢静脈で20G以上，できれば18G以上の太さの静脈留置針を用いることが望ましい(初期輸液療法については後述)。

基本的なスキル

1.「A：気道確保」

高度意識障害がある場合は，舌根が沈下して気道を塞いだり，吐物等の異物によって気道が塞がったりする。ショックや脳出血時にも嘔吐が誘発されて気道が塞がる危険性がある。気道に異常がある時は，まず用手気道確保を行い，必要に応じて口腔内や咽頭部の吸引を行う。用手気道確保の方法として，頭部後屈・顎先挙上は必ず身につけておく。下顎挙上法はさらに効果的な方法であり，できるようになっているほうがよい(図4)。

継続的に気道確保が必要な場合は，鼻咽頭エアウェイ(経鼻エアウェイ)が便利である(図5)。鼻咽頭エアウェイは鼻から挿入して舌根の裏側に先端を進めることで気道確保を行う器具で，挿入して入れば咽頭〜喉頭部の吸引も容易になる。サイズは6〜

基本編　妊産婦急変時の初期対応

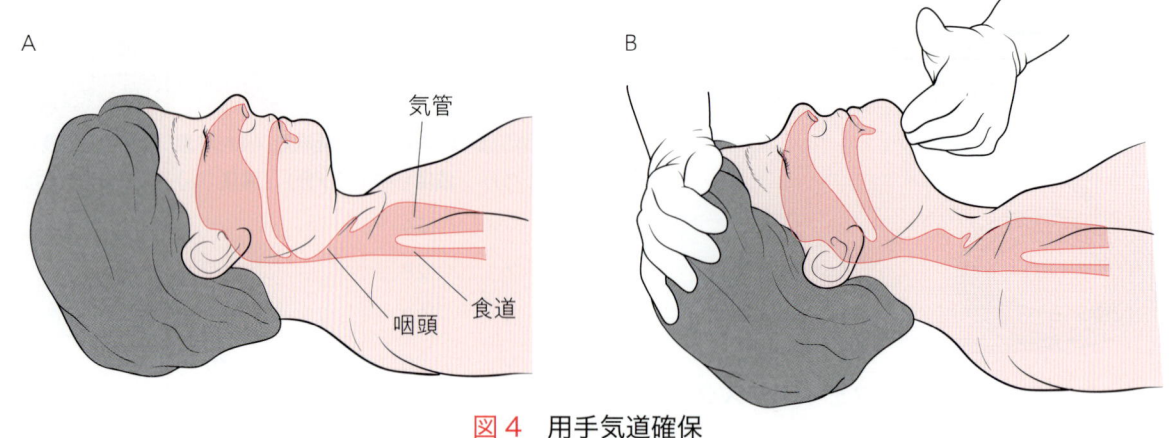

図4　用手気道確保
A：意識がないときには気道が閉塞しやすい。気道が閉塞していると呼吸ができない。
B：頭部後屈，顎先挙上により気道が開通する。

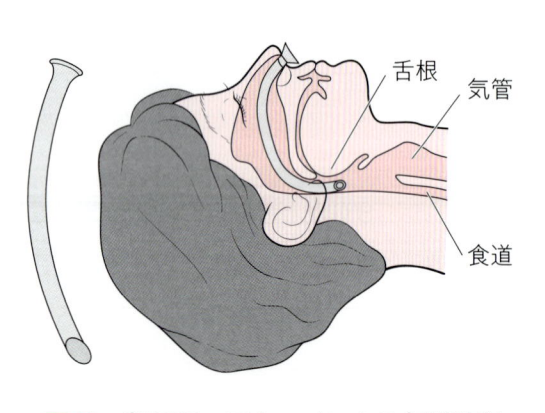

図5　鼻咽頭エアウェイによる気道確保

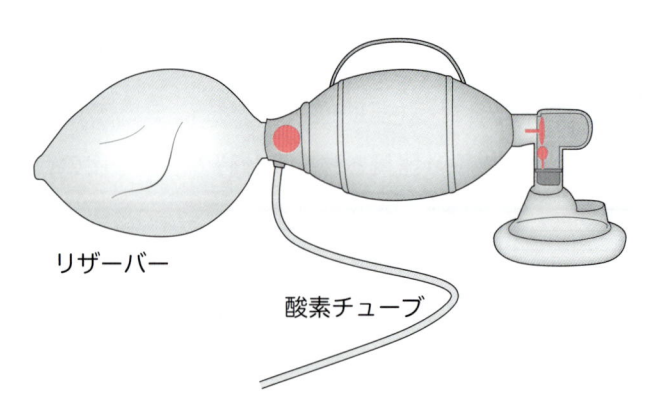

図6　バッグ・バルブ・マスク（BVM）

7 mmのものを選択し，挿入時は顔面に対して垂直に進めるのがコツである。気管挿管は最も確実な気道確保器具であるが，挿管操作を短時間で確実に行うには熟練が必要であり，慣れていない者は行わないほうがよい。それよりもBVM換気をしっかり身につけるべきである。

2.「B：人工呼吸（換気補助）」

　自発呼吸がない，または不十分である時，あるいは高濃度酸素を投与しても酸素化が不十分な時には，気道確保を行いつつ人工呼吸（換気補助）を行う。人工呼吸（換気補助）を行うにはBVMを用いる（図6）。BVMで換気を行う時には必ずリザーバーを装着し，常に酸素でリザーバーが膨らんでいることに留意する。

　BVM換気時にはマスクで鼻と口を覆って下顎を持ち上げて気道確保を行う。この時，親指と人差し指でマスクを顔に密着させ，残りの3本の指で下顎骨を挙上する。対応人数的に可能であれば，1人が両手でマスクを密着させて下顎を挙上し，2人目がバッグで換気をする，すなわちA：気道確保，B：換気を2人で分担することが推奨されている。

3.「C：ショックへの対応」

1）ショックの認識と分類

　ショックとは，全身性の組織灌流低下に伴い，組

表3 ショックの分類と妊産婦における疾患

ショックの分類	疾患
1 循環血液量減少性ショック(hypovolemic shock)	弛緩出血，前置胎盤，子宮内反症，子宮破裂，常位胎盤早期剝離
2 心臓機能の異常：心原性ショック(cardiogenic shock)	心筋症，心筋梗塞
3 血管通過の異常：閉塞性ショック(extracardiac obstructive shock)	肺塞栓症，妊産婦仰臥位症候群
4 血液分布異常性ショック(distributive shock)	アナフィラキシー，羊水塞栓(心配虚脱型)，敗血症

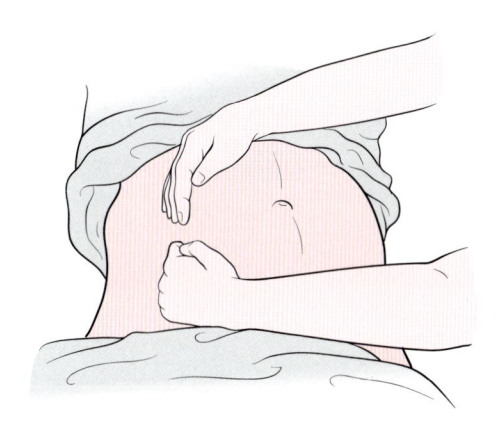

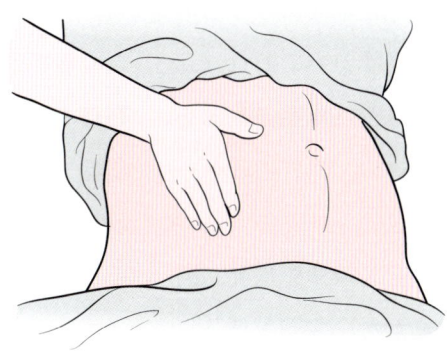

図7 心停止時の子宮左方移動法(用手圧排法)

織への酸素供給が不足している状態である。ショックが継時的に侵攻する場合，まず心拍数が増加し，次第に末梢血管が収縮することで末梢血流が落ちる。さらにショックが進行する段階で血圧低下が始まる。すなわちショック＝血圧低下ではなく，血圧が低下する前に身体所見からショックを認識する必要がある。ショックは4つに分類される。妊産婦で起こりうるショックの原因疾患は常に頭に入れて，急変時にはその可能性を考慮する必要がある(表3)。ショックと認識すれば，例えSpO2の値が正常であっても高濃度酸素投与と組織灌流の回復のための初期治療が必要である。心肺蘇生については他稿で詳説する。

2) 子宮左方転位

妊娠によって大きくなった子宮の左方転位を行うと，母体血圧や心拍出量，胎児の酸素化や心拍数が改善することが知られている。子宮底が臍部に達する(およそ妊娠20週以降)妊婦においては，血圧や心拍数，呼吸数やSpO2に異常がある時には，用手で腹壁越しに子宮を左方に圧排する(図7)。左側臥位～左半側臥位をとることでも子宮が左方にずれて同様の効果がある。心肺蘇生時にも子宮左方転移は有効である。左半側臥位では胸骨圧迫が十分に行えないため，仰臥位で用手圧排を行う。死戦期帝王切開は妊娠子宮の圧迫を外す効果とともに，子宮への血流を減少させて体循環量を増やすという，究極の蘇生治療となる(詳しくは治療編「死戦期帝王切開」130ページ参照)。

3) 初期輸液療法

循環血液量減少性ショック，血管分布異常性ショックでは急速輸液を必要とする。閉塞性ショックでも心臓への還流を増やすために急速輸液を行う。急速輸液に適しているのは細胞外液(ラクテック®，ヴィーンF®，ビカーボン®等のリンゲル液や生理食塩水)である。ブドウ糖を含む輸液を急速に投与すると高血糖になりやすいので，ブドウ糖を含まないか，含んで

も1％以下のものを選択すべきである。急速輸液を行う場合は体温低下を避けるため、加温した輸液を投与することが望ましい。人工膠質液（ヘスパンダー®，サリンヘス®，ボルベン®等）は一時的な血圧上昇は得られるものの、生理食塩水を投与した場合と比べて救命効果は変わらず、血液浄化を要するような腎機能障害を増やすという研究がある。ショック患者に対するアルブミン製剤投与は死亡率をあげるという研究もある。膠質液投与を考慮するのであれば人工膠質液やアルブミン製剤ではなく、早期に輸血を開始するほうがよい（輸血療法については113ページ参照）。

胸部聴診で肺雑音が著明、胸部X線検査で肺水腫所見がある、超音波検査で明らかな心収縮が低下している等、心原性ショックが疑われる場合は急速輸液を行うと症状を悪化させるため、輸液は最小限にとどめる。

4）カテコラミン

循環血液量減少性ショックに対しては、細胞外液輸液や輸血による対処が第一選択であり、盲目的な昇圧薬の投与は避けるべきである。

敗血症では血管拡張や心収縮能の低下が起きることが多いため、末梢血管を収縮させるためにノルアドレナリンを用いる。3 mgを50 mLの生理食塩水で溶解し、60 kgであれば0.6 mL/時間、70 kgであれば0.7 mL/時間で投与を開始する。

アナフィラキシーでは末梢血管を収縮させ、肥満細胞からのヒスタミン遊離を抑える目的で、アドレナリンを用いる。0.3〜0.5 mgを筋注する。筋注する場所は大腿外側が第一選択で、効果がなければ5〜15分ごとに同量を追加投与する。

表4　iSBAR

i	I（自分）	話しているのが誰か（職種含む）
S	Situation（状況）	今、どのような状況か
B	Background（背景）	患者の背景。元々どのような患者か
A	Assessment（アセスメント）	現状の現時点でのアセスメント
R	Recommendation（推奨）	相手に何をして欲しいのか

心機能低下による肺うっ血がある場合、心拍出量を増やす目的にドブタミンを投与するが、収縮期血圧低下がある場合は、ドパミンまたはノルアドレナリンの併用が必要である。

応援の要請と役割分担

急変と認識したら、躊躇せずに応援を要請する。救急隊との連携、他の診療科との連携は他稿で詳説する。ここでは緊急時に簡潔に情報共有し、効率的かつ確実な治療介入をするためのコツを紹介する。

iSBAR：応援を要請する場合の情報共有の方法（表4）。状況を簡潔に、かつ明確に伝えるために役立つ。

チェックバック：リーダーからの指示は、誰に何をして欲しいのかを明確にして伝える。指示を受けた側は内容を復唱し、完了時には完了報告する。

記録：人数が少ない状況で記録をするのは困難であり、ICレコーダーを準備するか、スマートフォンの録音機能を用いて録音するとよい。録音で記録することを前提とすると、チェックバックもスムーズに行える。

（山畑　佳篤）

基本編

妊産婦死亡の病理解剖

▼**事例**　20代，経産婦

　妊婦健診経過に異常はなかった。妊娠6カ月より38℃の発熱を認めた。以後，嘔吐および食欲不振等，症状が悪化し第3病日，入院となった。治療を開始したが翌日も高熱が持続し，意識障害が生じた。血液検査で肝機能障害，DICを示し，子宮内胎児死亡の後に突然心停止し，母体死亡となった。重症感染症が疑われ病理解剖が行われた。解剖所見では肝膿瘍および胎盤小膿瘍，敗血症，DIC所見とともに血球貪食症候群が確認されたが，一般的な細菌培養では有意な菌は同定できなかった。その後検討会を重ね，研究機関に依頼してPCR (polymerase chain reaction) 法とDNAシークエンス解析を行った結果，肝および胎盤，肺，脾臓より*Chlamydia (Chlamydophila) psittaci*のDNAが同定され，オウム病と診断された。

▼**評価**

　急激な経過で死亡した*Chlamydia (Chlamydophila) psittaci*によるオウム病の事例である。オウム病は鳥が主な感染源で，インフルエンザ様症状を示し，肺炎や気管支炎を引き起こす4類感染症である。妊産婦では，流産や早産を引き起こすことがあり，死亡例の報告もある[1]。本事例は，病理解剖がなければ一般的な細菌感染症ということになっていたが，病理解剖により肝膿瘍および胎盤小膿瘍，敗血症，DIC所見とともに血球貪食症候群を起こしていることが判明した。さらに複数の臨床医や病理医と検討を重ねたことにより，さらなる精査が行われ起炎菌の同定まで至った。

▼**提言**
- 妊娠中に合併する感染症については，未だ解明されていない点が多い。
- 複雑な病態を解明し，原因を整理してその対策を立てるためには，病理解剖を施行して，正確で客観的な情報を収集し，病態の真の姿を詳細に検討する必要がある。

はじめに

　妊娠，分娩の仕組みは未だ解明されていない点があり，妊娠高血圧症候群，産科危機的出血等，異常分娩については，その病態は不明瞭な部分が多い。このため，妊産婦死亡が発生した場合，その原因が後方視的に検討してもはっきりしないことも稀ではない。さらに，異常分娩は突発的に発生することから，事前に予想して妊産婦から各種のデータを集めることも困難である。このため，現在においても妊

基本編　妊産婦死亡の病理解剖

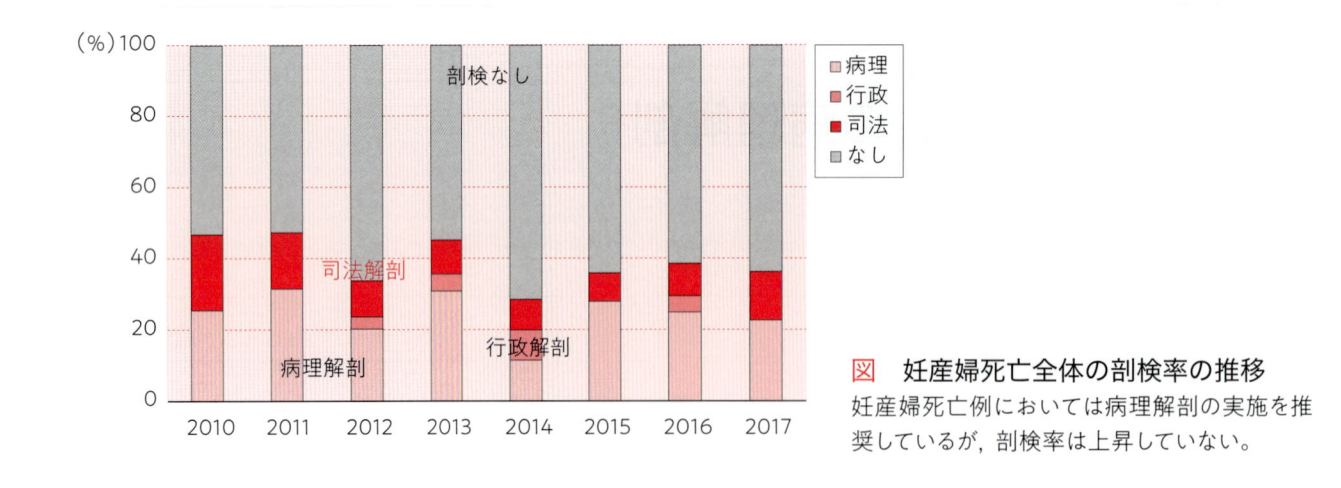

図　妊産婦死亡全体の剖検率の推移
妊産婦死亡例においては病理解剖の実施を推奨しているが，剖検率は上昇していない．

産婦死亡の病態解析を行うには，事後のデータではあるが，病理解剖以外に方法がない．

また，現在日本においては，第1子出産年齢の高齢化が進んでいる．高齢化に伴い，循環器疾患，自己免疫疾患，悪性腫瘍等の罹患率，合併率は少なからず増加すると予想される．事実，産婦人科領域に限っても，婦人科疾患の既往や円錐切除術等，手術既往や不妊症治療歴を有する妊婦が増加している．今後，複雑な合併症，既往をもつ妊婦が増加することにより，病態解明のための病理学的検索，病理解剖はますます必要となると予想される．

日本の妊産婦死亡の剖検実施状況と問題点

2010年以降，妊産婦死亡症例登録事業に登録された症例の解剖の実施状況を図に示す．日本産婦人科医会では妊産婦死亡に対しては全例について病理解剖を行うことを提言してきたが，解剖率は目立って増加していないのが現実である．また，妊産婦死亡はその社会的重要性から，司法解剖や行政解剖となることも多い．しかし，司法解剖は犯罪捜査を目的に行われるものであることから剖検結果は原則として非公開であり，原因の分析や今後の対策に，その結果を反映させることは難しい．これらのことから，現状において病態解析には病理解剖が最も適した方法で

あると考え，日本産婦人科医会では妊産婦死亡全例について病理解剖を行うことを提言している．

欧米諸国では，公衆衛生の観点から妊産婦死亡のほとんどが剖検されて，そのデータが施策に反映される仕組みが確立されている．

妊産婦死亡における剖検の有用性の検討

日本全体の傾向として，臨床所見のみでおおよその病態はわかっているため今さら剖検する必要はない，といった臨床医の風潮がある．妊産婦死亡登録事業に届出のあった症例の原因疾患の評価において，剖検がどの程度影響したのかを検討した(表)[2]．

2012〜2015年の3年間に報告された妊産婦死亡症例134例のうち司法解剖が行われた7例を除いた127例について，症例検討会の議論のなかで「ぜひとも病理解剖すべきであった」または「解剖によって原疾患が解明された」と結論された症例数を検討した．同期間に解剖が行われた症例は42例で解剖率は33.1％であった．

解剖が行われた42例について，24例(57.1％)は剖検で得られた最終診断と臨床診断は一致していたが，15例(35.7％)の症例では剖検診断と臨床診断に不一致があった．

逆に解剖が行われなかった症例85例については

表 剖検例における臨床診断と剖検診断

剖検施行例　N=42	
臨床経過と一致	24 (57%)
臨床経過と不一致	15 (36%)
剖検診断を採用	12 (29%)
摘出組織で診断	1 (2%)
剖検で他の疾患の可能性を否定できたために臨床的に最終診断した	2 (5%)
解剖したが死因が不明	3 (7%)
剖検非施行例　N=85	
生前の病理診断	7 (8%)
生前の手術所見	14 (16%)
Ai	3 (4%)
生前に行われた検査	18 (21%)
検死症例	10 (12%)
病態が不明　剖検すべき	33 (39%)
臨床経過が合わない	25 (29%)
臨床情報が少ない	8 (9%)

(Hasegawa J, et al：Analysis of maternal death autopsies from the nationwide registration system of maternal deaths in Japan. J Matern Fetal Neonatal Med 31：333–338, 2018 より引用, 一部改変)[2]

42例(49.4%)においては生前の臨床情報(細菌培養, 生検診断, 放射線画像診断等)で病態を説明することが可能であったが, 33例(38.8%)の症例は臨床情報からは最終的な死因を同定することができず, 是非とも剖検すべきであったと結論された。

これらの数字は, 画像診断, 血液検査が進んだ現代においても, 妊産婦死亡については病理解剖が必要であることを示す数字でもある。

妊産婦死亡の病態検索におけるAiの有用性と限界

昨今, 死因究明においてAiの利用が模索されている。基本的にAiで診断できる疾患は, 解剖学的構造の異常を伴う疾患, 出血を伴う疾患である。すなわちAiの技術は, 脳出血や大動脈解離等の構造変化に対して有用である。しかし, 急性心筋梗塞, 急性期の脳梗塞, 感染症についての診断精度には限界がある[3]。

これまでにわれわれが検討した妊産婦死亡症例の解析では, 日本における妊産婦死亡は, 産科危機的出血, 脳出血, 心肺虚脱型羊水塞栓症, 解離性大動脈瘤破裂, 肺血栓塞栓症(PTE：pulmonary thromboembolism), 感染症でその80%を占める。解離性大動脈瘤破裂, PTEについてAiは有用であるが, 心肺虚脱型羊水塞栓症, 劇症型B群溶血性レンサ球菌感染症については血液検査を含めた病理解剖による全身検索が必要である。産科危機的出血の多くを占める子宮型羊水塞栓症の診断にも子宮, 肺を含めた病理組織検索が必要である。そしてこれらの疾患との関連が強く示唆される妊娠高血圧症候群との関連については, さらに腎臓, 心臓を含めた全身検索が必要である。

これらの事実を踏まえると, Aiには長所もあるが, 妊産婦死亡症例についてはAiだけでは確定診断できない疾患が多いことから, 妊産婦死亡が発生した時にはAiと病理解剖の併用が望ましいと考える。

病理解剖を進めるにあたって解決すべき問題

1. 社会への啓発

わが国では, 社会情勢や宗教観・死生観の相違により, 欧米並に剖検率を上げることは難しい。われわれは2010年以降, 繰り返し病理解剖の必要性を提言してきた。しかし, 地域によって剖検率は未だ低く, 司法解剖が優先される地域もある。

妊産婦死亡の原因のなかには, 剖検によって診断ができる疾患(羊水塞栓症および肺動脈血栓塞栓症, 心疾患, 冠動脈解離, 脳動脈解離)は多い。また逆に, 癒着胎盤や深部頸管裂傷等, 解剖することによって除外できる疾患も数多く存在する。

このように剖検は, 今後の予防や治療という観点

基本編　妊産婦死亡の病理解剖

からも重要な役目を担っていることを，われわれは遺族に示す必要がある．また，Marfan症候群や遺伝性の血管病変等，次世代に遺伝しうる疾患が原因であることも少なからずあることを，遺族に説明すべきであろう．

参考として妊産婦死亡の際の「病理解剖のお願い」の例文を本書籍の巻末に添付する．これは東京医学社のホームページhttps://www.tokyo-igakusha.co.jp/asset/byourikaibou.pdfからでもダウンロードが可能である．

さらに，このためには普段から社会全体に対して，解剖への理解を得るように広報する必要がある．

2. 病理解剖を実施する医療体制の整備

日本の中小産婦人科診療施設では，妊産婦死亡に遭遇しても病理解剖を実施する手段がないところがほとんどである．妊産婦死亡症例の解剖を実施するには，病理解剖施設というハードの整備と解剖を執刀するマンパワーの両面を整備する必要がある．

病理解剖施設については，2015年10月から施行された医療事故調査制度により医療事故調査等支援団体が整備され，各地方の医師会等を通じて，必要とあれば医療安全にかかる解剖を行う体制が整備された．

マンパワー，すなわち解剖を行う病理医，法医学医師の技能と知識の向上のために，浜松医科大学教授の金山尚裕を班長とした班会議では，剖検マニュアルを作成し，全国の主要施設に配布した[4]．この剖検マニュアルは2016年に第二版を作成し，全国の病理学会認定施設と法医学教室に配布した（日本産婦人科医会のホームページhttp://www.jaog.or.jp/wp/wp-content/uploads/2017/01/bouken_2016.pdfよりダウンロード可能）．

妊産婦死亡は現在，全国で年間40人前後である．この数字から推定すると，妊産婦死亡は1人の解剖担当医，1人の放射線読影医にとっては，過去にほとんど経験したことのない稀な疾患と考えられる．このため，個々人の経験を共有することが必要である．われわれは病理学会に合わせて，症例検討会を継続的に開催し，解剖担当医に対して解剖手順や診断基準の標準化，産科病理についての知識のフィードバックを行っている[5]．

今後の方策としてはAiを担当する放射線読影医に対しても，病理解剖と同様に個々の経験を共有すること，そして診断精度向上のための病理解剖との照合，検討を行う仕組みが必要であると考える．さらに定期的に剖検マニュアルを改訂していくことも必要である．

まとめ

妊産婦死亡を減少させるためには，その原因，病態を正確に把握することが必要である．このためには剖検率を向上させること，そして，すべての剖検診断結果が今後の施策に反映されるシステムを確立することが肝要である．

文献

(1) 清水可奈子, 他：オウム病による国内初の妊産婦死亡例. 産婦の実際 67：445–450, 2018
(2) Hasegawa J, et al：Analysis of maternal death autopsies from the nationwide registration system of maternal deaths in Japan. J Matern Fetal Neonatal Med 31：333–338, 2018
(3) Sonnemans LJP, et al：Can virtual autopsy with postmortem CT improve clinical diagnosis of cause of death? A retrospective observational cohort study in a Dutch tertiary referral centre. BMJ Open 8：e018834, 2018
(4) 厚生労働科学研究費補助金地域医療基盤開発推進研究事業 妊産婦死亡時の剖検と病理検査の指針作成委員会：妊産婦死亡剖検マニュアル http://www.jaog.or.jp/wp/wp-content/uploads/2017/01/bouken_2016.pdf
(5) 深山正久：病理と法医の対話, 今後の方向性. 病理と臨 32：766–772, 2014

（若狭 朋子）

基本編

子宮と胎盤の病理検査

▼事例1　20代，経産婦

妊婦健診の経過に異常はなく，妊娠38週に経腟分娩となった。分娩後弛緩出血を呈し，子宮収縮薬の投与や輸血を行ったが，出血が5,000gに及んだため，緊急に子宮摘出術を行った。子宮は，肉眼像では柔らかく浮腫状であった（図1）。組織像でも間質の浮腫が目立ち（図2），血管内には羊水のムチン成分であるアルシャンブルー陽性物質（図3）や，胎児成分のcytokeratin（AE1/AE3）陽性物質（図4）を認めた。以上より子宮型羊水塞栓症と診断した。

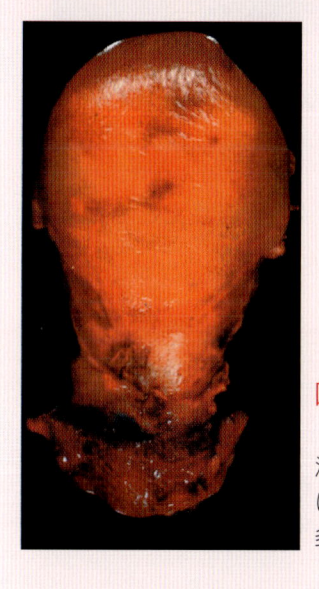

図1　子宮型羊水塞栓症：摘出した子宮
浮腫状で柔らかい。重さは700g以上になることが多い。

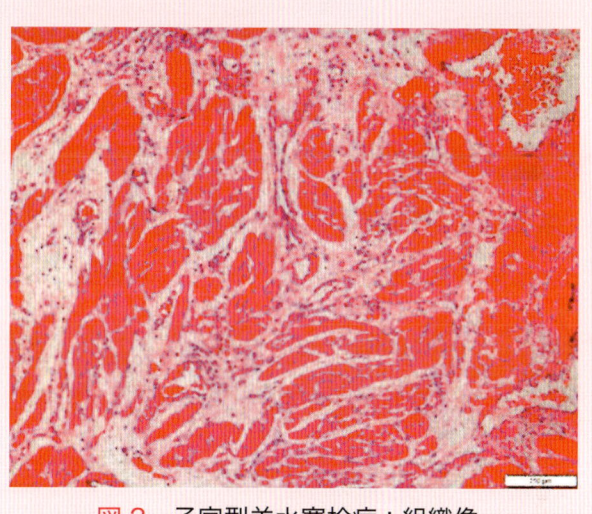

図2　子宮型羊水塞栓症：組織像
間質の浮腫が目立つ。

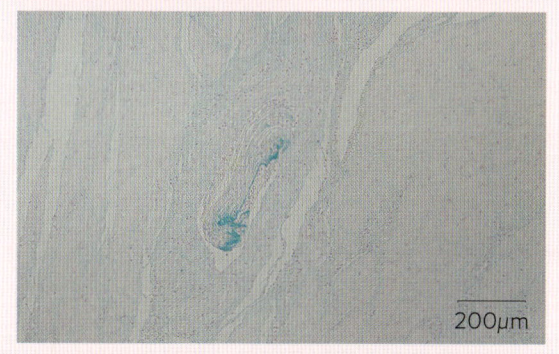

図3　子宮型羊水塞栓症：特殊染色
血管内にアルシャンブルー陽性物質を認める。

図4　子宮型羊水塞栓症：免疫組織染色
血管内にcytokeratin陽性物質を認める。

▼評価

摘出子宮を詳細に検索することで子宮型羊水塞栓症の診断に至った。疾患概念の理解と詳細な検索がなければ，弛緩出血と診断された可能性がある。

基本編　子宮と胎盤の病理検査

▼事例2　40代，経産婦

　妊娠37週に下腹部痛と性器出血を認めたため，自ら救急車を呼んだ。搬送先病院では，胎児心拍の消失と胎盤後血腫を認め，常位胎盤早期剥離による胎児死亡と診断した。経腟分娩で2,500gの児を娩出，胎盤には胎盤後血腫を認めた（図5）。以後も出血は持続，DICを起こしたのち心停止し，集中治療にもかかわらず出血は改善せず，翌日死亡確認となった。

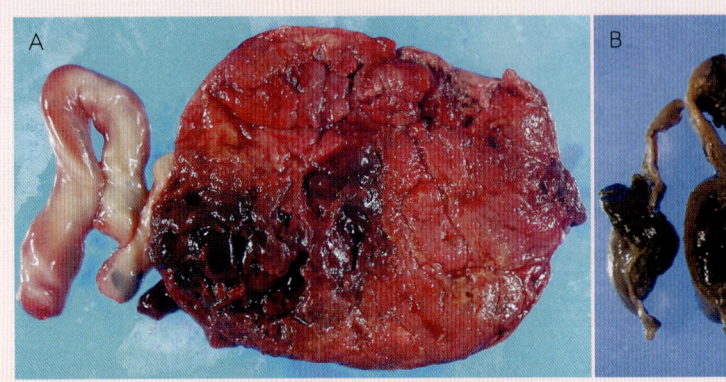

図5　常位胎盤早期剥離
A：母体面に胎盤後血腫を認める。B：割面。血腫が周囲の胎盤を圧迫し陥没を形成している。

▼評価

　常位胎盤早期剥離により胎児死亡となった妊産婦に対して，経腟分娩により児を娩出させた。しかし，出血傾向が持続し，DICを起こし大量出血となり死亡したと考えられた。

▼提言
・産科危機的出血の妊産婦死亡の事例では，子宮および胎盤の検索を必ず行う必要がある。
・病理医は，子宮型羊水塞栓症および常位胎盤早期剥離の疾患概念や病理所見に習熟する。

はじめに

　2010～2018年に日本産婦人科医会に報告された妊産婦死亡事例のうち，症例評価された390例の原因解析によると，産科危機的出血によるものが最も多く20％（78例）を占め，次いで脳出血・脳梗塞が15％（57例），古典的（心肺虚脱型）羊水塞栓症が12％（45例），周産期心筋症等の心疾患や大動脈解離を併せた心血管系疾患が9％（35例），感染症（劇症型A群溶血性レンサ球菌感染症等）が9％（34例），肺血栓塞栓症（PTE：pulmonary thromboembolism）等の肺疾患が8％（33例）であった。最も多かった産科危機的出血78例のうち子宮型（DIC先行型）羊水塞栓症が48％（37例）で最も多く，次は常位胎盤早期剥離が10％（8例），子宮破裂が10％（8例），弛緩出血が9％（7例），癒着胎盤が7％（5例），子宮内反症，産道裂傷がそれぞれ5％（4例）となっている[1]。すなわち，妊産婦死亡の主要原因である産科危機的出血は剖検時，もしくは止血目的で摘出された子宮および分娩時に児と一緒に娩出される胎盤を検索することにより，多くの事例が診断可能となる。さらに，分娩後や術後やむなく二次施設への母体搬送となった場合には，必ず病理診

断の報告を二次施設へも連絡し，情報の共有を図るべきである。

検索方法

- 子宮は前壁にY字切開を入れて内部を肉眼的に確認し，その後できる限り速やかに十分量の10％ホルマリンに浸けて固定する。
- 胎盤は肉眼観察を行い，母体面の血液を強く拭わないように心がけて，子宮と同様に速やかに10％ホルマリンに浸けて固定する。

どちらも血液が豊富であるために固定不良となることが多い。可能であれば，1〜2時間固定した後に，新しい10％ホルマリンに交換して固定を進めることを推奨する。その後，2日以内に病理診断に提出する[2,3]。

固定後

- 子宮は裂傷の有無，癒着胎盤の有無を確認した上で，できれば水平断（CT断）で割を加えて検索する。血塊が付着している出血点と思われる部分は，出血点を含むように割を加えて検索する。標本作製は，子宮頸部1カ所，体部については漿膜面から内膜面までを連続した切片として胎盤付着部から4カ所，胎盤が付着していない部分から4カ所，切り出すことを推奨する[2,3]。
- 胎盤は，臍帯を胎児側と母体側から2カ所，卵膜を1カ所，病変がある部分を含めて4カ所以上の合計7カ所以上について標本作製することを推奨する[2]。

代表的な疾患の病理所見

1. 子宮型（DIC先行型）羊水塞栓症

分娩後より出血が始まり，急速にDIC，弛緩出血に進行する病態で，後述する病理所見がある場合は子宮型羊水塞栓症，症状だけで病理検索を行っていない場合はDIC先行型羊水塞栓症と呼ばれている[4]。古典的羊水塞栓症（心肺虚脱型）に比較して，心肺虚脱症状は軽微である。子宮を検索すると，肉眼所見では深部頸管裂傷を認め，子宮は柔らかく浮腫状で重さも600g以上（通常の産褥子宮は400g程度）を示す。組織所見では，子宮筋層内の血管内に羊水成分や胎児成分を認める。これらは，羊水のムチン成分であるアルシャンブルー陽性物質や胎児の皮膚成分であるcytokeratin AE1/AE3陽性物質，胎便成分であるZnCP1等である。また，アナフィラクトイド反応が証明されることもある。

2. 常位胎盤早期剥離

正常に子宮壁に付着した胎盤が児娩出前に何らかの原因で剥離する病態で，病理診断する際には胎盤後血腫（retroplacental hematoma）を証明することが重要である[5]。胎盤後血腫は母体面に大きく新鮮な凝血塊が存在し，大きさは200 cm³が目安となる。これらの凝血塊は，胎盤の辺縁に存在する（marginal hematoma）ことが多く，短時間で周囲の絨毛組織を圧迫する。さらに時間とともに乾燥し，固くなる。色も赤色から赤褐色，時に緑っぽく変色する。そして，周囲に梗塞が伴ってくる。発症後1時間以内の新鮮な胎盤後血腫は，通常の分娩後の母体からの凝血塊と区別が難しいことがある。小さくて限局した胎盤後血腫は，ホルマリン固定をした後でも見落とされやすい。罹患部位の母体面が平坦な時や凝血塊が剥がれ落ちている場合は，割面で観察すると凝血塊が周囲を圧排していたり，凝血塊が存在したと推測される部位が陥没（indentation）として観察されることがある。

基本編　子宮と胎盤の病理検査

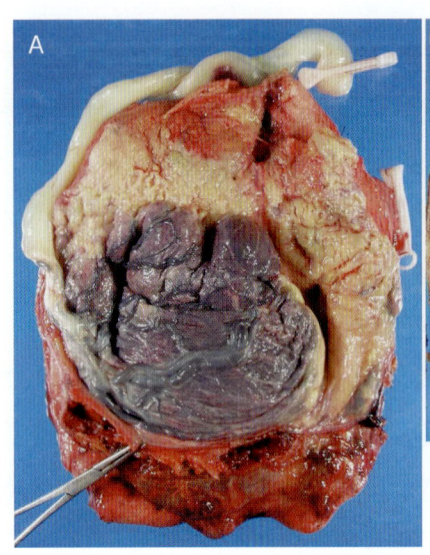

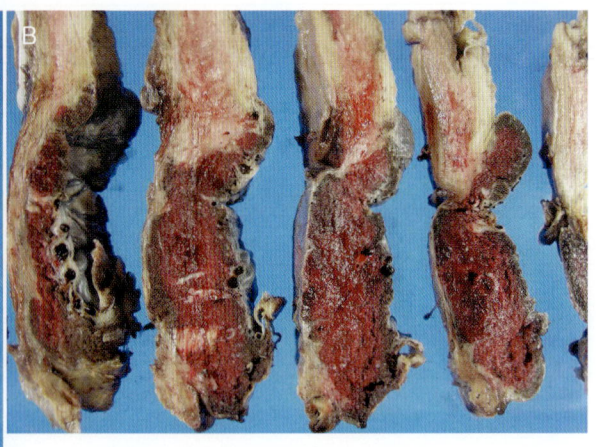

図6　癒着胎盤
A：子宮後壁を開き内面をみる。　B：割面

3. 癒着胎盤

　癒着胎盤は，絨毛が脱落膜を介さず直接子宮筋層に付着し侵入した状態で，そのため分娩後に胎盤が容易に剥離できない病態である(図6)。これは脱落膜が少ない，もしくは欠落しているために生理的に生じる裂け目が起こらない結果，欠落した脱落膜部や子宮筋層に胎盤小葉が強く付着してしまうのが原因である。癒着胎盤を診断する際は，胎盤だけではなく，摘出した子宮や掻爬した子宮筋層も検索する必要がある。分娩の際に，癒着に伴い胎盤小葉が粉砕してなくなっているため，多くの場合，胎盤では正確に評価することが難しい。摘出した子宮にその胎盤小葉や胎盤が付着していることもある。組織所見では，絨毛組織が脱落膜を介さずに子宮筋層の上，もしくはその中へ侵入していること，すなわち脱落膜の欠落を証明することが重要である[6]（図7）。

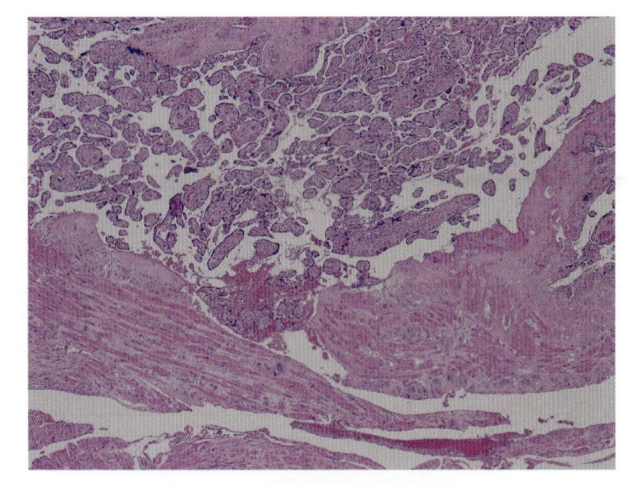

図7　癒着胎盤組織像
脱落膜を欠き，絨毛組織を筋層内に認める。

まとめ

　産科危機的出血の原因の確定のためには，子宮および胎盤の双方を十分に検索することが必須である。特に胎児因子，胎盤因子の検索のためにも胎盤の検索は重要である。

文献

(1) 妊産婦死亡症例検討評価委員会・日本産婦人科医会：母体安全への提言 2017, 2018
(2) 妊産婦死亡に対する剖検マニュアル委員会：妊産婦死亡剖検マニュアル, 2010
(3) Rosai J：Rosai and Ackerman's Surgical Pathology, 10th ed, Elsevier, New York, 2632–2633, 2011
(4) 金山尚裕：羊水塞栓の臨床・病理像からみた分類　人工妊娠中絶, 妊産婦死亡の地域格差に関する研究. 平成24年度総括・分担研究報告書, 47–50, 2013
(5) 竹内　真：早剥の病理. 周産期医 43：447–452, 2013
(6) 竹内　真：癒着胎盤・前置胎盤. 病理と臨 32：524–529, 2014

（竹内　真）

基本編

羊水塞栓症の血清検査と子宮病理検査

▼**事例** 30代，初産婦

妊娠初期より蛋白尿を認め，妊娠26週より血圧上昇あり，妊娠高血圧腎症と診断された。妊娠32週の胎児心拍数陣痛図で徐脈が出現し胎児機能不全と診断され，緊急帝王切開術が施行された。児娩出後の術中血圧は60/40 mmHgまで下降し，不穏状態となった。出血量は2,000 gであった。帰室後，血圧95/55 mmHg，脈拍145回/分，意識はやや低下し（JCS I -1），その20分後に血圧測定不能となった（JCS II -20）。酸素投与，輸血を開始し，抗DIC療法をしながら再開腹した。ここまでの出血量は4,500 gで，再開腹40分後に心停止となった。ICUへ移動し，心停止から2時間後に死亡確認となった。剖検では肺動脈内にアルシャンブルー陽性，cytokeratin陽性，STN陽性の胎児由来細胞成分が検出された。ZnCP1 1.6 pmol/mL以下，STN 10 U/mL以下，C3 29 mg/dL，C4 3.4 mg/dL，インターロイキン8（IL-8）8 pg/mL以下であった。

▼**評価**

直接死因は剖検結果から羊水塞栓症が考えられた。羊水塞栓症が原因のDIC症例であった。術中に患者が不穏状態となり血圧が低下したが，羊水が流入したために起こったと思われた。ZnCP1，STNは陰性であったがC3・C4の低下が顕著であり，羊水成分の流入によりアナフィラクトイド反応が起こり，DICが惹起されたものであることが考えられた。

▼**提言**
- 羊水塞栓症の病理診断では複数の染色法で肺に羊水成分を認めることが必要である。
- 臨床的塞栓症では早期よりフィブリノゲン値が低値となる。
- 羊水塞栓症では羊水流入マーカー（ZnCP1，STN），C3，C4，IL-8の測定が病態把握に有用である。

はじめに

羊水塞栓症の病態は2つに分かれる。突然の心肺虚脱を主症状とするタイプと，DIC・弛緩出血等を主症状とするタイプである[1,2]。救命例や剖検や組織所見がない場合は，前者を臨床的塞栓症（心肺虚脱型）と呼び，後者を臨床的塞栓症（子宮型）と呼ぶ。

1. 臨床的塞栓症（心肺虚脱型）
- 初発症状は胸痛，呼吸苦，意識消失，原因不明の

胎児機能不全，不穏状態等が多い。
・初発症状から心停止までの時間は極端に短い。

2. 臨床的塞栓症（子宮型）
・胎盤娩出後のサラサラした非凝固性器出血が初発
・重症の子宮弛緩症を併発
・短時間に進行するDIC（発症から1時間程度でフィブリノゲン値が100 mg/dL以下になることが多い）

血清マーカー検査

日本産科婦人科学会周産期委員会では，早期診断基準[3]として，①子宮底長が臍上3～4 cm以上，②子宮筋層が非常に柔らかい，③フィブリノゲン値が150 mg/dL以下を報告している。

救命された症例や，妊産婦死亡例で病理解剖が得られない時に，血清による羊水塞栓症の補助診断を行うことが勧められる。血清マーカーとしてZnCP1・STN・C3・C4・C1インヒビター・IL-8を測定している。ZnCP1はHPLC（high performance liquid chromatography）法，STNはRIA法，C3・C4はTIA法，C1インヒビターは発色性合成基質法，IL-8はEIA法を用いる。ZnCP1やSTNは羊水および胎便中に多く含まれるもので，これらが母体血中に検出されれば胎児成分が母体血中に流入したと考えられる。C3・C4は抗原抗体反応を補助し，炎症やアレルギーで活性化され低下する。C1インヒビターは補体系，凝固系，線溶系，キニン系の抑制因子であり，これらの系の活発化により低下する。IL-8は炎症性サイトカインの一つであり，DICやSIRS，ARDS等でも高値となる（表1）。

羊水マーカーであるZnCP1とSTNについてマーカーの特性を検討してみた。剖検で羊水塞栓症が確定した24例において，肺動脈に羊水成分が検出されるか否かで検討すると，ZnCP1は感度73％，特異度100％，PPV 100％，NPV 69％であり，STNは感度33％，特異度100％，PPV 100％，NPV 47％であり，どちらのマーカーも検出されれば肺動脈に羊水成分が存在することになる。なお，ここでいう羊水塞栓症は，臨床的にはほとんどが臨床的塞栓症（心肺虚脱型）である。剖検で確定した羊水塞栓症でも，大量輸液，大量輸血後の検体，遮光が十分されていない検体，そして胎脂等の脂肪成分が主に肺動脈に塞栓している場合は，ZnCP1やSTNは検出されないことも考えられる。血清マーカーの羊水塞栓症に対する感度

表1 各血清学的検査項目と意義

	検査項目と正常値	検査の意義
血清マーカー（羊水流入のマーカー）	ZnCP1〔1.6 pmol/mL未満〕STN〔正常値：46 IU/mL未満〕	胎便中に大量に含まれる物質。HPLC法により測定 405 nmの励起光に対し，580 nm，630 nmの蛍光を発するムチンを構成する母核構造の中の糖鎖 胎便中の高分子ムチンを認識
アナフィラクトイド反応	C3〔80～140 mg/dL〕C4〔11～34 mg/dL〕 C1インヒビター〔42％未満〕	自然免疫系の主要な物質 炎症やアレルギーで活性化される 左欄括弧内は非妊婦の値。妊婦はこの正常値よりも高値をとる 補体系，凝固系，線溶系，キニン系のインヒビター 妊娠末期には生理的に現象する 羊水塞栓症では感度以下に減少することが多い
高サイトカイン血症	IL-8〔20 pg/mL未満〕	炎症性サイトカインの一つ。DICやSIRS・ARDS等でも高値となる

表2 羊水塞栓症の病型別血清マーカーの比較

	心肺虚脱型(n=21)	子宮型(n=60)
ZnCP1**	5.6±8.0	2.1±1.9
STN	58.7±106.0	19.6±26.4
C3*	99.8±34.0	62.5±22.9
C4*	21.1±9.9	11.8±5.8
IL-8	2,348±6,970	5,742±2,434

*$p<0.01$, **$p<0.05$

が100％ではないことは、そのようなことを反映していると考えられる。一方、DICが先行する臨床的塞栓症（子宮型）（組織所見がある場合は子宮型羊水塞栓症）では血清マーカーの検出率は低く、C3・C4の著明低下、IL-8の高値が特徴である。これは、子宮型羊水塞栓症では母体循環系に流入する羊水は少なくとも、羊水と母体免疫系と接触することにより子宮にアナフィラキシー様反応が発生し、凝固線溶系が活性化し、DICが発生したことを意味するものと考えられる。表2に、「臨床的塞栓症（心肺虚脱型）」と「臨床的塞栓症（子宮型）」のマーカーの値を示した。羊水の直接的な母体全血への混入だけでは凝固促進はするが線溶亢進は示さず、羊水塞栓症のDICを再現できない[4]。

C1エステラーゼインヒビター

突然の浮腫をきたす遺伝性血管浮腫の原因は、C1エステラーゼインヒビター（C1インヒビター）欠損であることが知られている。浮腫の部位として四肢の皮膚が多いが、消化管に発生すれば腹痛、下痢等をきたし、喉頭に発生すれば喉頭浮腫により窒息死することもあり、救急疾患として重要である。発作の原因として、各種ストレス（寒冷曝露、外傷、組織圧迫、感染）とエストロゲンの高値状態（ピル服用、妊娠等）があげられている。

わが国の遺伝性血管浮腫の患者数は数百人程度といわれていたが、実際はもっと多くの患者がいることが指摘されている。遺伝性血管浮腫は3つのタイプに分類されている。Type 1：C1インヒビターの低下、Type 2：C1インヒビターの機能低下、Type 3：C1インヒビターは正常量、妊娠中に発症、あるいは女性ホルモン投与により発症→XII因子のmutationが考えられている。組織学的には、真皮下の広範な浮腫が特徴である。血管浮腫と蕁麻疹の違いは、組織学的には蕁麻疹は皮下浮腫であり、血管浮腫は皮下より深部にある間質の血管周囲の浮腫である。血管浮腫では、ある血管周囲に浮腫が発生すると、徐々にその初発部位を中心に浸潤性に浮腫が広がるという特徴がある。最近われわれは、C1インヒビター活性が羊水塞栓症で低下していることを報告した[5]。死亡例では特にC1インヒビターの低下が著しく、25％を切る症例も多数存在していた（図1）。

C1インヒビターは補体系の抑制のみならず、キニン系、線溶系にも直接作用する。羊水塞栓症の子宮弛緩症（子宮浮腫）、DIC、アナフィラキシー様反応はC1インヒビターの低下症から発生することを報告した。C1インヒビターの測定は羊水塞栓症の

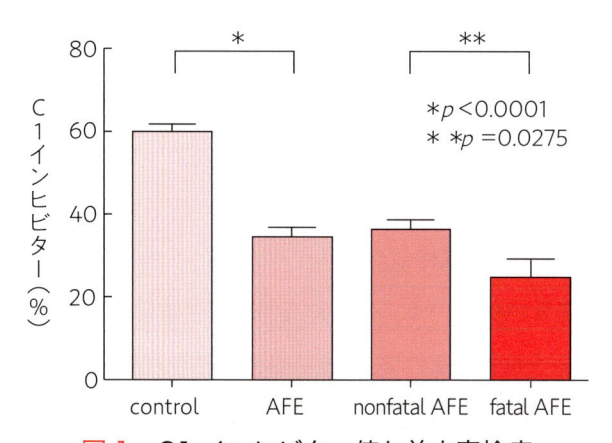

図1 C1インヒビター値と羊水塞栓症
AFE：羊水塞栓症　nonfatal AFE：羊水塞栓症救命例
fatal AFE：羊水塞栓症死亡例

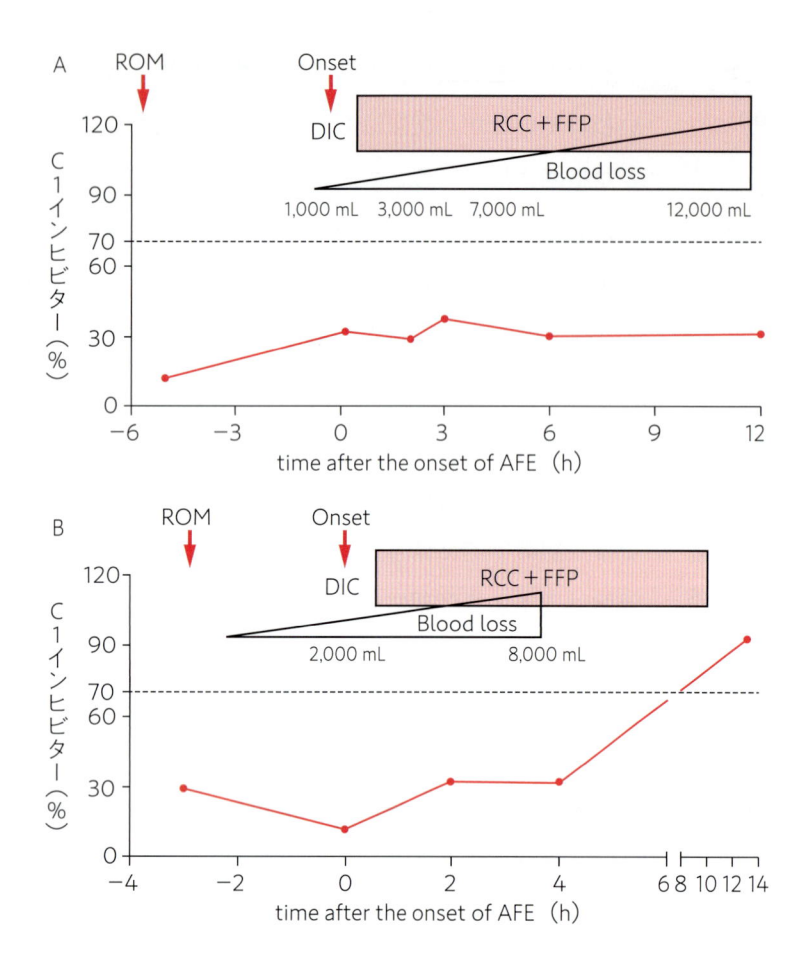

図2 発症前から採血できた羊水塞栓症のC1インヒビターの推移
A：死亡例。大量のFFP投与にもかかわらずC1インヒビターが上昇せず、死亡した。
B：救命例。発症前C1インヒビター30％であったが、FFP等との治療で上昇し救命された。

診断，病態把握に今後重要になると考えられる。

C1インヒビターは羊水塞栓症の予知に使用できる可能性がある。浜松医科大学に送付されている血清はほとんどが発症後のものであるが，発症前の血清が送付されることもある。図2に発症前後にC1インヒビターが測定できた症例で，死亡例（A）と救命例（B）をそれぞれ示した。いずれも，羊水塞栓症発症前からC1インヒビターが低値で，FFPの投与によりC1インヒビターが増加した症例は救命され，増加しなかった症例は死亡している。C1インヒビター測定により，羊水塞栓症へのハイリスク群を抽出できる可能性を示している。すなわち，妊娠末期にC1インヒビターの測定を行い，低値群は羊水塞栓症のリスクがあり，破水時に厳密な管理を行うことで羊水塞栓症への迅速な対応，あるいは予防ができる可能性がある。

病理診断

心肺虚脱型羊水塞栓症では肺の血管に羊水成分，あるいは胎児成分をほとんどの例で認める。一方，子宮型羊水塞栓症では子宮の変化が顕著である。肺と子宮の特徴について以下に述べる。

1．肺の肉眼所見

肺は浮腫状変化を示していることが多い。濡れ雑巾のように大量の水分が貯留していることもある。

2．肺の組織所見

1）羊水成分の検出

両側各葉から最低1個ずつの肺組織標本を採取する。肺血管内に羊水成分を見出すことが診断に重要である。アルシャンブルー染色（メルク社製）や

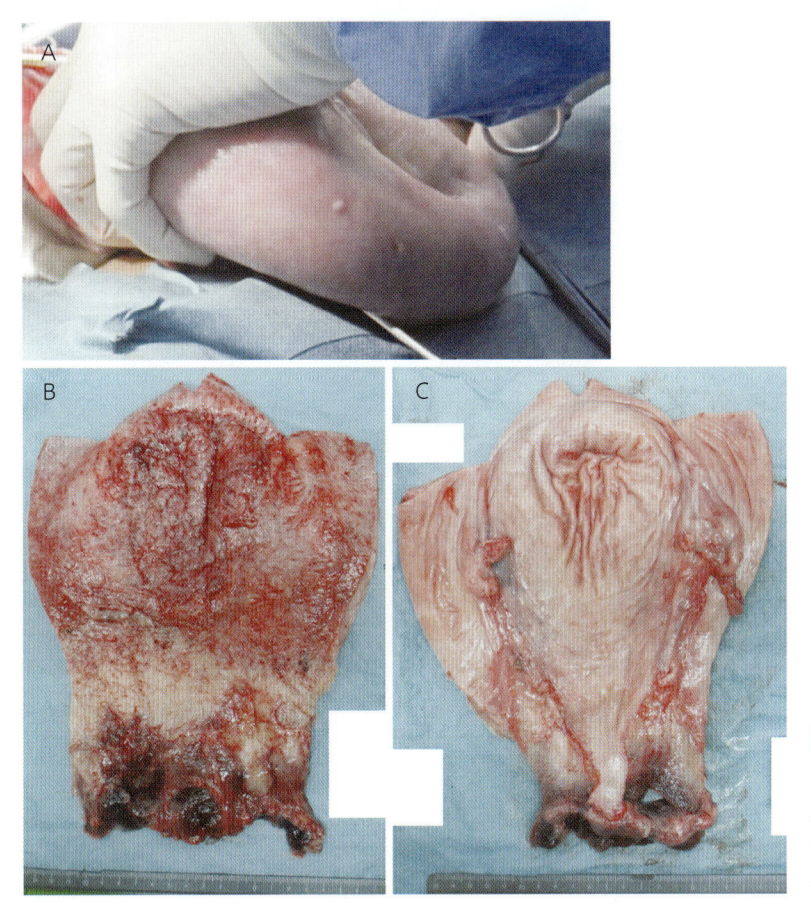

図3 子宮型羊水塞栓症の子宮弛緩症
A：術中写真
B：子宮内腔面
C：子宮漿膜面

cytokeratin，STN抗原，ZnCP1の免疫組織化学染色を併用したほうがよい。凍結切片（ホルマリン固定後でも可，ただしパラフィン包埋はしない）でズダンⅢ染色を行い，胎脂由来の脂肪成分を検出することも時に有用である。正常妊娠・分娩でも，少数のトロホブラストが母体血中に存在する可能性が指摘されている。母体血液は恒常的にトロホブラストと接触しているので，正常例でもトロホブラストが母体血中で少量検出されることは想定できる。しかし，羊水は母体血液とは直接，接してはいないので羊水成分が肺動脈で検出されれば特徴的所見と考えられる。

2）浮腫状変化

HE染色やアルシャンブルー染色で，肺胞や間質に浮腫状変化を観察する。

3）アナフィラクトイド反応の検出

肺にアナフィラクトイド反応が，どの程度発生しているかを検討することも重要である。C5a受容体は骨髄系の細胞のみならず，血管内皮，間質細胞のアナフィラクトイド反応も検出できることから，C5a受容体の免疫染色はアナフィラクトイド反応の発生を判断するのに優れている。

3．子宮の肉眼所見

子宮の所見としては子宮の血管浮腫，すなわち子宮弛緩症である（図3）。血管浮腫の指標として子宮重量がある。現在まで浜松医科大学に集積されている臨床的羊水塞栓症（救命例含む）34症例で平均子宮重量は1,013.3 gであった。産褥0〜1日の平均子宮重量が400 g前後であることを勘案すると，羊水塞栓症では子宮が重いことが判明している。

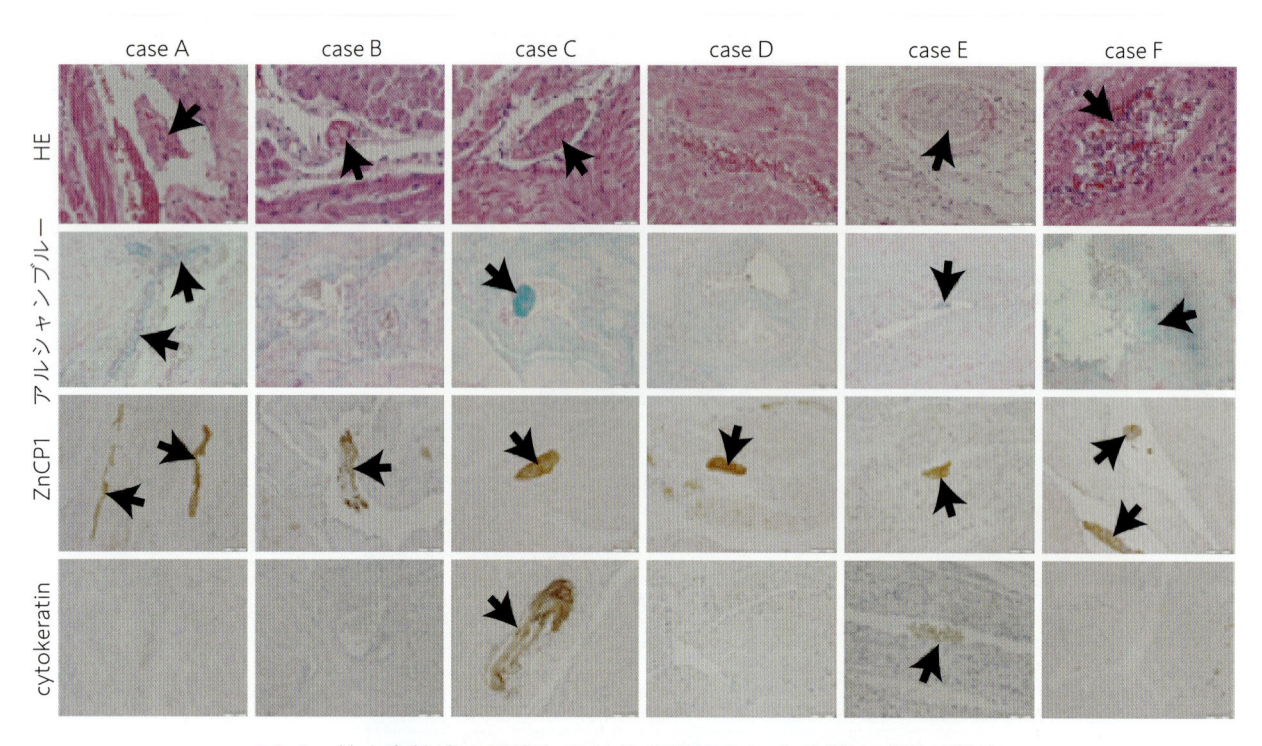

基本編　羊水塞栓症の血清検査と子宮病理検査

図4　羊水塞栓症の子宮における各種染色による羊水成分の検出

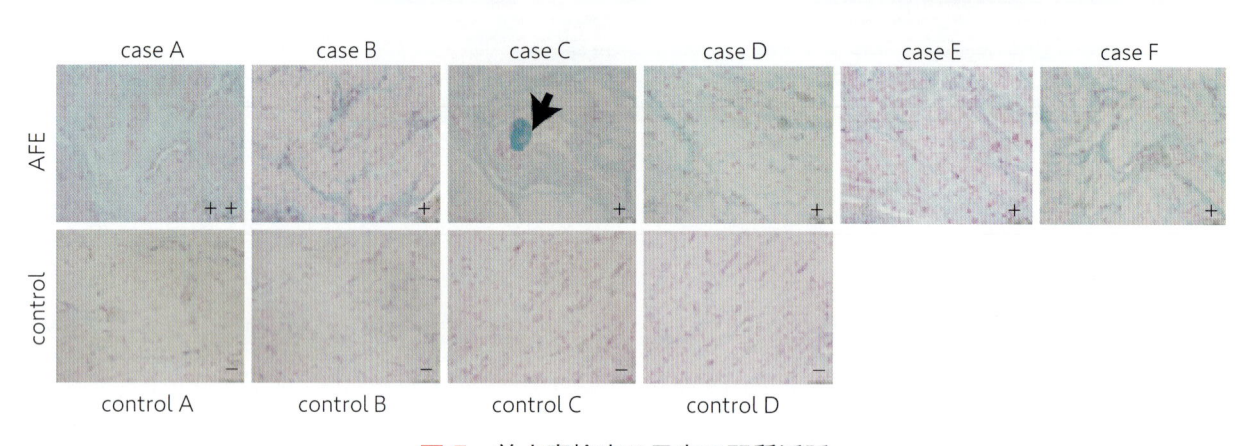

図5　羊水塞栓症の子宮の間質浮腫

アルシャンブルー染色は羊水成分の検出に使用されるのみならず，間質浮腫の証明に有用である。すべての羊水塞栓症で間質浮腫を認める。caseCは血管内にもアルシャンブルー染色陽性になっている。

4．子宮の組織所見

子宮は頸部，体部，底部の最低左右6カ所をブロックにし，肺と同様の検索を行う[6]。

①子宮の静脈で羊水，胎児成分を検出。染色はHE染色，アルシャンブルー染色，cytokeratin染色，ZnCP1染色，STN抗原

②子宮血管にDICの所見（子宮血管においてエオジン陽性成分の消失。エオジン陽性は血液中のフィブリノゲン等の血漿蛋白が十分存在する時に検出される）

③間質浮腫：HE染色やアルシャンブルー染色で間質浮腫像（アルシャンブルー染色は母体血管での羊水成分の検出のみならず，間質の浮腫を観察するにもよい。アルシャンブルー染色で間質がびまん性に染色されれば，浮腫が存在していたことを意味する）

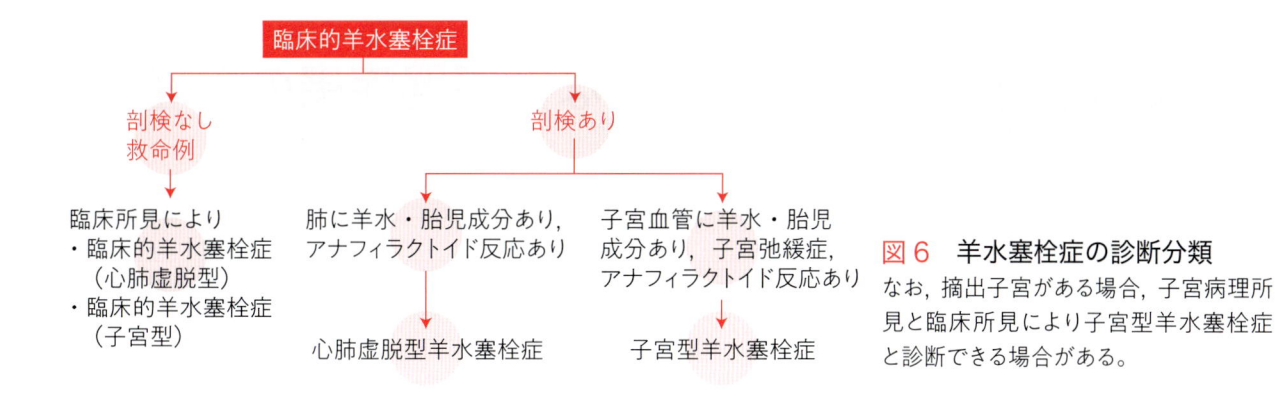

図6 羊水塞栓症の診断分類
なお，摘出子宮がある場合，子宮病理所見と臨床所見により子宮型羊水塞栓症と診断できる場合がある。

④間質における炎症性細胞浸潤およびアナフィラクトイド反応の検出(C5aR染色で間質に広範な陽性像が観察される)

羊水塞栓症の子宮組織におけるアルシャンブルー，cytokeratin，ZnCP1による羊水成分の検出を図4に，アルシャンブルー染色による子宮の間質浮腫の検出を図5に示した。

また，図5の臨床的診断と病理診断を併せた羊水塞栓症の診断分類を図6に示した。

文献

(1) Kanayama N, et al：Maternal death analysis from the Japanese autopsy registry for recent 16 years：significance of amniotic fluid embolism. J Obstet Gynaecol Res 37：58–63, 2011
(2) Kanayama N, Tamura N：Amniotic fluid embolism：pathophysiology and new strategies for management. J Obstet Gynaecol Res 40：1507–1517, 2014
(3) 金山尚裕，他：平成28年度日本産科婦人科学会周産期委員会報告 妊産婦・胎児死亡減少のための小委員会 羊水塞栓症の子宮所見の臨床的検討．日産婦会誌69：1467–1469, 2017
(4) Oda T, et al：Amniotic fluid as a potent activator of blood coagulation and platelet aggregation: Study with rotational thromboelastometry. Thromb Res 172：142–149, 2018
(5) Tamura N, Kimura S, Farhana M, et al：C1 esterase inhibitor activity in amniotic fluid embolism. Crit Care Med 42：1392–1396, 2014
(6) 田村直顕，金山尚裕：周産期胎盤の診断病理 羊水塞栓症．病理と臨32：530–534, 2014

（金山 尚裕，田村 直顕，小田 智昭）

基本編

妊産婦に合併する重篤な循環器疾患の病理

▼**事例** 20代，経産婦

妊娠25週に初診後，妊婦健診を施行していた。妊娠31週から切迫早産のため入院管理し，塩酸リトドリンの点滴を施行していた。妊娠35週に子宮収縮の抑制が困難となり，経腟分娩に至った。胎盤娩出と同時に除脳硬直，呼吸不全が発生した。マスク＆バッグ，心臓マッサージ等の蘇生処置を開始し，救急車で高次施設へ搬送したが，直後に死亡確認となった。剖検所見では，右冠動脈末梢の完全閉塞および左冠動脈の約半分の閉塞がみられた。羊水塞栓症を疑った血清診断では，STN，ZnCP1，C3，C4，IL-8すべて正常であった。

▼**評価**

胸痛，四肢冷感等の典型的な症状は明らかでなかったが，剖検所見より，心筋梗塞が最も考えられた。当初疑われた急激に心停止となる羊水塞栓症のマーカーはすべて正常であり，否定的と考えられた。

▼**提言**
- 合併症を発見・指摘するためにも，妊娠初期からの健診は重要である。
- 全身を網羅的に行う病理解剖だけでなく全身CT等のAiも死因究明に役立つことがある。

はじめに

循環器疾患のなかで妊産婦に合併する重篤な疾患として，心筋症，大動脈解離，先天性心疾患，脳血管疾患等，間接産科的死亡に関連するものがほとんどであるが，比較的頻度の高く，急性発症する肺血栓塞栓症（PTE：pulmonary thromboembolism）は直接産科的死亡に入れられる。間接産科的死亡に関連する循環器疾患は，大きく心臓，大血管，脳に分けられる。

本稿ではそれぞれの病理所見について説明する[1]。

心臓疾患

1. 心筋症

心筋症とは心機能不全を伴う心筋疾患を指し，特発性と二次性に大別される。

特発性心筋症
- 拡張型心筋症（DCM：dilated cardiomyopathy）
- 肥大型心筋症（HCM：hypertrophic cardiomyopathy）
- 拘束型心筋症（RCM：restrictive cardiomyopathy）
- 不整脈源性右室心筋症（ARVC：arrhythmogenic

right ventricular cardiomyopathy）

二次性心筋症（secondary cardiomyopathies）

・（特定心筋疾患：specific heart muscle disease）sarcoidosis, amyloidosis, hemochromatosis, 等

　ここでは心筋症として代表的なDCMとHCMを紹介する。

DCM

- 虚血等の原因がなく，左室または両心室の心内腔の拡大と収縮不全を呈し，心不全となる（図1）。
- その原因は不明であることから特発性とされるが，遺伝子異常や心筋炎後，妊娠関連（周産期心筋症）も含まれる。
- HCMに比べて遺伝的関与は少ないものの，家族性DCMがあり，その多くは常染色体優性遺伝である。
- 細胞骨格蛋白（デスミン，ジストロフィン等），Z帯構成成分（タイチン，ラミン等）の異常が主体であるが，HCMの原因遺伝子とされていたサルコメア構成蛋白（心筋βミオシン重鎖，ミオシン結合蛋白C等）も報告されている。
- 病理学的所見は心筋層間質および置換性の線維化（図1C）が高度で，心筋細胞の肥大と萎縮，空胞変性，好塩基性変性，核変形等，非特異的である。心筋炎の既往がある症例等は炎症所見をわずかに伴っていることもある。周産期心筋症も線維化や変性の程度はさまざまであるが，組織だけではDCMと鑑別できない。

HCM

- 原因不明の左室肥大（図2A）。
- 有病率は約500人に1人。
- 若年での突然死の原因として頻度が高い。
- HCMの半数以上に家族歴がある。
- 遺伝子変異は多様性で，心筋サルコメア構成蛋白（心筋βミオシン重鎖，ミオシン結合蛋白C，心トロポニンT等）の異常が多い。Z帯構成要素（タイチン等）の異常もある。
- 左室流出路閉鎖を示すhypertrophic obstructive cardiomyopathy（HOCM）では，発症年齢が早い。
- 形態学的には心筋走行の乱れ"錯綜配列"（図2B）が特徴的であり，心室中隔を主体とした壁の肥厚（図2A）があり，左室内腔の狭小化を示すことが多い。非対称性肥大を示すこともある。心筋細胞肥大も高度である。典型例では心筋走行が乱れて錯綜配列を示す。心筋の核型が不整，または巨大化

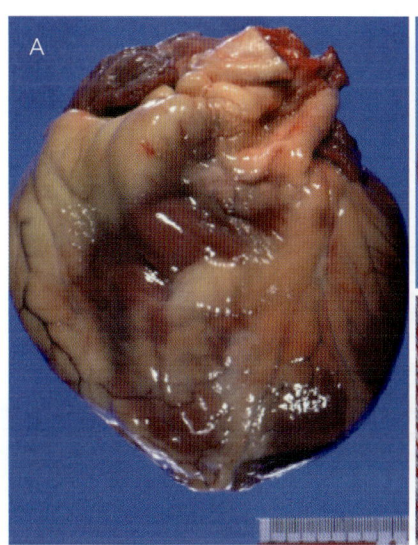

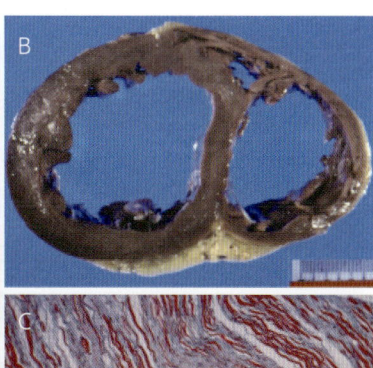

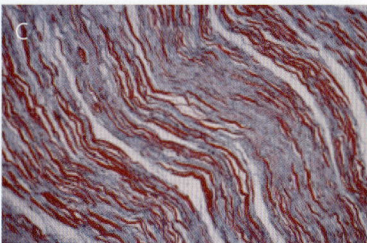

図1　DCM
A：球状の心室拡大
B：両心腔の拡大と壁厚の菲薄化
C：心筋の線維化

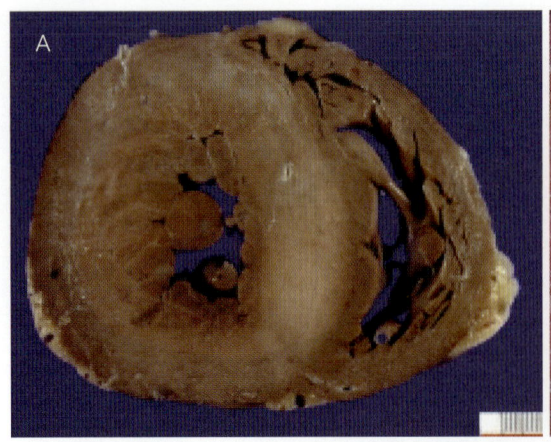

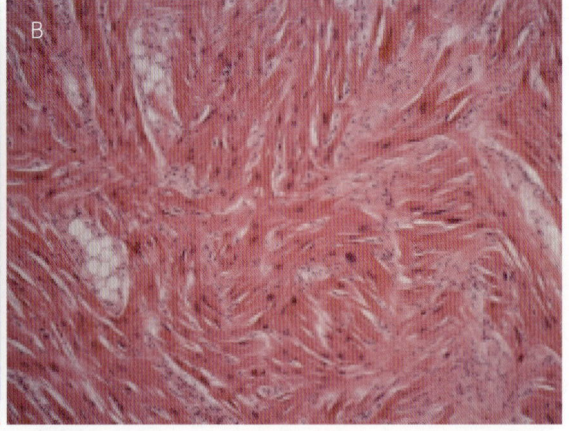

基本編 妊産婦に合併する重篤な循環器疾患の病理

図2 HCM
A：著明な心室中隔肥大　B：心筋細胞の錯綜配列

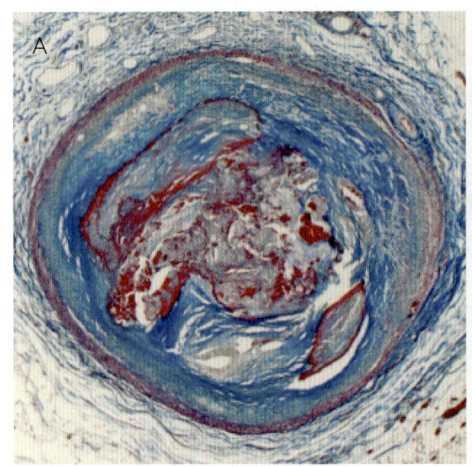

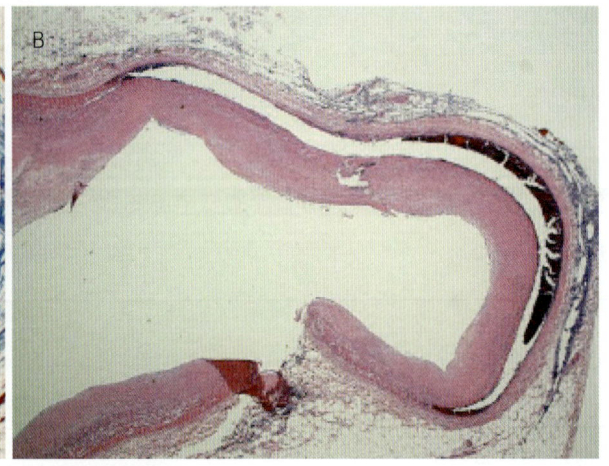

図3 冠動脈病変
A：冠動脈硬化症による閉塞。心筋梗塞を発症した左冠動脈。大きな粥腫を認め，内腔が狭窄している。
B：冠動脈解離症（Marfan症候群）

し，核クロマチンが増量する。錯綜配列を示す部位の間質には編み込んだような線維化がみられ，これはplexiform fibrosisとよばれている。また，肥厚した心室壁には，小動脈の内膜および中膜の肥厚がみられ，しばしば狭窄する。診断には，心電図，心臓超音波図，心筋シンチグラム，CT，MRI等が役立つ。

2．虚血性心疾患，心筋梗塞

虚血性心疾患は心筋への血流の減少，途絶により心筋の虚血，最終的には壊死が起こるために，心臓のポンプ機能の低下が起こり心不全となる。ほとんどは冠動脈硬化症による冠動脈閉塞（図3A）が原因であるが，家族性高脂血症や川崎病の既往等がある場合は，妊娠可能年齢でも虚血性心疾患が発症する。

原因となる冠動脈病変には，下記があげられる。

A) 冠動脈硬化症（図3A）
B) 冠動脈解離，大動脈解離（図3B）
C) 川崎病の既往による冠動脈瘤等

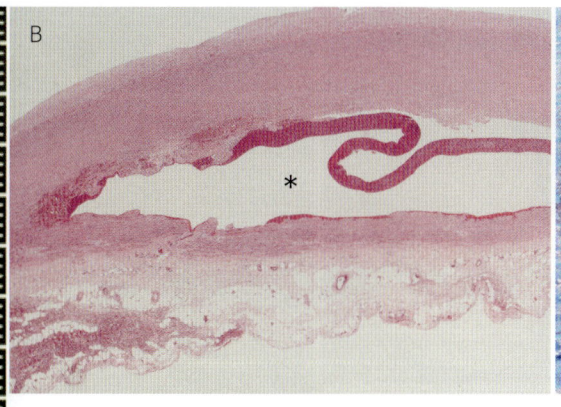

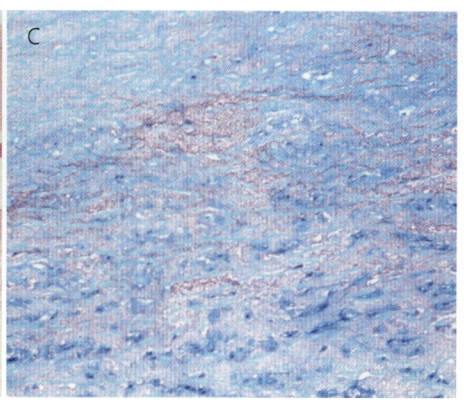

図4　Marfan症候群大動脈解離
A：解離肉眼像　B：大動脈中膜深層の解離（＊：解離偽腔）（HE染色）
C：嚢状中膜壊死（トルイジンブルー染色）

大血管病変

1. 大動脈解離

　結合組織の異常（多くは遺伝子異常）により大動脈の中膜変性（嚢状中膜壊死）が起こり，中膜筋層が断裂して偽腔を作り，そこに血液が入り込んで真腔を閉塞したり，また，偽腔に血液が広がり，瘤となって外膜側へ破裂したりする。原因としてはMarfan症候群，Ehlers-Danlos症候群（コラーゲンtype Ⅲ欠損），Loeys-Dietz症候群等の遺伝子異常がある。前駆状態として上行大動脈瘤，胸部大動脈瘤としてみつかることもある。これらの疾患は組織学的には共通して嚢状中膜壊死が認められ，確定診断には遺伝子検索が必要となる。

　Marfan症候群（図4）は，第15番染色体長腕15qに存在する遺伝子変異によって起こり，フィブリリンという蛋白質に異常をきたす。常染色体優性遺伝により遺伝する。Ehlers-Danlos症候群はコラーゲン分子，またはコラーゲン成熟過程に関与する酵素の遺伝子変異に基づく。皮膚，関節，血管等結合組織の脆弱性をきたす。その原因と症状から，6病型（古典型，関節可動性亢進型，血管型，後側彎型，多関節弛緩型，皮膚脆弱型）に分類されるが，推定頻度は約1/5,000人とされている。血管型においては，動脈解離（図4A，B）・瘤・破裂，頸動脈海綿状静脈洞瘻が合併しやすい。その他，腸管破裂，子宮破裂といった重篤な合併症を生じることがある。

2. 深部静脈血栓症（DVT：deep vein thrombosis）

　PTEの塞栓源としての静脈血栓症は，下腿の深部静脈および骨盤内静脈のDVTであるとされている。日本でも生活習慣の欧米化に伴い各年齢層，特に女性のDVTが急速に増加し，周産期におけるDVT発症も増加している[2]。妊娠関連性のDVTの80％が左下肢に生じることについては，妊娠子宮の増大による腸骨静脈・下大静脈の圧迫からの灌流低下が関連しているといわれている[3]。血栓形成の原因として，エストロゲンの平滑筋弛緩作用により下肢の静脈に血流のうっ滞，また妊娠子宮による静脈の圧迫も重なり血栓形成が増強する[4,5]。妊娠中は生理的に過凝固の状態でありDVTを発症しやすい。DVT症例のなかに抗リン脂質抗体症候群，プロテインC欠損症，アンチトロンビンⅢ欠損症，本態性血小板増多症等の凝固能異常症が潜在している場合が稀ではあるが認められることから鑑別が必要である。自験例では半数が肥満等，ハイリスク妊婦であった。

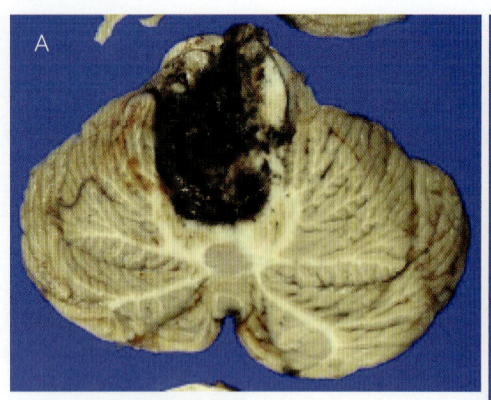

基本編　妊産婦に合併する重篤な循環器疾患の病理

図5　脳血管疾患
A：高血圧性脳幹出血（橋出血）
B：巨大脳動脈瘤の破裂

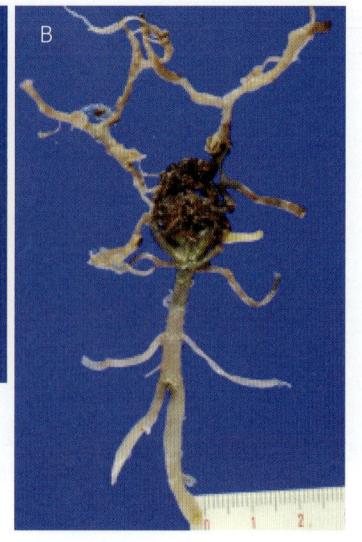

脳血管疾患

　近年の妊婦の高齢化に伴い，妊娠高血圧が重大な頭蓋内出血のリスクとなっている。頭蓋内出血のその他の原因として，感染性脳動脈瘤，血液疾患，抗凝固療法，脳腫瘍等があげられる。脳への出血量が多い場合，生命予後にかかわる脳ヘルニアを合併することがある。脳動脈瘤，動静脈奇形，海綿状血管腫等は，くも膜下出血および脳実質内出血の原因となるが，出血が起こるまでほとんどの場合，無症候性であり，突然の発症となることが多い。また，凝固能異常や塞栓等による脳梗塞も合併することがある。ここでは妊婦に出現する主要な脳血管疾患の病理組織学的所見を解説する。

1．頭蓋内出血

1）高血圧性脳内出血

　出血は大脳基底核，視床，大脳皮質，小脳歯状核，橋に起こりやすく，基底核の出血の頻度が高い。脳底を走る中大脳動脈から直接脳実質内に入る穿通枝（直径100〜300μm）の領域に相当し，この血管は脳卒中動脈とも呼ばれる。脳内出血は容積が大きくなると脳実質を圧迫する。出血部位によっては，脳室に穿破したり，脳浮腫になったりして，生命予後に直接かかわり，重篤である（図5A）。

2）くも膜下出血

　脳動脈瘤の破裂が原因である場合が多い。脳動脈瘤は先天性の場合もあるが，高血圧による動脈瘤形成が多く，通常は脳血管分岐部に起こる。先天性のものは脳動脈の中膜欠損により，嚢状に血管が拡大し，ブルーベリー等のフルーツに似ているとされberry動脈瘤とよばれている。径が7 mm以上では破綻する危険性が高くなる（図5B）。脳動脈瘤の発生する部位はウィリス輪の血管分岐部が多く，多発性脳動脈瘤も約20％の症例で観察されている。常染色体優性多発性嚢胞腎症（ADPKD：autosomal dominant polycystic kidney disease）では約10％に脳動脈瘤が合併している[6]。

3）動静脈奇形（AVM：arteriovenous malformation）

　通常の血流は小動脈-毛細血管-静脈と流れるが，AVMでは動脈が毛細血管を介さず，直接静脈に吻合する先天性の血管異常である（図6A，B）。静脈側に直接動脈圧がかかることで静脈は徐々に拡張す

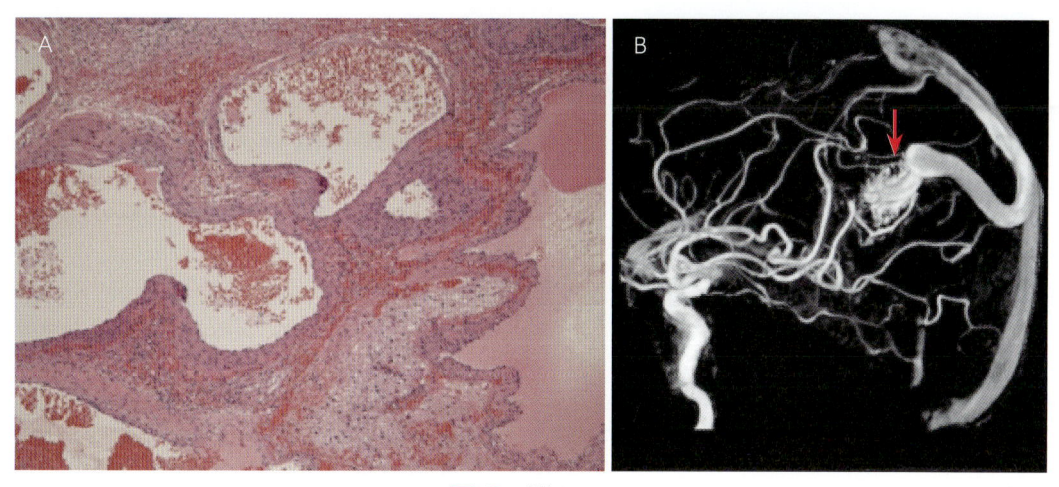

図6　脳AVM
A：動静脈が吻合している部位（HE染色）　B：血管造影で明らかなAVM

る。少年期までは無症候性であることが多い。脳のAVMは通常脳表から皮質にかけて形成され，破綻すると脳実質内，またはくも膜下に出血する。妊婦に限らず，20代までの若年発症の脳出血はAVMの頻度が高い。

4）外傷性頭蓋内出血

転倒等の外傷による脳挫傷等に伴い，脳実質内，くも膜下，硬膜下，硬膜外に出血することがある。硬膜下出血，硬膜外出血は外傷後ある程度時間が経ってから症状が出ることがあるので経過観察が必要である。

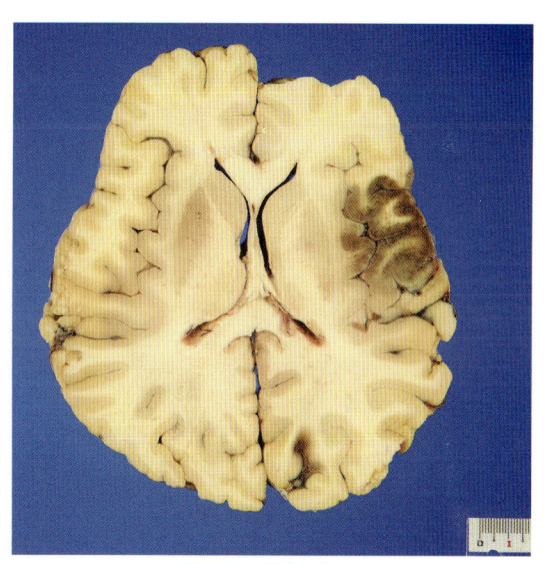

図7　脳梗塞
右中脳動脈領域の脳梗塞（変色部）

2．脳梗塞

脳梗塞は脳血管が閉塞することで，その閉塞血管の灌流領域が虚血となり最終的に閉塞部の脳が軟化，壊死する病態（図7）であるが，血栓性，塞栓性，静脈性に分けることができる。妊産婦では動脈硬化による血栓性は稀であるが，心内や血管内にできた血栓が塞栓子となって脳動脈に流れ，その灌流領域が虚血となる塞栓性の脳梗塞に陥ることがある。

1）心原性脳塞栓症

心房細動等の不整脈が原因で心臓内に血栓が形成されると，その血栓が塞栓源となり，脳梗塞を発症する。稀に僧帽弁・大動脈弁の疾患等でも同様の病態が起こる。塞栓子はFDPと赤血球が混ざった赤色血栓であることが多い。心房細動等を有する場合，心内血栓を作らないために抗凝固療法が必要であるが，妊婦では注意を要する。

2）奇異性脳塞栓症

静脈炎，外科手術，妊娠・分娩等に伴って下肢静脈に発生した血栓が，右房圧が上昇した時に開存している卵円孔経由で脳に塞栓を起こすことがある。脳塞栓症例では，この病態を意識しておくべきで，卵円孔開存の有無は妊娠初期から臨床的にチェックしておく必要がある。検査としては特にコントラスト法を用いた経食道超音波検査が有用である[7,8]。

文献

(1) Kanayama N, et al：Maternal death analysis from the Japanese autopsy registry for recent 16 years：significance of amniotic fluid embolism. J Obstet Gynaecol Res 37：58–63, 2011
(2) Neki R, et al：Genetic analysis of patients with deep vein thrombosis during pregnancy and postpartum. Int J Hematol 94：150–155, 2011
(3) Ray JG, et al：Deep vein thrombosis during pregnancy and the puerperium：A meta-analysis of the period of risk and the leg of presentation. Obstet Gynecol Surv 54：265–271, 1999
(4) Gordon M：Maternal physiology in pregnancy in normal and problem pregnancies. In Gabbe S, Niebyl J, Simpson J (eds)：Obstetrics：normal and problem pregnancies, Churchill Livingstone, New York, 63–92, 2002
(5) Konishi H, et al：Intrapartum temporary inferior vena cava filters are rarely indicated in pregnant women with deep venous thromboses. J Vasc Surg Venous Lyphat Disord 3：370–375, 2015
(6) Pirson Y, et al：Management of cerebral aneurysms in autosomal dominant polycystic kidney disease. J Am Soc Nephrol 13：269–276, 2002
(7) Wakai S, et al：Lobar intracerebral hemorrhage：A clinical, radiographic, and pathological study of 29 consecutive operated cases with negative angiography. J Neurosurg 76：231–238, 1992
(8) Takebayashi S, et al：Electron microscopic studies of ruptured in hypertensive intracerebral hemorrhage. Stroke 14：28–36, 1983

〔植田 初江〕

基本編

司法解剖

▼**事例** 30代，経産婦

妊娠38週，既往帝王切開術を適応に選択的帝王切開術を施行した。術中出血は1,000gであった。術後，意識清明で通常の会話が行われ，特別な訴えもなかった。術後10時間の看護師の訪室時に，心停止状態で発見された。心肺蘇生を施行し自己心拍は再開したが，自発呼吸なく人工呼吸器の管理となった。心肺蘇生後の頭部単純CTでは頭蓋内出血はなく，脳浮腫，低酸素性虚血性脳症を認めた。胸部・腹部CTでは，肺血栓塞栓・大動脈解離・腹腔内出血は認めなかった。超音波検査・心電図も異常を認めなかった。その後，低体温療法，浸透圧利尿薬，輸液管理等によって全身管理を行ったが2週間後，死亡確認となった。

▼**評価**

突然の心停止を予期する既往歴，エピソードはなく，予測は困難であった。また，心停止後は蘇生処置が施されていたが，救命困難な事例であった。現時点では，不整脈関連疾患，脳梗塞，窒息等が原因疾患としてあげられるが，解剖されておらず死因の特定は困難である。このようなイベントが生じてから2週間経過した後でも解剖をし，かつ組織学的評価を加えることで，心停止の原因がわかる場合は多い。また，最近，突然死例における不整脈遺伝子変異等も報告されている。このことを考慮すれば，解剖をして病理組織検査，ゲノム変異検査を行い，死因を明らかにすることで次世代の死亡を防ぐ可能性が生まれる。

▼**提言**

- 妊産婦死亡における剖検率が低いことが現在の課題であり，その必要性を医療者が知っておく。
- 妊産婦死亡の原因が剖検によって明らかとなる場合が多いため，臨床経過での死因が不明の事例には，特に剖検を実施することが必要である。
- 妊産婦死亡の原因が剖検を通じて明らかになることにより，次の死亡を防げることを知っておく。

はじめに

妊産婦死亡については予期しない死亡であることが多い。産科施設から救急搬送され搬送先病院から警察に連絡される場合が少なからずあり，その場合は司法解剖となる可能性が高い。司法解剖は，基本

基本編　司法解剖

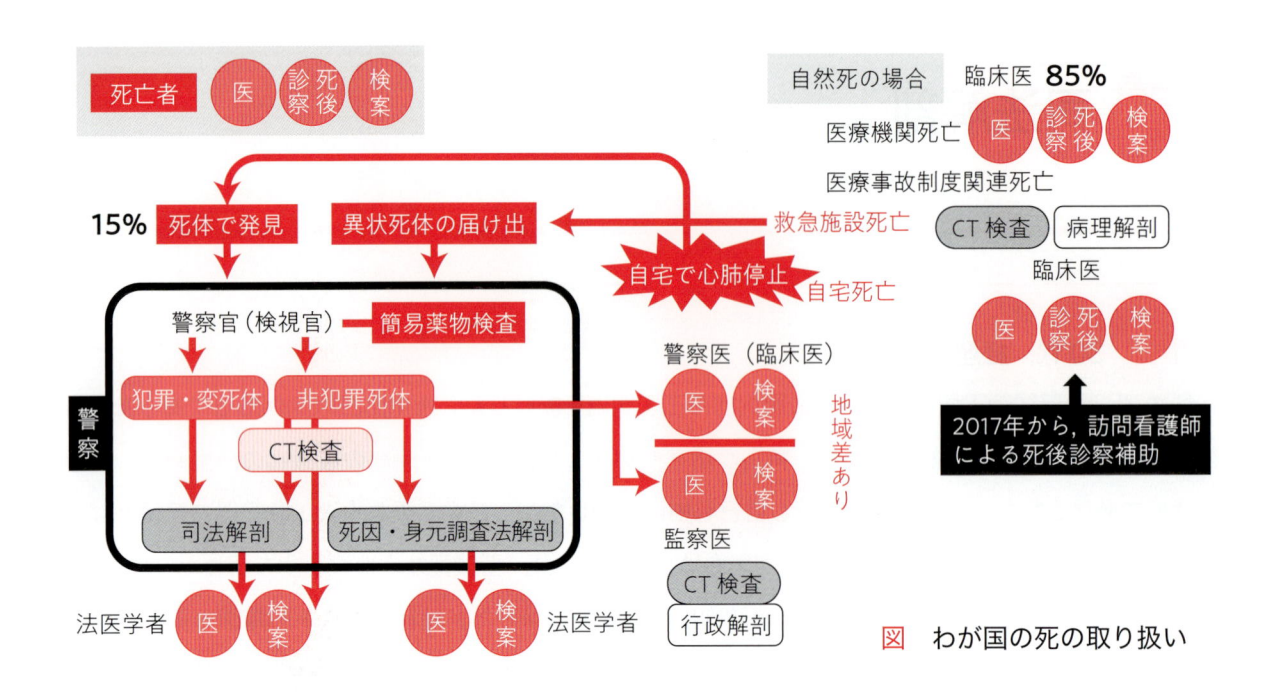

図　わが国の死の取り扱い

的に刑事訴訟法に則って行われる検察官あるいは司法警察員による嘱託鑑定業務の一環であるため、その結果は開示されないことが多い。このことは司法解剖になることで法律的な規制が生じ、その死因や根拠に関する情報が得られないため、医療側の調査や臨床評価を難しくしている。一方、解剖する側である法医学の医師も、妊産婦死亡に関する知識を十分に有していない場合もあるため、仮に開示されたとしても評価につながらない場合があることが懸念される。本稿ではまず、わが国の死体の取り扱いについて改めて説明するとともに、妊産婦死亡で行われた剖検の種類のデータ、そして2013年4月から始まった新しい法律による解剖の取り扱い方、最後に司法解剖を受託した法医学の医師に対して注意すべき点についても論述し、2019年公布された厚生労働省所管の「死因究明等推進基本法」の2020年4月施行を踏まえて、今後の展望を考える。

わが国の死体の取り扱い

わが国の死因究明制度は諸外国と大きく異なっている。死体で発見された場合、救急隊不搬送の場合、そして多くは救急医によって医師法21条に従った異状死体の届出がなされた場合には、すべて警察が一旦取り扱い、この過程で医師の関与はない(図)。警察はその死体が、犯罪死体、非犯罪死体、変死体のいずれに相当するか判断をし、それぞれの死体分類に応じてその後の取り扱いの法律を適用させる。ここで犯罪死体というのは、犯罪に関係する死体のことで、非犯罪死体は犯罪と関係のない死体、変死体は犯罪死体か非犯罪死体か判断できない死体のことである。2017年の交通事故死を除く警察の取り扱い死体数は表1に示すように17万体弱であり、犯罪死体、変死体は合わせて2万1千体弱である[1]。犯罪死体については、検証・実況見分が行われ、司法解剖となる。変死体については、検察官あるいは司法警察員による検視が行われ、そのうち犯罪死体の疑いのある死体が司法解剖となる。その総数が8千体強である。一方、非犯罪死体15万体弱については、警察として死因を明らかにしたい場合、法医学者に相談の上、死因・身元調査法の下で薬毒物検査やAiがなされ、さらに必要な場合に警察署長権限

による解剖となる。さらに警察が解剖の判断をしなかった非犯罪死体について，通常，そのまま医師が死体検案のみをして死因診断がなされるが，死体解剖保存法第8条に示された監察医制度がある地域，つまり東京23区，横浜市（2015年度から廃止），名古屋市，大阪市，神戸市（西区と北区の一部を除く）は別途取り扱われ，監察医が行政検案を行い，必要な場合に監察医による行政解剖を行う。また，一部の地域においては死体解剖保存法第7条による行政負担の承諾解剖も残されている。これらの2017年の解剖数について表2に示す[2]。また，2005年から2014年3月までは厚生労働省補助金事業「診療行為に関連した死亡の調査分析モデル事業」[2]が12の道府県で行われていた。2017年から医療事故調査制度による解剖が行われている。ただし，遺族の承諾を必要とする解剖である。これらをまとめると表3のようになる。いずれにしても重要なのは，死体については警察が取り扱っていて，死因を調べる前に犯罪の有無が調べられている。したがって，わが国においては，現行のシステムがある限り警察の捜査が行われることになる。この点については，妊産婦死亡にかかわらず，今後の死因究明制度のあり方を考えていく必要がある。2020年4月からは新しい推進法である「死因究明等推進基本法」[3]（表3）が施行される。妊産婦死亡の取り扱いについても検討されるものと期待される。

表1　警察死体取り扱い数（警察庁捜査一課）

年	犯罪死体	変死体	非犯罪死体	合計
2013	514	20,339	148,194	169,047
2014	520	20,108	145,727	166,355
2015	488	20,211	142,182	162,881
2016	598	20,144	140,665	161,407
2017	621	20,383	144,833	165,837

（総務省．死因究明等の推進に関する政策評価の概要．http://www.soumu.go.jp/main_content/000604194.pdf）[1]

表2　平成29（2017）年解剖取り扱いの内訳

	法医解剖	病理解剖
司法解剖	8,157	0
調査法解剖	2,844	0
その他の解剖（監察医による解剖・遺族の承諾による解剖）	9,582	12,426
合計	20,583	12,426

（厚生労働省：診療行為に関連した死亡の調査分析モデル事業．http://www.mhlw.go.jp/topics/bukyoku/isei/i-anzen/med-model/）[2]

妊産婦死亡でなされた剖検とその種類

妊産婦死亡についての剖検の実施については，日本産婦人科医会の妊産婦死亡症例評価事業に2010〜2017年のデータ[3]が報告されている（68ページ，図参照）。2011年まで50％程度であったのが，2012年，2013年と30％台となり，その後も変わらない。なぜ，妊産婦死亡が減らないのだろうか，この命題については今一度医学の進歩を振り返って，解剖等によって発展してきた傷病の予防を認識されたい。特に，妊産婦死亡において解剖しなければその原因がわからず予防に役立たないことを理解し，産婦人科医は大変ではあろうが，不幸な死亡を減らすためにもぜひとも剖検を行う努力をすることが望まれる。また，剖検の種類については病理解剖が減りつつあり，司法・行政つまり法医解剖が増えてきている。このことは剖検をする法医にとって，その責任は法的以外に妊産婦死亡の予防においてもきわめて重要になっている。

死因・身元調査法について

死因・身元調査法とは，正式には「警察等が取り扱う死体の死因又は身元の調査等に関する法律」という。2012年の国会で，もう一つの死因究明推進

基本編　司法解剖

表3　わが国の死体取り扱い後の解剖

解剖の種類	関係法律	解剖の判断	遺族同意の有無	解剖担当
司法解剖	刑事訴訟法	裁判所	不要	大学法医学教室
死因・身元調査法解剖	死因・身元調査法	警察署長	不要	公安委員会指定の部署(大学法医学教室等)
行政解剖	死体解剖保存法	監察医	不要	東京都監察医務院 大阪府監察医事務所 兵庫県監察医務室
行政解剖	検疫法 食品衛生法	検疫所長 都道府県知事	必要	大学法医学教室 監察医施設 公立病院病理部
承諾解剖	死体解剖保存法	医師(警察医等)	必要	大学法医学教室
医療事故調査制度解剖	死体解剖保存法	医療機関の長(医師)	必要	当該医療機関病理医か支援団体解剖医(大学病院病理部等)

法と称された「死因究明等の推進に関する法律」も成立して同年9月から2年の時限で執行され，死因究明等推進会議が設置され，わが国の死因究明のあり方を検討した上で，死因究明等推進計画[4]が閣議決定されている。その後はそれに基づき，各都道府県において地域の実情に応じて死因究明等推進計画を立てることになって[5]，2019年現在5年が過ぎた。妊産婦死亡の死因究明についても各都道府県で積極的に推進計画に入れることを切にお願いしたものの，この5年間，必ずしもそうはなっていない。

この死因・身元調査法はその第1条に，「この法律は，警察等(警察及び海上保安庁をいう。以下同じ。)が取り扱う死体について，調査，検査，解剖その他死因又は身元を明らかにするための措置に関し必要な事項を定めることにより，死因が災害，事故，犯罪その他市民生活に危害を及ぼすものであることが明らかとなった場合にその被害の拡大及び再発の防止その他適切な措置の実施に寄与するとともに，遺族等の不安の緩和又は解消及び公衆衛生の向上に資し，もって市民生活の安全と平穏を確保することを目的とする」[6]と記載がある。このことは妊産婦死亡例において，死因を明らかにすることで不幸な死の拡大や再発の防止につながることにおいては合致するものと推察する。したがって，医療機関においては，警察に連絡される場合には，解剖をして死因を明らかにしてほしいことを言い添えることが必要である。また，法医解剖になる際には十分な臨床情報がない，あるいは提供されない場合が多く，厳密な意味では遺体の解剖のみで死因を明らかにされる。したがって，臨床記録や臨床評価があって初めて判断できるような，例えば妊娠高血圧症候群を解剖のみから死因とするのは難しい場合も少なくない。

法医解剖での留意点

法医解剖をする解剖医，監察医に対しての留意点を記述する。妊産婦死亡においては臨床的に急激な経過をとる場合が多く，それらの場合が法医解剖となる。注意点としては，子宮を含めた骨盤臓器，胎盤，臍帯の取り扱いであり，その病態診断については，骨盤臓器の病理に造詣のある病理医にお願いするか，あるいは自ら行う場合は産科病理の研修を積む必要がある。下記に，妊産婦死亡において通常と

異なるポイントを明記した。

　法医解剖の対象となった事例の場合，臨床的な診断として，その原因で多いものとして産科的出血がある。臨床的には500 mL以上の出血があった場合に正常ではないとされているが，その病変があることと死因となるかは別であることに留意する。死因となるには，大量出血あるいは出血性ショックをきたしていることになる。剖検所見として，少なくとも全身蒼白，死斑の出現が乏しく，眼結膜蒼白，心臓内流動血少量，諸臓器乏血，骨盤腔に凝血を含む血液の貯留等を確認することと，出血部位を探索し，その部位が子宮・腟等に存在していることを明らかにすることが重要である。ただし，出血に伴ってDICを起こしている場合があり，その場合は出血傾向が認められる。腸管内に血性液貯留と側胸部や側腹部あるいは上下肢に紫斑の所見や心臓内の血液が，いわゆるサラサラ様になっている場合が相当する。血算を測定できる装置がある場合には，血小板数を確認する。また，免疫生化学機器があるなら，FDPやDダイマーを測定する。ない場合は外部発注することを考慮する。出血部位の検索については，産道裂傷をくまなく観察する。この場合，肉眼的に確認できた裂傷部位に生活反応（法医学用語で，死体において生前に生じたと判断される所見のこと），つまり凝血等の付着があるか否かの所見もとる。このことについても，十分な凝血の付着があるならば死因となるイベントと考えて矛盾しないが，凝血の付着が乏しい場合にはすでに出血があり，その後の用手的な止血操作によって裂創が生じた可能性があることにも留意し，組織学的な診断をする。裂創部位の組織所見として血球の存在があるか否かを，しっかりと見極めることが必要である。一方，裂創が認められない場合は，弛緩出血を考える必要がある。この場合は子宮の収縮不良であるため，子宮口の大きさや内腔の広さ等も測定しておく。

　浜松医科大学教授の金山らが提唱している羊水塞栓症については，死因となるか否かを安易につけることなく慎重に判断しなければならない。死因となりうる羊水塞栓症について，血栓塞栓症のような肺塞栓症で死亡する場合は少ないことを頭に入れておく。つまり，肺梗塞の所見は乏しい。ただし，臨床的に蘇生行為が長引いた場合はその限りではない。基本的には，静脈系に流入した羊水成分が肺の末梢血管につまることで肺水腫を生じる可能性があるということ，その反応についてはアナフィラキシーショック様であることである[7]。当然のことながら，空気塞栓症のように肺を通過して全身に回ることが十分に考えられ，脳や腎臓等にも認められると考えてよい。また，胎児成分が少なくとも静脈系に取り込まれるということは子宮に裂創がある必要があるので，その所見は必ずとる。また，病態がアナフィラキシーショック様であるということは肥満細胞等の活性化があり，かつ間質の浮腫が出てくる。肉眼的に喉頭浮腫や声門浮腫，肺漿膜下浮腫が認められた場合は疑うことができる。また，生化学検査としてC3，C4，IL-8等測定は上記の判断を補強することになるので機器がある場合は測定し，ない場合は外部発注することが必要である。

　死体検案書については，内因死として明らかに判断できるものとして，妊娠高血圧症候群，HELLP症候群，肺血栓塞栓症（PTE：pulmonary thromboembolism），子宮弛緩出血，急性妊娠脂肪肝，常位胎盤早期剝離，感染症，前置胎盤・癒着胎盤，脳出血，産褥心筋症等である。一方，羊水塞栓症（これも子宮裂傷による）や産道裂傷については，外傷で外因死ではないかと考えるかもしれないが，国際疾病分類ICD-10では，「O71　その他の産科的外傷」に分類され，これらも内因死であることに留意されたい。

しかしながら，死因究明をすることは産科医として必須のことであり，解剖をする必要性を十分に認識されたい。

Aiは，妊産婦死亡については脳出血等が否定できるという点では優れているが，骨盤臓器の所見をとることや妊産婦死亡における死因診断を行うのは難しい。

今後の展望

わが国の死因究明制度は，今大きく変わろうとしている。2020年4月に恒久法として施行される死因究明等推進基本法の下，不幸な死亡を防ぐために妊産婦死亡においても法医学者，産婦人科医，病理医が手を取り合って進めていくことが望まれる。

文献

(1) 総務省：死因究明等の推進に関する政策評価の概要. http://www.soumu.go.jp/main_content/000604194.pdf
(2) 厚生労働省：診療行為に関連した死亡の調査分析モデル事業. http://www.mhlw.go.jp/topics/bukyoku/isei/i-anzen/med-model/
(3) 内閣府：死因究明等推進基本法（令和元年法律第三十三号）.
(3) 日本産婦人科医会妊産婦死亡症例検討評価委員会：妊産婦死亡症例評価報告書, 2019
(4) 内閣府：死因究明等推進計画, 2014. http://www8.cao.go.jp/kyuumei/law/keikaku.html
(5) 内閣府：当面の死因究明等施策の推進について（平成26年9月16日閣議決定）, 2014. http://www8.cao.go.jp/kyuumei/law/toumenn.html
(6) 警察等が取り扱う死体の死因又は身元の調査等に関する法律（平成二十四年六月二十二日法律第三十四号）http://law.e-gov.go.jp/htmldata/H24/H24HO034.html
(7) 妊産婦死亡に対する剖検マニュアル委員会：妊産婦死亡剖検マニュアル, 2010

（松本 博志）

基本編

麻酔が関連する妊産婦死亡

▼事例　20代，経産婦

　既往歴に特記すべきことはない。無痛分娩希望で妊娠39週に有床診療所に入院した。入院当日に硬膜外カテーテルを留置してから頸管拡張を行った。その後，陣痛発来したため，院内のマニュアルにしたがって助産師が硬膜外自己調節鎮痛(PCEA：patient controlled epidural analgesia)を開始した。開始後1時間経過しても十分な鎮痛が得られなかったため産科医に報告し，その指示に従って助産師が0.2%アナペイン10 mLを硬膜外カテーテルから投与した。投与から30分経過しても鎮痛効果不良であったために再度報告し，産科医の指示で助産師が0.2%アナペイン10 mLを再度追加投与した。さらに60分後にも産科医の指示で助産師が0.2%アナペイン10 mLを追加投与したところ，産婦は痙攣発作を起こした。当直医が訪室し，セルシン10 mgを静脈内投与した。痙攣は治まったが母体が呼吸抑制による低酸素血症となり，胎児徐脈を認め，緊急帝王切開を決定した。手術室で全身麻酔を導入後，気管挿管は困難で，母体はショック状態となったが，手術を続行し児を娩出した。その後，母体は心停止となり蘇生に反応せず死亡確認となった。

▼評価

　硬膜外無痛分娩中の局所麻酔薬中毒により痙攣を発症し，帝王切開中の麻酔管理が原因で妊産婦死亡となった事例である。通常の局所麻酔薬の濃度や用量で鎮痛効果が不十分であった場合は，硬膜外カテーテルの再挿入を考慮すべきであった。痙攣発生後は，局所麻酔薬の中毒を疑い，妊産婦の全身管理を優先する必要があった。硬膜外無痛分娩中の局所麻酔薬中毒は，血管内誤注入の場合は比較的少量で発症し，投与量が累積で過量投与となっても局所麻酔薬中毒が発症する。

▼提言

・無痛分娩を提供する施設では，器械分娩や分娩時異常出血，麻酔合併症等に適切に対応できる体制を整える。
・周産期医療に麻酔科医が積極的にかかわれるような環境を整備する。
・麻酔管理/救命処置を行った際は，患者のバイタルサイン/治療内容を記載する。

基本編　麻酔が関連する妊産婦死亡

はじめに

1991年，1992年の妊産婦死亡症例検討（長屋班）によれば，麻酔を原因とする妊産婦死亡が5例あり，死亡原因の第6位であった[1]。その内容は，気管挿管等，不適切な麻酔管理に起因するものが4例，帰室後の誤嚥が1例であり，いずれも全身麻酔に関連していた。

池田班の妊産婦死亡症例検討評価委員会は，日本産婦人科医会（以下，医会）の協力により，2010年からは前向きに症例検討を重ねてきた。母体安全への提言2018の集計によれば，2019年5月までに解析が終了した390例のうち，麻酔または蘇生の問題が原因での死亡は3例あった。1例は麻酔前投薬後の肺水腫，1例は術後疼痛管理中の突然死であり，最も最近の事例が無痛分娩に関連したものである[2]。それ以外にもマスコミでは硬膜外無痛分娩中の妊産婦死亡が複数例報道されているが，症例検討会での検討には至っていない。現在の日本における麻酔が原因での妊産婦死亡の特徴は，帝王切開の麻酔よりも硬膜外無痛分娩に関連していることである。

硬膜外無痛分娩の現状と対策

日本の硬膜外無痛分娩率は，2007年の推計では全分娩の2.6%であったが，その後の医会の調査によれば2014年度が4.6%，2015年度が5.5%，2016年度が6.1%と着実に増加している。そして，無痛分娩の53.0%が有床診療所で行われていることが特徴である。麻酔科医が無痛分娩を管理していると回答した施設は，病院では47.0%，有床診療所では9.1%にとどまった。無痛分娩へのニーズの高まりに対して麻酔科医のマンパワーが相対的に追いついていない現状がある。

硬膜外無痛分娩においては，局所麻酔薬中毒や，全脊髄くも膜下麻酔による呼吸停止といった重篤な麻酔合併症が発生しうる。また，硬膜外無痛分娩により帝王切開率は増加しないものの，鉗子・吸引分娩が増加するため，出血量は多くなりがちである。そのため，「無痛分娩を提供する施設では，器械分娩や分娩時異常出血，麻酔合併症等に適切に対応できる体制を整える」と提言した。そして，「周産期医療に麻酔科医が積極的に関われるような環境を整備する」との提言が実現すれば，硬膜外無痛分娩の安全性向上，超緊急帝王切開による児の予後の改善，産褥出血や急変した妊産婦の救命に益すると考えられる。

「麻酔管理や救命処置を行った際は，患者のバイタルサインおよび治療内容を記載する」との提言は，無痛分娩中や帝王切開中の急変で初発した妊産婦死亡事例を解析するなかで，記録が乏しいために麻酔が原因なのか他の原因なのかを判別できないことから出された。帝王切開中の麻酔記録がない事例もあった。硬膜外無痛分娩も麻酔行為であり，麻酔記録を残すべきである。そこで2015年度の母体安全への提言では，望ましい麻酔記録の例も示している[3]。

日本の妊産婦が安心して無痛分娩を受けられる体制構築を目指して，無痛分娩関係学会・団体連絡協議会（JALA：The Japanese Association for Labor Analgesia）が2018年に発足した。JALAは情報公開分科会，研修体制分科会，有害事象分科会の3つの分科会で構成され，それぞれに活動が具体化している。日本母体救命システム普及協議会（J-CIMELS）が主催する「J-MELS硬膜外鎮痛急変対応コース」も2019年より始まり，日本麻酔科学会も支援している。

硬膜外無痛分娩を現場で安全に実施するためには，「少量分割注入」が重要である。硬膜外カテーテルは奥行きわずか3～6mmのスペースを狙って感触を頼りに盲目的に挿入されるものであり，その先

端が硬膜外腔にあるかどうかは局所麻酔薬を投与するまで判明しない。さらに硬膜外静脈は，妊娠子宮による下大静脈圧迫の側副血行路として怒張しており，カテーテルが血管を穿破することも稀ではない。そこで誤ってくも膜下腔や血管内に局所麻酔薬を注入したとしても，重大な事態が生じる前に異常に気づくための方策が「少量分割注入」である。そして分娩経過中に産婦は頻回に体位を変えるため，カテーテル先端が移動して，くも膜下腔や血管内に途中から迷入することもある。したがって，カテーテルからの局所麻酔薬投与は常に1回に3 mL程度の少量にとどめ，異常がなければ繰り返して必要量まで投与することが大切である。少量分割注入の概念について図に示す。

局所麻酔薬の過量投与により局所麻酔薬中毒が発生するのは，効果が不十分な場合に局所麻酔薬を濃くしたり，容量を増やしたりすることを繰り返した場合に発症することが多い。通常の濃度と用量で局所麻酔薬を投与しても期待した効果が得られない場合は，カテーテルが硬膜外腔に入っていない可能性が高いため，カテーテルを挿入し直す必要がある。

局所麻酔薬中毒の初期症状は，耳鳴，舌や口周囲のしびれ感，金属のような味，等である。局所麻酔薬の血中濃度がもっと高ければ，不穏，構語障害，譫妄，そして痙攣をきたす。血中濃度がさらに上がれば心血管系の症状が出現し，重度不整脈や心停止をきたす。硬膜外カテーテルは感触を頼りに盲目的に挿入されるため，その先端位置を常に疑ってかかる必要がある。硬膜外カテーテル挿入直後の試験注入と，その後の一貫した少量分割注入が，硬膜外無痛分娩を安全に行うために必須である。また，硬膜外無痛分娩を分娩誘発に引き続き行う施設が日本では多く，もともと硬膜外無痛分娩では鉗子・吸引分娩が増加する。したがって産後過多出血をきたすこと

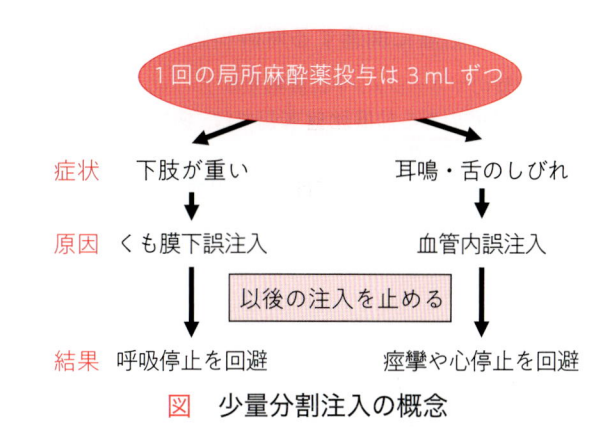

図　少量分割注入の概念

があり，麻酔合併症のみならず産科異常に対応できる体制も必要である。

産科出血における麻酔科医の役割

妊産婦死亡の原因が麻酔自体ではなかったとしても，麻酔管理が妊産婦死亡に寄与したと考えられる例がある。癒着胎盤のリスクが高い前置胎盤症例の緊急帝王切開において，癒着胎盤の可能性が産科医と麻酔科医とで共有されておらず，末梢静脈路確保やモニタリングがルーチン通りであり，穿通胎盤の子宮全摘術における輸血が後手に回り，大量出血により死亡した事例である。そこで前置胎盤においては，患者の帝王切開等，子宮手術の既往を把握して，癒着胎盤の可能性や程度（癒着，嵌入，穿通胎盤）を評価して，それに応じた麻酔計画を立案する必要がある。癒着胎盤に関連して麻酔科医に向けて出した提言を表1に示す。嵌入胎盤や穿通胎盤が予想される場合は，大動脈や腸骨動脈等に閉塞バルーンを留置する例も増えてきた。前置・癒着胎盤の帝王切開における周術期麻酔管理の例を表2に示す。

産科危機的出血の特徴は，消費性凝固障害が急速に進展することである。特に常位胎盤早期剥離や羊水塞栓症において，低フィブリノゲン血症が顕著である。したがって産科出血における凝固障害を是正するた

表1　癒着胎盤に関連する麻酔科医に向けた提言

- 癒着胎盤のマネージメントに習熟する
- 帝王切開歴のある前置胎盤事例では，癒着胎盤の可能性がないかを確認する
- 癒着胎盤が疑われる事例では，大量出血に十分備えた麻酔管理を行う

表2　癒着胎盤に対する妊娠子宮全摘術の麻酔管理例

- 病棟で末梢静脈路確保（18G）
- 前投薬：H₂ブロッカー，メトクロプラミド10 mgを手術室入室の約1時間前に静注
- 手術室入室，輸血用末梢静脈路確保（18G以上の太さ，輸液加温装置付き），動脈ライン確保。中心静脈ラインは必要に応じて
- 自己血があれば手術室に準備。輸血用血液製剤準備量を確認
- 胸椎下部に硬膜外カテーテルを留置し，20万倍アドレナリン添加2%リドカインを3 mLずつ硬膜外カテーテルから投与。合計12～20 mLで帝王切開に必要なT4までの麻酔効果が得られる
- 救命救急医により腎動脈下に大動脈閉塞バルーン留置，透視にて位置確認
- 泌尿器科医により両側尿管にダブルJカテーテル挿入
- 両側足趾にパルスオキシメータ装着
- Activated Clotting Time（ACT）測定（コントロール）
- 麻酔範囲を評価し，硬膜外局所麻酔薬を適宜追加
- 硬膜外カテーテルよりフェンタニル1 mL（50 µg）＋生理食塩水9 mLを注入
- 区域麻酔下に帝王切開術開始
- 児娩出後，出血状況や循環動態，母体精神状態等を総合的に判断して，硬膜外麻酔のみで継続するか全身麻酔に移行するかを決定する
- 硬膜外麻酔のみの場合は，45分ごとに，初回投与量の1/3～1/2量を追加投与する
- 胎盤剝離しない場合，子宮収縮薬は使用せず
- 靱帯処理がある程度進んだところで，術者の求めに応じて大動脈閉塞バルーンを膨らませる
- バルーンを膨らませる前に未分画ヘパリン3,000単位を静注しACTを測定する（200秒を超えることは滅多にない）
- バルーン閉塞は20分ごとに一時解除し，再度膨張させる。バルーン膨張時間は45分以内とする
- 子宮摘出後に，プロタミン静注によりヘパリンを拮抗する
- 術後鎮痛目的に，硬膜外腔にモルヒネ3 mg＋生理食塩水10 mL投与，または自己管理硬膜外鎮痛法
- 完全覚醒にて抜管（抜管時も誤嚥の危険性あり）
- 術後は24時間，SpO₂と呼吸数をモニタリングする（硬膜外モルヒネには遅発性呼吸抑制のリスクあり）

めには，できればpoint of care検査でフィブリノゲン濃度を迅速に測定し，濃縮フィブリノゲン製剤やクリオプレシピテートを速やかに投与する。厚生労働省の「血液製剤の使用指針」が2017年に改訂され，産科DICの特徴が認識された結果，大量輸血時の適応として「産科危機的出血や外傷性出血性ショック等の救急患者では，凝固因子の著しい喪失および消費による，止血困難がしばしば先行することから，濃厚血小板（PC：platelet concentrates）やFFPの早期投与による予後の改善が期待される」が新規に含まれた。これは「産科危機的出血への対応指針2017」[4]に適合したものであり，今では産科出血における凝固因子補充の重要性を麻酔科医も広く認識するようになった。

　産後過多出血で最も多いのが弛緩出血であり，次いで産道裂傷である。経腟出産後の出血に対して，産科医のみで止血処置と並行して鎮痛や麻酔，そして全身管理を担うのは過酷である。産科出血による妊産婦死亡を減らすためにも，「周産期医療に麻酔科医が積極的にかかわれるような環境を整備する」との提言の実現に向けて，産科医と麻酔科医とが専門家集団として協力し，行政を巻き込んで活動する必要がある。

文献

(1) Nagaya K, et al：Causes of maternal mortality in Japan. JAMA 283：2661-2667, 2000
(2) 妊産婦死亡症例検討評価委員会, 日本産婦人科医会. 母体安全への提言 2018. 2019
(3) 妊産婦死亡症例検討評価委員会, 日本産婦人科医会. 母体安全への提言 2015. 2016
(4) 産科危機的出血への対応指針 2017. http://yuketsu.jstmct.or.jp/wp-content/uploads/2017/01/8b9c0f3a8172ae1c9cf0e7bbd746f5db.pdf

（照井 克生）

総論

基本編

▶ 治療編

システム編

各論

SAVING MOTHERS LIVES IN JAPAN 2020

治療編

産科危機的出血における初期治療

▼事例　30代，初産婦

　妊婦健診経過に問題はなかった。妊娠41週にオキシトシンの点滴静注による分娩誘発を開始した。1日目は分娩進行せず一旦中止とした。2日目の投与12時間後に20 mm単位/分となった時点で子宮口全開大となり，2時間後に吸引分娩で3,600 gの児を娩出した。胎盤娩出後に会陰腟壁裂傷の縫合を行ったが，子宮内より性器出血を認めた。子宮底マッサージと，分娩時に使用したオキシトシンの点滴静注を継続したが，出血は持続した。30分後には血圧80/40 mmHg，心拍数110回/分となった。出血量は1,500 gに達し，輸液と双手圧迫を行ったが出血は持続した。オキシトシン投与を追加し腟内にガーゼパッキングを行ったが，分娩1時間後に総出血量は2,500 gに達した。高次施設への搬送依頼を行い，分娩2時間後に救急車にて搬送を行ったが，救急車内で血圧測定不能となった。高次施設救急到着時，心停止を認め直ちに心肺蘇生を行ったが回復せず死亡確認となった。病理解剖で子宮型羊水塞栓症，頸管裂傷や子宮破裂を認めなかった。

▼評価

　剖検所見より弛緩出血が死因であったと考えられた。オキシトシンは最大投与量に達しており，分娩後の弛緩出血のリスクは高かった。出血が大量となりショックバイタルとなった時点よりも早期から，双合圧迫，子宮収縮薬の増量や他の薬剤の使用によって止血を行い，効果不十分であれば，速やかに高次施設への搬送を考慮すべきであった。

▼提言

- 分娩が遷延した場合，弛緩出血への注意が必要である。
- 産科危機的出血に対する原因検索とともに，初期治療に習熟する。

疫学・概要

　わが国の妊産婦死亡390例中78例（20％）を産科危機的出血が占めている。そのなかでも子宮型（DIC先行型）羊水塞栓症が48％（37例）と最も多く，続いて常位胎盤早期剥離，子宮破裂，弛緩出血，癒着胎盤，子宮内反症，産道裂傷が原因となっている[1]。これら産科危機的出血の大半は後産期出血であり，妊産婦の命を救うためには，いかに後産期出血における初期治療に習熟するかが大切となってくる。ま

た，それと同時に初期治療では，止血困難な場合に後述の手術療法，カテーテル治療等の導入が必要であり，それらの治療の必要性の有無を見極めながら，初期治療を行う必要がある。

妊産婦死亡症例検討評価委員会・日本産婦人科医会では，これまで母体安全への提言として，①産科危機的出血への対応ガイドラインに沿い，適切な輸血療法を行う[2]，②子宮内反症の診断・治療に習熟する[3]，③産科危機的出血時および発症が疑われる場合の搬送時には，適切な情報の伝達を行いスムーズな初期治療の開始に努める[4]，④産科危機的出血時のFFP投与の重要性を認識し，早期開始に努める[4]，といった内容を発出してきた。しかし，危機的出血の前段階である後産期出血から産科危機的出血への移行を防ぐこと，あるいは進行を極力遅らせるための初期治療に習熟しておくことが根本的に大切であり，2013年には，「産後の過多出血（PPH：postpartum hemorrhage）における初期治療に習熟する（充分な輸液とバルーンタンポナーデ試験）」「産科危機的出血時において自施設で可能な，外科的止血法と血管内治療法について十分に習熟しておく」という新たな提言を発信した[5]。これらの提言の効果を直接的に評価することは困難ではあるが，2010〜2017年にかけて，産科危機的出血を主原因とした妊産婦死亡は減少している[6]。しかしながら，未だに死亡原因の主たる要因であり，引き続き初期治療に習熟することが肝要である。

後産期出血の原因として"4つのT（Four Ts）"があげられる（表1）[7]。弛緩出血は，それらのなかでも約7割を占めているとされており，原因検索と同時に初期治療を行い，治療抵抗性の場合には1次医療機関でも簡便に行える手技として子宮腔内タンポナーデ法（試験）に習熟しておくことが重要である。

後産期出血における初期治療

1．子宮マッサージ，双合圧迫，子宮収縮薬

出血量が500 mLを超えた場合は，産後の過多出血を疑い初期治療を開始する。十分な人員を確保しつつ，晶質液による十分な補液を行い，子宮マッサージや双合圧迫を行う（図1）[8]。子宮収縮薬はオキシトシンが第一選択であるが，収縮が不良であればエルゴメトリンやPGF2αの使用も考慮する[8]。エルゴメトリンは高血圧や冠動脈疾患の既往，妊娠高血圧症候群の際には危険であり，PGF2αは緑内障では禁忌である。

ミソプロストールはPGE1誘導体で，諸外国の文献では経口，舌下もしくは経直腸投与が行われている[9]。強力な子宮収縮作用を有しているため，静脈ルートが確保できない場合には有用であるが，わが国では適応外使用であるため注意が必要である。

2．子宮腔内タンポナーデ（試験）

子宮腔内タンポナーデとしてガーゼパッキング法が長年用いられてきたが，最近ではバルーンタンポナーデ法が積極的に用いられている[10]。Bakri®バルーン（Cook分娩後バルーン），Foleyカテーテル，Sengstaken-Blakemoreチューブ，わが国でメトロイリンテルとして用いられているフジメトロ・オバタメトロ等も利用可能である（表2，図2[10]）。バ

表1　産後の過多出血における"Four Ts"

Four Ts	原因	推定頻度（%）
Tone	子宮収縮不良	70
Trauma	裂傷，血腫，子宮内反，子宮破裂	20
Tissue	胎盤・卵膜遺残，癒着胎盤	10
Thrombin	凝固障害	1

（Anderson JM, et al：Prevention and management of postpartum hemorrhage. Am Fam Physician 75：875-882, 2007 より引用，一部改変）[7]

治療編　産科危機的出血における初期治療

ルーンタンポナーデは比較的簡便に行える手技であり，高次医療機関のような医療資源を有さない有床診療所や1次施設においても初期治療としての有効性が示されており[11]，その手技に習熟することが肝要である。現在，Bakri®バルーンのみが産後の過多出血時の使用目的で開発されたものであるが，他のバルーンによる止血方法も有効である[11]。

バルーンタンポナーデ法は，前述の双合圧迫や子宮収縮薬を用いた止血方法の効果が不十分な場合に考慮される。別稿で述べられているB-Lynch法等の縫合止血法，内腸骨動脈結紮や血管内治療法等と併用する場合もあるが，簡便に行える方法のため，前段階の手技として試みるか，搬送時の可及的な処置として行うか，いずれにしても適応は広く，使用の選択肢は今後広くなることが期待される。

経腟的なバルーン挿入時は，子宮頸管を鉗子で把持するか，手指を用いて確実に頸管内から子宮内に挿入することが必要である。経腹超音波ガイド下に位置を確認することが望ましい。帝王切開時の挿入方法は，子宮筋層の切開創を閉創した後に経腟的に挿入する方法と，経腹的に子宮切開創から腟内に逆行性に挿入した後に子宮筋層を閉創する2種類がある。後者の場合，筋層縫合時に縫合針でバルーン

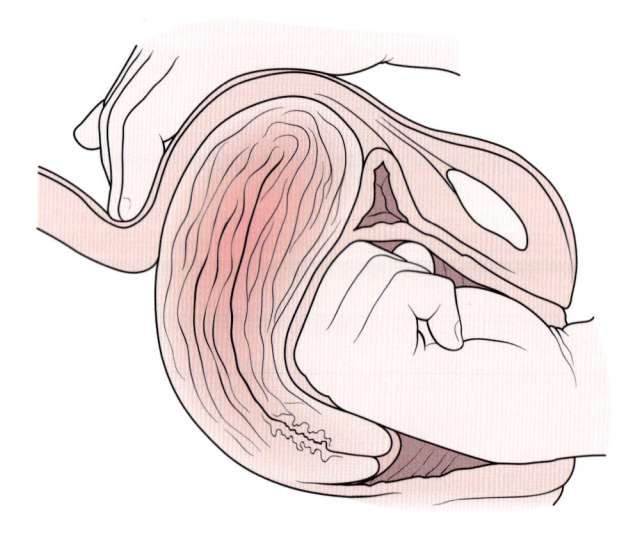

図1　双手圧迫
一方の拳を腟内に挿入し前腟円蓋部にあてる。もう一方の手を腹部から子宮底を挟むようにあてて圧迫する。
（Cunningham FG, et al : Chapter 64 : Infectious Diseases. Fried A, (eds) : Williams OBSTETRICS, 24 ed, Mcgraw-hill, New York, 2014）[8]

表2　代表的な子宮内タンポナーデ用バルーンの種類

	Foley	Bakri®	Sangstaken-Blakemore	フジメトロ・オバタメトロ
素材	シリコン	シリコン	シリコン	ラテックス
容量	30 mL	500 mL	胃 250 mL/食道 150 mL	100〜500 mL
ドレナージ	可	可	可/不可	不可

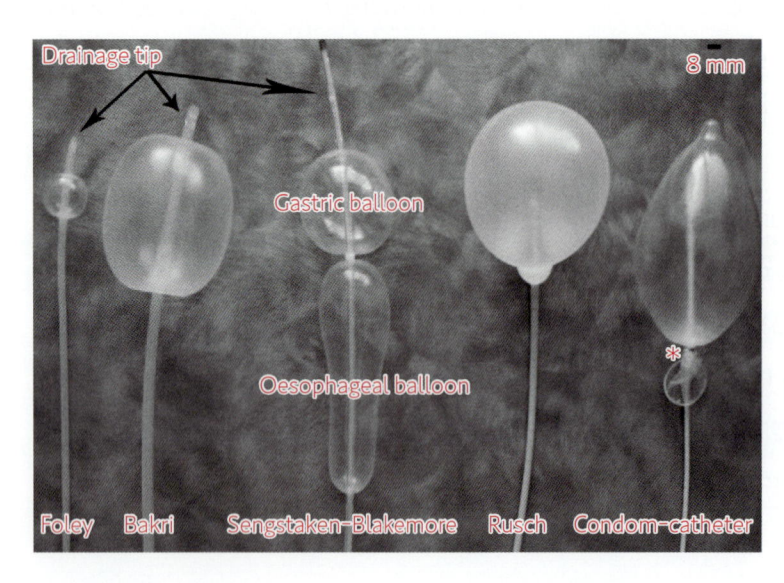

図2　代表的なバルーン
Ruschバルーンはわが国では入手不可であるが，フジメトロ・オバタメトロが同様の構造である。
（Georgiou C : Balloon tamponade in the management of postpartum haemorrhage : a review. BJOG 116 : 748-757, 2009）[10]

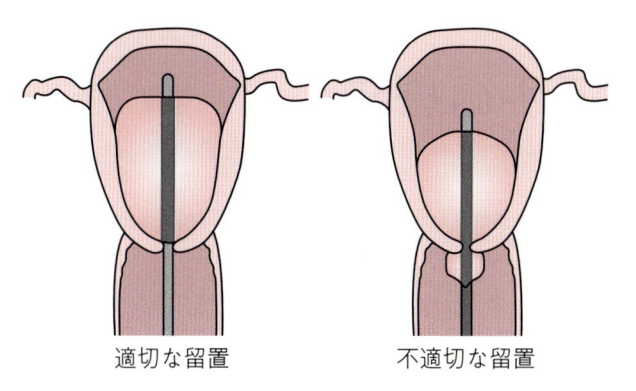

図3 バルーン拡張の推奨方法
右図のようにバルーンの挿入が浅いと滑脱する可能性がある。
（Cook分娩後バルーン添付文書より引用）

表3 産後の過多出血における各種手技の効果

手技	効果（%）（95% CI）
動脈塞栓術	90.7（85.7～94.0）
子宮縫合止血法	91.7（84.9～95.5）
内腸骨動脈結紮ないし子宮血行遮断	84.6（81.2～87.5）
子宮腔内バルーンタンポナーデ法	84.0（77.5～88.8）

（Doumouchtsis SK, et al：Systematic review of conservative management of postpartum hemorrhage：what to do when medical treatment fails. Obstet Gynecol Surv 62：540–547, 2007）[12]

を損傷しないように注意する．その後，バルーンを拡張させて十分に圧迫できているか確認する．

経腟分娩例ではバルーン挿入後，子宮頸管が開大しているので，ガーゼパッキングによってバルーンの滑脱を防ぐ必要がある．視診，触診や超音波検査で適切な位置に挿入されていることを確認する（図3）。

バルーン内容量は，出血の原因や子宮収縮の状況によって左右される．定まった内容量はなく，徐々にバルーンを拡張させながら止血効果が得られればそのままで維持する．過度の拡張は疼痛の原因となりうるほか，子宮破裂を助長する恐れがあるので注意が必要である．

バルーンタンポナーデの産後の過多出血に対する効果についての検討では，縫合止血法，骨盤内の動脈結紮，血管内治療と同等との報告がある（表3）[12]。挿入後15分程度経過しても止血効果が得られないようであれば，バルーンタンポナーデによる止血は不十分と判断し，侵襲的な止血手技を考慮する必要がある．バルーンの抜去に対する統一的な見解はないが，24時間程度経過した後に，バルーンを徐々に縮小させ再出血のないことを確認する方法と，一気に縮小させて抜去する方法のいずれの方法も報告がある．

文献

(1) 妊産婦死亡症例検討評価委員会・日本産婦人科医会．母体安全への提言 2018, 2019
(2) 妊産婦死亡症例検討評価委員会・日本産婦人科医会．母体安全への提言 2010, 2011
(3) 妊産婦死亡症例検討評価委員会・日本産婦人科医会．母体安全への提言 2011, 2012
(4) 妊産婦死亡症例検討評価委員会・日本産婦人科医会．母体安全への提言 2012, 2013
(5) 妊産婦死亡症例検討評価委員会・日本産婦人科医会．母体安全への提言 2013, 2014
(6) Hasegawa J, et al：Decline in maternal death due to obstetric haemorrhage between 2010 and 2017 in Japan. Sci Rep 9：11026, 2019
(7) Anderson JM, et al：Prevention and management of postpartum hemorrhage. Am Fam Physician 75：875–882, 2007
(8) Cunningham FG, et al：Chapter 64：Infectious Diseases. Fried A, (eds)：Williams OBSTETRICS, 24 ed, Mcgraw-hill, New York, 2014
(9) Blum J, et al：Treatment of post-partum haemorrhage with sublingual misoprostol versus oxytocin in women receiving prophylactic oxytocin：a double-blind, randomised, non-inferiority trial. Lancet 375：217–223, 2010
(10) Georgiou C：Balloon tamponade in the management of postpartum haemorrhage：a review. BJOG 116：748–757, 2009
(11) Tindell K, et al：Uterine balloon tamponade for the treatment of postpartum haemorrhage in resource-poor settings：a systematic review. BJOG 120：5–14, 2013
(12) Doumouchtsis SK, et al：Systematic review of conservative management of postpartum hemorrhage：what to do when medical treatment fails. Obstet Gynecol Surv 62：540–547, 2007

（中田 雅彦）

治療編

産科危機的出血における手術療法

▼**事例** 30代，経産婦

既往，今回の妊娠経過に異常はなかった。妊娠40週に陣痛発来のため入院した。入院時の子宮口は5cm開大で，2時間後に子宮口全開大となった。遷延一過性徐脈のため，吸引分娩で児娩出した。胎盤娩出後から子宮収縮不良となり，子宮底マッサージおよびオキシトシン点滴を行ったが血圧90/70mmHg，脈拍110/分とshock index（SI）>1が持続するため，子宮双手圧迫およびエルゴメトリン投与を行った。アルブミン製剤をポンピングで投与したが血圧は上昇せず，酸素投与や補液を追加した。分娩後3時間経過したが子宮収縮不良は改善せず，Hb 5.0 g/dLと高度貧血を認め，輸血および全身管理の必要性を考え高次施設への搬送を決定した。搬送中の救急車内で心停止となり心肺蘇生を行ったが，高次施設到着時は心停止となり，輸血その他の治療を行ったが死亡確認となった。

▼**評価**

胎盤娩出直後からの子宮収縮不良に対して，子宮底マッサージ，オキシトシン点滴等の初期治療（十分な補液，子宮収縮薬投与等）を行っても改善しない後産期出血に対しては，バルーンタンポナーデ試験（101ページ参照）を試みてもよかったと考えられた。また，FFP投与も考慮すべきであった。速やかに改善しない後産期出血では，自施設で取り扱い可能な外科的止血法と血管内治療法についても，日頃から準備しておくことの重要性が指摘され，それらの治療ができない施設では，高次施設への搬送のタイミングを速やかに行うべきであった。

▼**提言**

・後産期出血に対して十分な初期治療を行ってもバイタルが改善しない場合は，産科危機的出血の対応をする。
・産科危機的出血では，原因検索に加えて速やかな止血処置が必要である。
・出血性ショックに対しては十分な補液だけでなく，FFPやRBCを速やかに投与する。
・裂傷や損傷の縫合，子宮内バルーンタンポナーデ，子宮収縮薬，補充療法等によっても止血困難な場合は，外科的止血手技（開腹止血，子宮摘出等）や血管内治療を選択する。
・自施設で対応困難な場合の高次施設への搬送も含めて，あらかじめシミュレーションを行っておく。

はじめに

わが国の妊産婦死亡の原因として最も多いものは産科危機的出血であり，妊産婦死亡症例検討評価委員会で検討が終了した390事例（2010〜2018年）において20%を占めている。これらの内訳としては，子宮型（DIC先行型）羊水塞栓症が48%と最も多く，常位胎盤早期剥離，子宮破裂，弛緩出血，癒着胎盤，子宮内反症，産道損傷と続く。産科危機的出血による妊産婦死亡は検討を開始した2010〜2011年では28%であったが，年々減少し2015年以降は20%を下回っている。産科危機的出血に対する診断と処置の啓発とJ-MELS（Japan Maternal Emergency Life-Saving System）に代表される産科シミュレーショントレーニングの成果とも考えられる。

これらの産科危機的出血は後産期出血として発症し，早いものでは2〜3時間程度で心停止に至るものもある。そのため，産科危機的出血に対しては，その原因検索に加えて速やかな止血処置が必要となる。通常は，系統的原因検索と止血処置は同時に施行される。

内科的止血処置である子宮収縮薬投与，子宮双手圧迫，補液，輸血や血液製剤の補充療法，子宮内バルーンタンポナーデ等（101ページ参照）で反応しない場合は，速やかに外科的治療に切り替える必要がある。外科的治療は外科的止血手技（開腹止血，子宮摘出等）と，血管内治療（子宮動脈塞栓等）に分類される。どちらを優先的に行うかについては，妊産婦の全身状態や，各治療施設での対応状況により決定される。自施設で可能な外科的手技および血管内治療については，あらかじめシミュレーションを行い各部署との連携を緊密にし，非常事態に対して速やかに治療ができるように，もしくは，安全に高次施設に搬送ができるようにしておくことが重要である（表）。

外科的止血法

1. 子宮に対する compression suture

B-Lynch法[1]に代表される縫合止血法であり，特に子宮体部が弛緩している状態で有効である。太め

表　外科的止血法と血管内治療法

	出血・止血の状況	方法
縫合止血法： 子宮全体	子宮体部が弛緩している状態に有効 →弛緩出血等 一部の縫合法は子宮内反症の再内反防止にも効果が期待できる	B-Lynch法 Hayman法 Matsubara-Yano法
縫合止血法： 子宮の一部	部分的な出血や子宮狭部・胎盤剥離面からの出血に有効 →前置胎盤や癒着胎盤等	Parallel vertical suture Square suture
子宮動脈結紮術： 子宮への栄養血管	上記の止血法が無効の時	O'Leary stitch 子宮-卵巣血管吻合部の結紮 子宮動脈本幹の結紮
血管内治療法	造影CTや血管造影等で出血点が確認できる時 出血点が確認できなくても子宮全体の動脈還流を減少させたい時	IVR：interventional radiology
子宮摘出術	ほかの止血法でコントロール不可の場合	子宮全摘術 子宮腟上部摘出術

治療編　産科危機的出血における手術療法

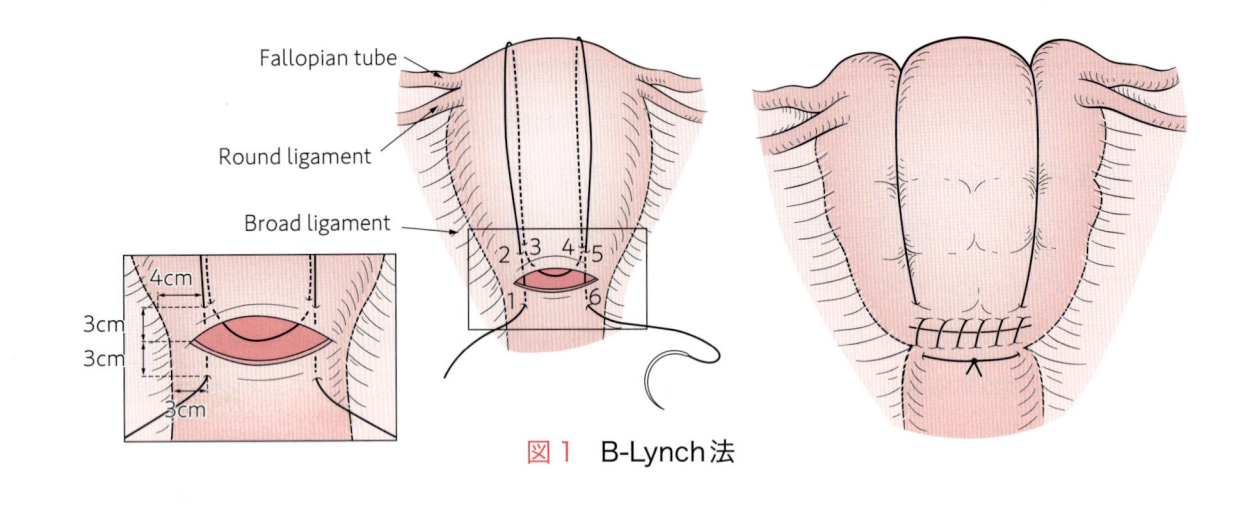

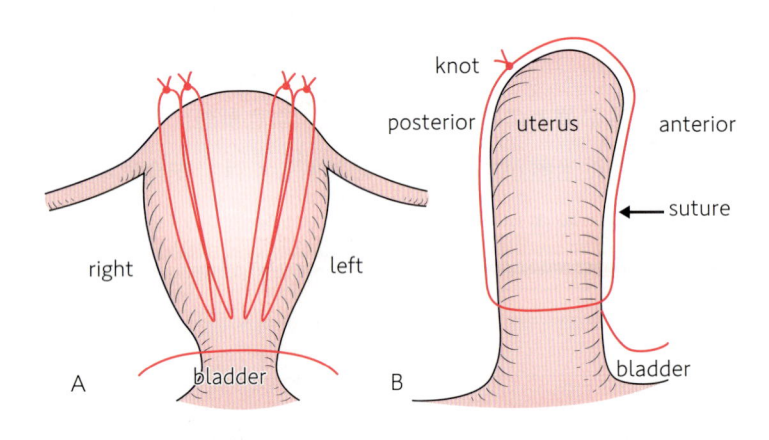

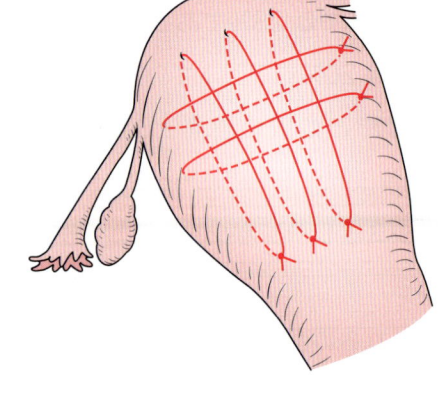

図1　B-Lynch法

図2　Hayman法

図3　Matsubara-Yano法

の合成吸収糸で子宮体部を外側から圧迫し収縮させるように縫合するとともに，子宮狭部は前後を圧迫させるように縫合する（図1）。やや複雑な運針であるため，あらかじめモデル等で練習を行うことが大切である。単純化した方法（Hayman法）[2]（図2）や，子宮体部に掛けた縫合糸が左右（内側および外側）にずれないように工夫した縫合法（Matsubara-Yano法）[3,4]（図3）等も開発されている。また，Matsubara-Yano法は子宮内反症の再発防止効果も期待できる[5]。縫合糸は1号の合成吸収糸の長め（70 mm程度）の針付き（鈍針）を使用するが，針の形状は曲針がよいか直針がよいかは術者の好みが分かれる。

これらの手技による合併症として，子宮虚血や子宮筋層欠損等も報告されており，止血後も画像診断等によるフォローアップが必要である。

2. 子宮の一部に対するcompression suture

弛緩出血のように子宮全体からの出血ではなく，癒着胎盤等における子宮筋層の部分的な欠損により出血している場合や，子宮狭部での胎盤剥離面からの出血が主体である場合等に，出血点を中心に子宮の前壁と後壁を合わせるcompression sutureが有効である。代表的なものにparallel vertical suture[6]（図4）やsquare suture[7]（図5）等がある。

前述の子宮虚血や子宮筋層欠損等の合併症に加えて，子宮内腔の癒着（特にcompression sutureを行った部位）にも注意し，フォローアップが必要である。

図4　Parallel vertical suture

図5　Square suture

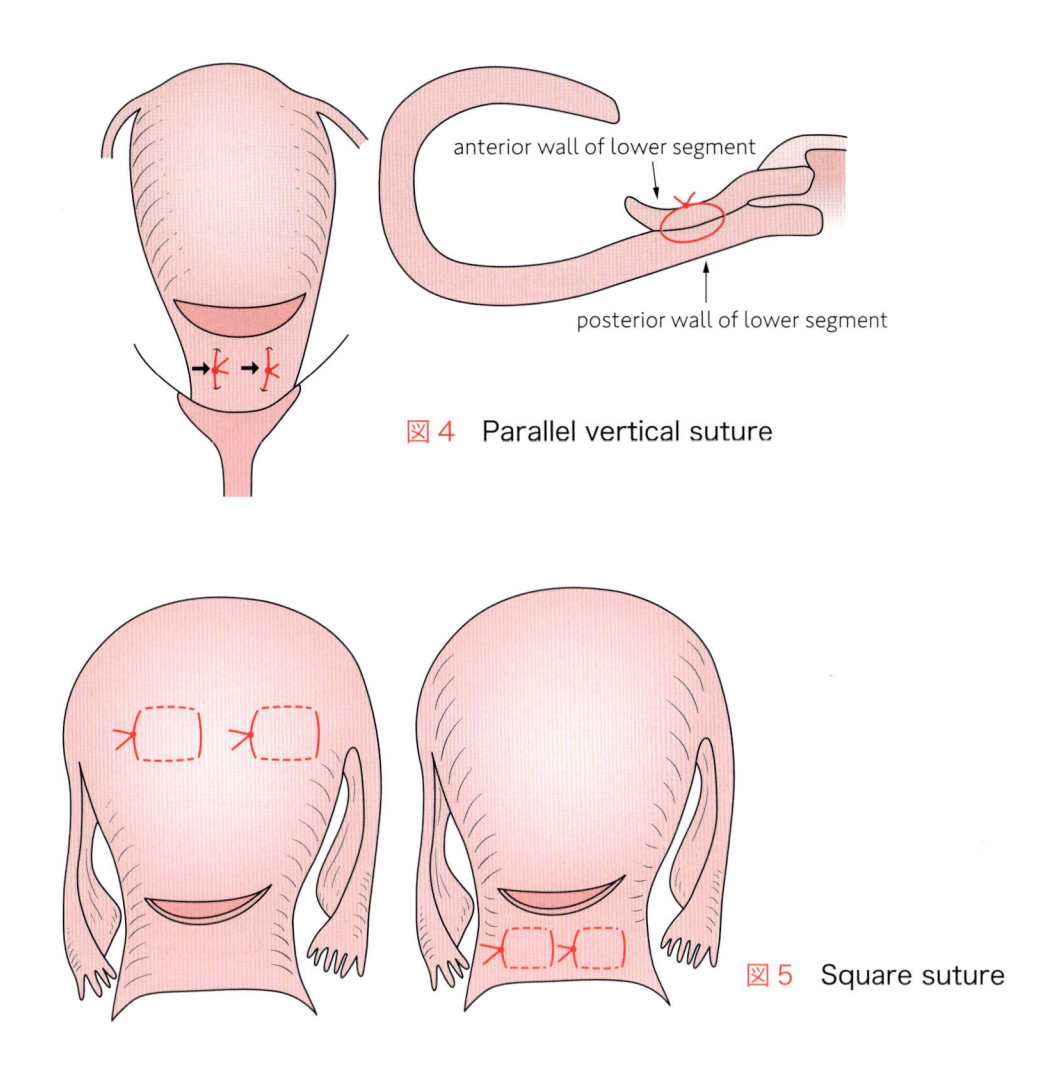

3. 子宮への栄養血管（子宮動脈等）からのアプローチ：子宮動脈結紮術

1）O'Leary stitch

尿管の走行を確認し，子宮動脈の上行枝を吸収糸で子宮筋層を含めて結紮する（図6）。子宮切開創から2～3 cm下方で，子宮壁側に2～3 cm内側から縫合する[8]。

2）子宮–卵巣血管吻合部の結紮

O'Leary stitch施行後に止血効果が不十分であれば，さらに上方で卵巣動静脈と子宮動脈の吻合部位を同様に子宮筋層を含めて吸収糸で縫合する（図7）。

3）子宮動脈本幹の結紮

尿管を確認後に，子宮動脈が上行枝と下行枝に分岐する前で結紮する。

尿管の巻き込みに注意し止血を行った場合でも，術後は尿管の損傷や水腎症の有無等に注意し，フォローアップが必要である。特に尿管に直接針糸を掛けていなくても周囲の組織にかけた場合は，術後に組織の瘢痕化に伴い尿管の走行異常をきたし，水腎症となる可能性もある。

4. 子宮摘出術

前述の外科的結紮法，IVR（109ページ参照）を行っても，子宮からの出血がコントロールできない場合は，速やかに子宮摘出術を行う。子宮全摘術と子宮腟上部摘出術のどちらを選択するかは，術者および施設の方針による。子宮腟上部摘出術のほうが一般的には短時間で子宮摘出が可能である。術中お

治療編　産科危機的出血における手術療法

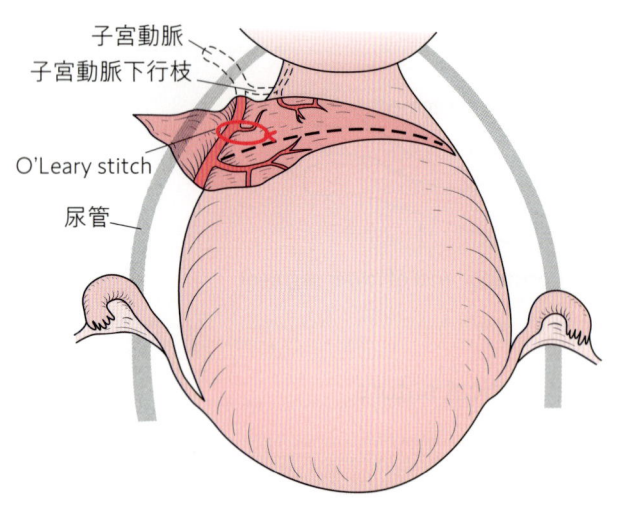

図6　O'Leary stitch

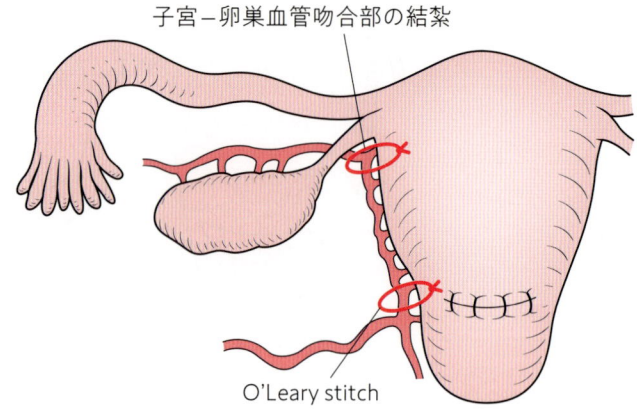

図7　子宮-卵巣血管吻合部の結紮

よび術後のDICに注意しRBC投与に加えて，FFP投与，フィブリノゲン製剤投与（保険未収載）等，十分な補充療法を行う必要がある。

文献

(1) B-Lynch C, et al：The B-Lynch surgical technique for the control of mas-sive postpartum haemorrhage：an alternative to hysterectomy?　Five cases reported. Br J Obstet Gynaecol 104：372–375, 1997
(2) Hayman RG, et al：Uterine compression sutures：surgical management of postpartum hemorrhage. Obstet Gynecol 99：502–506, 2002
(3) Matsubara S, et al：Uterine compression suture against impending recurrence of uterine inversion immediately after laparotomy repositioning. J Obstet Gynaecol Res 35：819–823, 2009
(4) Takahashi H, et al：Matsubara-Yano suture：a simple uterine compression suture for postpartum hemorrhage during cesarean section. Arch Gynecol Obstet.299：113–121, 2019
(5) Matsubara S：Uterine compression suture may be useful not only for hemostasis in postpartum hemorrhage but also for prophylaxis of acute recurrence of uterine inversion. Arch Gynecol Obstet 281：1081–1082, 2010
(6) Hwu YM, et al：Parallel vertical compression sutures：a technique to control bleeding from placenta praevia or accreta during caesarean section. BJOG 112：1420–1423, 2005
(7) Cho JH, et al：Hemostatic suturing technique for uterine bleeding during cesarean delivery. Obstet Gynecol 96：129–131, 2000
(8) O'Leary JL, et al：Uterine artery ligation for control of postcesarean section hemorrhage. Obstet Gynecol 43：849–853, 1974

（村越　毅）

治療編

産科危機的出血におけるカテーテル治療

▼事例　40代，経産婦

　前回の分娩および今回の妊娠経過に異常はなかった。妊娠37週，夜間より腰痛の自覚と下腹部痛を認めたが様子をみていた。午前11時より大量の性器出血があり救急車を要請し，12時に病院到着した。血圧150/90 mmHg，脈拍70/分，胎児心拍はなく，胎盤後血腫があり，持続的な性器出血を認めた。常位胎盤早期剥離による胎児死亡の診断で入院管理となった。血圧120/70 mmHg，脈拍66/分，体温36.5℃，意識清明，子宮口は6 cm開大していた。経腟分娩で速やかに分娩可能と判断し，オキシトシンによる分娩促進を開始した。術前検査は同時に施行された。14時に2,500 gの児を娩出した。胎盤後血腫（500 g）を含めて出血量は900 gであり，オキシトシンを250 mL/時に増量し，エルゴメトリン0.2 mgを筋注した。この時点で持続的出血は少量であった。また，血液検査結果は分娩時に判明し，Hb 12.0 g/dL，Plt 7.5万/μL，Fib＜50，AT 65%，FDP 600であった。分娩30分後，血圧90/70 mmHgと低下し，脈拍80/分であり，shock index（SI）＞1となった。さらに1時間後，分娩後の出血が900 g（総出血量1,800 g）となり，別ルートを確保し，補液，AT製剤1,500単位，FOY 2,000 mg/日を投与開始したが，心停止となり，蘇生処置を開始した。ICUに移動しRBC，FFP，濃厚血小板（PC：platelet concentrates）の輸血を開始した。しかし，子宮出血は持続し双手圧迫でも止血困難であった。総出血量は3,500 gに及んだため，両側内腸骨動脈塞栓を施行した。術中も心臓マッサージおよびカテコラミン投与が必要であった。その後，出血のコントロールができずDICおよび多臓器不全から死亡確認となった。剖検では子宮および肺には羊水成分は認めなかった。

▼評価

　常位胎盤早期剥離・胎児死亡後の大量出血，およびDICによる死亡事例である。常位胎盤早期剥離による胎児死亡の分娩方法は，経腟分娩と帝王切開のいずれも選択可能であるが，どちらを選択しても速やかに分娩が終了することと，DICに対して凝固系の十分な補充が必要である。産科DICスコアは少なくとも8点を超えており，DICとして治療を開始する必要があった。消費性の凝固障害を改善するために速やかなFFPやフィブリノゲン製剤（保険未収載）の補充が必要であった。IVRを含めて外科的な止血を行う場合は，十分な輸血や補充療法を行いながら試行する必要がある。

治療編　産科危機的出血におけるカテーテル治療

> ▼提言
> ・産科危機的出血では，輸血・輸液の迅速な確保，出血傾向の評価，全身状態を経時的に観察する。
> ・全身状態がよくない場合のIVRでは，病状が急変する可能性に留意する。
> ・産科危機的出血に対する一次止血無効症例に対しては，速やかに外科的止血手技（開腹止血，子宮摘出等）やIVR（血管内治療，子宮動脈塞栓等）を選択する。
> ・IVRで止血困難な場合は速やかに開腹手術に切り替える。ハイブリッド手術室が使用可能であれば理想的である。

はじめに

わが国の妊産婦死亡の原因として最も多いものは産科危機的出血であり，妊産婦死亡症例検討評価委員会で検討が終了した390事例（2010～2018年）において20%を占めている。産科危機的出血に対しては，系統的な原因検索と速やかな止血処置を同時に行うことが大切である。通常は内科的止血を行い，無効症例に対して外科的止血（開腹止血や子宮摘出等）を行う。施設によっては，放射線科や産婦人科により血管内治療として子宮動脈塞栓等のカテーテル治療が選択される（IVR）。内科的治療が無効の場合に，外科的治療を優先させるか，IVRを優先させるかに関しては，各施設の緊急対応状況や妊産婦の全身状態により選択される。ハイブリッド手術室が使用可能であれば，IVRと回復止血のダブルセットアップで治療が可能である。

産科危機的出血の原因によらず，大量出血に対してIVRはすべて適応となるが，原因によってはIVRですべて治療が完遂するものから，次の手段までのつなぎの治療と位置づけられることもある（表）。また，塞栓物質によっては，一時的塞栓（ゼラチンスポンジ：セレスキュー®）と永久塞栓（金属コイルやNBCA：N-butyl-2-cyanoacrylate等）に区別され，今後の妊孕性等，症例により使い分ける。自施設で可能な外科的手技および血管内治療については，あらかじめシミュレーションを行い各部署との連携を緊密にし，非常事態に対して速やかに治療ができるように，また，どのような場合にIVRを優先させるか等を決めておくことが大切である。また，2012年に日本インターベンショナルラジオロジー学会から「産科危機的出血に対するIVR施行医のためのガイドライン」が公表され，2017年に改訂版が公表された[1]ので，そちらも参照されたい。

産科出血の持続はDICに移行する危険性が高く，治療の遅れが予後に大きく影響するため，可及的速やかに治療法の選択がなされるべきである。IVRと手術療法のいずれの治療手段も適応となりうる場合は，迅速に，かつ確実に止血可能な手技が選択されるべきである。また，緊急IVR時には止血が確認できるまで患者の循環動態に注意が必要であり，バイタルサイン，尿量，性器出血に特に注意し，出血の制御が困難な場合は速やかに他の治療法（手術療法等）に切り替える。分娩時異常出血に対するIVR（動脈塞栓術）の臨床的成功率は86%程度である[2]。

血管内治療（IVR）

1. 産科危機的出血に対するIVRの種類

1）経カテーテル的動脈塞栓術（TAE：transcatheter arterial embolization）

腟壁血腫，外陰血腫，子宮動静脈瘻，子宮動脈瘤

表　IVRの種類と適応

	緊急IVR	予防的IVR
経カテーテル的動脈塞栓術（transcatheter arterial embolization：TAE）	すべての産科危機的出血が対象 責任血管に対して選択的に塞栓（子宮動脈，内腸骨動脈，卵巣動脈等）	なし
バルーン閉塞術	TAEもしくは外科的止血までの緊急避難的処置 出血より中枢側の血管に対して施行（内腸骨動脈，総腸骨動脈，大動脈等）	手術中に大量出血が予測される症例（癒着胎盤，前置胎盤等） 子宮動脈より中枢側の血管（内腸骨動脈，総腸骨動脈等）

等で出血点および責任血管が同定できている場合は，選択的にその動脈にカテーテルを挿入し塞栓する。弛緩出血や前置胎盤，癒着胎盤等，出血点が同定できない場合は，両側の子宮動脈や，場合によっては内腸骨動脈を塞栓する。

　塞栓物質は，一時的塞栓物質であるゼラチンスポンジのほかに，永久塞栓物質であるNBCAや金属コイル等が用いられる。通常は一時的塞栓物質であり，臨床データの蓄積から血管内治療に対する適合性や安全性が確認されているゼラチンスポンジが第一選択で用いられる。

2）バルーン閉塞術（balloon occlusion）

　出血源である動脈よりも中枢側でバルーンを拡張させ，一時的に末梢側血流を遮断することを目的として施行する。血流遮断後に，外科的に止血処置および子宮摘出等を行う。前置癒着胎盤の帝王切開等では，術前に総腸骨動脈もしくは内腸骨動脈にあらかじめバルーンを挿入し，児娩出後にバルーンを膨らませ，胎盤剥離および子宮摘出時の出血量減少を目的に行われることも多い。また，産科危機的出血の蘇生時等，循環動態が一刻を争う状況においては，超音波ガイド下等により大動脈にバルーンを挿入し，外科的止血やTAEまでの緊急避難的な処置として，大動脈バルーンオクルージョン（腎動脈分岐直下）が選択される。

2．緊急IVRの実際

　緊急IVR施行時には，止血が確認できるまでの患者の循環動態およびバイタルサインに注意が必要である。出血の制御が困難な場合はIVRに固執せず，速やかに手術療法等に変更する。また，DICに注意し，必要に応じてFFP輸血等，十分な凝固因子の補充も大切である。

　IVRは手術室もしくは血管撮影室で行われる。大腿動脈穿刺後にカテーテルを挿入し，大動脈造影を行い出血点の同定を行う。出血点が同定できた場合は，責任血管へカテーテルを挿入し，塞栓を行う。出血点が明らかでない場合は，両側子宮動脈から塞栓を行う。時間的余裕がない場合や子宮動脈の選択的塞栓が困難な場合，あるいは子宮動脈塞栓によっても止血効果が得られない場合は，両側内腸骨動脈前枝を塞栓する。それでも止血が得られない場合，卵巣動脈や下腹壁動脈等，外腸骨動脈枝からの出血を疑い，検索および適宜塞栓を行う。

　子宮動脈あるいは内腸骨動脈に対する塞栓物質は，1～2 mmのゼラチンスポンジ細片（セレスキュー®）が一般的に用いられ，病名にかかわらず血管内に用いることが承認されている。ゼラチンスポンジパウダー等の微小塞栓物質は，子宮壊死や子宮内癒着のリスクを高める可能性が指摘されているため，推奨されない[3]。金属コイルやNBCA等の永久塞栓物質の使用は子宮壊死や妊孕能への影響が危惧

されるとする意見もあることに留意する。

IVRの臨床的成功率(他の外科的手技を必要とせずIVRのみで止血可能)は,産後出血の原因,分娩様式,血液凝固状態等,症例の背景により大きく異なる。きわめて重篤な症例に対する最近の報告では,臨床的成功率は72％である[4]。

塞栓術後の死亡例は,塞栓術後に外科的手術が施行された症例を含み,各報告において0～2％程度であり,死因としてDIC,多臓器不全,脳出血等があげられている[1]。そのため,IVR施行中においても,全身状態の把握および凝固因子の補充を含めた母体の循環サポートがきわめて大切である。

産科危機的出血をきたすいずれの疾患もIVRによる止血の対象となりうるが,IVRによる治療の有用性に対するコンセンサスは得られておらず,疾患ごとのIVRの有用性や手術と比較した優位性は不明である。そのため,基礎疾患,患者の状態,出血量,マンパワー,施設の体制等を考慮し,臨機応変に対応する。状況に応じてIVRと手術の同時進行や,IVRから手術,あるいは手術からIVRへの転換も考えながら治療を行う。

3. IVRの合併症・妊孕性

IVRの合併症には,血管造影の手技に関連するもの,目的血管(多くは内腸骨動脈)の塞栓に関連するもの,目的外血管の塞栓に関連するもの,およびその他に分類される。血管造影手技による合併症には,血腫(鼠径部や後腹膜等),血管損傷,動脈解離,動脈穿孔等がある。目的血管の塞栓に関連するものでは,子宮内膜炎,骨盤感染,子宮虚血,子宮壊死等がある。また,目的外血管の塞栓に関連するものには,塞栓の部位により膀胱や直腸,筋肉等の組織壊死や神経損傷,足趾の虚血,骨盤部痛,臀部痛等がある。その他には,造影剤や局所麻酔のアレルギーも合併症としてあげられる。

内腸骨および子宮動脈塞栓後の妊孕性については,さまざまな報告がある。月経は80％以上で再開するが[5,6],無月経や希発月経となった症例の半数で子宮内癒着が存在している[6]。また,無月経の原因として卵巣血流減少による卵巣機能低下も考えられる。塞栓術後の妊娠の報告では,塞栓術後の約30％で次回妊娠が成立している。これらのなかには,妊娠を希望しない症例も少なくないため,挙児希望例に限れば80％で妊娠が成立していると報告されている[5]。

文献

(1) 日本IVR学会:産科危機的出血に対するIVR施行医のためのガイドライン2017 2012の部分改訂,2017 (http://http://www.jsir.or.jp/docs/sanka/2017sanka_GL180710.pdf)

(2) Lee HY, et al:Primary postpartum hemorrhage: outcome of pelvic arterial embolization in 251 patients at a single institution. Radiology 264:903-909, 2012

(3) Chitrit Y, et al:Amenorrhea due to partial uterine necrosis after uterine artery embolization for control of refractory postpartum hemorrhage. Eur J Obstet Gynecol Reprod Biol 127:140-142, 2006

(4) Touboul C, et al:Efficacy of selective arterial embolisation for the treatment of life-threatening post-partum haemorrhage in a large population. PLoS One 3:e3819, 2008

(5) Berkane N, et al:Impact of previous uterine artery embolization on fertility. Curr Opin Obstet Gynecol 22:242-247, 2010

(6) Sentilhes L, et al:Fertility and pregnancy following pelvic arterial embolisation for postpartum haemorrhage. BJOG 117:84-93, 2010

(村越 毅)

治療編

「産科危機的出血への対応指針 2017」に沿った輸血法

▼事例　30代，経産婦

妊娠39週，オキシトシン促進で経腟分娩後，出血量1.5Lのため産褥母体搬送となった。到着時血圧71/39mmHg，心拍数110/分（shock index：SI＝1.5），意識清明であった。ミソプロストール挿肛，子宮内メトロ挿入。子宮からの出血はサラサラしており，分娩2時間30分後，PT＜10％，APTT＞120秒であった。分娩した3時間後からRBCのポンピング輸血を行った。収縮期血圧80mmHg，心拍数140/分（SI＝1.8）で，止血困難であると判断し，子宮摘出を決定した。RBC輸血計12単位，アルブミン製剤1L。分娩3時間30分後，子宮摘出術は終了した。しかし，創部からの出血が増量し，腟断端〜後腹膜からの止血が困難となった。分娩後4時間で，FFP投与を開始したが，術中に心停止し，蘇生に反応せず死亡確認となった。血中STN上昇から子宮型羊水塞栓症が疑われた。

▼評価

転院時より出血性ショック（SI＝1.5）であり，直ちにRBCを含めた輸血を開始すべきであった。また，臨床症状および検査結果よりDICが強く疑われるが，FFPの投与がなされず，凝固因子が補充されていなかった。産科大量出血では早期からFFPの投与を考慮すべきと考えられた。

▼提言

- 大量出血の高リスク症例，あるいは稀な血液型・不規則抗体陽性の妊産婦の分娩は，高次施設で行うことおよび自己血貯血が考慮される。
- 産科危機的出血の特徴を考慮し，FFPの投与を躊躇しない。
- 麻酔科や輸血管理部門を含めたマンパワーの招集，ならびに関係者間でのコミュニケーションが重要である。

はじめに

2010年1月〜2019年5月までに報告されたわが国の妊産婦死亡427例のうち，検討可能であった390例の解析結果によると，死因の第1位は「産科危機的出血」であり78例（20％）を占めた[1]。その原因として子宮型羊水塞栓症が48％と最も多く，続いて胎盤早期剥離（10％），子宮破裂（10％），弛緩出血（9％），癒着胎盤（7％），子宮内反症（5％），および産道裂傷（5％）と続いた。

治療編 「産科危機的出血への対応指針2017」に沿った輸血法

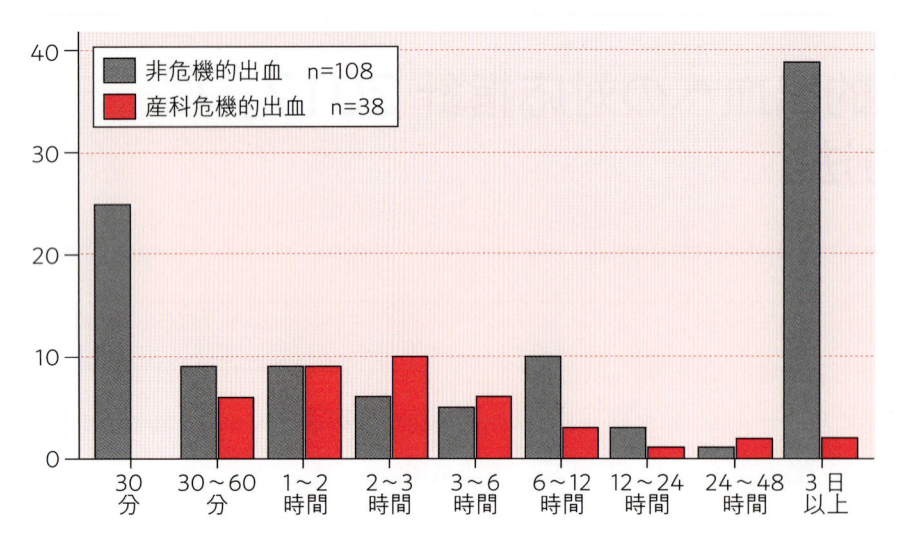

図1 初発症状出現から心停止までの時間
産科危機的出血による妊産婦死亡は30分以内に発生していない。一方，それ以外の死亡には30分以内の死亡が多く存在する。
（妊産婦死亡症例検討評価委員会・日本産婦人科医会：母体安全への提言，2017）[2]

また，産科危機的出血が原因で死亡した妊産婦の検討では，初発症状出現から心停止までの時間が30分以内の心停止例はなかった（図1）[2]。この結果は，初発症状出現から心停止までの時間が短い肺血栓塞栓症（PTE：pulmonary thromboembolism），心肺虚脱型羊水塞栓症，大動脈解離等とは異なり，産科危機的出血は迅速な集学的な管理により救命できる可能性が高いことを示している。

産科危機的出血に対して早期からの適切な対応を行うことを啓発するため，2010年4月に5学会（日本産科婦人科学会，日本産婦人科医会，日本周産期・新生児医学会，日本麻酔科学会，日本輸血・細胞治療学会）共同で，「産科危機的出血への対応ガイドライン」を作成し，2017年に「産科危機的出血への対応指針2017」（図2）[3]として改訂された。本稿では，本指針について解説する。

産科出血の特徴

古くから「妊婦は出血に強い」といわれてきた。その理由として，循環血液量は妊娠初期より増加し妊娠34週には非妊時の約1.5倍に達すること，妊産婦は血液凝固能が亢進するため出血時に有利であること等があげられる。しかし，このような生理的

表1 分娩時出血量の90パーセンタイル値

	経腟分娩	帝王切開
単胎	800 mL	1,500 mL
多胎	1,600 mL	2,300 mL

※帝王切開時は羊水込み
（日本産科婦人科学会周産期委員会：607分娩例, 253, 2008）

適応は，許容出血量を超えると破綻してしまう。わが国における分娩時出血量90パーセンタイル値は，単胎では経腟分娩800 mL，帝王切開1,500 mL（羊水込み）である（表1）。一般に，経腟分娩1,000 mL，帝王切開2,000 mL（羊水込み）以上は「産科危機的出血」が疑われる（図2）[3]。

産科出血の特徴は，「短期間の大量出血および，急速に進行する凝固障害」である。子宮血流量は，妊娠初期には心拍出量の約3.5％であるが，妊娠末期には約12％まで増加する[4]。このような血流に富んだ子宮や胎盤剥離面からの出血は，ごく短時間に大量出血を引き起こす。また，産科患者は凝固・線溶系が亢進しているため，比較的少ない出血量でもDICに陥る危険性がある。わが国の調査によると，2,000〜2,999 mLの産科出血でも7％にDICを発症することが示されている[5]。特に常位胎盤早期剥離や羊水塞栓症では，胎盤や羊水に含まれる組織因子が大量に母体血中へ流入するため「サラサラした

図2 産科危機的出血への対応ガイドライン

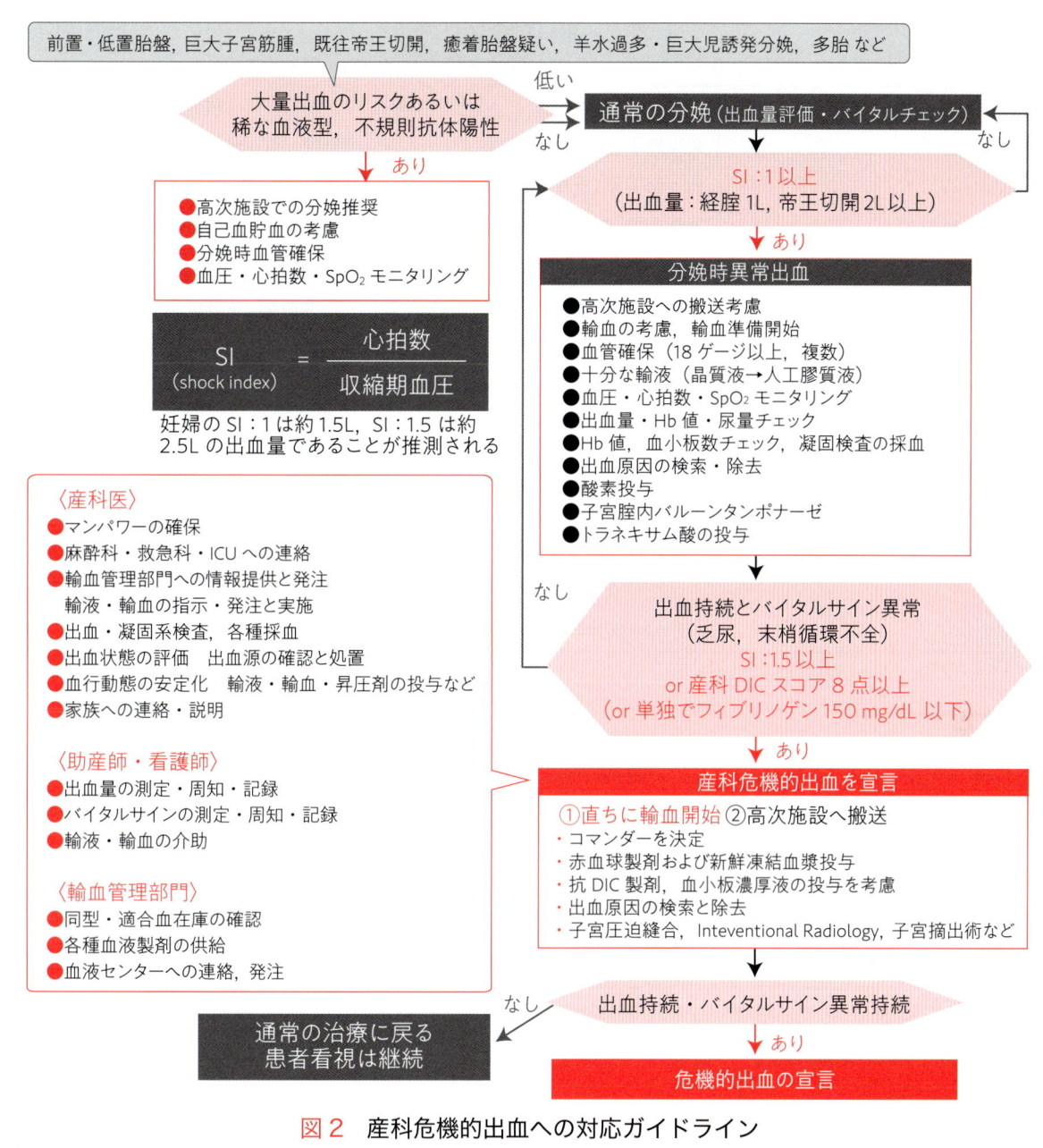

(日本産科婦人科学会, 日本産婦人科医会, 日本周産期・新生児医学会, 日本麻酔科学会, 日本輸血・細胞治療学会：産科危機的出血への対応指針 2017, 2017. https://anesth.or.jp/files/pdf/guideline_Sanka_kiki-p.pdf)[3]

凝固しない血液」を特徴とする「線溶亢進型 DIC」へ陥りやすい。近年では弛緩出血の一部と子宮型羊水塞栓症の関連が示唆されている。一方で，妊娠高血圧症候群やHELLP症候群のような血管内皮障害が病因と考えられる疾患では，微小血栓症による臓器障害を特徴とする「線溶抑制型 DIC」になりやすい。

「産科危機的出血への対応指針 2017」のポイント

1. すべての妊産婦に大量出血のリスクがあることを認識する

生命を脅かすような分娩時あるいは分娩後の出血は妊産婦の約300人に1人発生する[3]。リスク因子を有しない症例でも，予期せぬ大量出血は発生しうるため，すべての妊婦の妊娠初期検査で血液型判定，

治療編 「産科危機的出血への対応指針2017」に沿った輸血法

表2 産科DICスコア

以下に該当する項目の点数を加算し，8～12点：DICに進展する可能性が高い，13点以上：DIC

基礎疾患	点数	臨床症状	点数	検査	点数
早剝（児死亡）	5	急性腎不全（無尿）	4	FDP：10μg/dL以上	1
早剝（児生存）	4	急性腎不全（乏尿）	3	血小板：10万/mm³以下	1
羊水塞栓（急性肺性心）	4	急性呼吸不全（人工換気）	4	フィブリノゲン：150mg/dL以下	1
羊水塞栓（人工換気）	3	急性呼吸不全（酸素療法）	1	PT：15秒以上	1
羊水塞栓（補助換気）	2	臓器症状（心臓）	4	出血時間：5分以上	1
羊水塞栓（酸素療法）	1	臓器症状（肝臓）	4	その他の検査異常	1
DIC型出血（低凝固）	4	臓器症状（脳）	4		
DIC型出血（出血量：2L以上）	3	臓器症状（消化器）	4		
DIC型出血（出血量：1～2L）	1	出血傾向	4		
子癇	4	ショック（頻脈：100以上）	1		
その他の基礎疾患	1	ショック（低血圧：90以下）	1		
		ショック（冷汗）	1		
		ショック（蒼白）	1		

（真木正博，他：産科DICスコア．産婦治療50：119-124，1985）[6]

不規則抗体スクリーニングを行う。また，普段から小規模施設と高次施設の協力関係を構築しておく。

2. 大量出血の高リスク症例を明示し，このような症例の分娩を高次施設で行うことおよび自己血貯血を推奨する

大量出血の高リスク症例（前置・低置胎盤，巨大子宮筋腫，既往帝王切開，癒着胎盤疑い，羊水過多・巨大児誘発分娩，多胎等），あるいは稀な血液型，不規則抗体陽性の妊産婦においては，高次施設での分娩，自己血貯血を推奨する。さらに，このような症例の分娩時には，血管確保，バイタルサインのモニタリング（血圧，心拍数，SpO₂）を推奨する。

3. 産科出血の重症度評価には，実測された出血量やヘモグロビン（Hb）値よりも，バイタルサインならびに産科DICスコアの変化を重視する

産科出血は過少評価されやすい。その理由として，分娩時の出血は床や寝具等に漏出しやすいこと，頸管裂傷や子宮破裂・常位胎盤早期剝離等では腹腔内出血や後腹膜出血等のため内出血が見過ごされること，帝王切開では羊水が混入すること等があげられる。Hb値は，連続測定できない，採血結果が出るまでに時間がかかる等の理由により，急速に全身状態が悪化する危機的産科出血では，出血量の指標として不十分である。本ガイドラインでは産科出血の指標として，SIを用いることを推奨する。産科患者においてSI＝1は約1,500mL，SI＝1.5は約2,500mLの出血が推測される[2]。

> shock index（SI）＝脈拍数／収縮期血圧

産科危機的出血では早期より産科DICに陥ることが多く，DICの早期診断，早期治療が重要である。「産科DICスコア」は一般の疾患に用いられる「厚生労働省DIC診断基準」と比較して検査結果値より基礎疾患や臨床症状を重視しており，DICの早期診断に有用である（表2）[6]。8点以上は「産科DIC」と

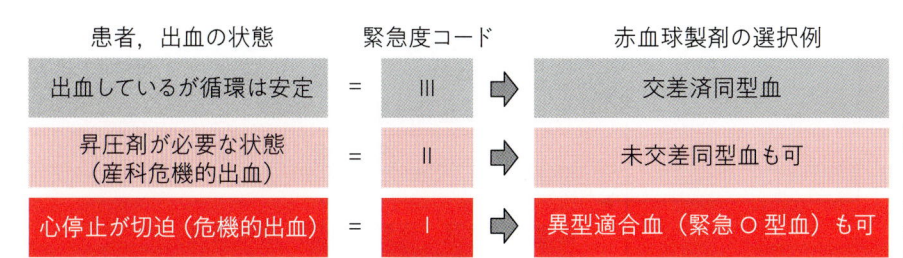

患者，出血の状態	緊急度コード	赤血球製剤の選択例
出血しているが循環は安定	＝ Ⅲ	交差済同型血
昇圧剤が必要な状態（産科危機的出血）	＝ Ⅱ	未交差同型血も可
心停止が切迫（危機的出血）	＝ Ⅰ	異型適合血（緊急O型血）も可

注：血液備蓄量，血液センターからの緊急搬送所要時間，夜間の輸血管理部門の体制などによって，赤血球製剤選択の範囲は異なる．

図3 緊急度コードを用いた輸血管理
（日本産科婦人科学会，日本産婦人科医会，日本周産期・新生児医学会，日本麻酔科学会，日本輸血・細胞治療学会：産科危機的出血への対応指針 2017, 2017. https://anesth.or.jp/files/pdf/guideline_Sanka_kiki-p.pdf）[3]

して，直ちに治療を開始する．

4. 麻酔科や輸血管理部門を含めたマンパワーの招集，ならびに関係者間でのコミュニケーションの重要性を強調する

SI が1.5以上，産科DICスコアが8点以上，バイタルサイン異常（乏尿，末梢循環不全）のいずれかを認める場合は「産科危機的出血」として，直ちに輸血を開始する．産科危機的出血の治療にはマンパワーおよび集学的治療が必要である．産科医のみの対応では不十分なことが多く，可能であれば麻酔科医，救急医，集中治療医の応援も要請する．

分娩室，ないし手術室と輸血部門とのコミュニケーションを円滑に行うため，3段階の緊急度コードを提唱している（図3）[3]．各コードでどのような輸血対応をとるのか，各施設の状況に応じて，あらかじめ院内の合意を得ておくことを推奨する．

治療を行っても出血およびバイタルサイン異常が続く場合は，日本麻酔科学会，日本輸血・細胞治療学会作成「危機的出血への対応ガイドライン」（図4）[7]の「非常事態」を宣言し，院内の総力をあげて患者の救命に努める[7]．

5. 産科危機的出血の特徴を考慮し，FFPの投与を躊躇しない

一般手術における輸血は，厚生労働省医薬食品局血液対策課作成の「血液製剤の使用指針」に準じ，まずRBCから開始し，その後の出血量や血液凝固機能に応じてFFPや濃厚血小板（PC：platelet concentrates）を開始する[8]．本指針によるFFP投与の適応は，①PT：INR 2.0以上または30%以下，②APTT：各医療機関における基準の上限の2倍以上または25%以下，③フィブリノゲン値150 mg/dL以下またはこれ以下に進展する危険性がある場合とされている．特に産科危機的出血では急速に凝固因子の低下が進行するため，早期からFFPやクリオプレシピテートによる凝固因子の補充が必要となる．近年の研究では，フィブリノゲン値200 mg/dL未満は産科出血における唯一の重症化予測因子としてあげられている[9]．一般にフィブリノゲン値は，非妊時の200〜400 mg/dLから妊娠末期には350〜650 mg/dLと著増しており[10]，分娩時のフィブリノゲン値200 mg/dL未満は著明な凝固因子低下を意味する．特に常位胎盤早期剥離や羊水塞栓症が疑われる場合や，短時間の大量出血のため産科DICが疑われる場合は，RBCよりもFFPを先行して投与しても構わない[11]．

「産科危機的出血への対応指針2017」に沿った輸血法の実際

1. 輸血の準備

大出血が予想される「前置・低置胎盤，癒着胎盤，巨大筋腫合併，多胎」等の症例では，分娩前に輸血製剤を確保する．出血量が経腟分娩では1L以上，帝王切開では2L以上が予想される場合，または，SI

治療編 「産科危機的出血への対応指針2017」に沿った輸血法

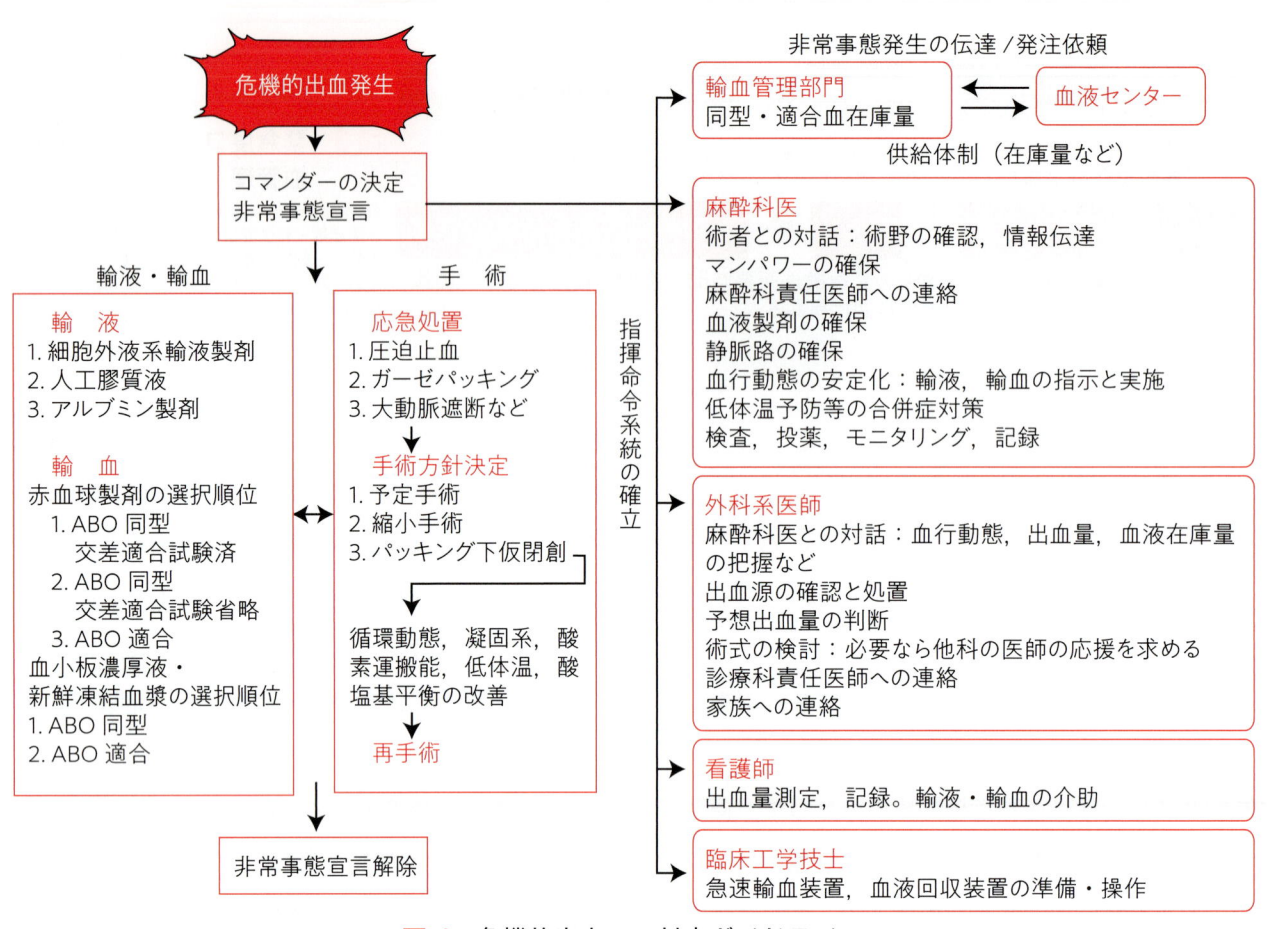

図4 危機的出血への対応ガイドライン
(日本麻酔科学会, 日本輸血・細胞治療学会:危機的出血への対応ガイドライン, 2007. https://anesth.or.jp/files/pdf/kikitekiGL2.pdf)[7]

が1を超えた場合,輸血の準備を行う[3]。18ゲージ以上の太い末梢静脈ラインを上肢に確保する。輸血ラインには加温システムを組み込み,輸血に伴う低体温を防ぐことが望ましい。急速輸血装置も有用であるが,空気塞栓等の合併症に十分注意する。可能であれば急速輸血装置の扱いに慣れた臨床工学技士の応援も要請する。

2. 輸血を開始する時期

産科処置・外科処置等の各種対応にもかかわらず,SIが1.5以上,産科DICスコアが8点以上,バイタルサインの異常(乏尿,末梢循環不全,意識障害等を含む)のいずれかとなれば「産科危機的出血」と診断し,直ちに輸血を開始する[3]。

輸血の準備ができるまでは,晶質液(生理食塩水,乳酸リンゲル液等),膠質液(人工膠質液製剤,5%アルブミン製剤等)の輸液にてバイタルサイン維持に努める。代表的な人工膠質液製剤であるヒドロキシエチルデンプン製剤(HES製剤:hydroxyethyl starch)は晶質液と比較して,帝王切開術において低血圧イベント発生率の減少や心拍出量の増加が示されているが[12],大量投与では腎障害や止血凝固系への影響が懸念される。従来わが国で使用されてきたHES 70製剤(サリンヘス®)は1回の用量が1,000 mLと規定されていたが,最近発売されたHES 130製剤(ボルベン®)は1日の用量が50 mL/kgと増量され,産科出血にも使いやすくなった。

血液型が不明な場合や,適合血が間に合わない場合の緊急輸血には,O型赤血球製剤とAB型FFPの使用が可能である。異型適合血輸血を行う場合,患

表3　緊急時の適合血の選択

患者血液型	RBC	FFP	血小板濃厚液（PC）
A	A＞O	A＞AB＞B	A＞AB＞B
B	B＞O	B＞AB＞A	B＞AB＞A
AB	AB＞A=B＞O	AB＞A=B	AB＞A=B
O	Oのみ	全型適合	全型適合

（日本麻酔科学会, 日本輸血・細胞治療学会：危機的出血への対応ガイドライン, 2007. https://anesth.or.jp/files/pdf/kikitekiGL2.pdf）[7]

者血液型がAB型の場合にはO型よりもA型ないしはB型赤血球製剤を優先する（表3）[7]。RhD陰性や臨床的に溶血を起こしうる不規則抗体陽性が判明している場合は、緊急度を考慮して血液製剤を選択することが望ましい。ただし緊急度が高い場合には、ABO型適合赤血球を優先する。異型適合血輸血を開始しても、同型血が入手でき次第、同型血輸血に変更する[3]。

3. 何をどれくらい輸血するか？

SIを1未満に保つことを目標に、輸血・輸液を行う。RBC投与量は、Hb値7～8 g/dL程度を保つことが目安となる[8]。RBC 2単位（280 mL）の投与で、Hb 1.5 g/dLの上昇が期待できる。FFP投与量は、出血が続いている場合、フィブリノゲン値で150～200 mg/dL以上に保つことを目標とする[13]。FFP 450 mL（約4単位）はフィブリノゲン1 gに相当す

るため約30 mg/dLの上昇が期待できる[7]。血小板数は2万/μL以下の場合に肺出血等が発生しやすくなるが、外科的止血が必要であれば5万/μL以上を目標とする。PC 10単位（200 mL）で約4万/μLの上昇が期待される（表4）[7]。

一般に、凝固障害を評価する指標として、フィブリノゲン値、PT、PTTといった検査室での測定値を用いるが、結果を得るまでの時間が長いため、産科危機的出血のような急激な凝固障害を捉えるのは容易ではない。近年ではフィブリノゲン値をベッドサイドで測定できる装置が実用化されているほか、TEG®、ROTEM®といった血液凝固の評価法も注目されている[14]。外傷領域では、RBC：FFP=1：1のように従来よりもRBCに比してFFPの投与量を増加させた場合に生命予後の改善が報告されており、産科領域においても注目されている[15]。

4. 大量輸血に伴う合併症

RBCは放射線照射による溶血のため照射後1週間でK濃度は50 mEq/L程度まで上昇する[16]。大量輸血の際には、高カリウム血症による心停止には十分注意する（表5）。

FFPには多くのクエン酸が含まれており、大量投与ではクエン酸中毒による低カルシウム血症のリスクがある。特に20単位以上のFFPを投与する場合

表4　主に使用される輸血用血液製剤一覧と期待される輸血効果

販売名（一般名）	略号	貯蔵方法	有効期間	包装	期待される輸血効果（体重50 kg）
照射赤血球濃厚液-LR「日赤」（人赤血球濃厚液）	Ir-RCC-LR-2	2～6℃	採血後21日間	血液400 mLに由来する赤血球1袋（約280 mL）	左記製剤1袋でHb値は1.5 g/dL上昇
新鮮凍結血漿-LR「日赤」（新鮮凍結人血漿）	FFP-LR-2	−20℃以下	採血後1年間	血液400 mL相当に由来する血漿1袋（約240 mL）	左記製剤2袋で凝固因子活性は20～30％上昇（血中回収率を100％と仮定）
照射濃厚血小板-LR「日赤」（人赤血小板濃厚液）	Ir-PC-LR-10	20～24℃浸とう保存	採血後4日間	10単位1袋 約200 mL（含有血小板数 $2.0 \leq \sim < 3.0 \times 10^{11}$）	左記製剤1袋で血小板数は約4万/μL上昇

（日本麻酔科学会, 日本輸血・細胞治療学会：危機的出血への対応ガイドライン, 2007. https://anesth.or.jp/files/pdf/kikitekiGL2.pdf）[7]

表5　大量輸血に伴う合併症

合併症	対処方法
高カリウム血症	カリウムなしの輸液 照射直後のRBC製剤に変更 カルシウム製剤 GI（Glucose-Insulin）療法 利尿薬 カリウム吸着フィルター イオン交換樹脂（カリメート®）
低カルシウム血症 （クエン酸中毒）	カルシウム製剤
低体温	輸液加温システム 室温管理 温風式ブランケット 温かい生理食塩水での胃洗浄
肺障害（TRALI*1/TACO*2）	呼吸・循環管理
その他（アレルギー反応，GVHD*3，溶血，発熱，感染症，アシドーシス等）	

*1 TRALI：transfusion related acute lung injury（輸血関連急性肺障害）
*2 TACO：transfusion associated circulatory overload（輸血関連循環過負荷）
*3 GVHD：graft versus host disease（移植片対宿主病）

はCa製剤による補充を考慮する。また，FFPはNa濃度が158 mEq/Lと高いため，高ナトリウム血症にも注意する。

5. 回収式自己血輸血

近年は，帝王切開においてもCell Saver®を用いた術中回収式自己血輸血の有用性についての報告が散見される[17]。術中回収血については羊水塞栓症，感染，DICの発症が危惧される。羊水の混入を減らすため羊膜破膜時の羊水はCell Saver®とは別に吸引システムを用いる，会陰部や生殖器下部からの出血は感染のリスクがあるためCell Saver®に用いない，返血時には白血球除去フィルターを使用する等の工夫により大部分が除去されるが，返血時の重症低血圧や心停止が報告されており注意を要する[18〜20]。また，Cell Saver®により作成される自己血は洗浄赤血球液であり，血小板や凝固因子を含まないことにも留意する。

輸血を補助する内科的止血療法

1. フィブリノゲン製剤

FFPのみで凝固因子を補充しようとすると，輸液量過剰になりやすい。そのような場合，乾燥フィブリノゲン製剤が有用である。3 g投与でフィブリノゲン値が約100 mg/dL増加することが期待される。ただし，乾燥フィブリノゲン製剤は産科出血に対する保険適用がないこと，フィブリノゲン以外の凝固因子は含まれていないことに留意する。

2. 遺伝子組換え活性型第VII因子製剤

近年，大量出血に対し遺伝子組換え活性型第VII因子製剤（ノボセブン®：rFVIIa）の有用性が報告されている。現在わが国では産科出血に対する保険適用のない高価な薬剤であるが，通常の治療により止血できない場合は使用を考慮する。投与方法は90 μg/kgを2〜5分かけてゆっくり静注する[21]。投与効果を最大にするため，体温＞35℃，動脈血pH＞7.2，血小板数＞5万/μL，フィブリノゲン値＞100 mg/dLとする。副作用として血栓症があるためトラネキサム酸とは併用しない。産科での使用は，日本産婦人科・新生児血液学会での全例登録制であることにも留意する。

3. トラネキサム酸

産科DICとして典型的な線溶亢進型DICの場合（例：羊水塞栓症，常位胎盤早期剥離等），抗線溶療法としてトラネキサム酸の有効性が注目されている。産科DICに対するトラネキサム酸の有用性を示した検証する大規模前向き研究（WOMAN trial）で

は，1gを20分かけて投与し，30分後に出血が持続している場合はさらに1gを20分かけて投与する[22]。注意すべき点としては，線溶抑制型DIC（例，妊娠高血圧症候群に伴うDIC）やrFVIIaとの併用では血栓症のリスクがある。

4. 抗DIC製剤

産科DICスコア8点以上の産科DICと診断すれば，まずFFP 15単位以上にて凝固因子を補充しつつ，アンチトロンビン3,000単位投与によりトロンビンのさらなる産生を抑制する[23]。引き続いて合成プロテアーゼ阻害薬（メシル酸ガベキセート，メシル酸ナファモスタット），ウリナスタチン等の使用も考慮する[24]。メシル酸ナファモスタットには高カリウム血症の副作用があるので注意する。ヘパリンは出血を助長する可能性が高く，産科DICでは勧められない。近年は，遺伝子組換えトロンボモジュリン製剤（リコモジュリン®）も選択肢の一つとなった。

文献

(1) 妊産婦死亡症例検討評価委員会・日本産婦人科医会：母体安全への提言, 2018
(2) 妊産婦死亡症例検討評価委員会・日本産婦人科医会：母体安全への提言, 2017
(3) 日本産科婦人科学会, 日本産婦人科医会, 日本周産期・新生児医学会, 日本麻酔科学会, 日本輸血・細胞治療学会：産科危機的出血への対応指針2017, 2017. https://anesth.or.jp/files/pdf/guideline_Sanka_kiki-p.pdf
(4) Thaler IT, et al：Changes in uterine blood flow during human pregnancy. Am J Obstet Gynecol 162：121–125, 1990
(5) 亀井良政, 他：産科領域の出血性ショックの現状と輸血療法の検討（厚生労働科学研究分担研究）. 日周産期・新生児会誌 44：992–994, 2008
(6) 真木正博, 他：産科DICスコア, 産婦治療 50：119–124, 1985
(7) 日本麻酔科学会, 日本輸血・細胞治療学会：危機的出血への対応ガイドライン, 2007. https://anesth.or.jp/files/pdf/kikitekiGL2.pdf
(8) 厚生労働省医薬・生活衛生局：血液製剤の使用指針, 2019. https://www.mhlw.go.jp/content/11127000/000493546.pdf
(9) Charbit B, et al：The decrease of fibrinogen is an early predictor of the severity of postpartum hemorrhage. J Thromb Haemost 5：266–273, 2007
(10) Szecsi PB, et al：Haemostatic reference internals in pregnancy. Thromb Haemost 103：718–727, 2010
(11) 妊産婦死亡症例検討評価委員会・日本産婦人科医会：母体安全への提言, 2012
(12) Li L, et al：Colloid or crystalloid solution on maternal and neonatal hemodynamics for cesarean section：a meta-analysis of randomized controlled trials. J Obstet Gynaecol Res 39：932–941, 2013
(13) Solomon C, et al：Haemostatic monitoring during postpartum haemorrhage and implications for management. Br J Anaeth 109：851–863, 2012
(14) Collis RE, et al：Haemostatic management of obstetric haemorrhage. Anaesthesia 70（Suppl 1）：78–86, 2015
(15) Sihler KC, et al：Massive transfusion：new insights. Chest 136：1654–1667, 2009
(16) 道幸由香里, 他：照射MAP加赤血球濃厚液急速大量輸血により生じた高カリウム血症に対し, 自己血回収装置による洗浄赤血球で対応した症例. 日臨麻会誌 27：273–277, 2007
(17) Geoghegan J, et al：Cell salvage at caesarean section：the need for an evidence-based approach. BJOG 116：743–747, 2009
(18) Sreelakshmi TR, et al：Acute hypotension associated with leukocyte depletion filters during cell salvaged blood transfusion. Anaesthesia 65：742–744, 2010
(19) Kessack LK, et al：Severe hypotension related to cell salvaged blood transfusion in obstetrics. Anaesthesia 65：745–748, 2010
(20) Oei SG, et al：Cell salvage：how safe in obstetrics? Int J Obstet Anesth 9：143–144, 2000
(21) Welsh A, Mclintock C, Gatt S, et al：Guidelines for the use of recombinant activated factor VII in massive hemorrhage. Aust NZ J Obstet Gynaecol 48：12–16, 2008
(22) WOMAN Trial Collaborators：Effect of early tranexamic acid administration on mortality, hysterectomy, and other morbidities in women with post-partum haemorrhage（WOMAN）：an international, randomised, double-blind, placebo-controlled trial. Lancet 389：2105-2116, 2017
(23) 妊産婦死亡症例検討評価委員会, 日本産婦人科医会：母体安全への提言 2011
(24) 妊産婦死亡症例検討評価委員会, 日本産婦人科医会：母体安全への提言 2010

（田中 基）

治療編

母体の心肺蘇生法

▶**事例1　30代，初産婦**

妊娠40週，分娩進行中，変動一過性徐脈を認め酸素投与を開始した．子宮口全開大後まもなく，呼吸苦を訴え顔面蒼白となった．子宮口全開大10分後，意識消失した．児心拍数は70 bpmとなり，30分後に急速遂娩した時には母体は心停止となった．心停止8分後に母体の胸骨圧迫と人工呼吸が開始されたが死亡確認となった．

▶**評価**

呼吸苦や心停止の原因は明らかではないが，羊水塞栓症や肺血栓塞栓症（PTE：pulmonary thromboembolism），急性冠症候群等が疑われる．呼吸苦の訴えがあってから経時的なバイタルサインの確認がされておらず，心停止に対する蘇生処置も遅れた．分娩直前の急変であり，分娩や児の状態に気をとられがちであるが，母体に変化が現れたときには身体所見や生体モニター所見から状態を評価し，直ちに蘇生を開始すべきであった．

▶**事例2　20代，初産婦**

妊娠33週，切迫早産で入院中，息苦しいとナースコールがあった．血圧80/45 mmHg，脈拍数125 bpm，SpO₂ 89％で頻呼吸であった．酸素投与しようとしたところ錯乱状態となり，その3分後に体動がなくなった．呼吸が停止していたため胸骨圧迫と人工呼吸を開始した．除細動の適応はなく，アドレナリンを投与したが，自己心拍の再開はなかった．死戦期帝王切開術の宣言をし，心停止から15分後に手術室に移動し気管挿管を行った．その5分後に児を娩出，児娩出から2分後に自己心拍が再開した．心臓超音波検査でPTEが疑われた．子宮収縮が不良で凝固障害もあり，大量出血が持続したが，集学的治療を行い，延命し得た．

▶**評価**

PTEにより急変し，心停止に至った事例である．麻酔科医や外科医，手術室等と協働し，死戦期帝王切開術を含めた心肺蘇生処置が円滑に行われた．

> ▼提言
> ・バイタルサインの異常を捉え，緊急度に応じて必要な処置を速やかに行い，心停止を防ぐことが必要である。
> ・心停止時には直ちに心肺蘇生を開始する。
> ・妊婦の心停止時には死戦期帝王切開術の施行を考慮する。
> ・心停止時も含め妊産婦が急変した時には，救急医，麻酔科医をはじめとした他科の医師と協働する。

母体心停止時の蘇生処置

母体急変は分娩時の周辺で起こりやすいため，医療機関内で発生することが多い。また，心停止に至るまでに介入できる時間があることが通常である。母体の予後を改善するためには，早期に異常を発見して適切な治療を開始し，心停止を未然に防ぐことが最も大切である。心停止時の蘇生法(CPR)を示す。

日本蘇生協議会(JRC)が作成した一般成人の救命処置アルゴリズム[1]をもとに，母体心停止の蘇生処置を解説する。母体心停止の蘇生処置については，米国心臓協会のガイドライン[2]と声明[3]，米国産科麻酔学会の声明[4]を，自己心拍再開後の処置については米国心臓協会の一般成人のガイドライン[5]を参考文献とした。

母体心停止時の一次救命処置アルゴリズムを図1に，二次救命処置アルゴリズムを図2に示す[1]。以下，図1，2内の番号に沿って解説を行う。

①反応なし

・患者に声をかけても反応がない時には，大声で叫ぶ，またはナースコール等を使用して，応援の人手・蘇生チーム，救急カート，母体生体モニター，AED・除細動器を要請する。
・患者の異常を発見したスタッフは，その場を離れずに患者評価を行い，必要な蘇生処置を開始する。

②呼吸は？

・頭部後屈・顎先挙上によって気道を確保し(図3)，呼吸の有無を確認する。
・可能であれば，頸動脈触知も行う(図4)。
・心肺蘇生処置の開始を遅らせないため，呼吸や脈の触知は10秒以上かけないようにする。

③呼吸なし，または死戦期呼吸

・反応がなく，かつ呼吸がない，または死戦期呼吸(心停止後にみられる，しゃくりあげるような顎の動き)であれば心停止と判断し，直ちに胸骨圧迫を開始する。
・呼吸の有無に迷った時でも胸骨圧迫を開始する。心停止でない患者に胸骨圧迫を行っても重い障害をもたらす危険性は少ない。逆に心停止を見逃して胸骨圧迫が遅れると，患者の予後を大きく悪くする。

④CPR

・強く・速く・絶え間ない胸骨圧迫を継続する。両掌を胸骨中心部に重ね，肘を曲げずに胸骨を押し下げる。毎回の胸骨圧迫の後には，胸壁が完全に元の位置に戻るように圧迫解除をする。
・ベッド上で胸骨圧迫を行う際には，背板の使用を考慮する。
・胸骨圧迫は体力を要する処置である。疲労すると

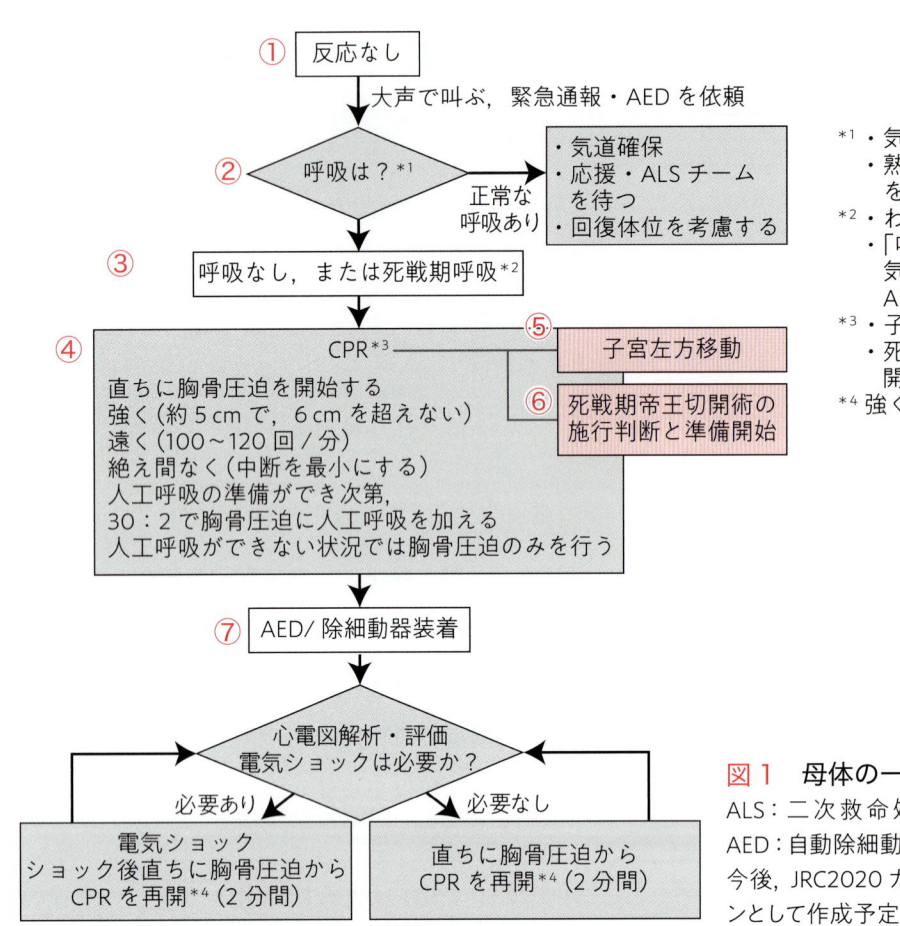

治療編　母体の心肺蘇生法

図1　母体の一次救命処置(BLS)

① 反応なし
　↓　大声で叫ぶ，緊急通報・AEDを依頼
② 呼吸は？*1
　→（正常な呼吸あり）・気道確保／応援・ALSチームを待つ／回復体位を考慮する
③ 呼吸なし，または死戦期呼吸*2
④ CPR*3
　- 直ちに胸骨圧迫を開始する
　- 強く（約5 cmで，6 cmを超えない）
　- 速く（100〜120回/分）
　- 絶え間なく（中断を最小にする）
　- 人工呼吸の準備ができ次第，30：2で胸骨圧迫に人工呼吸を加える
　- 人工呼吸ができない状況では胸骨圧迫のみを行う
⑤ 子宮左方移動
⑥ 死戦期帝王切開術の施行判断と準備開始
⑦ AED/除細動器装着
　↓
心電図解析・評価　電気ショックは必要か？
　- 必要あり → 電気ショック　ショック後直ちに胸骨圧迫からCPRを再開*4（2分間）
　- 必要なし → 直ちに胸骨圧迫からCPRを再開*4（2分間）
ALSチームに引き継ぐまで，または患者に正常な呼吸や目的のある仕草が認められるまでCPRを続ける

*1 ・気道確保して呼吸の観察を行う
　・熟練者は呼吸と同時に頸動脈の拍動を確認する
*2 ・わからない時は胸骨圧迫を開始する
　・「呼吸なし」でも脈拍がある場合は気道確保および人工呼吸を行い，ALSチームを待つ
*3 ・子宮左方移動
　・死戦期帝王切開術の施行判断と準備開始
*4 強く，速く，絶え間なく胸骨圧迫を！

ALS：二次救命処置，CPR：胸骨圧迫と人工呼吸，AED：自動除細動器
今後，JRC2020ガイドライン改訂時に共通ガイドラインとして作成予定
(日本蘇生協議会(JRC) 2015蘇生ガイドラインALSアルゴリズム．https://www.japanresuscitationcouncil.org/wp-content/uploads/2016/04/0e5445d84c8c2a31aaa17db0a9c67b76.pdfより引用，改変)

図2　母体の二次救命処置(ALS)

BLSアルゴリズム
　↓
除細動器・心電図装着
　↓
VF/無脈性VT
　- はい → 電気ショック → （2分間）
　- いいえ → ⑧ 二次救命処置(ALS)*1
　　　　　質の高い胸骨圧迫を継続しながら
　　　　　・可逆的な原因の検索と是正
　　　　　・静脈路/骨髄路確保
　　　　　・血管収縮薬投与を考慮
　　　　　・抗不整脈薬投与を考慮
　　　　　・高度な気道確保を考慮
　　　　→（心拍再開の可能性があれば）脈拍の触知
　　　　　- はい
　　　　　- いいえ → CPR：直ちに胸骨圧迫から再開（2分間）

妊婦における心停止の原因の検索
⑨ 死戦期帝王切開術の開始

心拍再開後のモニタリングと管理
・酸素濃度と換気量の適正化
・循環管理
・12誘導心電図・心臓超音波
・体温管理（低体温療法等）
・再灌流療法（緊急CAG/PCI）
・てんかん発作への対応
・原因の検索と治療

BLS：一次救命処置，VF：心室細動，VT：心室頻拍，CPR：胸骨圧迫と人工呼吸，AED：自動除細動器，CAG：冠動脈造影，PCI：冠動脈形成術
今後，JRC2020ガイドライン改訂時に共通ガイドラインとして作成予定
(日本蘇生協議会(JRC) 2015蘇生ガイドラインALSアルゴリズム．https://www.japanresuscitationcouncil.org/wp-content/uploads/2016/04/0e5445d84c8c2a31aaa17db0a9c67b76.pdfより引用，改変)

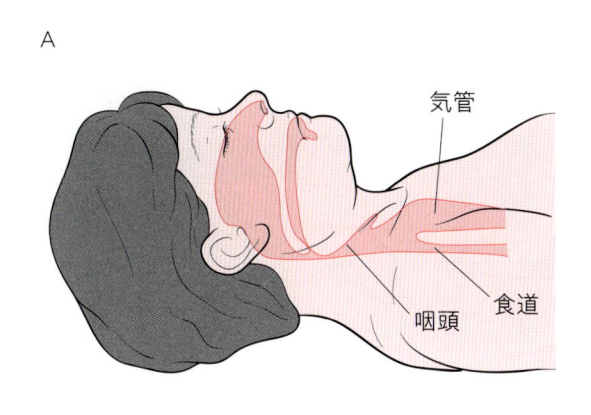

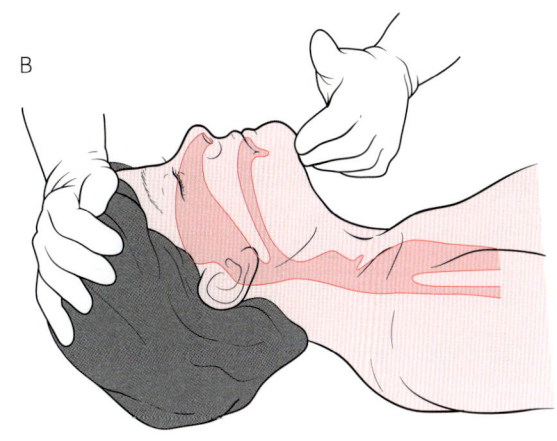

図3 用手気道確保
A：意識がない時には気道が閉塞しやすい。気道が閉塞していると呼吸ができない。
B：頭部後屈，顎先挙上により気道が開通する。

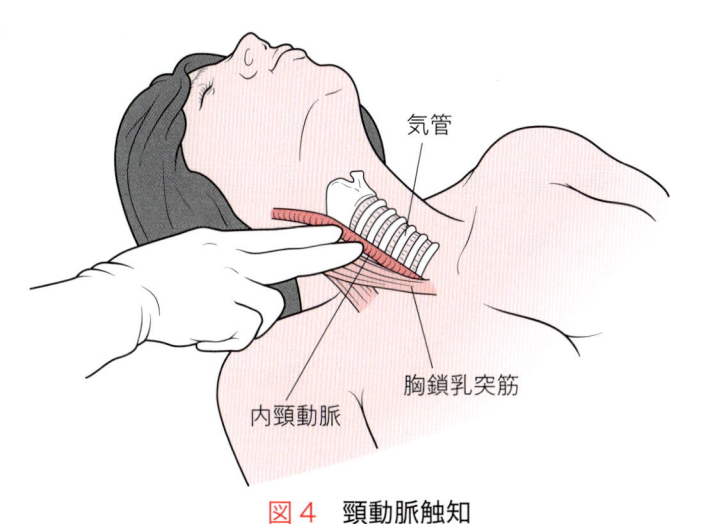

図4 頸動脈触知
甲状軟骨を触れた指を側方に滑らせると頸動脈に触れる。

胸骨圧迫の質が低下するため，疲れたら他のスタッフと交代する。

・準備ができ次第，直ちに人工呼吸を開始する。母体の心停止の原因として，呼吸停止や低酸素血症が少なくない。母体の心肺蘇生において呼吸を確立することも非常に重要である。

・人工呼吸では気道確保をしながらマスクをフィットさせ，バッグを押さなければならない（図5B）。これを1人で行うためにはトレーニングを要する。2人法（図5C）を用いると，人工呼吸を比較的簡単に行うことができる。1人が用手気道確保をしながらマスクをフィットさせ，もう1人がバッグを押す方法である。

・吸気時（バッグを押した時）に胸郭が上がることを確認する。胸郭が上がらない原因としてマスクフィット，気道確保，バッグ・バルブ・マスク（BVM）がある。マスクと顔の間に隙間がないかを確認する，気道確保をやり直す，BVMが圧をかけることができるかを確認する。

・胸骨圧迫30回，人工呼吸2回，胸骨圧迫30回……と胸骨圧迫と人工呼吸を交互に繰り返す（気管挿管するまで）。

⑤子宮左方移動

・妊娠によって大きくなった子宮が下大静脈等を圧迫，仰臥位低血圧症候群を起こすことがある。子宮の左方転位を行うと，母体血圧や心拍出量，胎児の酸素化や心拍数が改善することが知られている。子宮底が臍部に達する（おおよそ妊娠20週以降）妊婦においては，子宮左方移動を行う。

・子宮左方移動は用手圧排によって行う（図6）。骨盤傾斜を行うと胸骨圧迫の質が低下すると考えられるためである。

治療編　母体の心肺蘇生法

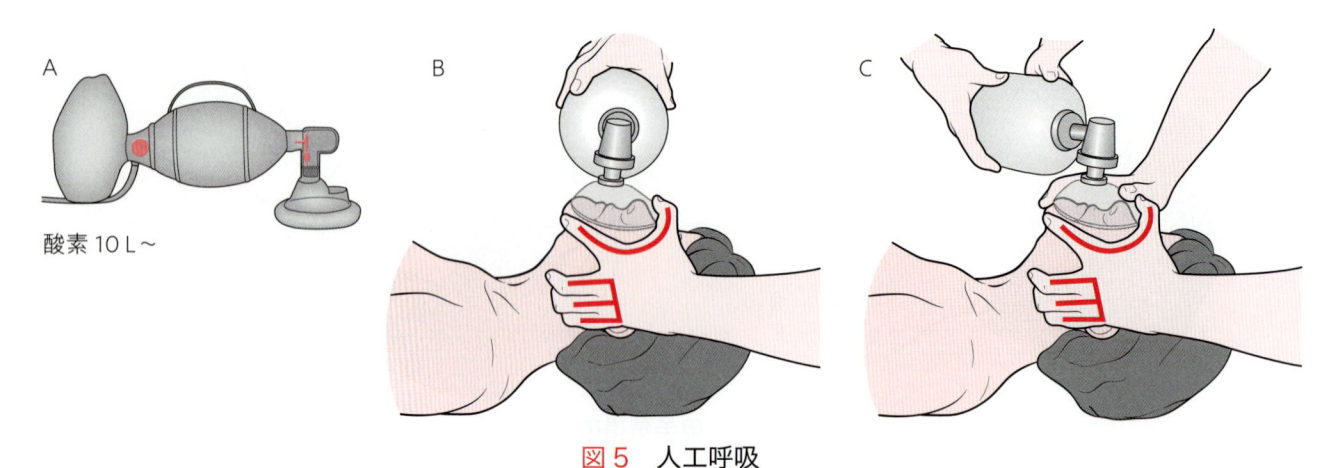

図5　人工呼吸
A：バッグ・バルブ・マスク(BVM)　B：用手気道確保＋人工換気(1人法)　C：用手気道確保＋人工換気(2人法)

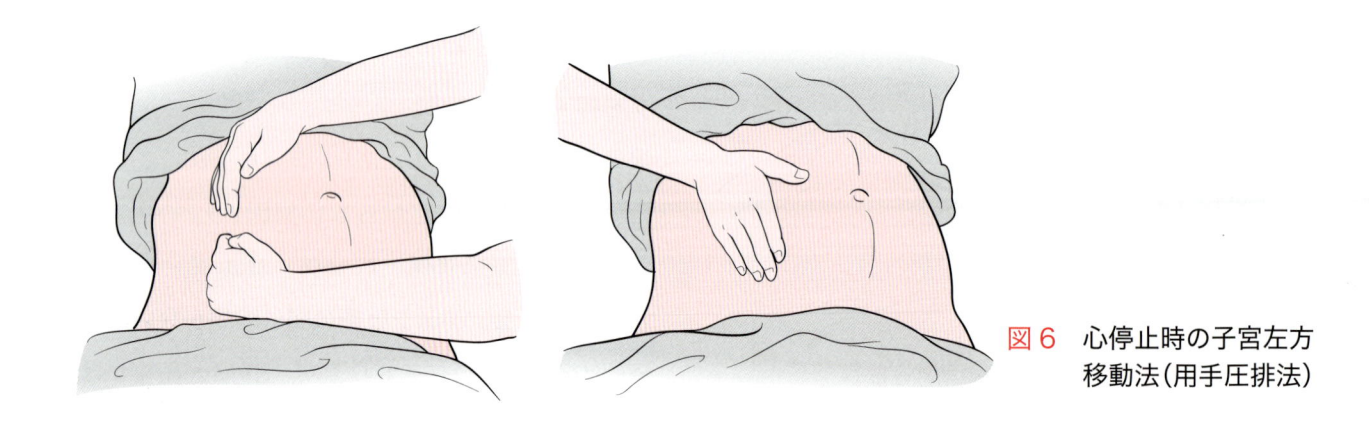

図6　心停止時の子宮左方移動法(用手圧排法)

⑥死戦期帝王切開術の施行判断と準備開始
・死戦期帝王切開術は，母体あるいは母児両者の救命を目的とした母体蘇生処置の一つとしての緊急帝王切開術である(死戦期帝王切開は130ページ参照)。
・妊娠20週以降の妊婦が心停止に陥ったら，死戦期帝王切開術を行うか否かの判断をし，行う可能性のある場合には，直ちに死戦期帝王切開術の準備を始める。

⑦AED/除細動器装着
・心室細動や無脈性心室頻拍の不整脈の治療のために用いる。
・妊婦でも電気ショックの適応となる。電流が子宮を通らなければ，胎児へのリスクは少ない。
・AEDが届いたら電源を入れる。AEDが指示を出すので，それにしたがってパッドを装着し，本体に接続する(図7)。AEDは心電図波形を解析し電気ショックの必要性を自動で判断する。解析中は蘇生処置を中断し患者から離れる。解析の結果，電気ショックが必要な場合は，AEDの指示にしたがって，自分と周囲の人が患者から離れていることを確認したうえでボタンを押して電気ショックを行う。
・電気ショック後は脈拍や呼吸の確認はせずに，直ちに胸骨圧迫と人工呼吸を再開する。
・電気ショックが不要と判断された場合も，脈拍や呼吸の確認はせずに，直ちに胸骨圧迫と人工呼吸

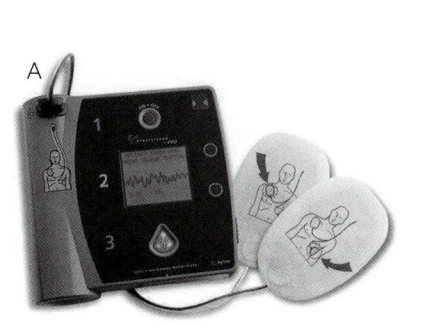

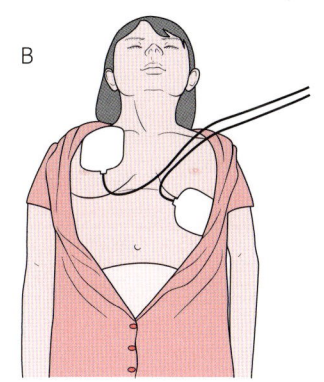

図7　AED（自動除細動器）
妊婦でも躊躇なく使用する。
A：AED。電源を入れて指示に従う。
B：電極パッドの貼り方。パッドで子宮を挟まない。

表1　母体における主な心停止原因

産科出血 （羊水塞栓症，弛緩出血，前置/癒着胎盤，常位胎盤早期剥離）	心血管疾患 （大動脈解離，心筋症，不整脈，虚血性心疾患，先天性心疾患）
羊水塞栓症	高カリウム血症（急速輸血時等）
肺血栓塞栓症	高マグネシウム血症
麻酔関連（高位脊髄くも膜下麻酔，局所麻酔薬中毒，気道確保困難）	脳出血
敗血症	
一般成人における5H/5T	
Hypovolemia（循環血液量減少）	Toxin（毒物）
Hypoxia（低酸素症）	Tamponade, cardiac（心タンポナーデ）
Hydrogen ion（アシドーシス）	Tension pneumothorax（緊張性気胸）
Hypo-/hyperkalemia（低/高カリウム血症）	Thrombosis（冠動脈，肺動脈）
Hypothermia（低体温）	Trauma（外傷）

を再開する。

⑧二次救命処置（ALS）

・母体心停止の可逆的な原因として代表的なものは，表1の通りである。
・局所麻酔薬中毒に対する蘇生処置では20％の脂肪乳剤を用いる。リドカインの投与は禁忌である。詳細は，局所麻酔薬中毒プラクティカルガイド[6]を参照のこと。
・妊婦では子宮によって下大静脈が圧迫されやすい。静脈路は上半身に確保することが望ましい。
・血管収縮薬として，アドレナリン1 mgの3〜5分ごとの投与が考慮される。
・副腎皮質ステロイドや炭酸水素ナトリウム（メイロン®）のルーチン投与は推奨されていない。
・電気ショックで停止しない，あるいは再発性の心室細動や無脈性心室頻拍では，抗不整脈薬として，アミオダロン300 mgの投与を考慮する。アミオダロンは産科病棟には配置されていないことが多い。アミオダロンが使用できない場合は，リドカイン1〜1.5 mg/kgを投与する。
・妊婦では非妊娠女性と比べて上気道が狭く胃内容の逆流が起こりやすいため，ALSにおける気道確保法の第一選択は気管挿管である（図8A）。気管挿

治療編　母体の心肺蘇生法

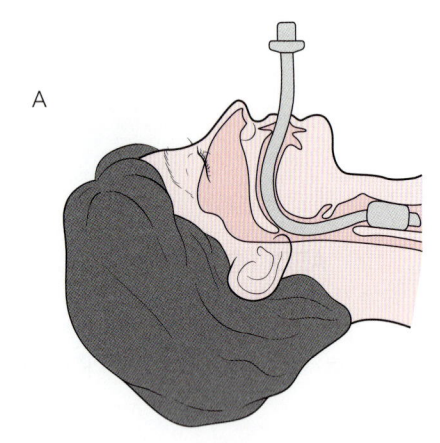

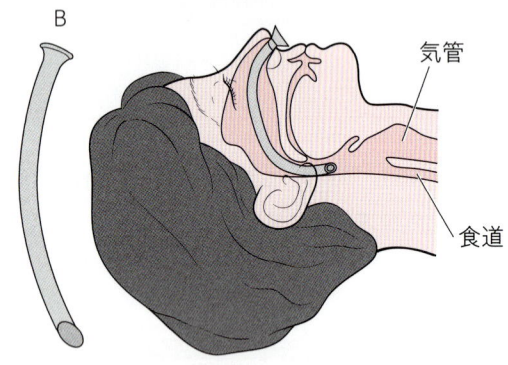

図8　器具による気道確保
A：気管挿管チューブを挿入したところ
B：経鼻エアウェイと経鼻エアウェイを挿入したところ

管チューブは6.5 mm程度の細目のものが望ましい。しかし挿管操作に慣れない場合や挿管を試みてうまくいかない場合は，気管挿管にこだわらず，用手気道確保や経鼻エアウェイ挿入（図8B）を行う。

⑨死戦期帝王切開術の開始

- 妊娠20週以降の妊婦が心停止に陥ったら，死戦期帝王切開術を行うか否かの判断をし，行う可能性のある場合には，直ちに死戦期帝王切開術の準備を始める。準備の間に心肺蘇生処置や心停止の原因検索を進め，心停止後4分の時点で死戦期帝王切開術開始の判断をする。
- 死戦期帝王切開術は母体蘇生処置の一つとしての緊急帝王切開術である。心停止妊婦で児を娩出すると母体血行動態が改善することが経験的に知ら

表2　死戦期帝王切開術を行う際の判断材料

妊婦	・心停止の原因は？ ・心停止までの経過は？
医療施設	・超緊急の帝王切開術を行えるか？ ・術後の重症母体や児の管理ができるか？
家族	・家族の理解が得らえるか？

れるため，蘇生処置に加えられている。2012年の文献レビューでは，死戦期帝王切開術を行った60例中19例で母体の状態が明らかに改善したと報告されている[7]。一方，胎児を状態の悪い母体外に出すことで児の予後改善も望むことができる。

- 心停止後15分までの母体生存例もあるため，5分を過ぎても帝王切開術は進めるべきである。最近の日本からの報告によると，死戦期帝王切開術後に合併症なく退院した母体3例の心停止から帝王切開術開始までの時間は，6±5.7分と報告されていた[8]。
- 死戦期帝王切開術を行うかの判断は難しい。妊婦の状態，医療施設の状況，家族のインフォームド・コンセント等，多くのことを総合的に考慮して（表2）判断する必要がある。すべての心停止の病態で死戦期帝王切開術が有効ではない。例えば脳出血による心停止であれば，効果は望みにくい。また血液凝固障害を伴う出血が原因の心停止の際には，死戦期帝王切開術を行うことで病態が悪化する危険性もある。
- 死戦期帝王切開術は母児両者の救命の可能性がある一方で，母体の救命はできずに重度の障害をもった児だけが残されることも考えられる。したがって家族に対して十分に説明し同意を得たいが，母体心停止後，死戦期帝王切開術を始めるまでに許される時間はわずか数分間である。死戦期帝王切開術について，どのようにインフォーム

ド・コンセント取得をするかに関する課題は大きい。
- 死戦期帝王切開術を行うには事前の準備が非常に重要である。施設ごとにその施設で死戦期帝王切開術を行うことが可能であるかを検討する。もし行う方針であれば，産科，新生児科，救急部，麻酔科，集中治療科の各診療科，さらに医療安全室，倫理委員会を交え，インフォームド・コンセント取得，手術施行の場所・人員・手順，術後の母児管理について十分に話し合い，シミュレーションを行っておく。施設によっては死戦期帝王切開術を行わないという選択肢もありうる。

自己心拍再開後の管理

- 再び心停止に陥ることがないよう，循環と呼吸を保ちながら，心停止の原因を診断し治療する。
- カテコラミン，輸液・輸血を用いて，収縮期血圧を 90 mmHg 以上に維持する。
- SpO_2 を 95％以上に保つ。
- $PaCO_2$ を 35〜45 mmHg に保つ。
- 児娩出直後の子宮収縮は不良であることが一般的である。また，死戦期帝王切開術にて児娩出後に自己心拍が再開した症例では，DICを伴う大量出血が起こりやすいことも報告されている[8]。

文献

(1) 日本蘇生協議会成人の二次救命処置. https://www.japanresuscitationcouncil.org/wp-content/uploads/2016/04/0e5445d84c8c2a31aaa17db0a9c67b76.pdf. 2015
(2) Lavonas EJ, et al：Part 10：Special Circumstances of Resuscitation 2015 American Heart Association Guidelines Update for Cardiopulmonary Resuscitation and Emergency Cardiovascular Care. Circulation 132：S501–518, 2015
(3) Jeejeebhoy FM, et al：Cardiac Arrest in Pregnancy：A Scientific Statement From the American Heart Association. Circulation 132：1747–1773, 2015
(4) Lipman S, et al：The Society for Obstetric Anesthesia and Perinatology consensus statement on the management of cardiac arrest in pregnancy. Anesth Analg 118：1003–1016, 2014
(5) Callaway CW, et al：Part 8：Post-Cardiac Arrest Care：2015 American Heart Association Guidelines Update for Cardiopulmonary Resuscitation and Emergency Cardiovascular Care. Circulation 132：S465–482, 2015
(6) 日本麻酔科学会：局所麻酔薬への対応プラクティカルガイド. http://www.anesth.or.jp/guide/pdf/practical_localanesthesia.pdf. 2017
(7) Einav S, et al：Maternal cardiac arrest and perimortem caesarean delivery：evidence or expert-based？ Resuscitation 83：1191–1200, 2012
(8) Kobori S, et al：Utility and limitations of perimortem cesarean section：A nationwide survey in Japan. J Obstet Gynaecol Res 45：325–330, 2019

（加藤 里絵）

治療編

死戦期帝王切開

▼**事例** 30代，初産婦

　一絨毛膜双胎。切迫早産のために妊娠28週に入院し，塩酸リトドリンの点滴を開始した。入院後に軽度の羊水過多が現れて子宮収縮が持続したため，塩酸リトドリンの投与量を増加し，200μg/分での持続投与となっていた。妊娠32週に息苦しいという訴えがあり，胸部X線撮影を行ったところ，心臓の拡大と肺野のうっ血所見を認め，肺水腫と診断された。SpO_2が93%のため酸素投与を開始した。帝王切開の施行について協議しているうちに，病室で急変し，意識消失と心停止となった。ベッドサイドで蘇生が開始され，AEDで除細動を1回行ったが心拍再開しなかった。その時点で死戦期帝王切開を決定し手術室へ移動した。手術室ですぐに挿管し，蘇生しながら帝王切開が開始された。心停止後10分で子宮切開，11分で第1子，12分で第2子が娩出された。心停止後15分で母体心拍が再開した。子宮収縮不良，出血多量のために子宮摘出術を行い，術後はICU管理となった。両児とも蘇生に反応し，NICUでの管理で経過良好であった。母体は1カ月後に後遺症なく退院となった。

▼**評価**

　薬剤の副作用によると疑われる肺水腫が急激に進行して心停止となり，蘇生が行われた。死戦期帝王切開は心停止後10分で開始され，胎児娩出後に心拍が再開しており蘇生としては成功した。児も速やかな娩出により，低酸素脳症といった重篤な後遺症を残さずに経過良好であった。

▼**提言**

- 妊産婦の心停止においては，妊産婦の特殊性を考慮した心肺蘇生法に習熟する必要がある。
- 母体救命を目的とした死戦期帝王切開は，心肺蘇生処置として有効なことがあり，高次医療機関においては死戦期帝王切開の実行可能性について，日ごろから関係部署との話し合いやシミュレーションを行っておくことが重要である。

はじめに

　死戦期帝王切開とは，なんらかの原因によって心停止を起こした妊産婦に対して，心肺蘇生処置の一環として行う緊急帝王切開術を指す。原因のいかんにかかわらず妊産婦が急な意識障害，心停止を起こした時は，一般成人と同じく一次救命処置(BLS: basic life support)や二次心肺蘇生法(ACLS:

advanced cardiovascular life support)を行うが，妊産婦には循環生理学的な特徴があり，蘇生にあたっては特別な留意が必要となる。死戦期帝王切開はその一つである。

妊産婦の心停止では，帝王切開を行って児を娩出したほうが，心肺蘇生率が高くなることが一般的に知られている。その理由としては，胎児を娩出することにより妊娠子宮による下大静脈や大動脈の圧迫が解除され，心への静脈灌流量が改善し心拍出量も60〜80%程度増加すること，妊娠子宮へ流入していた血液が体循環に戻り血行動態が改善すること，さらに母体の機能的残気量の増加や酸素消費量の減少もプラスに働くことなどの要因が考えられている。

妊娠子宮が大血管を圧迫し，母体循環に悪影響を与えている時期が死戦期帝王切開の適応となるが，それはおおよそ妊娠20週以降とされている。もし妊娠週数が不明なときは子宮底が臍上にあるかを目安とする。妊産婦に対する蘇生法は一般の成人に対するものと同じであり，薬剤投与や除細動も同様に行う。最初にBLSを行って反応がないときに，死戦期帝王切開を考慮することになる。

妊娠中に心停止を起こす原因

妊娠中の心停止は妊婦2〜5万人に1人の割合といわれている。国内で行われた死戦期帝王切開18例をまとめた表をみると，心停止を起こした原因は非常に多様であり，蘇生された群では周産期心筋症2例，肺水腫2例，その他，脳幹梗塞，羊水塞栓，WPW症候群(Wolff-Parkinson-White syndrome)，子宮破裂，硬膜外麻酔のくも膜下誤注入がそれぞれ1例ずつ，蘇生できなかった群では大動脈解離2例のほか，飛び降り，混合性結合組織病(MCTD：mixed

表　妊産婦の心停止の原因（蘇生群と非蘇生群）

蘇生群	12例
周産期心筋症	2
リトドリンによる肺水腫	2
脳幹梗塞	1
羊水塞栓（心肺虚脱型）	1
WPW症候群	1
子宮破裂	1
硬膜外麻酔のくも膜下誤注入	1
原因不明	3
非蘇生群	**6例**
大動脈解離	2
飛び降り	1
MCTD増悪による肺出血	1
羊水塞栓（心肺虚脱型）	1
原因不明	1

connective tissue disease)増悪による肺出血，羊水塞栓がそれぞれ1例ずつという結果であった[1]。妊産婦の年齢層は心停止を一般に起こす年代に比べて若いため，適切な対処を行えば，心停止に陥った妊産婦の2/3以上は救命できるといわれている。

妊産婦の心肺蘇生で注意すべきこと

妊婦の心肺蘇生の原則は成人のそれとほぼ同じであり，産科医療に携わるすべての人間は，まず心肺蘇生の基本救命処置であるBLSの習熟が望まれる。妊婦に対する除細動は，一般成人と同じエネルギー量で行う。通常の使用であれば子宮内を通電する可能性は低く，胎児に影響を及ぼしたという報告もこれまでない。ちなみに妊婦蘇生のために投与する薬剤の種類や投与量も同じとされる。

妊産婦における蘇生処置の違いは，子宮の用手圧排が重要であること，胸骨圧迫部位がやや頭側よりであること，そして死戦期帝王切開の考慮というこ

とであろう[2]。

仰向けの状態の妊産婦がしばしば仰臥位低血圧症候群を起こすことはよく知られているが，体幹をななめ左下の左側臥位にすると，妊娠子宮による下大静脈の圧迫が解除され症状は速やかに回復する。心肺蘇生時も妊娠子宮による大血管の圧迫を解除するために子宮用手圧排を行う。1人が子宮の左方圧排に専念して蘇生を行うのがいいかもしれない。その時，バッグマスクによる人工呼吸，胸骨圧迫，子宮左方圧排と最低3人が必要となる。

妊産婦に胸骨圧迫を行う時は，一般成人よりやや頭側である胸骨中央の位置が最も適切である。これは妊娠子宮によって横隔膜は上に押し上げられ，心臓も頭側にやや変位しているためである。胸骨圧迫の深さは成人と同じ5cm以上となる。

死戦期帝王切開の実際

妊婦が心停止に陥ったら，蘇生をしながらすぐに死戦期帝王切開の準備を始める。心停止後4分の時点で死戦期帝王切開を決定し，母体心停止後5分以内に児を娩出することが目標である。これは児の神経学的予後は母体心停止からの時間に反比例し，5分以内に児を娩出し蘇生した42例では後遺症を認めなかったというKatzらの報告[3]に基づいたもので，「5分間ルール」とよばれる。しかし，5分以内に児を娩出というのは現実的にはなかなか容易でない。15分以内に娩出された児でも半数近くはintact survivalであるという報告もあるので，心停止して5分以内ということに拘泥せず，心拍が再開しなかったら可及的速やかに死戦期帝王切開を行うことを原則とする。実際の蘇生の場では見逃されやすいが，心肺蘇生（CPR）のほかにタイムキーパーを配置することが重要である。

死戦期帝王切開を行う時は麻酔や消毒などは省略可能である。心拍再開後の子宮摘出や開胸心マッサージの可能性を考慮して下腹部縦切開とし，必要ならば臍上まで切り上げることも考慮する。心停止の状態では手術時の出血は少量であるが，心拍再開後は子宮収縮不良と心停止後のDICが相まって大量出血となることが多い。死戦期帝王切開による心肺蘇生後には，非凝固性の出血が切開創や胎盤剥離面より持続することがあり，FFPを中心とした輸血で対処しながら，場合によっては子宮摘出が必要となることも多い。

蘇生後に必要な輸血の手配や中心静脈カテーテル留置，場合によってはPCPSの準備等が必要となるため，新生児科のほか麻酔科，救急科の医師といった関連各部所との連携が必要不可欠になることはいうまでもないだろう。

死戦期帝王切開による母体救命の成績

Katzの別の論文[4]では，20例の死戦期帝王切開のあと12例で心拍再開および循環動態改善となったことが示された。またEinavらの報告[5]によると，死戦期帝王切開94例中救命され退院まで至った例が51例（54％）で，死戦期帝王切開が有害だった例はなかった。また，わが国の18例の報告[1]では，死戦期帝王切開による母体の蘇生率は18例中12例（67％）であったが，退院までできたのは18例中5例（28％）であった（図）。いずれの割合も院内出生が院外出生に比べて有意に高かった。

これらはいずれも症例報告を集めたものであり，改善率には出版バイアスがかかっている可能性はある。心肺蘇生という処置の性質からいっても無作為化比較試験（RCT：randomized controlled trial）を行うことは難しく，報告されている論文は症例報告

母体蘇生率　12/18（67％）

院内発生　80％
院外発生　50％

母体退院率　5/18（28％）

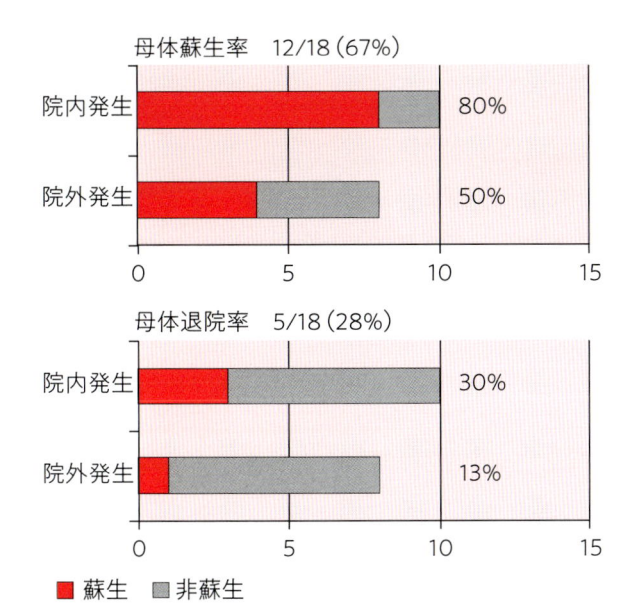

院内発生　30％
院外発生　13％

■ 蘇生　■ 非蘇生

図　死戦期帝王切開による母体蘇生率と母体退院率

のシリーズと動物実験によるデータが主なものであり，医学的なエビデンスという意味ではまだ限られるとはいえる．しかし，重要なのは妊婦の自己循環を再開させられなければ，本人も胎児もともに死亡に至ってしまうと考えられる．

おわりに

いざ死戦期帝王切開を行うためには，産婦人科のほかに麻酔科，新生児科，救急科等との連携や，医師，スタッフ間の意思統一が重要であり，常日ごろより打ち合わせとシミュレーションを行って準備をしておく必要がある．スタッフが一丸となって死戦期帝王切開の内容や行動のイメージを共有し，実際の実施にあたってチームのパフォーマンスを高めていくことが大切である．

文献

(1) Kobori S, et al：Utility and limitations of perimortem cesarean section: a nationwide survey in Japan. J Obstet Gynaecol Res 45：325–330, 2019
(2) 日本蘇生協議会：JRC蘇生ガイドライン2015オンライン版. 第2章 成人の二次救命処置（ALS）. https://www.japanresuscitationcouncil.org/wp-content/uploads/2016/04/0e5445d84c8c2a31aaa17db0a9c67b76.pdf
(3) Katz VL, et al：Perimortem cesarean delivery. Obstet Gynecol 68：571–576, 1986
(4) Katz VL, et al：Perimortem cesarean delivery: were our assumptions correct? Am J Obstet Gynecol 192：1916–1920, 2005
(5) Einav S, et al：Maternal cardiac arrest and perimortem caesarean delivery: evidence or expert-based? Resuscitation 83：1191–1200, 2012

（室月　淳）

総論編
基本治療編
▶ システム編
各論

SAVING MOTHERS LIVES IN JAPAN 2020

システム編

内科，外科等の診療科と情報共有

▼**事例** 40代，初産婦

　基礎疾患にてんかんを有しており，最終発作は妊娠1年前であった。A病院にて投薬を勧められていたが，妊娠後は本人の強い希望により無投薬であった。初期よりB病院で妊婦健診を受けていた。本人から，B病院の産婦人科医師にてんかんを有していることと投薬は不要であることを伝えていた。妊娠経過中，散発的にてんかん発作を認めていたことを，A病院内科医師には伝えていたが，B病院産婦人科医師には伝えていなかった。その後も，本人の希望により抗てんかん薬は再開されることなく経過していた。妊娠38週，骨盤位を適応に帝王切開を施行した。術後3日目，助産師が訪室し無事を確認していたが，1時間後，ベッドの上にうつ伏せ寝で倒れているところを発見された。心停止状態であったため，蘇生処置を行い心拍は再開したが，低酸素性脳症で遷延性意識障害となり，高次機能の回復は困難な状況であった。死因は，誤嚥性の窒息であった。その後，死亡確認となった。

▼**評価**

　産褥期にてんかん発作を起こし，誤嚥性窒息により心停止に陥った事例である。患者希望によって，てんかんに対して標準的治療から逸脱した管理がなされていた。内科，産婦人科の間で連携がとられていなかったため，産婦人科医は，妊娠中にてんかん発作が起こっていることを認知していなかった。そのため，てんかんに対する危機意識が欠如し，十分な対応がとられていなかった。

▼**提言**

・てんかん等を含めた合併症妊娠を管理する場合は，専門の診療科と連携をとって共同で診療に臨む。

・内科，外科等の診療科と情報共有を行い，妊娠した場合の管理方法・母児への危険と利益・危険と利益のバランスを考えた管理を行う。

・合併症妊娠を安全に管理するために，他診療科と医療チームを構築する時には，産婦人科医がコマンダーとなることが重要である。

合併症妊娠

　一般に「健康な人が妊娠する」、「妊娠する人は健康である」といわれ、妊産婦死亡率は年齢階級別に、すべての時期において、一般女性と比較して低い[1]。一方で、医療の進歩に伴い、根治は困難であっても多くの疾患で、その制御が可能となってきている。同時に、急速に高度生殖医療が発展してきている現在、これまで以上に合併症を有する女性が妊娠するようになってきている。合併症は、心血管疾患、脳血管疾患、自己免疫疾患、精神疾患等、多岐にわたり、すべての疾患において妊娠という事象の併存は想定される。

妊産婦死亡と合併症妊娠

　妊産婦死亡のなかでも、合併症妊娠としてある程度のリスクを予測できる死因がある。例えば、脳出血・脳梗塞における基礎疾患としてのもやもや病・脳動静脈奇形・脳動脈瘤、心・大血管疾患ではMarfan症候群・QT延長症候群、肺血栓塞栓症（PTE：pulmonary thromboembolism）では血栓性素因等があげられる。これらのなかには、イベント発生前には診断されておらず、死亡後に判明した基礎疾患も含まれるが、事前に診断されている場合には、合併症妊娠としてリスクを予測した管理が可能である。

　合併症妊娠という観点から考えた場合、これから妊産婦死亡を減らすためには、死亡原因の背景疾患を明らかにし、そして、背景疾患のリスクに応じた合併症妊娠管理が確立されることが望まれる。

合併症妊娠と情報共有

　合併症妊娠の診療に携わる医療者は、合併症を有した女性に可能な限り不利益を与えない努力を払うべきである。そのため、産科医は管理する上でいくつかのことを考察しなければならない。具体的に列挙すると、①妊娠していない場合の推奨される管理方法、②妊娠した場合の管理方法（この管理方法は非妊時と異なるか、異なる場合に合理性のある管理方法であるか）、③母児への危険と利益を明らかにする、④危険と利益のバランスを考えた管理方法の設定が可能か、ということである。

　産婦人科医は妊娠に関する専門家であるが、必ずしも多岐に渡る合併症に関しての専門家ではない。そのため、先に述べた合併症を管理する上での考察を設定する場合、それぞれの合併症の専門家と情報を共有して診療を進めなければならない。

情報共有と組織構築

　Barnard[2]によって執筆された組織論「The Functions of the Executive」（1938年）のなかで、1つの目的のために2人以上の人々が協働する場合の、特殊なシステム的関係にある個人的、社会的構成要素の複合体を「協働システム」と定義している。合併症妊娠を管理すること全体を、協働システムと置き換えることができ、協働システムを成功に導くためには組織が必要である。組織は協働システムの中核をなす補助システムであると述べてられており、「相互に意思を伝達できる人々がおり、貢献しようとする意欲を有し、共通目的を目指す時に成立すると考えられている[2]」。すなわち、個人を結び付け組織として成立させるためには、①相互の伝達、②協働の意欲、③共通目的の要素をもたなければならない（図1）。相互の伝達によって情報を共有し、情報を共有することで協働の意欲、共通目的が形成され、初めて組織が構築される。

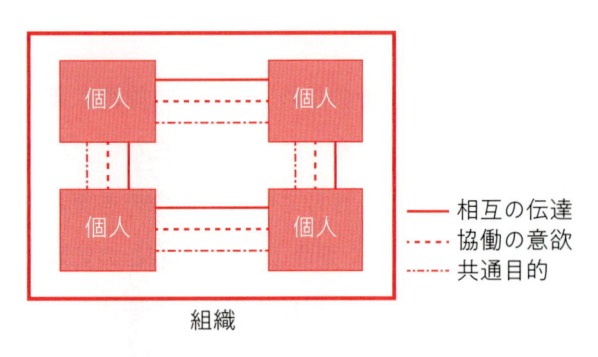

図1　合併症妊娠を管理する上での組織

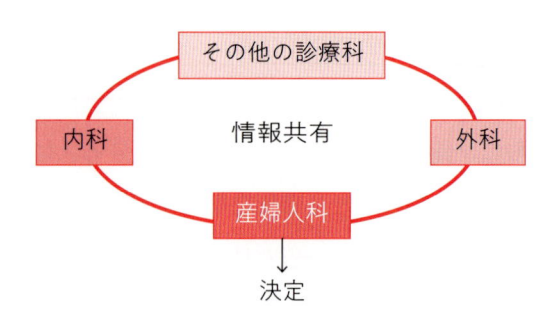

図2　情報共有と診療科

組織構築までの産婦人科の役割

　合併症を有した女性も，妊娠すると主科が産婦人科に移ることが一般的である．産婦人科に移った後は，これまで管理していた科の関与が希薄となることも少なくない．そのため，産婦人科とこれまで合併症の診療に携わっていた診療科を連結させる努力が必要である．産婦人科医は，合併症妊娠を管理するという目的をもった組織を構築するための先導を行い，時に媒体となる必要がある．

組織構築後の産婦人科の役割

　情報を伝達し共有するために，会話，手紙，メール，カルテ等，いくつもの手段があげられるが，重要なことは信頼を得るための手段を選択することである．また，産婦人科医は情報共有についてのコマンダーとなり，情報伝達の手段を講じつつ，組織全体に情報が伝達されているかを常に確認しなければならない．妊娠は現在進行形の事象であり，数時間，分娩であれば数分で状況が変わる．これら妊娠の特異性について十分に理解している産婦人科医がコマンダーとならなければならない．相互の伝達によって，情報共有がなされた時に合併症妊娠を管理するという協働の意欲と共通の目的を有することになる．

　合併症妊娠を管理する上で，組織を構築し，情報共有により組織を機能させることが重要であると述べてきた．組織が機能した後，産婦人科医にもう1つの大きな役割が残されている．産婦人科医は，複数の分野からなる組織の意見を集約し，決定を行うことである(図2)．人的ネットワーク作りであることを忘れてはならない．

文献
(1) 妊産婦死亡症例検討評価委員会，日本産婦人科医会：母体安全への提言 2013, 2014
(2) Barnard CI：The Functions of the Executive, Harvard University Press, London, 1938

（田中　博明）

システム編

妊婦への薬物投与と放射線検査

▼**事例1**　30代，初産婦

　小児期よりてんかん発症，A病院で管理されていた。デパケン®，テグレトール®，エクセグラン®，マイスタン®を内服していたが，挙児希望となってから，デパケン®からラミクタール® 400 mg/日単剤に変更となった。B病院で不妊治療を行い，体外受精胚移植で妊娠，そのまま同院で妊娠の管理を行った。てんかんの管理に関して，妊娠後はB病院神経内科に紹介された。しかし，3日に1回程度，意識消失発作があり，十分にコントロールされている状態ではなかった。妊娠20週，自宅でてんかん発作あり，そのまま発作が治らないため，家族が救急車を要請した。救急車内で心停止し，搬送先で心肺蘇生が続けられた。口腔内に吐物を多量に認め，気管挿管に時間がかかった。その後，死亡確認となった。

▼**評価**

　てんかん重責発作により，吐瀉物の気道閉塞が原因で死亡した事例であった。てんかん発作のコントロールが適切であったかどうかが焦点となる。挙児希望のため抗てんかん薬をラミクタール® 1剤とし，てんかん発作がコントロールできていないにもかかわらず体外受精胚移植し妊娠した。妊娠中はラミクタール®（薬物としてはラモトリギン）の血中濃度が低下しやすいことが知られているため，発作のコントロールが重要であった。産婦人科と神経内科の間で，方針に関する相談，コミュニケーションが不足していた。

▼**事例2**　30代，経産婦

　妊婦健診は総合病院で受けていたが，妊娠初期に咳嗽あり，近医内科を受診した。麦門冬湯，メジコン®，シムビコート®が処方されたが改善しなかった。妊娠20週，持続する咳嗽のため総合病院呼吸器内科を受診した。妊娠中であり，画像評価は行われなかった。逆流性食道炎の可能性も考慮しアドエア®とオメプラール®が処方されたが，症状は改善しなかった。妊娠22週，喀痰培養は陰性であった。妊娠24週，妊婦健診時に呼吸困難を訴えた。意識清明，体温37.3℃，SpO₂ 82%（室内気）であり酸素10 L/分投与しSpO₂ 91%，胸部に湿性ラ音を聴取した。胸部単純X線写真，CTを撮影すると両側に多発する粒状影および左下葉浸潤影を認めた。腫瘍マーカーはKL-6 650 U/mL，SP-D 330 ng/mL，SLX 80 U/mL，CYFRA 5.0 ng/mL，CA125 450 U/mLに上昇していた。同日産婦人科に入院となった。喀痰細胞診はClass V，Adenocarcinomaであった。肺腺癌，多発両側肺内転移と診断さ

システム編　妊婦への薬物投与と放射線検査

れた。さらに酸素化が悪化し、妊娠26週で緊急帝王切開で児を分娩した。その後も酸素化が増悪し、1週間後死亡確認となった。

▼評価

　咳嗽を初発症状として発症した肺癌の事例である。長い間続く咳嗽をきっかけに、胸部X線検査を早めに施行すべきであった。呼吸器内科としては、妊娠していることが画像検査を躊躇する要因となった可能性がある。産婦人科医師と呼吸器内科医師との連携、コミュニケーションをもう少し密に行うべきであった。早期に診断できていても予後は変わらなかった可能性もあるが、呼吸困難への対応、termination の時期、本人・家族の疾患の理解と受容のステップについて影響を与えられたかもしれない。

▼提言

- 妊娠中に投与できる(投与しても問題ない)薬剤、投与できない薬剤についての知識を深める。
- 合併症に対する治療薬、または、妊娠と知らずに使用した薬剤の胎児への影響を強調することなく、適切な情報を提供する。
- 合併症を有する若年女性で挙児希望のある場合は、妊娠前から関係各科と方針を相談の上で対応を決めておく。
- 胸部X線、CT等、放射線被曝する検査であっても、必要と判断すれば妊娠中でも撮影する。
- 産科以外の科が妊婦を診察する時、画像検査を躊躇し重大な診断が遅れる可能性があることを認識する。

はじめに

　妊娠中の薬剤内服、放射線被曝を伴う画像検査の際は医療者側、患者側ともに胎児への影響を考慮して躊躇することがある。妊産婦死亡症例の検討からは、産科だけで対応する疾患・病態だけでなく、内科、外科、精神科を含む他科との併診、連携する必要のある合併症をもつ死亡症例が増えてきた[1]。さらに、妊婦症例の初診の窓口が産科ではなく、これらの他科であることも日常的に経験する。産科としては、他科の医師、患者から相談された時、また、合併症あるいは産科以外の何らかの症状をもつ妊婦の妊娠管理を担当する場合に、投与できない薬剤と投与できる、あるいは妊娠を把握していない時に使用してしまっても問題がない薬剤についての知識をもつことは重要である。特にうつ病などの精神疾患、合併妊娠が増えており、この分野の理解は重要である。放射線被曝を伴う画像検査の母体・胎児への影響を知っている必要がある。

妊婦への薬剤投与

1. 薬剤添付文書の問題点

　わが国の薬剤添付文書では、妊婦・授乳婦に関す

る使用上の注意の記載は必ずしも十分なエビデンスに基づいておらず，使用禁忌の扱いとなっている医薬品が多い[2]。わが国では公的な胎児危険度分類は発表されていない。海外では米国食品医薬品局（FDA）による評価（2015年にFDA Pregnancy Categoryによる分類は廃止），オーストラリア医薬品評価委員会・先天性異常部会による評価（オーストラリア基準）[3]，Briggsらによる成書「Drugs in Pregnancy and Lactation」[4]があり，参考にする。医薬品の妊娠中投与による胎児への影響を考える場合，医薬品の投与時期が重要で，妊娠初期，中後期，末期ごとにヒトで催奇形性・胎児毒性を示す明らかな証拠が報告されている代表的医薬品が記載[5]されている。併せて，添付文書上禁忌とされている医薬品のうち，特定の状況下では妊娠中であっても投与される医薬品[6]，あるいは妊娠と知らずに妊娠初期に投与された場合でも臨床的に有意な胎児への影響はないと判断してよい医薬品[7]，反対に，添付文書におけるいわゆる有益性投与の医薬品のうち妊娠中の投与に注意が必要な医薬品[8]が紹介されている。このうち妊娠中の薬物投与と妊産婦死亡の回避という観点からは，1) 合併症のある女性が妊娠を希望した場合の薬剤変更時，2) 合併症をもつ妊婦の症状増悪時が問題となる。

1）合併症のある女性が妊娠を希望した場合の薬剤変更時

表1[5]にヒトで催奇形性・胎児毒性を示す明らかな証拠が報告されている代表的医薬品のリストとその医薬品の適応疾患をまとめた。臨床的には主にてんかん，自己免疫性疾患，高血圧に罹患する女性の挙児希望時に薬剤の変更を考慮する必要性が生じる可能性が高い。薬剤を変更した場合，疾患のコントロールの可否が問題となる。

てんかんに関しては，「てんかん診療ガイドライン2018」のてんかんと女性の項目[9]があり，参考にする。妊娠前のカウンセリングが重要で，服薬の必要性を再評価し，多剤治療であれば単剤治療に変更した上で，その必要量について検討する。妊娠中の管理については発作の予防が重要である。妊娠前と妊娠中は必要に応じて血中濃度測定を行う。

自己免疫性疾患について，プレドニゾロンは胎盤移行性が低く胎児への影響を考慮する必要はないとされる。関節リウマチについては，メトトレキサートは妊娠前に中止する必要がある。一般に妊娠すると約75％が改善するが，約90％が分娩後2カ月以内に元の症状に戻るとされる[10]。

高血圧に関しては，表1[5]に記載のほかに現在，Ca拮抗薬であるニカルジピン経口錠は添付文書上妊婦には禁忌，ニフェジピンは妊娠20週未満には禁忌とされているため，妊娠初期はメチルドパ，ヒドララジン，ラベタロールの3剤が使用可能とされている。

2）合併症をもつ妊婦の症状増悪時

てんかんについては，妊娠中に抗てんかん薬の調節をむやみに行うべきでないとされる。遊離型の抗てんかん薬濃度の大幅な減少を確認できた時か，服薬が規則的であるにもかかわらず発作が悪化した時にのみ抗てんかん薬の増量を行うべきである[9]。

自己免疫疾患に対しては，ほかの医薬品では治療効果が不十分な場合に免疫抑制薬（アザチオプリン，シクロスポリン，タクロリムス）を使用する。

高血圧緊急症ではニカルジピン静脈投与が効果的である。

2．抗悪性腫瘍薬

妊娠に合併した悪性腫瘍は乳癌，子宮頸癌，リンパ腫，卵巣癌が多いが，わが国では欧米諸国と比較して胃癌を中心とした消化器癌の頻度が高い[11]。抗悪性腫瘍薬は妊娠中であっても投与できる。プラチ

システム編　妊婦への薬物投与と放射線検査

表1　ヒトで胎児毒性を示す明らかな証拠が報告されている代表的医薬品

一般名	影響する時期	胎児毒性	主な適応疾患
エトレチナート	妊娠初期	催奇形性	乾癬，掌蹠膿疱症等
ビタミンA（大量）	妊娠初期	催奇形性	ビタミンA欠乏症，夜盲症
カルバマゼピン	妊娠初期	催奇形性	
トリメタジオン	妊娠初期	催奇形性	
バルプロ酸ナトリウム	妊娠初期	催奇形性	てんかん
フェニトイン	妊娠初期	催奇形性	
フェノバルビタール	妊娠初期	催奇形性	
ダナゾール	妊娠初期	催奇形性	子宮内膜症
サリドマイド	妊娠初期	催奇形性	多発性骨髄腫
シクロホスファミド	妊娠初期	催奇形性	悪性腫瘍，自己免疫性疾患（SLE，血管炎等）
メトトレキサート	妊娠初期	催奇形性	関節リウマチ，白血病
ミコフェノール酸モフェチル	妊娠初期	催奇形性	臓器移植後拒絶反応の抑制，ループス腎炎
チアマゾール	妊娠初期	催奇形性	甲状腺機能亢進症
ワルファリンカリウム	妊娠初期	催奇形性	血栓塞栓症
ミソプロストール	妊娠初・中・末期	メビウス症候群，流早産等	胃潰瘍，十二指腸潰瘍
アミノグリコシド系抗菌薬	妊娠中・末期	聴力障害	細菌感染症
テトラサイクリン系抗菌薬	妊娠中・末期	歯牙着色等	細菌感染症
ACE阻害薬	妊娠中・末期	胎児腎障害，肺低形成等	高血圧，心不全
ARB	妊娠中・末期	胎児腎障害，肺低形成等	高血圧，心不全
NSAIDs	妊娠末期	動脈管収縮等	各種疼痛，発熱

（日本産科婦人科学会・日本産婦人科医会：CQ104–1 医薬品の妊娠中投与による胎児への影響について尋ねられたら？ 産婦人科診療ガイドライン―産科編 2017, 72–75, 2017）[5]

ナベース（カルボプラチン，シスプラチン）の薬剤とタキサン系化学療法薬がsmall for gestational ageと，タキサン系がNICU入院と関連するという報告があるが[12]，抗悪性腫瘍薬についてはそのほとんどの医薬品でヒトでのデータは限定的であるため，個々の症例で適切なインフォームド・コンセントを得た上で使用する。

放射線被曝を伴う画像検査

放射線の影響には，閾値のある確定的影響（一定量の放射線に被曝すると必ず影響が現れる）と，ない確率的影響（放射線に被曝する量が多くなるほど影響が現れる確率が高まる）が存在する。確定的影響について，胎児への影響は妊娠時期により異なるため，被曝時期を確認し，さらに表2[13]を参考にその被曝線量を推定する。妊娠週数と被曝線量による胎児への影響について表3[13,14]にまとめた。診断目的の放射線被曝線量は流産，奇形（形態異常），中枢神経障害を引き起こす閾値よりも相当小さいため臨床的に問題となるケースは少ない。

造影剤の使用

1. CT造影剤

使用する有用性が高い場合には投与できる。イオパミドールに含まれるヨードは有機ヨード化合物であるが、遊離ヨウ素も含まれている可能性がある。これまでにイオパミドールによる新生児の甲状腺機能低下や甲状腺腫の報告はないものの、使用した場合、生後1週間は新生児の甲状腺機能をモニタリングすべきという意見もある[4]。

2. MRI造影剤

わが国では、Gadodiamide Hydrate（オムニスキャン®）やMeglumine Gadopentetate（マグネビスト®）等が使用されている。遊離ガドリニウムは人体に有害であるので、線状型あるいは環状型のキレート構造をとっている。薬物として経胎盤的に胎児に移行し胎児尿として羊水中に排泄され、長期間羊水腔にとどまる。薬剤としては人体への毒性は抑えられているが、遊離ガドリニウムが胎児肺や腸管に影響を与える可能性が考えられている[4]。

妊娠初期でのMRI撮影そのものは、胎児・新生児死亡や4歳までの先天異常、悪性腫瘍、視覚・聴覚異常と関連性はなかったが、MRI造影剤を使用した母体では死産や新生児死亡のリスクが高く、4歳までのリウマチ性・炎症性皮膚疾患のリスクが上昇したことが報告[15]されており、MRI造影剤の使用は避けたほうがよい。

表2 検査別胎児被曝線量

検査方法	平均被曝線量 (mGy)	最大被曝線量 (mGy)
単純撮影		
頭部	0.01以下	0.01以下
胸部	0.01以下	0.01以下
腹部	1.4	4.2
腰椎	1.7	10
骨盤部	1.1	4
排泄性尿路造影	1.7	10
消化管造影		
上部消化管	1.1	5.8
下部消化管	6.8	24
CT検査		
頭部	0.005以下	0.005以下
胸部	0.06	0.96
腹部	8	49
腰椎	2.4	8.6
骨盤部	25	79

（日本産科婦人科学会・日本産婦人科医会：CQ103 妊娠中の放射線被曝の胎児への影響についての説明は？. 産婦人科診療ガイドライン－産科編 2017, 67–71, 2017）[13]

表3 妊娠週数と放射線被曝の影響

	妊娠週数	ターゲット	被曝線量
確定的影響	受精後10日まで	流産（流産しない場合奇形を残さない）	1.0 Gy以上
	受精後11日～妊娠10週	奇形（形態異常）	50 mGy以上
	妊娠9～26週	中枢神経障害（精神発育遅滞）	100 mGy以上
確率的影響	すべての時期	発癌遺伝的影響	10 mGy程度

（日本産科婦人科学会・日本産婦人科医会：CQ103 妊娠中の放射線被曝の胎児への影響についての説明は？. 産婦人科診療ガイドライン－産科編 2017, 67–71, 2017 / Streffer C, et al : Biological effects after prenatal irradiation (embryo and fetus). A report of the International Commission on Radiological Protection. Ann ICRP 33 : 5–206, 2003）[13, 14]

文献

(1) 妊産婦死亡症例検討評価委員会・日本産婦人科医会：妊産婦死亡の原因．母体安全への提言 2018, 11–12, 2018

(2) 濱田洋実：日本における医薬品添付文書の記載要領と問題点．伊藤真也，村島温子（編）：薬物治療コンサルテーション 妊娠と授乳，改訂 2 版，89–98，南山堂，東京，2014

(3) オーストラリア医薬品評価委員会・先天性異常部会による評価（オーストラリア基準）https://www.tga.gov.au/australian-categorisation-system-prescribing-medicines-pregnancy（accessed 20190624）

(4) Briggs GG, et al：Drugs in Pregnancy and Lactation. 11th ed, Wolters Kluwer, Philadelphia, PA, 2017

(5) 日本産科婦人科学会・日本産婦人科医会：CQ104–1 医薬品の妊娠中投与による胎児への影響について尋ねられたら？．産婦人科診療ガイドライン－産科編 2017, 72–75, 2017

(6) 日本産科婦人科学会・日本産婦人科医会：CQ104–2 添付文書上いわゆる禁忌の医薬品のうち，特定の状況下では妊娠中であってもインフォームドコンセントを得たうえで投与される代表的医薬品は？ 産婦人科診療ガイドライン－産科編 2017, 76–78, 2017

(7) 日本産科婦人科学会・日本産婦人科医会：CQ104–3 添付文書上いわゆる禁忌の医薬品のうち，妊娠初期に妊娠と知らずに服用・投与された場合（偶発的使用）でも，臨床的に有意な胎児への影響はないと判断してよい医薬品は？．産婦人科診療ガイドライン－産科編 2017, 79–81, 2017

(8) 日本産科婦人科学会・日本産婦人科医会：CQ104–4 添付文書上いわゆる有益性投与の医薬品のうち，妊娠中の投与に際して胎児・新生児に対して特に注意が必要な医薬品は？ 産婦人科診療ガイドライン－産科編 2017, 82–86, 2017

(9) 第 13 章 てんかんと女性．日本神経学会（監修），「てんかん診療ガイドライン」作成委員会（編）：てんかん診療ガイドライン 2018, 133–143, 2018

(10) 山本樹生：第 14 章 自己免疫疾患．村田雄二（編）：合併症妊娠，改訂 3 版，290–306，メディカ出版，大阪，2011

(11) 土橋一慶：第 16 章 悪性婦人科疾患Ⅰ 化学療法・乳癌．村田雄二（編）：合併症妊娠，改訂 3 版，324–340，メディカ出版，大阪，2011

(12) de Haan J, et al：Oncological management and obstetric and neonatal outcomes for women diagnosed with cancer during pregnancy：a 20–year international cohort study of 1170 patients. Lancet Oncol 19：337–346, 2018

(13) 日本産科婦人科学会・日本産婦人科医会：CQ103 妊娠中の放射線被曝の胎児への影響についての説明は？ 産婦人科診療ガイドライン－産科編 2017, 67–71, 2017

(14) Streffer C, et al：Biological effects after prenatal irradiation（embryo and fetus）. A report of the International Commission on Radiological Protection. Ann ICRP 33：5–206, 2003

(15) Ray JG, et al：Association Between MRI Exposure During Pregnancy and Fetal and Childhood Outcomes. JAMA 316：952–961, 2016

（小田 智昭，金山 尚裕）

システム編

搬送時のスムーズな情報伝達

▼**事例** 30代，初産婦

　妊娠経過に問題はなかった。妊娠40週に，吸引分娩で児を出産した。分娩直後のshock index (SI) は1.5（血圧92/68 mmHg，脈拍138/分），胎盤娩出後のSIは1.7（血圧86/52 mmHg，脈拍146/分），意識は清明であった。分娩後30分に不穏状態となり，セルシン®とマグネゾール®が投与された。分娩1時間後に出血が持続するため精査を行い，子宮破裂や腹腔内出血を認めなかったが，SpO2 90%，SIは1.5以上が持続し，血液検査を提出し，FFPをオーダーした。そして，羊水塞栓症や肺血栓塞栓症（PTE：pulmonary thromboembolism）を念頭におき高次施設に連絡したが，採血結果を待つ方針になった。分娩後1時間30分でFFP 6単位をポンピングで輸血開始，呼びかけには反応するが，瞳孔は散大傾向であった。救急車を要請し（SI=2.3，血圧64/48 mmHg），分娩後2時間で高次施設へ出発した（総出血量3,600 g，輸液2,500 mL，FFP 4単位投与）。救急車内で心停止となり，心肺蘇生開始した。到着時に心拍は認め，JCSはⅢ-300であった。挿管を行い，輸血を開始した。DICのため出血コントロールは不良であった。心電図上でPEAとなり開胸心臓マッサージ，大動脈クランプを行い，子宮摘出および大量輸血等の集学的治療を行ったが蘇生に反応せず，死亡確認となった。

▼**評価**

　分娩後から搬送までの間のSIは常に1.5を超えており，救急車内での心停止を起こしたことからも危機的な状態として高次施設への早急な搬送が必要であった。また，搬送先高次施設への情報伝達が十分に行われ，情報共有されていたのかも不明である。

▼**提言**

- 高次施設への搬送時には，適切に情報の伝達を行いスムーズな初期治療の開始に努める。
- 医療者間や医療施設間における情報伝達は，タイムリーで正確な，また，「詳細」よりも「簡潔にして要点を押さえた」ものが必須である。
- 緊急時にはコミュニケーションエラーが起こる可能性が高いことを念頭に，緊急度を正確に伝えるために，主観的な情報（危なそう，すぐに搬送したい等）も大切である。
- 大切な情報が埋没したり，抜け落ちたりすることを防ぐため，チェックリスト等を用いることも一つの方法である。

はじめに

　母児の救命のためには，一次施設においては，適切な初期対応を行い，高次施設と連携して速やかな搬送を考慮する必要がある。また，高次施設においては，集学的な治療のため他科との緊密な連携が求められる。

　受け入れ側も緊急性の判断に加えて，想定される疾患により救急搬送到着までに準備を整えるための必要な情報を得て，院内各部署と速やかに連携できる体制で搬送を受け取ることが妊産婦救命にとって重要である。

　母児救命の臨床現場は，
- 緊急事態（突然の変化，準備を行う時間が短時間）
- 危機的状況（生命・機能予後に影響する，医療資源の不足）
- 時間制限（即時対応を要する，冷静でいられない）
- 複雑性（さまざまに関連し合った多発した問題）
- 状況の詳細が把握しにくい（不完全な情報，情報不足，情報過多，変化する状態）

等の特徴があり[1]，医療従事者に大きな重圧のかかる環境である。このような場面では情報の適切な伝達が大切であり，現場の医療従事者が個人としてではなく，1. チームを形成して有機的に活動して（チームの形成），2. コミュニケーションをとり（急変時のコミュニケーション），3. 伝達エラーを回避して（伝達エラーの回避），4. チェックリスト等を用いた情報共有を行うこと（チェックリストの活用）が重要である。

1．チームの形成
リーダーとフォロワーを決定し，各人の役割を決定する

　危機的な状況下で共通認識をもちながら検査治療にあたるためには，まずは各人の役割を決めることが大切である。特に誰がリーダーになるかを，早い時期に宣言することが重要である。リーダーは全体を見通して現状を把握し，共通認識をもちながら適切な医療に結び付けることが求められる。リーダー以外のメンバーはフォロワーとなる。フォロワーは，積極的にリーダーを支え，必要なら適切な助言を与える。有能なリーダーは多くの場合，有能なフォロワーになれる。リーダーとフォロワーの関係は表裏一体であり，時と場合により入れ替わる。得意分野に応じてリーダー／フォロワーがスムーズに流動的に入れ替われる関係のチームは，臨機応変に対応できてチーム・パフォーマンスが高くなる[1]。また，多領域の医療スタッフが連携する際は，各チームリーダーがリーダーを宣言し，リーダー同士が情報共有し，複数のチームの協働をコントロールする必要がある。

2．急変時のコミュニケーション
結論から話し，説明を加える

　情報の伝達には，関連する一連の情報全体を，相手が理解しやすいように簡潔かつ明瞭に，さらに適切なタイミングで伝えることが重要である。短い言葉で簡潔かつ明快に結論から話し，説明を加え，なぜそのような結論になったかを話す。コミュニケーションスキルの一つとして，SBARは，Situation（S：状況），Background（B：背景），Assessment（A：判断），Recommendation（R：提案）の4つの要素を意識して伝える手法である[2]。提示した事例をSBARにあてはめると表1のようになる。

　このようなSBAR等を用いて，日頃から情報伝達をトレーニングすることが大切である。

3．伝達エラーの回避
情報が理解されたことを確認する

　報告は復唱（check back）により確認し，コミュニ

表1 SBAR

	意味	本稿の事例に当てはめた場合
S	Situation：状況	30代の初産婦，吸引分娩1時間後の出血性ショックのため搬送依頼です
B	Background：背景	1時間前の吸引分娩後から出血が続いています。出血量は計測できておらず，SIは1.5，SpO₂ 90%，不穏状態に対してセルシン®とマグネゾール®を投与しています。血液型はA型Rh陽性，合併症や既往歴に特記事項はありません
A	Assessment：評価	出血性ショックによる産科危機的出血です。羊水塞栓症や肺血栓塞栓症を疑っています。子宮破裂と腹腔内出血は否定しています
R	Recommendation：提案	これから緊急搬送をお願いします

(日本母体救命システム普及協議会，京都産婦人科救急診療研究会(編著)：産婦人科必修 母体急変時の初期対応，第2版，メディカ出版，大阪，260，2017より引用，一部改変)[2]

表2 2回チャレンジルール

- 患者安全のために重要だと思われる指摘は1回伝えて受け流されても，2回目も伝える努力をする
- 伝えられた側は，同じことを2回伝えられた事実を受け止めて，一旦話を聞く

(日本母体救命システム普及協議会，京都産婦人科救急診療研究会(編著)：産婦人科必修 母体急変時の初期対応，第2版，メディカ出版，大阪，260，2017)[2]

表3 CUS

C	Concerned：気になります，心配です
U	Uncomfortable：不安です
S	Safety issue：安全上の問題です

(日本母体救命システム普及協議会，京都産婦人科救急診療研究会(編著)：産婦人科必修 母体急変時の初期対応，第2版，メディカ出版，大阪，260，2017)[2]

ケーションエラーを未然に防ぐ。確認事項や指示を求める場合には極力open questionではなくclosed questionを用いて判断の曖昧さを除去する。

情報共有と質問が重要であることを強調する

「知っているだろう」と思っても情報提供する。わからない，あるいは曖昧なことは必ず質問する。リーダーは質問しやすい雰囲気を作る。

情報を共有する時間と場を作る

チーム全体が共通の目標に向かっていくために，積極的に情報共有する「短い打ち合わせ」を行うことが大切である。業務開始前に手順や役割の準備状況を確認するためのブリーフィング(briefing)，状況の変化や緊急事態発生に対して計画を調整するためのハドル(huddle)，業務終了時点でのまとめと次回への改善点やうまくいった点等を振り返るデブリーフィング(debriefing)による打ち合わせが有用である。

危険であると感じたら強く主張する

「相手が上司や先輩」である場合に，間違いの指摘や，疑問を伝えることに躊躇することがある。また，指摘することで相手の機嫌を損ねる「人間関係の悪化を心配」することで指摘ができなくなることが知られている。しかし，限られたメンバーで危機的状況を乗り切るためには，立場や地位にかかわらず，お互いがフラットな関係として気づいたことを伝え，伝えられた側も一旦はその意見を受け止めるという，相互支援が可能な関係を築かなければならない。そのために安全に関することは，強く主張すべきである。たとえ一度では伝わらなくても，繰り返し主張する(2回チャレンジルール：表2[2])。

疑問や意見は躊躇せずに口に出す

間違った検査や治療・処置等が行われそうになった時に，誰かが疑問をもったとしても，いい出せないことがしばしばある。行われている内容が間違いであるという確信がもてない場合や，何か特別な事情で普段と違うことをやっているかもしれないと思うと，「自分の判断に自信がもてず」誤りを指摘できなくなる。こういった場合，「CUS」(表3)[2]という

システム編　搬送時のスムーズな情報伝達

表4　母体情報チェックリスト

依頼元施設名		担当医師名	
所在地		電話番号	（内線）
依頼日時	20＿＿＿年＿＿＿月＿＿＿日　：		

フリガナ 患者氏名	年齢＿＿＿歳	生年月日	S・H＿＿＿年＿＿＿月＿＿＿日生
患者住所		電話番号	
妊娠に関する情報	妊娠＿＿＿週＿＿＿日　産褥＿＿＿日	初産・産＿＿＿回　前回帝王切開（有・無）	

搬送理由	1. 妊産褥婦の救急疾患合併 　　□ 脳血管障害　　□ 急性心疾患　　□ 呼吸不全　　□ 重症感染症, 敗血症性ショック 　　□ 重症外傷, 熱傷　　□ 多臓器機能障害・不全 2. 産科救急疾患（重症） 　　□ 羊水塞栓症　　□ 子癇, 妊娠高血圧症候群重症型　　□ HELLP症候群, 急性妊娠脂肪肝 　　□ 出血性ショック（疾患名　　　　　　　　　　　）　□ 産科DIC（疾患名　　　　　　　　　　　） 3. その他の重篤な症状で重篤な疾患が疑われるもの 　　□ 意識障害　　□ 痙攣発作　　□ 激しい頭痛　　□ 激しい胸痛　　□ 激しい腹痛 　　□ 原因不明のバイタルサイン異常　　□ その他（　　　　　　　　　　　　　　　　　　　　） 具体的な症状・疾患等, その他の症状・疾患等

バイタルサイン	顔色	□ 正常　　□ 黄・紅潮　　□ 土気色　　□ 蒼白・チアノーゼ
	意識	□ 清明　　□ 混濁　　□ なし
	呼吸	□ 正常　　□ 異常（　　　　　　　　　　）
	脈拍	＿＿＿回/分　□ 整　□ 不整　　血圧　＿＿＿/＿＿＿mmHg

母体情報	出血	□ なし　□ あり　（　　　　　　　mL）
	子宮収縮	□ なし　□ あり　（　　　　　　　分毎）
	破水	□ なし　□ あり　（時刻：　　　月　　　日　　　時　）
	子宮口	＿＿＿cm　　展退＿＿＿%
	血液型	＿＿＿型　Rh（＋・－）・不規則抗体（＋・－）
	感染症陽性	□ なし　□ HBV　□ HCV　□ Wa氏　□ HIV　□ HTLV-1
	既往歴	

胎児情報	胎位	□ 頭位　□ 骨盤位　□ その他（　　　　　　　　　）
	推定体重	＿＿＿g　　　胎数　□ 単胎　□ 多胎（＿＿＿胎・MD・DD）

特記事項 （経過, 治療内容等）	

考え方が役に立つ。医療現場で不安や心配で気になった事項を言葉にして共有することは，患者安全につながり，「CUS」はそのキーワードである。これらの情報伝達時には，相手を尊重しながら，建設的な姿勢で臨む。攻撃的，批判的な姿勢は，結果的にチーム・パフォーマンスを低下させる。

4. チェックリストの活用

救急搬送時に大切な情報を落とさず，簡潔に伝達するためにはチェックリストの活用を考慮する。患者の基本情報に加えて，母体の現症（バイタルサイン，意識障害，出血量，補液内容，検査データ等），推定される疾患，合併症等をチェックする。表4に東京都母体搬送システムで使用する申し送りチェッ

表5 初療チェックリスト

	評価：Assessment	行動：Action
受入判断	□ 年齢，週数，何経産，搬送適応理由 □ 胎児の有無，EFW	□ 詳細を聞きすぎない □ 早期の受入れ可否判断
事前準備	□ 受入れ場所 □ 対応人員 □ 特殊資機材の要否（目的は？） ・産科止血セット ・分娩セット ・新生児蘇生セット ・救急室帝王切開セット（機器，器械，材料，薬剤）	■ "リーダー"宣言 □ 他科コンサルト 　（救急麻酔集中治療か・新生児化他） □ 関連部門への連絡（輸血部・手術部・放射線部） □ スタンダード・プレコーション □ 加温した細胞外液と加温回路 □ FASOのための超音波

クリスト[3]を示す。

搬送受け入れ側においては，伝えられた情報から疾患や行うべき治療を想定し，受け入れ患者到着から速やかに適切な初期治療を行えるような事前準備が必要である。必要最低限の情報収集，チーム（全身管理医への連絡を含む）を招集し，搬送されてくる母体情報の共有，搬送予定時刻（何分後ではなく，何時何分で伝える），リーダーの決定，手順の確認，必要物品と薬剤の準備，スタンダードプレコーションの準備，必要に応じた各部署への連絡が必要となる。そのため，アクションリストには，受け入れ場所の決定，各科の応援依頼，医師・手術部への連絡，IVRの準備，輸血製剤の確保等が求められる。表5に，J-MELS (Japan Maternal Emergency Life-saving)アドバンスコースで活用している初療チェックリスト[1]を示す。また，チーム内に記録係も設定し，ホワイトボード等を活用して，チーム全員が情報共有できるようにする。

平時の備え

このように緊急時にスムーズな情報伝達を行うためには，上記の取り組みを平時より行い，緊急事態に備えるべきである。また，医療機関間および医療機関内での症例検討会やシミュレーションを通じて顔の見える連携作りを行い，地域での救急搬送システムの構築や，院内の急変対応システム（RRS：rapid response system）やコードブルー等を確認することが大切である。

文献

(1) 母体救命アドバンスガイドブックJ-MELS編集委員会（編）：母体救命アドバンスガイドブックJ-MELS J-CIMELS公認講習会アドバンスコーステキスト．へるす出版，東京，2017
(2) 日本母体救命システム普及協議会，京都産婦人科救急診療研究会（編著）：産婦人科必修　母体急変時の初期対応，第2版，メディカ出版，大阪，2017
(3) 東京都福祉保健局ホームページ：東京都母体救命搬送システム http://www.fukushihoken.metro.tokyo.jp/smph/iryo/kyuukyuu/syusankiiryo/botaikyuumei.html

（新垣　達也）

システム編

救急医との連携と日々のシミュレーション

▼**事例** 20代，初産婦

　妊娠39週前期破水後，未陣発であったためオキシトシン点滴を使用し，クリステレル1回で分娩に至った。胎盤娩出後の子宮収縮が悪く，オキシトシン点滴に，PGF2αも混注した。裂傷縫合は会陰切開部のみであったが，15分で出血800gあり，20分後には血圧90/50 mmHg，心拍120/分となった。細胞外液点滴を追加，酸素経鼻3L開始，止血用バルーンを挿入した。その後も出血が続き，意識レベルも低下したため高次施設に連絡し，分娩90分後，搬送先に到着した。出血が持続していたため止血処置目的で直接産科病棟に搬送された。当直の産婦人科医が対応し，15分後に呼びかけに反応がなくなった。呼吸も停止していたため，バッグ・バルブ・マスク（BVM）換気を行いながら院内急変コールした。救急医が到着してから心停止状態であることが確認され，二次救命処置を実施したが，死亡確認となった。

▼**評価**

　胎盤娩出直後から，子宮収縮不良と大量出血を認め，出血性ショックとなった事例であった。深部裂傷の有無に関しては不明であるが，血小板の低下に比し凝固能の低下が強いことや，羊水塞栓症血清診断の結果より子宮型羊水塞栓症が原因として考えられた。搬送先到着時に産科医のみで受け入れが行われており，意識消失し，心肺蘇生を行わなければならない状況になって初めて院内救急コールが行われた。大量出血によりショック状態となっているような患者の受け入れは，直接産科病棟に搬入するのではなく，まずは救急室（ER）等で対応し，あらかじめ救急医や麻酔科医，他科の当直医に応援を要請しておく等，施設の状況に応じた十分なリソースを揃えておく必要がある。

▼**提言**

・一次施設でも高次施設でも，母体急変時の初期対応についてシミュレーションを行っておく。
・急変と判断したら，高次施設や救急医に援助を求めることを躊躇しない。
・搬送前，搬送中に，簡潔に必要な情報を搬送先へ提供する。
・搬送受入れ病院では，搬送元情報をもとに，到着後速やかな治療が開始できるように，救急医をはじめとする他診療科や他部門と連携して受け入れ準備を行う。
・母体救命症例への適切な対応のために，救急医との連携について平時よりシミュレーションを行う。

はじめに

　妊産婦の急変は日常的に発生するものではなく，頻度は低い。実際に羊水塞栓症の初期対応にあたった経験のある者は多くはないだろう。しかし，妊産婦の急変は一旦発生すると急激に状態が悪化する病態も多く，的確かつ迅速な対応を行う必要がある。特に初期対応については，一次施設であれ高次施設であれ，産婦人科スタッフだけで開始することがほとんどであり，基本編「妊産婦急変時の初期対応」（60ページ参照）で解説されている内容は，すべての産婦人科スタッフが実践できるように準備しておく必要がある。このように低頻度で迅速な対応を要する状況に対しては，シミュレーションを通じて擬似体験し，いざという時のための準備を整えておきたい。

　一方，妊産婦の急変の原因疾患は多岐にわたり，産婦人科のみで対応が困難なことも多く，他診療科と連携することが必要である。なかでも救急医は気道（A：airway），呼吸（B：breathing），循環（C：circulation）の安定という初期治療介入についてさまざまな手技を身につけており，日常的に専門分野にかかわらず，さまざまな疾患を診断することにも慣れているため，初期対応から連携をとることが望ましい。全身管理を救急医に任せることができれば，産婦人科医は止血や分娩等，専門的な治療に専念できる。救急医が常駐していない施設であれば，救急医が常駐している周産期センターとの連携やドクターカーの要請を行う。地域全体での救急医との連携について協議する場として，地域メディカルコントロール（MC：medical control）協議会という場がある。事前に協議をして，いざという時の連携体制を構築しておきたい。救急医が常駐している施設であれば急変時のコール方法，院外からの重症症例の受け入れ時の役割分担等，日頃から連携の準備をしておく。他施設，他機関，他診療科との連携についてもシミュレーションしておくことにより，連携時の問題点を明らかにして事前に解決してシステムの精度を上げることができる。

初期対応のシミュレーション

　急変対応には急変の感知，急変への対応，早期搬送（または早期の急変コール）が必要である。発生頻度が低く，発生時には迅速な対応が必要な事態に対しては，日頃から定期的にシミュレーションを行い，実際に対応が必要になった場面での的確な行動につなげたい。妊産婦の急変への初期対応は，勤務場所にかかわらず，すべての産婦人科スタッフが身につけておくべきである。シミュレーションは，うまくこなすことを目指すのではなく，シミュレーションを通じて改善すべき点を発見し，職場全体でその改善点を討議して共有することが重要である。

　シミュレーションといえば，現在は集合教育である実技講習会が中心となっているが，職場で講習会受講者が増えてくれば，日常の診療現場でシミュレーションを行うことが望ましい。シミュレーションの目標は，臨床現場での行動を変革し，最終的には対応の結果を改善させることである。そのための第一歩としては必ずしもマネキンを用いたシナリオトレーニングは必須ではなく，脳内シミュレーションでも十分有用である。すなわち，臨床の合間にスタッフを呼び寄せて，下記のような問いかけをするだけでも意味がある。

「分娩室で進行中の29歳，初産婦。突然意識レベルが低下した。どう行動する？」

「一次施設からの要請で，分娩後出血が続く褥婦を受け入れることになった。何を確認する？」

システム編　救急医との連携と日々のシミュレーション

問いかけに対して実際にどのように行動するかを確認し，対応に必要な物品の位置，スタッフの集め方，応援要請の方法等を確認すれば実際の対応時の助けになる。さらに，対応能力を向上させるためには，臨床現場でシナリオシミュレーションを行うことが望ましい。シンプルな心肺蘇生用マネキンがあればマネキンを用い，そうでなければ模擬患者が患者役を演じてもよい。いずれの場合でも訓練用の模擬患者モニター等の準備があれば，より臨場感を得ることができ，治療介入への反応も含めたトレーニングを行うことができる。脳内シミュレーションであっても，シナリオシミュレーションであっても，そこで抽出された問題点に対して解決策をとり，その結果の検証として再度シミュレーションを行うというサイクルを作り，対応能力を向上させたい。

一次施設と高次施設の連携

一次施設で急変が発生した場合，速やかに高次施設に搬送することが必要になる。搬送の判断が遅れれば遅れるほど急変患者の身体へのダメージが大きくなり，その回復には時間を要することになる。早期の搬送と安定化を実現できれば早期の退院を目指すことができる。早期の退院が可能であれば搬送先の高次施設のベッドの回転も良くなり，搬送が遅れて重症化した症例でベッドが占められるより病床管理はスムーズにいく。このようなコンセンサスをもとに，地域内で早期搬送対応が可能な体制を構築することで，多くの妊産婦を救うことが可能になる。

施設間の搬送には，消防の救急車を依頼することが多い。搬送先が決定してから救急車を要請するようにいわれることも多いが，より早期の搬送のためには搬送先決定前に救急車を要請できるよう，事前に話し合っておきたい。話し合いの場としてMC協議会があるので，地域の産婦人科医会等で意見をまとめて要望をあげるとよい。救急車には救急隊員が3名1組のチームとして活動しており，用手気道確保やバッグ・バルブ・マスク換気，胸骨圧迫等は通常の救急隊員でも実施可能である。隊員のなかには救急救命士がいることも多い。救急救命士には複数の資格があるが，メディカルコントロール体制のもと，一部の医療行為を行うことができる。具体的には，心停止症例に対する器具を用いた気道確保（気管挿管含む），静脈路確保とアドレナリン投与，心停止前のショック症例に対する静脈路確保と輸液，低血糖患者に対するブドウ糖静脈内投与等が資格に応じて実施可能である（法律上，救急救命士が使用できる輸液は乳酸リンゲル液のみである）。救急隊は重症外傷の搬送時には「ロードアンドゴー（Load and Go）」といって，迅速に救急救命センターに搬送する，という概念を日常的にもっているため，超緊急で妊産婦の搬送を行いたい時には「ロードアンドゴー対応」を依頼すると緊急度が伝わる。

その他の搬送手段として，地域によってドクターカーやドクターヘリの運用を行っているところがある。いずれも救急医が搭乗して現場まで派遣されるため，搬送元到着時から治療を開始できるメリットがある。派遣依頼時に病態を伝えておくことで緊急輸血も開始できる可能性もある。ドクターヘリは搬送に時間を要する地域からの早期搬送に力を発揮する。

高次施設での救急医との連携

これまで，周産期医療と救急医療はそれぞれが独自にその体制づくりを行ってきており，歴史的にも，大学病院を中心として診療科ごとの縦割り医療が行われ，周産期医療もその多くが産科スタッフで完結

されてきた。産科医は当然のことながら，妊娠およびこれに合併する各種疾患を得意とするが，重症病態の全身管理や蘇生等については頻度が低く，対応に苦慮していることも多い。一方，救急医は，重症病態の全身管理や蘇生への対応はもちろんのこと，多種多様な病気やけが等による来院者を初期評価し，想定される疾患に応じて適切な診療科にコンサルトし，連携して診療にあたることを得意としている。しかし妊産婦の救急症例は産婦人科医がファーストタッチしている施設も多く，妊産婦に関しては苦手意識を持つ救急医が多いことも事実である。この両者がうまく連携し，得意な分野の能力を発揮することができれば，迅速で的確な対応が可能となるはずである。

　妊産婦の急変症例への対応において，救急医がマンパワーとして診療初期から関与するメリットは大きい。救急医が得意とする大量輸液・輸血等の全身管理や各関係部署とのやりとり（輸血室，手術室，ICU等）を担当することにより，産科医は止血操作に集中できる。また，救急医が必要な他科へのコンサルトをスムーズに行うことによって，多角的視点から現状を把握し，治療を円滑に進め，そして新たに起こり得る合併症も予防できる。このような院内での産科医と救急医との連携は，十分実現可能であると思われるが，そのためには平時からお互いに連携を取り合い，対応時の基本的な役割分担を取り決めておく必要がある。いくつかの取り決めの例を表に示す。

高次施設でのシミュレーション

　初期対応以降の根治的治療に向けた検査・治療については，多部署，多職種での対応が必要になり，やはり事前のシミュレーションを行っておくことが

表　急変時の基本的な取り決め例

- 院外からの妊産婦の急変症例の搬送時は，産婦人科医，救急医，双方に搬送の情報を伝える。
- 院外からの妊産婦の急変症例の搬送時は，手術室やICUへの直行症例以外，一旦救急室を経由する。
- 妊産婦の急変対応時は必ず救急医を呼び，救急医は呼吸・循環等の全身管理を，産婦人科医は子宮や腟等の管理を分担する。

望ましい。例えば，死戦期帝王切開のような超緊急処置については，シミュレーションを行っていなければいざという時に迅速に実施できないであろう。緊急時の対応能力（緊急輸血，緊急手術，IVR，体外循環等）は各施設によって大きく異なるため，各施設ごとにシミュレーションを行い，プロトコールを作成することになろう。この場合もマネキンを用いたシミュレーションは必ずしも必要ではなく，まずは机上シミュレーションを行うことによって問題点および整備が必要な項目の洗い出しから始めるとよい。その上で，各施設の特性に合わせたプロトコールを作成し，その実効性を確認するためシナリオシミュレーションを行う。必要に応じて個別のスキルトレーニングを実施し，基本的なスキルアップを目指す。シナリオシミュレーションも最初はプロトコールおよび各部署の行動・対応をチェックするために，導線に従って移動しつつ各行動を確認するような形から始め，最終的には実際の時間軸に沿ったロングシナリオを実施まで進化させることが望ましい。目標としては，周産期センターで行われるGrade A帝王切開のシミュレーションに関連する多部署が参加している，というようなイメージをもつとよい。

おわりに

　救急医は何科のどのような症例であっても，急変

システム編 救急医との連携と日々のシミュレーション

に対していつでも最大限の協力を惜しまないはずである。院内外にかかわらず，救急医をもっと積極的に活用することを日頃から念頭におき，事前に体制を構築しておきたい。

シミュレーションというと蘇生訓練のためのマネキンやさまざまな道具等が必要となり準備が大変であるというイメージがあるかもしれないが，机上や脳内でもシミュレーションは可能であり，シミュレーションを通じて，臨床現場での行動を変革し，最終的には対応の結果の改善となることが望まれる。

（山畑 佳篤）

システム編

母体救命のための地域内の連携とJ-CIMELSの研修会

▼事例　30代，初妊婦

　妊娠初期より有床診療所で健診を受けており，同施設で分娩予定であった。妊娠中に特記すべきことはなかった。妊娠41週，自然陣発のため入院，順調に経過した。子宮口全開大後，繰り返す高度変動一過性徐脈が出現し，会陰切開，クリステレル数回，吸引分娩で分娩に至った。分娩時間は10時間，児は3,500 g，Apgarスコア8/9点であった。胎盤はスムーズに娩出された。娩出後に中等度の出血があり，子宮底の輪状マッサージで子宮収縮は良好，出血減少した。頸管裂傷のないことを確認して，縫合を終了した。その時点での出血は1,000 gであった。分娩40分後，意識低下，顔面蒼白のためドクターコールがあった。子宮収縮は悪く，腟内にコアグラを多量に認めた。弛緩出血による出血性ショックと判断し，補液を全開大とした。SpO₂ 100%，HR 160 bpm，血圧110/80 bpm，双手圧迫で止血を行った。胸痛，胸部苦悶感を認め，30分経っても状態が変わらないため，高次施設への搬送を決定した。救急車の到着まで，ヘスパンダーのポンピングを施行した。救急隊到着時には意識レベルは保たれていた。救急隊員への超緊急搬送の依頼がなく搬送準備にやや手間取っている間に呼びかけへの応答がなくなった。そのため，気管挿管を試みるも失敗することで喉頭浮腫が増悪し，さらに気道が閉塞した。救急車で搬送中に頸動脈を触知しなくなった。車内で心肺蘇生を開始した。高次施設へのショック状態の連絡が適切でなかったため，受け入れ施設での血液製剤の準備（FFPの解凍）が後手にまわった。集学的治療を行ったが，死亡確認となった。剖検，羊水塞栓症の血清診断では羊水塞栓症を示唆する所見はなかった。

▼評価

　分娩後の弛緩出血による出血性ショックによる死亡事例であった。出血の初期対応として，保存的止血処置や補液等が行われているが，複数ルート確保による温かい細胞外液の全開大投与，慣れない気管挿管ではなくリザーバー付きマスクによる酸素投与が必要であった。持続する出血とshock index（SI）が1以上となっており危機的状況であると判断する必要があった。さらに早い母体搬送が望ましかった。高次施設への患者のショック状態の連絡内容が不十分であった。

▼提言

・バイタルサインに注意し母体急変に気づくこと，その初期対応に習熟しておく。

- 母体急変に備えてシミュレーションコースを受講，施設内での対応マニュアルを作成，シミュレーションを行う。
- 普段から高次施設との連携を意識し連絡も的確に行う。
- マンパワーが少ない場合，救急隊を早めに要請することでマンパワーの確保につながる。

はじめに

 日本母体救命システム普及協議会(J-CIMELS)の成り立ちと活動目標については，総論で述べられているように妊産婦の死亡例を減少させるためのシステムを全国に普及させることである。そのためにはまず，周産期のスタッフが母体急変時の適切な初期対応を学び，迅速に応援を呼ぶまたは高次施設に搬送することが不可欠であり，さらに救急医，麻酔科医および消防の救急救命士等も含めた集学的治療の体制作りが必要である。

 J-CIMELSが主催するコースはJ-MELS(Maternal Emergency Life Saving)と呼称されている。そのなかには急変時の初期対応を学ぶベーシックコース，重症例に対する集学的な対応を学ぶアドバンスコース，さらに，硬膜外鎮痛急変対応コースがある。これらを受講しさらにインストラクターとして指導することで，母体急変時に即応できる救命治療の基本を修得することができる。また，コースに参加することで，搬送元と搬送受け入れ施設の連携が強化されるという副次的効果も期待できる。

 ここでは主にJ-MELSコースと地域の搬送システムのかかわりについて述べる。

 図1[1]に示すように妊産婦死亡症例は一次施設のみならず高次施設内でも発症している。母体救命率の向上のためには，すべての施設間での迅速で的確な搬送が必要である。病診間(1次施設：多くは有床診療所と2次，3次施設間)の連携と，病院間(2次，3次施設間)の連携について分けて解説する。

病診連携とJ-MELSコース

 分娩数が減少する臨床の現場では，1人の医療者が体験する急変症例も減っている。このような環境下では，シミュレーションで頻度の少ない急変症例を経験しておくことは必要である。J-MELSコースでは，妊産婦死亡症例検討評価委員会から毎年出される「母体安全への提言」で注意を喚起されている点を考慮してシナリオを作り，シミュレーションで疑似体験する方法で，周産期のスタッフが陥りやすいピットフォール対策になるように企画されている。個々の受講者の技術の向上だけではなく，3人

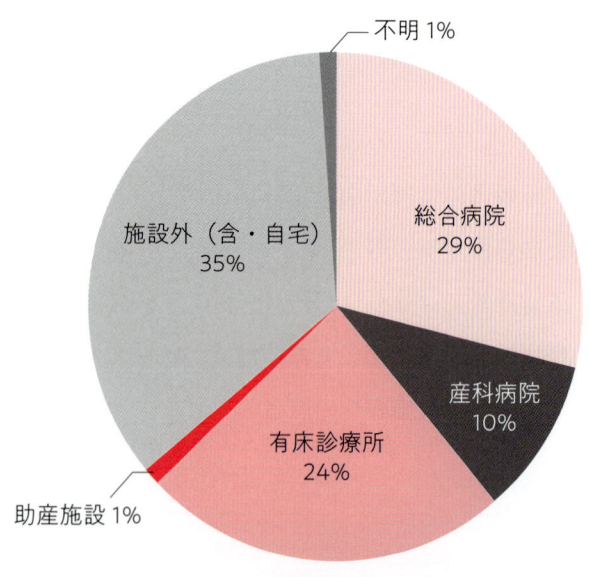

図1 初発症状発生場所
- 総合病院 29%
- 産科病院 10%
- 有床診療所 24%
- 助産施設 1%
- 施設外（含・自宅）35%
- 不明 1%

(妊産婦死亡症例検討評価委員会，日本産婦人科医会：母体安全への提言 2018. 東京, 2019)[1]

で1つのチームを構成しチームとして効率的で有効な救命処置をすることにも重点をおいている。同じ施設内のスタッフでチームを組むと，これまで以上に同僚間の連携が強化される。他施設のスタッフとチームを組むと見知らぬ者同士で助け合うことの難しさを肌身で感じることができ，これも今後の臨床の場で意思疎通を強化するためのヒントになる。

一方，地域内の搬送元と搬送受け入れ施設のスタッフでチームを構成すると，病診連携の強化につながる。受け入れ施設に長く勤めた後に搬送する側の開業医になった筆者の経験でいうと，搬送受け入れ施設の若手医師は，搬送元の一次施設の臨床経験の豊富な先輩格の医師に対し，母体搬送に関連する判断について注文をつけるには勇気がいる。搬送元の医師も，普段から交流のない高次施設の若手医師の意見を素直に聞くことは難しい場合もある。シミュレーションではJ-CIMELSのプロトコールに沿って対応するというルールを共有している上に「実臨床での責任の所在」という大きな心理的負担がないので，忌憚のない意見交換ができる。これは病診連携のための交流の場として最適である。インストラクターは多くの場合，受け入れ側の基幹病院の医師である。シミュレーションに地元で発症した母体急変症例をアレンジして組み込むことで地域の一次施設の医師やスタッフに注意を喚起することも可能である。実際にそのように企画してコースを開催している地域もある。

また，基幹病院の救急医や麻酔科医がインストラクターとして参加することで，1次施設のスタッフと顔の見える関係になる意味は大きい。実際に搬送する際の意思疎通に重要である。コースで形成される交流は緊急時の円滑な情報伝達に役立つ。搬送受け入れの初療時から全身管理医がかかわることは，母体の救命に効果的である。

アドバンスコースでは救急医と麻酔科医が全身管理医として周産期のスタッフとチームを作り，初療から重症の母体搬送例に対応するシミュレーション形式をとっている。全身管理医にとって母体の重症搬送例の経験は多くない。基幹病院の全身管理医が救命のために扱う全症例のなかで妊産婦は1％に満たないので当然である。緊迫した状態で搬送元の一次施設から直接救命センターの全身管理医に連絡が入ることもある。このような場面で的確に情報を得るには，コースで培った1次施設のスタッフとの交流や，ベーシックコースの指導やアドバンスコースの受講で得た母体急変の知識は即実践に活かすことができる。結果として母体救命率の向上につながると期待できる。図2に示すようにJ-MELSコースにインストラクターとして救急医や麻酔科医が多数かかわっているのは産婦人科医として頼もしい限りであり，今後さらに多くの全身管理医に参加を呼びかける必要がある。

病院間の連携

前項では母体急変時の病診連携について述べた。ここでは総合周産期センター，地域周産期センター，周産期センターをもたない基幹病院の間の連携とJ-CIMELSのコースについて簡単に触れる。図3[1]に示すように病院間の搬送も多い。地域によっては2次施設と言われる総合病院で少数の産婦人科医が搬送受け入れを担当している。夜間は救急医や麻酔科医が常在していない場合もあり，集学的治療は不可能で産婦人科医のみで対応せざるを得ない環境にある。総合周産期センターであっても24時間救急医，麻酔科医，脳外科医が院内に常在していない施設もある。または，彼らが常在しても新生児科の対応が常に万全でない総合周産期センターもある。このよ

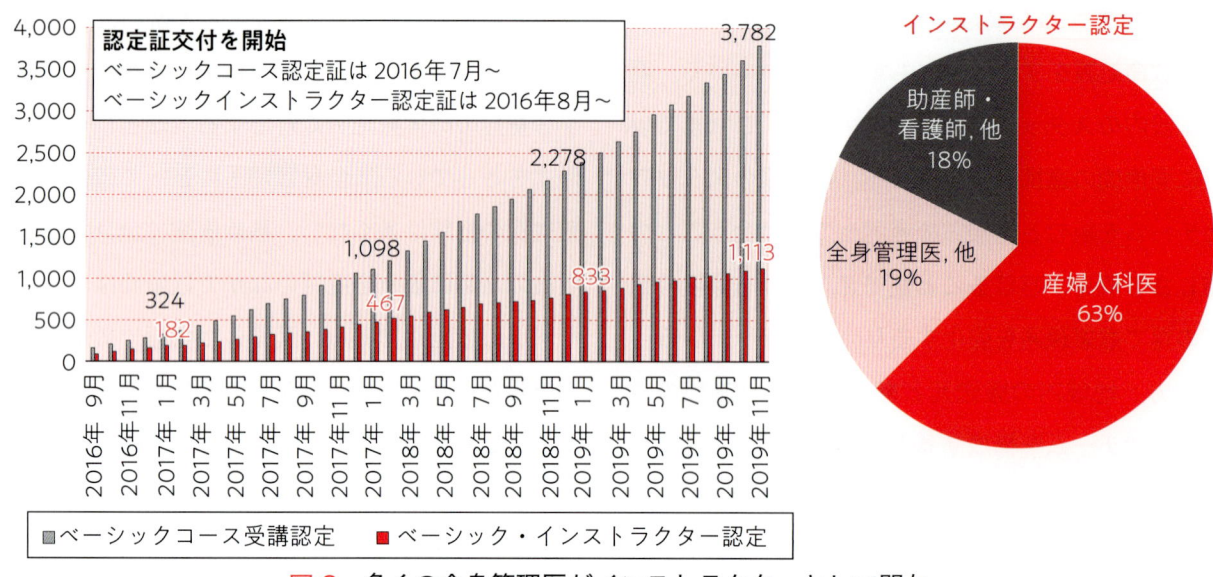

システム編　母体救命のための地域内の連携とJ-CIMELSの研修会

図2　多くの全身管理医がインストラクターとして関与
（J-CIMELS活動情報．2019年9月現在）

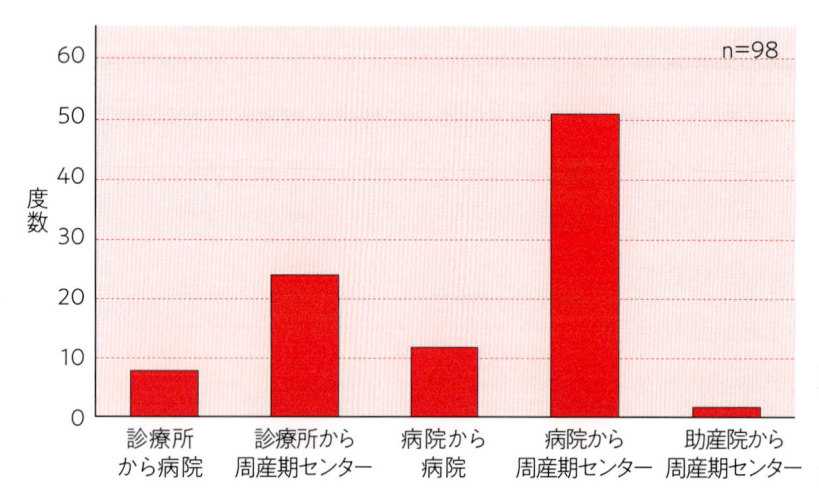

図3　施設間搬送例の搬送元と搬送先の施設
（妊産婦死亡症例検討評価委員会，日本産婦人科医会：母体安全への提言 2018. 東京, 2019）[1]

うな場合は地域内で互いの施設の強みを活かし補完し合う必要がある。

　母体を引き受けた施設に他施設から新生児科医が児を迎えにくる体制を作っている地域もある。アドバンスコースでは，同一施設の全身管理医と産婦人科医がペアで受講することを推奨している。これは院内での集学的治療のチーム力の増強と同時に，近隣他施設の同じ立場の医療者間での交流の場にもなって欲しいという願いからである。ここでの交流では，例えば痙攣症例は脳卒中の可能性があるため，

24時間常に脳外科医が緊急対応できる施設に搬送する等，地域の医療体制に応じた搬送受け入れの仕組みについて話し合われている。

　県境を挟んで近接している搬送受け入れ施設間では，行政単位に制約を受けない搬送システムの構築が必要である。そのためには現場で対応している医師がシミュレーションを通して地域に適した搬送のルールについて議論することが重要である。急変症例に基づいたシミュレーションを経験すると机上の議論では得られない具体的で現実的な話し合いがで

きる。地域の医療環境に応じた高次施設間の搬送システムの構築のためにもJ-MELSコースを各地で開催することが重要である。

J-MELSコースと消防隊

搬送には消防の救急救命士との連携も重要な課題である。これまでに約400人の救急救命士がJ-MELSのコースを受講している。

消防の救急救命士は，救命に必要な基本手技（挿管を省く）については周産期のスタッフ以上に習熟している。現場に駆け付けた彼らとうまく連携することは，救命率の上昇につながる。また，施設外での分娩や母体急変例に関しては，救急救命士だけで対応せざるをえない場合もあり，自宅分娩での処置や母体搬送時に注意すべき点について学ぶ必要もある。母体の出血症例では，重症の外傷患者と同様に救急搬送中に心停止に至る症例もあるため「ロードアンドゴー（Load and Go）」の適応であることを救急救命士に理解してもらうことは重要である。そのためにも救急救命士にコースに参加してもらうことの意義は大きい。特に茨城県では，多数の救急救命士がベーシックコースを受講することで周産期のスタッフとの間で幅広い交流が進んでいる。この連携は災害時の対策を構築する際にもきわめて有益である。

まとめ

J-MELSコースでのシミュレーションは，施設内の周産期のスタッフが母体急変時に効果的に集学的医療を行うための訓練として有効なだけでなく，自他施設の全身管理医，救急救命士との連携の強化にも有効である。各地のメディカルコントロール（MC：Medical Control）協議会に参加している産婦人科医はまだ多くない。コース開催を通して多施設間，多職種間の連携が進めば災害時の対応にもつながる。今後，さらに多くの地域でこの連携の輪を広げるためにもJ-CIMELSでは希望者全員が受講できるようにコース開催を頻回に行う企画を進めている。

文献
(1) 妊産婦死亡症例検討評価委員会，日本産婦人科医会：母体安全への提言 2018, 東京, 2019

（橋井 康二）

システム編

緊急時に備えた輸血システム

▼**事例** 30代，初産婦

　妊娠40週，オキシトシンで分娩誘発した。子宮口全開大後，胎児機能不全のため吸引分娩で，2,900gの児を出産した。分娩直前のshock index（SI）は1.5（血圧98/70 mmHg，脈拍145/分），胎盤娩出後のSIは1.9（血圧85/50 mmHg，脈拍176/分）であったが受け答えは良好であった。30分後に不穏状態となり，セルシン®とマグネゾール®を投与した。その後30分（分娩後1時間）で出血が持続するため，精査を行い，子宮破裂や腹腔内出血は否定的であると考えた。SI＝1.5，SpO2 90%のためFFPをオーダーした。羊水塞栓症や肺血栓塞栓症（PTE：pulmonary thromboembolism）を念頭に搬送先病院に連絡した後，採血結果を待つこととなった。分娩後1時間30分でFFP 6単位をポンピング輸血した。呼びかけには反応するが瞳孔散大傾向にあった。救急車を要請し（SI＝2.3，血圧63/48 mmHg），分娩後2時間で搬送先へ出発（ここまでの出血は3,600 g，輸液2,500 mL，FFP 4単位）した。救急車内で心停止となり心臓マッサージを施行した。高次施設到着時（心拍再開時，JCS 300），輸血および挿管蘇生を施行したが，出血コントロール不良でDICの状態であった。PEAとなり開胸心臓マッサージ，大動脈クランプを行い子宮全摘，大量輸血等，集学的治療を行ったが，蘇生に反応せず死亡確認となった。

▼**評価**

　分娩後から搬送までのSIは常に1.5を超えており，危機的な状態として高次病院への早急な搬送が必要であった。本症例の不穏状態は脳の低酸素が原因と考えられ，出血による貧血や循環血液量不足に起因したと考えられた。産科出血におけるFFPの重要性が理解され，早期に利用されてはいるが，赤血球を補充しなかったことで貧血が進行した可能性がある。心肺蘇生により自己心拍が再開しても低酸素性脳障害で救命できない事例もあることを考慮すべきであった。

▼**提言**

- 危機的大量出血の際の輸血には，FFPとRBCのどちらも不可欠である。
- 緊急時の救命のためには，異型適合血輸血や，未クロスマッチ血の輸血も正当化される。
- 各施設で，血液製剤供給に要する時間と患者搬送に要する時間を比較して，どちらを選択すべきかシミュレーションをしておく。

はじめに

産科危機的出血の初期において，輸血の準備は重要なことの一つである。輸血自体の合併症もあることから，輸血の開始までにはクロスマッチを含むいくつかの手順が必要であり，ある程度の時間を要する。迅速に輸血を開始するに際しての障害として，輸血用血液製剤常備が困難，血液製剤発注に人手がとられる，血液製剤供給に時間を要する，クロスマッチを院内で施行できない等がアンケート調査で抽出されており，緊急輸血システムを院内，施設間，そして地域内で整備する必要がある。危機的状況における緊急の輸血システムと，緊急時のクロスマッチ省略や異型適合血輸血について解説する。

輸血必要性の認識

産科危機的出血に陥った患者を救命するためには，出血の原因検索とその処置に並行して，呼吸循環管理と迅速な輸血が重要である。SIを活用して，見逃していた出血の進行に気づくことも有用であるし，患者が不穏となって酸素マスクを嫌がるような場合は，脳低酸素症の存在を念頭におく必要がある。褥婦の不穏は多くの場合，呼吸器疾患による低酸素症ではなく，出血による貧血と循環血液量減少が原因である。患者が嫌がるからといって酸素マスクを外すのではなく，貧血を治療し，より確実な酸素投与法としての気管挿管・人工呼吸も考慮すべき段階と考える。

迅速な輸血療法の障害

産科危機的出血の存在と輸血の必要性を認識した場合に，迅速な輸血開始が救命に必須である。しかし現状では，迅速な輸血療法を困難にしているさまざまな障害がある。特に小規模施設においては，血液製剤常備が困難，血液製剤発注に人手がとられる，血液製剤供給に時間を要する，クロスマッチを院内で施行できない，等である。大規模施設においても，輸血用血液製剤供給業務の広域化において，特に濃厚血小板（PC：platelet concentrates）の供給に長時間を要する事態が懸念されている。

厚生労働科学研究費補助金（研究代表者 池田智明）によって行われた「分娩取り扱い施設における産科危機的出血への輸血対応に関する調査」（2012年，回答率48.1％）によれば，1年間の院内発症輸血症例は0件だった施設が58.3％と最も多かった。小規模施設が過半数の分娩を担っているわが国では，輸血が必要な事例は稀にしか発生しない現状が確認できた。しかし，院内発症の輸血症例は，その57.4％が周産期センター以外で発症していたことから，小規模施設であっても迅速な輸血体制が求められる。

年間に輸血を要する症例がほとんど発生しないとなると，緊急の輸血に備えて血液製剤を常備するのは無駄が多いことになる。前出のアンケート調査では，周産期センターではほぼ9割の施設が輸血用血液製剤を常備しているが，周産期センター以外の施設では常備している施設は18.1％であった。輸血用血液製剤を常備できない理由としては，図1に示すように「使用頻度が少ないため必要ない」に次いで，「返却できない」「使用しなかった場合にコストがかかる」が続いた。

図2には，血液センターに輸血用血液製剤を発注する場合の輸血決断から輸血開始までにかかる，その施設での通常の総所要時間を示す。回答は40～90分とするものが半数を占めた。院内の血液製剤を使用する場合と比較すると，20～50分の所要時間

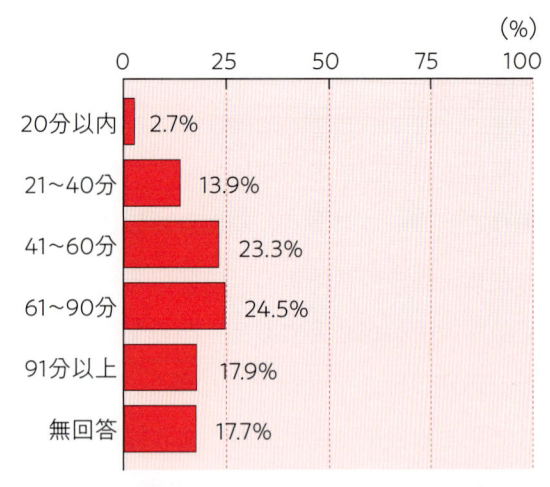

システム編　緊急時に備えた輸血システム

図1 輸血用血液製剤を常備しない理由（複数回答可）

- 使用頻度が少ないため必要ない：71.4%
- 出血してからの発注で間に合う：27.2%
- 使用しなかった場合にコストがかかる：47.0%
- 保管場所がない：30.5%
- 返却できない：51.5%
- その他：13.3%
- 無回答：0.9%

横軸は回答施設中のパーセント（以下の図も同様）

図2 輸血決断から輸血開始までの総所要時間（血液センターに輸血用血液製剤を発注する場合）

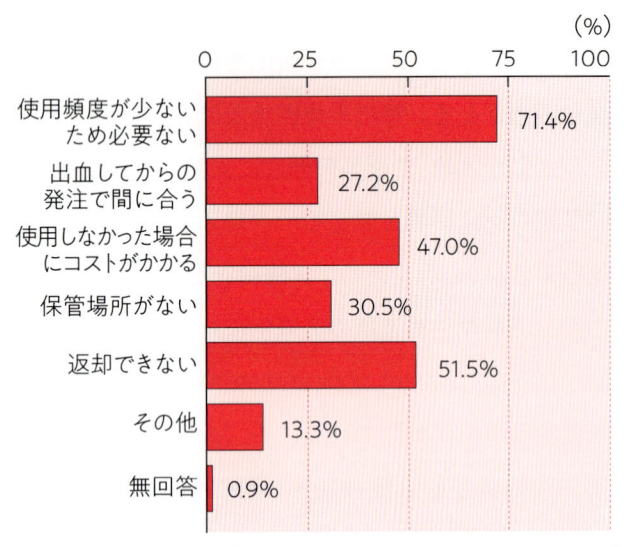

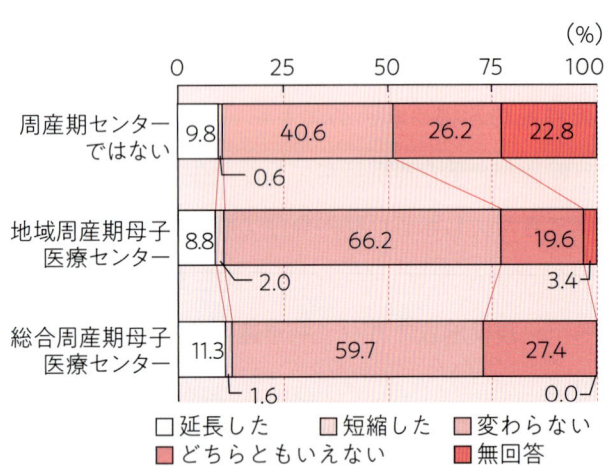

- 20分以内：2.7%
- 21〜40分：13.9%
- 41〜60分：23.3%
- 61〜90分：24.5%
- 91分以上：17.9%
- 無回答：17.7%

図3 血液製剤供給業務の広域化による血液製剤配送までの所要時間

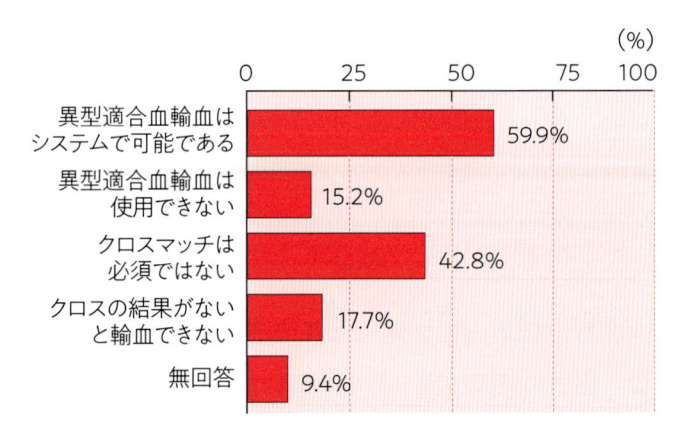

	延長した	短縮した	変わらない	どちらともいえない	無回答
周産期センターではない	9.8	0.6	40.6	26.2	22.8
地域周産期母子医療センター	8.8	2.0	66.2	19.6	3.4
総合周産期母子医療センター	11.3	1.6	59.7	27.4	0.0

図4 電子カルテ上の異型適合血の取り扱い

- 異型適合血輸血はシステムで可能である：59.9%
- 異型適合血輸血は使用できない：15.2%
- クロスマッチは必須ではない：42.8%
- クロスの結果がないと輸血できない：17.7%
- 無回答：9.4%

増であった。

輸血用血液製剤供給業務の広域化によって，血液製剤を発注してから自施設に届くまでの時間が延長するのではないかと懸念されるが，2008年の調査時点では図3に示すように「所要時間に変化がない」とする施設が大半であった。

今回の調査で，クロスマッチを院内で行っていない施設が，周産期センター以外では26.4%存在した。そのような施設において，輸血にはクロスマッチが必須と考えている場合には，輸血用血液製剤が自施設に届いてから輸血を開始するまでに，相当の時間を要すると考えられる。

電子カルテの導入により不適合血輸血の過誤は減少すると期待されるが，産科危機的出血の場合は電子カルテが律速段階になりかねない。しかし図4に示すように，異型適合血輸血が可能な施設が59.9%，クロスマッチが必須ではない施設も42.8%あった。電子カルテ上でも柔軟な運用が可能な実態が明らかとなった。運用が硬直的な施設での対策が，むしろ課題であると考えられる。

現状の輸血決断から開始までの所要時間に対する満足度を図5に示す。おおむね3〜4割の施設が不満を感じていた。そして，現状での円滑な輸血開始

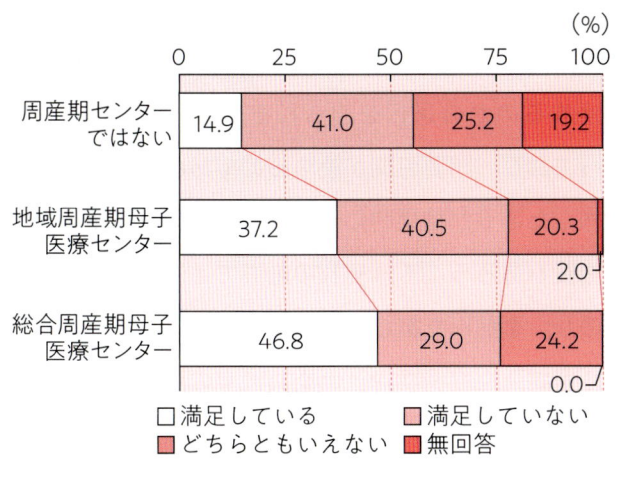

図5 輸血決断から開始までの所要時間の現状に対する満足度

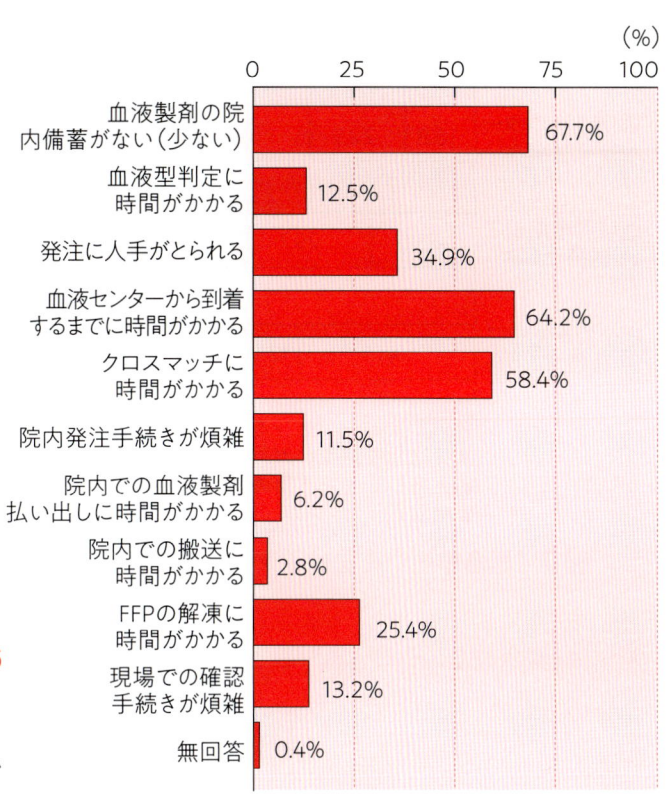

	満足している	満足していない	どちらともいえない	無回答
周産期センターではない	14.9	41.0	25.2	19.2
地域周産期母子医療センター	37.2	40.5	20.3	2.0
総合周産期母子医療センター	46.8	29.0	24.2	0.0

図6 現状での円滑な輸血開始を妨げている原因と感じられるもの（複数回答）

- 血液製剤の院内備蓄がない（少ない）: 67.7%
- 血液型判定に時間がかかる: 12.5%
- 発注に人手がとられる: 34.9%
- 血液センターから到着するまでに時間がかかる: 64.2%
- クロスマッチに時間がかかる: 58.4%
- 院内発注手続きが煩雑: 11.5%
- 院内での血液製剤払い出しに時間がかかる: 6.2%
- 院内での搬送に時間がかかる: 2.8%
- FFPの解凍に時間がかかる: 25.4%
- 現場での確認手続きが煩雑: 13.2%
- 無回答: 0.4%

を妨げている原因と感じられるものとしては，図6に示すように輸血用血液製剤の院内備蓄がないことが最も多い回答であった．次いで，血液センターからの輸血用血液製剤到着に時間がかかる，クロスマッチに時間がかかる，等があげられた．血液製剤には保存期間があるため，保存期間が1年のFFPを除けば，院内備蓄しても大部分を使用せずに破棄する結果となってしまう．そこで，常備していた輸血用血液製剤を使用しなくてもコストが発生しない（償還される）診療報酬上の配慮や，より実際的には，使用期限が近づいた輸血用血液製剤を返却，もしくは使用量の多い高次医療機関や透析センターに融通する弾性的な運用が可能な制度面の改善が求められる．現時点では薬事法で禁じられているため，離島やいくつかの地域でのみ研究として試みられている．

施設内でのシミュレーション

予期せぬ産科危機的出血は，稀にしか発生しないことから，迅速で円滑な対応が難しいことが予想される．そこで分娩を取り扱う各施設において，産科危機的出血時のシミュレーションを行うことが推奨される．それにより輸血用血液製剤の発注や配送，クロスマッチ，実際の輸血開始のどの段階でどれだけの時間を要するかが浮かび上がる．シミュレーションにて，緊急時にはクロスマッチを省略して同型血を輸血してよいことや，異型だが適合した血液製剤を輸血してよいという知識を施設内で共有できるだろう．それには「産科危機的出血への対応ガイドライン」や，「危機的大量出血への対応ガイドライン」が参考になる．

前述のアンケートの調査では，産科危機的出血への対応ガイドラインは認知度が高く，原則としてそれに準じて診療していることが明らかとなったが，院内掲示やシミュレーションの実施率は高くはなかった（図7）．妊産婦死亡症例検討会での各施設からの報告書では，このような不幸な転帰を経験した後，出血対応シミュレーションが必要だと実感した，との記載を目にする．出血対応シミュレーションの

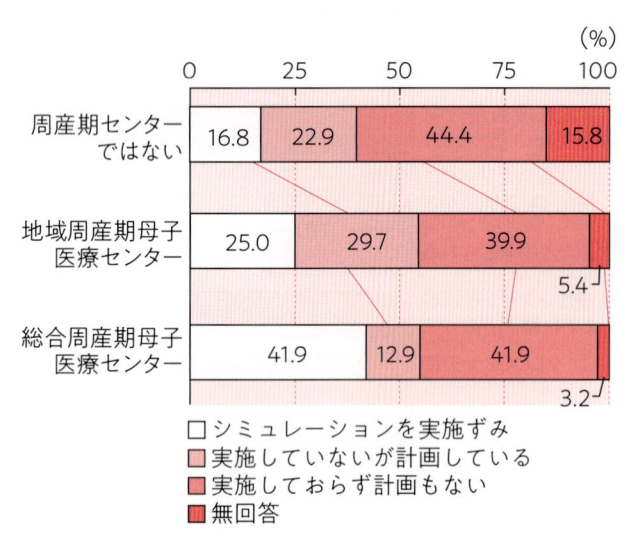

システム編　緊急時に備えた輸血システム

図7　緊急輸血シミュレーションの実施度

	シミュレーションを実施ずみ	実施していないが計画している	実施しておらず計画もない	無回答
周産期センターではない	16.8	22.9	44.4	15.8
地域周産期母子医療センター	25.0	29.7	39.9	5.4
総合周産期母子医療センター	41.9	12.9	41.9	3.2

際には，緊急輸血のシミュレーションも必要である。今後の出血対応シミュレーション実施率上昇が望まれる。

施設間や地域内での緊急輸血システム整備

産科一次施設が輸血用血液製剤を常備しにくい現状においては，産科危機的出血に遭遇した場合に，患者を高次施設に搬送するのか，輸血用血液製剤を発注するのかの選択を迫られる。搬送先がほぼ決まっており，所要時間が読めるのであれば，患者を搬送したほうが結果的により早期に輸血を開始できる施設もあろう。それぞれの施設でどちらを選択するのか，事前に立案しておくのがよいであろう。

妊産婦死亡症例検討評価委員会での議論では，輸血用血液製剤を血液センターに発注するのではなく，透析センターや救急医療機関から取り寄せるほうが早いため，そのような緊急輸血システムを検討している地域があることがわかった。また，ドクターヘリに輸血用血液製剤を搭載して患者のもとに迅速に到着できれば，輸血開始も早められる可能性がある。輸血用血液製剤発注と運搬での規制を緩和することも必要と考えられる。

現状の緊急輸血システムには課題が多いことが明らかとなったため，緊急輸血システムの改善策を，行政を巻き込んで検討していく必要がある。

（照井　克生）

システム編

産科麻酔の実施体制

▼**事例** 20代，経産婦

　無痛分娩の計画出産のため妊娠39週に産科有床診療所に入院した。硬膜外カテーテルを留置してから前処置（頸管拡張）を行った。自然陣痛発来したため，院内のマニュアルに従って助産師が硬膜外患者自己調節鎮痛（PCEA：patient controlled epidural analgesia）を開始した。開始後1時間経過しても十分な鎮痛が得られなかったため産科医に上申し，その指示に従って助産師が0.2%アナペイン10 mLを硬膜外腔に投与した。投与から30分経過しても鎮痛効果不良であったために再度上申し，産科医の指示で助産師が0.2%アナペイン10 mLを硬膜外腔に追加投与した。さらに60分後にも産科医の指示で助産師が0.2%アナペイン10 mLを硬膜外腔に追加投与したところ，産婦は痙攣発作を起こした。当直医が訪室し，セルシン10 mgを静脈内投与した。痙攣は治まったが母体が呼吸抑制に続いて低酸素血症となり，胎児機能不全となり緊急帝王切開を決定した。手術室で全身麻酔を導入しようとしたところ気管挿管に失敗した。手術を開始し児を娩出したが，母体は心停止となり蘇生に反応せず死亡確認となった。

▼**評価**

　無痛分娩中に，局所麻酔薬中毒による痙攣発作のために緊急帝王切開を決定したが，呼吸管理に難渋し死亡した事例である。麻酔による局所麻酔薬中毒や高位脊髄くも膜下麻酔は生命にかかわる合併症であり，硬膜外麻酔による無痛分娩を担当する医師は蘇生技術にも習熟しておくべきである。

▼**提言**
- 産科麻酔は通常の麻酔以上にリスクを伴う。産科麻酔は十分な麻酔のトレーニングを受けた医師が担当すべきである。
- 鎮痛を主な目的として無痛分娩を行う場合であっても，治療のための麻酔管理を行う場合と同等かそれ以上の安全性を担保して行うべきである。

はじめに

　周産期医療のシステムは国ごとに大きく異なるが，多くの国々で分娩施設は集約化される傾向にある。集約化された施設では，24時間態勢で緊急の帝王切開と無痛分娩に対応するために産科麻酔専門の

システム編　産科麻酔の実施体制

麻酔科医を配置することが可能で，分娩室での麻酔科医の存在が危機的な状況にある妊産婦の死亡を回避するのに貢献している。一方，小規模な分娩施設での分娩が多数を占めるわが国では，帝王切開の麻酔管理を産科医が対応せざるを得ない状態が続いており，これまでは無痛分娩の普及率もきわめて低かった。しかし，最近になって無痛分娩の普及率が上昇するとともに，無痛分娩に関連する妊産婦の死亡事例の報告も散見されるようになった。本稿では，帝王切開の麻酔管理や無痛分娩等，産科麻酔の実施体制について検討する。

わが国の現状

日本での無痛分娩の割合は2007年の調査では2.6%と報告されていた。2017年2月までの妊産婦死亡271例のうち，無痛分娩が行われていた症例は14例(5.2%)であった。そこで日本産婦人科医会がすべての分娩施設を対象に2014～2016（平成26～28)年の分娩数と無痛分娩の件数の実数調査を実施したところ，無痛分娩の割合は6%まで増加していた(表1)[1]。また，その無痛分娩の大半を麻酔科標榜医をもたない産科医が担当している実態が明らかになった(表1)[1]。

米国の現状

諸外国では分娩施設の集約化が進んでおり，多数の分娩を扱う大規模施設では，産科麻酔専門の麻酔科医が24時間体制で院内に常駐して，緊急の帝王切開術だけでなく，自然陣痛発来後の無痛分娩に対応できる体制が整っている。その一例を米国の報告をもとに紹介する[2]。米国では，年間分娩数が1,500件以上の施設を大規模施設，500件未満を小規模施設，その間を中規模施設と分類した場合の分娩施設数は，1981年には大規模施設が14%，小規模施設が56%であったのが，2011年には大規模施設が31%，小規模施設が32%となっており，急速な集約化の実態が認められる(表2)[1]。そして，これらの分娩施設を対象に無痛分娩の実施体制をアンケート調査したところ，2011年の調査では病院の規模にかかわらず，ほとんどの施設で無痛分娩が提供されていることが確認された。ただし，大規模病院の多くでは院内待機の麻酔科医が対応しているのに対して，小規模病院では院外待機の麻酔看護師が活用されている実態も明らかになった(表3)[1]。

表1　無痛分娩の割合・担当者(日本)

割合	平成26年度	平成27年度	平成28年度
診療所	5.0%	5.9%	6.6%
病院	4.3%	5.0%	5.5%
全体	4.6%	5.5%	6.1%

担当者	病院	診療所
産科医	63%	85%
麻酔科標榜医をもつ産科医	7%	13%
麻酔科医	47%	9%

(日本産婦人科医会 医療安全部会 分娩に関する調査 http://www.jaog.or.jp/wp/wp-content/uploads/2017/12/20171213_2.pdf)[1]

表2　分娩施設数の割合(米国)

年	大規模施設	中規模施設	小規模施設	分娩施設の総数
1981	573 (14%)	1,249 (30%)	2,341 (56%)	4,163
1991	824 (23%)	1,118 (32%)	1,603 (45%)	3,545
2001	889 (28%)	1,189 (38%)	1,081 (34%)	3,160
2011	885 (31%)	1,073 (37%)	942 (32%)	2,900

(日本産婦人科医会 医療安全部会 分娩に関する調査 http://www.jaog.or.jp/wp/wp-content/uploads/2017/12/20171213_2.pdf)[1]

表3　無痛分娩の提供体制

	年	院内待機	院外待機	提供不可	不明
大規模病院	1981	43%	36%	15%	6%
	1991	75%	24%	1%	0%
	2001	80%	20%	0%	0%
	2011	86%	10%	0%	4%
中規模病院	1981	12%	57%	22%	9%
	1991	27%	66%	7%	0%
	2001	20%	77%	3%	0%
	2011	41%	48%	0%	11%
小規模病院	1981	3%	57%	33%	7%
	1991	3%	77%	20%	0%
	2001	3%	94%	3%	0%
	2011	15%	84%	1%	0%

(日本産婦人科医会 医療安全部会：分娩に関する調査 http://www.jaog.or.jp/wp/wp-content/uploads/2017/12/20171213_2.pdf)[1]

図　無痛分娩関係学会・団体連絡協議会（JALA：The Japanese Association for Labor Analgesia）

今後の展望

無痛分娩の事故の報道を受けて2018（平成30）年7月には関係学会および団体によって無痛分娩関係学会・団体連絡協議会（JALA：The Japanese Association for Labor Analgesia）が発足し（図），日本で安全な無痛分娩を普及させようとの機運が盛り上がりつつある。しかし，ここで懸念されるのは，産科医が1人しかいない小規模施設での無痛分娩の安全性が十分に担保されるのかどうかである（コラム参照）。前述したように分娩の集約化が進んだ諸外国では，無痛分娩の分娩管理は産婦人科医だけでなく麻酔科医や新生児科医を交えたチームで対応することが前提であり，それにより無痛分娩の安全性が担保されている[3]。対照的にわが国では，麻酔科医や新生児科医のいない小規模な分娩施設での無痛分娩が主流であり，今後，このような施設での無痛分娩が増えた場合に母児の安全が担保されるのかどうかは十分な検証が必要であろう。

おわりに

産科麻酔は通常の麻酔以上にリスクを伴う。産科麻酔は十分な麻酔のトレーニングを受けた医師が担当すべきである。特に鎮痛を主な目的として無痛分娩を行う場合には，治療のための麻酔管理を行う場合と同等かそれ以上の安全性を担保して行うべきである。

文献

(1) 日本産婦人科医会 医療安全部会 分娩に関する調査. http://www.jaog.or.jp/wp/wp-content/uploads/2017/12/20171213_2.pdf

(2) Traynor AJ, et al：Obstetric Anesthesia Workforce Survey：A 30-Year Update. Anesth Analg 122：1939–1946, 2016

(3) Mhyre JM, et al：Stemming the Tide of Obstetric Morbidity：An Opportunity for the Anesthesiologist to Embrace the Role of Peridelivery Physician. Anesthesiology 123：986–989, 2015

(4) D'Angelo R, et al：Serious complications related to obstetric anesthesia：the serious complication repository project of the Society for Obstetric Anesthesia and

(5) Beckett VA, et al：The CAPS Study：incidence, management and outcomes of cardiac arrest in pregnancy in the UK：a prospective, descriptive study. BJOG 124：1374–1381, 2017

Perinatology. Anesthesiology 120：1505–1512, 2014

(6) Gelb AW, et al：World Health Organization-World Federation of Societies of Anaesthesiologists（WHO-WFSA）International Standards for a Safe Practice of Anesthesia. Can J Anaesth65：698–708, 2018

（角倉 弘行）

column　産科麻酔に関連する重篤な合併症の発生率

　硬膜外麻酔による無痛分娩は，安全かつ確実に分娩時の痛みを和らげる方法として世界中で広く普及している。例えば，米国やフランス等では全分娩の60％程度（経腟分娩に挑戦する産婦の90％程度）が無痛分娩を選択しているとされている。しかし，硬膜外麻酔による無痛分娩が普及している国々でも，その安全性が盲信されているわけではない。例えば米国からは，産科麻酔に関連して局所麻酔薬中毒や高位脊髄くも膜下麻酔等の母体の生命にかかわる深刻な合併症が1/3,000の確率で発生することが報告されている[4]。また，英国からは，妊産婦の心停止の発生率は10万分娩あたり2.78件で，その25％は麻酔が原因であると報告されている[5]。幸いなことにいずれの報告でも麻酔に関連する妊産婦死亡例は報告されていないが，これは分娩病棟に麻酔科医が常駐していて，これらの麻酔合併症に対して確実に対処できる体制が構築されているからである。

　一方，2017年に日本産科婦人科学会学術集会での無痛分娩の安全性に関する緊急声明を報じた新聞の『麻酔使った「無痛分娩」で13名死亡，厚労省，急変対応求める緊急提言』との見出しに対しては，わが国で無痛分娩にかかわっている医療従事者から「無痛分娩（麻酔）が危険なように報道されている」との反発もあった。しかし，筆者自身は逆に医療従事者側に無痛分娩が安全であるとの過信があるようにも感じられた。

　麻酔はトレーニングを受けた麻酔科医が担当すべきとの原則は，全世界的な潮流である。世界保健機関（WHO）と世界麻酔科学会連合（WFSA）は，2018年に「麻酔という医療行為は危険を伴うものであり本来は麻酔科医が行うべきであるが，これが適わない場合は十分な麻酔の教育を受けた者が担当すべきである」との声明を発表した[6]。日本麻酔科学会も学会員に対して2018年に「無痛分娩は，健康である妊婦ならびに児のみならず合併症のある妊婦を対象とした麻酔診療行為であるため，安全性に十分配慮した責任体制で行うことが求められます。すなわち麻酔科医は，産科医，看護師，助産師とのチーム医療として無痛分娩を実践できる体制において行うことが望ましいと考えます。その上で無痛分娩の開始から分娩後に麻酔（鎮痛）の影響がなくなるまで，麻酔担当医も責任をもつ必要があります」との声明（日本麻酔科学会の考える望ましい無痛分娩のあり方）を発表している。今後はわが国でも無痛分娩の需要がさらに増えることが予測されるが，無痛分娩の麻酔管理を誰が担当すべきかを真剣に議論すべきであろう。

（角倉 弘行）

システム編

周産期医療に麻酔科医が積極的にかかわれるような環境整備

▼**事例** 30代，初産婦

　妊娠40週に，血圧140/85 mmHg，尿蛋白（2＋）となり，妊娠高血圧症候群のため，分娩誘発とし，陣痛発来15時間後に子宮口全開大となった。遷延一過性徐脈が出現したので，看護師に帝王切開の準備をするように指示がされた。遷延一過性徐脈を繰り返していたため，吸引分娩が開始された。ほぼ排臨の状態まで下降したが，1回の吸引で娩出できなかったため応援産科医師を要請した。到着までの間，吸引と子宮底圧出法が2回試みられたが，微弱陣痛のため，怒責がうまく行えず分娩に至らなかった。10分後，応援医師が到着後，帝王切開を決定した。0.5％高比重マーカイン1.8 mLで脊髄くも膜下麻酔下に帝王切開が行われた。児心拍がなく，気管挿管，心臓マッサージが行われ，高次施設に新生児は搬送された。母体は，舌根沈下によりSpO$_2$が低下するため下顎挙上を行った。また，頻脈や血圧の上昇を認めた。帝王切開終了後に開眼の指示に反応したが，SpO$_2$が低下したため，マスク＆バッグによる換気が行われた。開口困難であり気管挿管は行わず，直ちに高次施設に搬送依頼し，救急車を要請した。その間にSpO$_2$は60％程度で，洞調律のまま脈拍数が60/分まで減少した。救急車内で呼吸停止，PEAとなり心臓マッサージが開始された。高次施設に到着した時には心停止の状態で，ERで蘇生が試みられたが反応せず死亡確認となった。分娩開始から搬送までの出血量は約2,000 gであった。

▼**評価**

　帝王切開術中にSpO$_2$低下を認めており，何らかの原因で気道のトラブルが起こった可能性があると考えられた。妊娠高血圧症候群があり，開口困難のエピソードもあることから子癇が起こっていた可能性も考えられた。脳出血はAiから否定的であったが，脳梗塞に関しては否定できないと考えられた。心電図モニター上は明らかなST低下や不整脈は確認されておらず，心筋梗塞であれば血圧低下がもっと早い段階で起こっていたと考えられた。術後より発症したと考えるとSpO$_2$低下，意識レベルの低下が急速に進行していることより肺血栓塞栓症（PTE：pulmonary thromboembolism）も否定できない。PTEはAiでは診断が難しいため，所見がなくてもなかったとは言い難い。いずれにしても剖検が行われていないため，死因の特定は難しい。術中の呼吸管理の重要性がうかがわれる事例である。搬送時の呼吸管理についても，救急隊員と協力し，しっかりとマスク＆バッグをすべきところであったが，うまく換気ができていなかった可能性が考えられた。

システム編　周産期医療に麻酔科医が積極的にかかわれるような環境整備

> ▼提言
> ・帝王切開術においては，術中に呼吸状態や循環動態等の管理に専従する医療スタッフを配置する。
> ・無痛分娩の麻酔は，産科麻酔の十分な研修を受けた医師が担当する。

はじめに

　周産期医療システムは国ごとに大きく異なるが，多くの先進国では分娩施設が集約化されている傾向にある。集約化によって，緊急の帝王切開や無痛分娩，その他の産科救急に対応するために産科麻酔専門の麻酔科医を24時間体制で配置することが可能となり，産科病棟や分娩室での麻酔科医の存在が，危機的な状況にある妊産婦の死亡を回避するのに貢献できるからである。一方，先進国でありながら分娩の集約化が遅れ無痛分娩も普及していないわが国では，産科麻酔専門の麻酔科医が産科病棟や分娩室に常駐している施設は少ない。このような状況にもかかわらず，わが国の妊産婦死亡が先進国のなかでも低い理由の一つは，産科医の献身的な努力の賜物でもある。しかし，死亡例を妊産婦死亡症例検討評価小委員会で検討すると，もし麻酔科医がかかわっていたなら救命できたかもしれない妊産婦の死亡例も散見される。そこで2013年の母体安全への提言では，「周産期医療に麻酔科医が積極的にかかわれるような環境を整備すること」を提言した。本稿では，この提言の後，未だ大きな改善がみられないため，それを実現するための具体策について再度検討する。

提言の背景

1．妊産婦死亡調査の分析

　妊産婦死亡症例検討評価小委員会には6人の麻酔科医が加わり，評価案の作成に携わっているが，これまでに麻酔が直接の原因であった妊産婦死亡は認められなかった。しかし，麻酔科医が関与していれば救命できたかもしれない事例は散見された。そこで，2010～2013年に症例評価結果報告書が作成された146事例について麻酔科医の関与を検討したところ，帝王切開は56例であったが，麻酔を担当したのは麻酔科医21例(38％)，産婦人科医6例(11％)，その他3例(5％)，不明26例(46％)であった。また，無痛分娩は6例で行われていたが，麻酔を担当したのは麻酔科医1例(17％)，不明5例(83％)であった。

2．海外の現状

　かつては帝王切開に伴う気道確保困難や無痛分娩に伴う局所麻酔薬中毒等，麻酔が原因の妊産婦死亡が散見されたが，現在では麻酔が原因の妊産婦死亡は非常に稀なものとなっている[1]。米国の産科麻酔学会が中心となって米国30施設の2004～2009年の30万件以上の産科麻酔症例の合併症を調査した結果でも，局所麻酔薬中毒による心停止は1例あったが，妊産婦死亡例はない[2]。だからといって麻酔科医の必要性が少なくなったわけではない。英国の3年ごとの妊産婦死亡調査(2014～2016年)では，出血による死亡は妊産婦死亡の原因の7番目であり(図1)[3]，回避可能であることが示唆されているが，出血による死亡を回避するためには麻酔科医の関与が不可欠であることが認識されている[4,5]。同様に，無痛分娩が普及している米国で

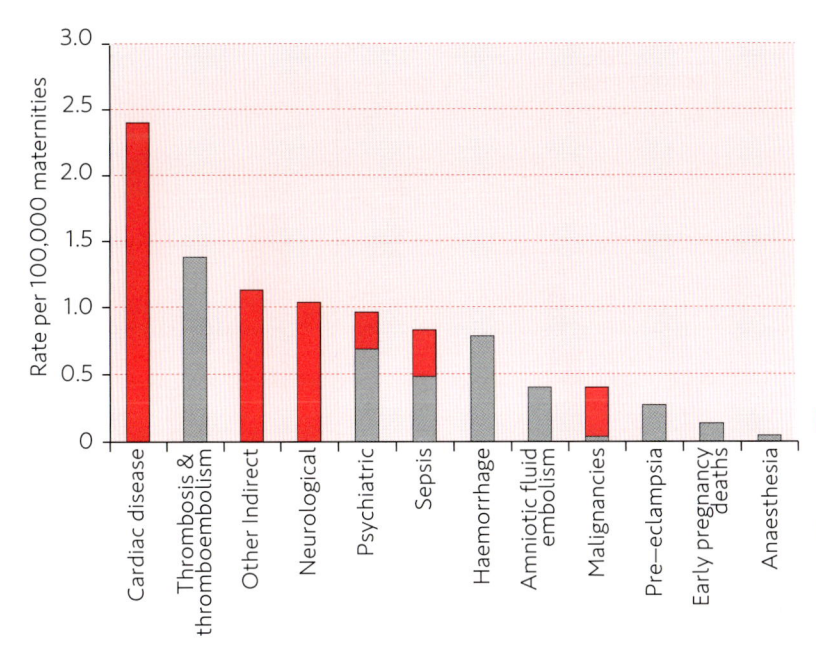

図1 英国の2014〜2016年における妊産婦死亡の原因
グレーの棒は直接妊産婦死亡，赤の棒は間接妊産婦死亡。
（MBRRACE-UK: Saving Lives, Improving Mothers' Care. https://www.npeu.ox.ac.uk/mbrrace-uk/reports）[3]

も出血により死亡する妊産婦は激減しており（図2）[6]，麻酔科医の貢献がうかがわれる。このように麻酔科医は，危機的産科出血等による妊産婦死亡の回避に貢献するため，妊産婦の安全を担保するためにはなくてはならない存在であり，諸外国のごとく分娩室で経腟分娩の際の無痛分娩の鎮痛を担当する麻酔科医や，帝王切開の際の麻酔管理を担当する麻酔科医を活用すべきといえる[7]。

3. わが国の現状

わが国の妊産婦死亡率は先進国のなかでも少ないが，出血による死亡が多いのが特徴である。このことは1991〜1992年の2年間におけるわが国の妊産婦死亡を調べたNagayaらによる報告でも指摘されており，産科医のみならず麻酔科医をも含めた複数の医師による診療体制を構築することが推奨されていた[8]。

しかし，状況は大きく変わってはいない。2008年に，全国の産科医療補償制度の登録施設2,758を対象に行ったアンケート調査では，予定帝王切開術の麻酔を主に麻酔科医が担当している施設の割合は，病院では55％，診療所では13％であった。また，緊急帝王切開術を主に麻酔科医が担当している施設の割合は，病院では45％，診療所では8％であった。同じ調査で麻酔科医が担当する帝王切開症例の割合を推測したところ，病院では59.1％であったが，診療所では14.5％で，日本全体では麻酔科医が麻酔を担当する帝王切開の割合は42.1％であった（図3）。

そこで2013年の母体安全への提言では，総論として「周産期医療に麻酔科医が積極的にかかわれるような環境を整備すること」をあげ，各論として以下の2つを付記した。

・帝王切開術においては，術中に呼吸状態や循環動態等の管理に専従する医療スタッフを配置すること
・無痛分娩の麻酔は，産科麻酔の十分な研修を受けた医師が担当すること

2017年に日本産婦人科医会が，全国の分娩取扱施設2,391（病院1,044施設，診療所1,347施設）を対象に行ったアンケート調査では，帝王切開の麻酔に関して，病院においては約8割が麻酔科医による麻酔管理がなされていたが，診療所では依然，8割以上で産科医術者が麻酔管理者も兼ねている実態

システム編　周産期医療に麻酔科医が積極的にかかわれるような環境整備

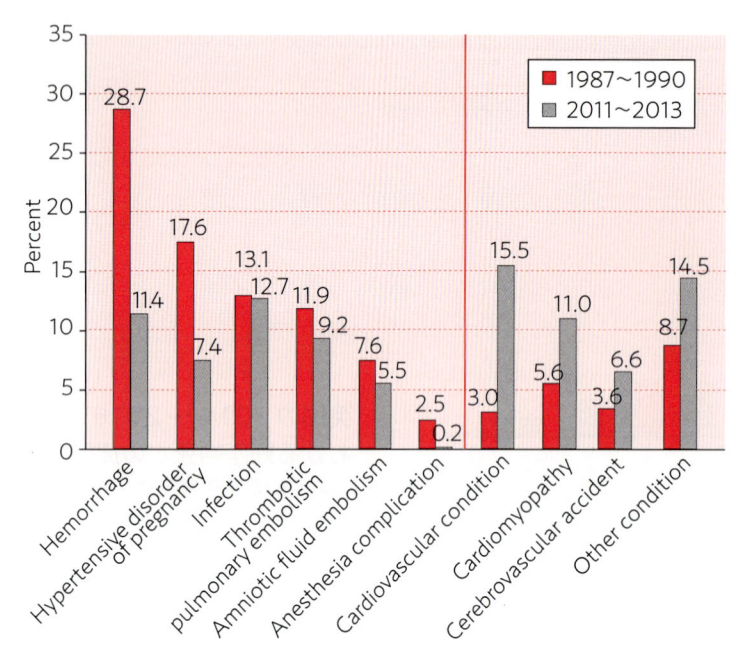

図2 米国の1987～1990および2011～2013年における妊産婦死亡（%）の原因
(Creanga AA : Maternal Mortality in the United States : A Review of Contemporary Data and Their Limitations. Clin Obstet Gynecol 61 : 296-306, 2018)[6]

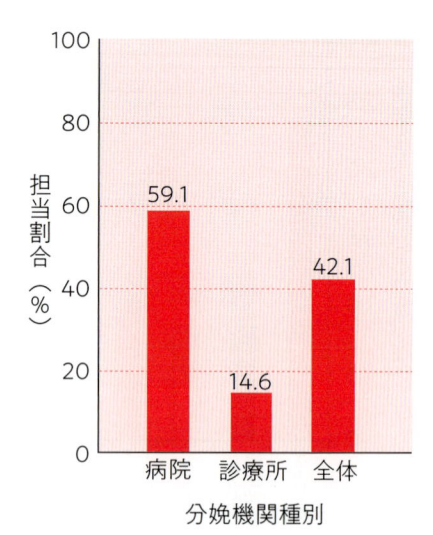

図3 わが国における麻酔科医が担当する帝王切開の割合（2008年アンケート調査）

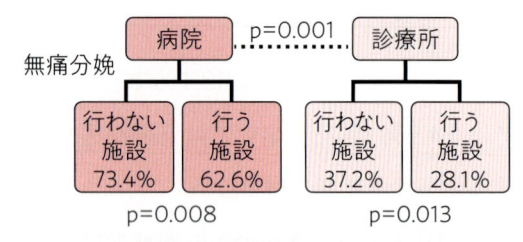

図4 わが国で"帝王切開の麻酔は麻酔科医がすべきか"のアンケート調査（2017年日本産婦人科医会調査）
（日本産婦人科医会 医療安全部会：分娩に関する調査）[9]

が明らかになった。そこで，そもそも"帝王切開の麻酔は麻酔科医がすべきか"を調査すると，診療所では"麻酔科医がすべき"という回答は3～4割以下にとどまった（図4）[9]。また同調査での2016年の無痛分娩の割合は，全分娩に対して，病院で5.5%，診療所で6.6%，全体で6.1%であり，上記2008年のアンケート調査の推測値の2.6%より大きく増加していることがわかった。しかし，今回の2017年の調査でも無痛分娩の麻酔管理者は，特に診療所では

8割以上が，病院でも6～7割は産科医が担っており，しかも薬剤注入となると助産師が受け持つ場合も1～3割みられた。

提言を実現するために

1. 分娩の集約化

わが国では分娩施設が分散しているが，小規模の病院では常勤の麻酔科医を確保することは困難である。定時手術の場合は非常勤の麻酔科医に依頼することも可能であるが，よりリスクの高い緊急手術の場合に非常勤の麻酔科医を確保することはさらに困難である。しかし，24時間いつでも母体搬送を受け入れることのできる中核施設が地域ごとにあれば，そこに分娩を集約することにより，産科麻酔に習熟した麻酔科医の確保が可能となる。すべての施設を集約化する必要はないが，集約化した中核病院を地域ごとに確保することは有効であろう。

2．無痛分娩の普及

　たとえ集約化した施設においても，産科麻酔専門の麻酔科医を分娩フロアに配置するためには，無痛分娩を希望する妊婦を確保することが必要である。わが国の無痛分娩の普及率は諸外国に比べて著しく低いが，筆者の勤務する北里大学病院では平日の日勤帯のみ無痛分娩を提供しているが，それでも経腟分娩の6割以上が無痛分娩を選択しており，無痛分娩の需要は決して少なくない。また，麻酔科医のなかにも，産科麻酔に興味のある者は少なくなく，産科麻酔が実践できる環境を整えれば，産科麻酔チームを組織してシフトを組むことは決して不可能でないはずである。特に中規模病院以上では中央手術室に常勤麻酔科医が常駐する施設も多く，彼らとの連携を検討する余地があると思われる。

3．経済的環境整備

　現在のところ無痛分娩は自費診療であり，施設ごとに3万～15万円程度の費用が設定されている。実現できる施設は限られているものの，十分な需要数があれば，その収入で複数の麻酔科医を雇用することも夢ではない。麻酔科医が無痛分娩に積極的にかかわることで分娩の安全性の向上や少子化対策に有効であることを示して，公的補助が受けられるようにする活動も必要であろう。一方，保険診療である帝王切開の場合は麻酔管理料（700点）が加算されるが，脊髄くも膜下麻酔の麻酔料（850点）と合わせても，全身麻酔の麻酔料に遠く及ばない。病院の中に周産期医療にかかわる麻酔科医の経済的基盤を作るためには，帝王切開術の麻酔管理料の改善が必要である。

4．産科医，病棟医療従事者に対する産科救急トレーニング

　産科病棟や分娩室では，産科危機的出血等の産科救急事態が発生する。多くの施設では，それらの事態は毎日発生するわけでないので，発生に備えてシミュレーショントレーニングを行っている場合が多い。その際にコマンダーとして力を発揮できるのは，日頃手術室で全身管理を受け持つ麻酔科医であることが多い。分娩室の無痛分娩に対しては，とかく助産師や産科医主導で分娩が進行しがちであるが，危機的事象に対してはやはり麻酔科医の存在は大きい。それを広く認識してもらう一つの方策が産科救急シミュレーショントレーニングであり，これを通して産科医療のチームトレーニング，相互コミュニケーションを図ることが引いては周産期における母体安全に通じると思われる。

　これらのトレーニングの一般的訓練の場としては，2015年10月に設立された日本母体救命システム普及協議会（J-CIMELS）のJ-MELSコースであり，そのベーシックコースの受講者は2019年2月には累計1万人を超えた。ここでも麻酔科医はなくてはならない存在であり，構成団体の一つである日本麻酔科学会の支援のもと，プログラムが更新されていく予定であることを麻酔科医自身も含めて医療従事者に周知させる努力が必要である。さらには，それらで学んだことを院内システムに合せて職場で改めてシミュレーショントレーニングを行う必要があり，その際にも麻酔科医が積極的にかかわる，あるいはかかわらせる努力が必要である。

5．麻酔科医に対する産科麻酔の教育

　欧米諸国では，産科麻酔は心臓麻酔や小児麻酔と並んで重要な麻酔科のsubspecialtyとして認識されている。しかしわが国では，subspecialtyの教育シ

ステムが十分に発達しておらず，産科麻酔の専門的な教育が受けられる施設は依然，限られている。それどころか帝王切開の麻酔を経験したことのない麻酔科医が専門医試験を受験することも可能であった。そこで日本麻酔科学会は，2015年から麻酔科専門医を目指す専攻生に対して認定プログラムを提供した上で，専門医試験の受験資格として10例以上の帝王切開術の麻酔管理の経験を義務づけた。この10例という数字は，検討当時に，あくまでも日本の研修施設で研修できうるということから算定した最小要件であり，これを達成するための期間に，本来は，無痛分娩やその他の周産期麻酔症例に対するしっかりとした教育を受けることを具現化することが喫緊の課題である。

まとめ

2013年の母体安全への提言で述べられた「周産期医療に麻酔科医が積極的にかかわれるような環境を整備すること」の背景を再確認し，それを実現するための具体策について再度検討した。いろいろな制約は依然あるが，これが実現できればわが国の妊産婦死亡率はさらに低下するであろう。

謝辞

本稿は，書籍「日本の妊産婦を救うために2015」C．システム編「周産期医療に麻酔科医が積極的にかかわれるような環境整備」の改訂であり，事例紹介，および内容の一部は改訂前の執筆者，角倉弘行氏の原稿を元にしていることをお断りするとともに，前執筆者に謝辞を表します。

文献

(1) Hawkins JL, et al：Anesthesia-related maternal mortality in the United States：1979-2002. Obstet Gynecol 117：69–74, 2011
(2) D'Angelo R, et al：Serious complications related to obstetric anesthesia：the serious complication repository project of the Society for Obstetric Anesthesia and Perinatology. Anesthesiology 120：1505–1512, 2014
(3) MBRRACE-UK: Saving Lives, Improving Mothers' Care. https://www.npeu.ox.ac.uk/mbrrace-uk/reports
(4) Cantwell R, et al: Saving Mothers' Lives: Reviewing maternal deaths to make motherhood safer：2006-2008. The Eighth Report of the Confidential Enquiries into Maternal Deaths in the United Kingdom. BJOG 118 (Suppl 1)：1–203, 2011
(5) Driessen M, et al：Postpartum hemorrhage resulting from uterine atony after vaginal delivery：factors associated with severity. Obstet Gynecol 117：21–31, 2011
(6) Creanga AA：Maternal Mortality in the United States：A Review of Contemporary Data and Their Limitations. Clin Obstet Gynecol 61：296–306, 2018
(7) apsf NEWSLETTER：Volume 31, No. 2・October 2016. https://www.apsf.org/newsletter/october-2016/
(8) Nagaya K, et al：Causes of maternal mortality in Japan. JAMA 283：2661–2667, 2000
(9) 日本産婦人科医会 医療安全部会：分娩に関する調査. http://www.jaog.or.jp/wp/wp-content/uploads/2017/12/20171213_2.pdf

（奥富 俊之）

システム編

周産期メンタルヘルスケア対策としての地域連携システム

▼事例　40代，初産婦

　不妊治療により妊娠。妊娠32週時より子宮内胎児発育不全の診断で入院し，妊娠36週時に胎児機能不全にて帝王切開で出産した。児は低出生体重児のためNICUに入院となった。術後経過は順調であったが，退院時に主治医から児にダウン症の疑いがあることを告げられた。1カ月健診時，エジンバラ産後うつ病質問票（EPDS）25点，「子どもを可愛いと思えない」「育てていく自信がない」といった発言が認められた。夫は帰宅が遅いため協力が得られず，実母からは叱咤されるため，「誰にも頼れない気持ち」を抱いていた。精神科診療所を紹介され受診，産後うつ病と診断され，精神科の入院施設がある総合病院を紹介された。3週間後に総合病院を受診したが，ここでは入院適応なしと判断された。薬物療法を開始し，その後は診療所で治療を継続する予定であったが，産後3カ月で自殺により死亡しているところを発見された。

▼評価

　高齢初産婦，不妊治療，胎児発育不全，帝王切開，児のNICU入院とダウン症疑い等，産科的経過にさまざまな心理的負担が重なっていた上，家族のサポートも得られず，メンタルヘルスの視点からみてリスクの高い症例であった。1カ月健診時，EPDS高値および悲観的発言がみられ，精神科の介入があったにもかかわらず自殺に至ってしまった事例である。

▼提言
- うつや不安のリスクが高いと考えられる妊産褥婦については，早めに多職種が連携した支援の体制を考慮する。
- 精神科に紹介した後も経過を見守り，それぞれの立場からの支援を継続する。
- 周産期の病態に精通する精神科医と，日頃からよく連携しておく。
- 妊産褥婦を身近なところで支援する家族に対する指導や支援も重要である。

はじめに

　2016年，竹田ら[1]は東京23区における妊娠中から産後1年までの間の妊産褥婦の自殺が，従来考えられていた死亡数の2倍以上であったことを報告し，周産期医療の現場に大きな衝撃を与えた。妊産

婦の自殺の直接的な原因は抑うつや不安をはじめとする精神病理であるが，その背後には予期せぬ妊娠や支援体制の欠如といった社会的問題が存在している場合が多く，またこれらの問題は自殺のみならず，児童虐待や心中へと発展する危険性をはらんでいる。この報告以後，妊産婦のメンタルヘルスケアの重要性に対する認識は高まっているが，現状ではその対応は不十分であり，今後早急に対策を考えていく必要がある。

妊産婦のメンタルヘルスケアは，胎児・新生児の発育・発達や家族との関係を含む生活全般を視野に入れながら，しかも長期にわたる支援が必要であるという特徴がある。非妊婦の場合のように，患者だけのための薬物療法や環境調整を行うやり方では不十分であり，逆に育児や生活面での支援を十分に行うことにより精神症状の軽減が期待できる場合も少なくない。このような支援は医療機関や行政サービスがそれぞれ単独で行うことは困難で，地域の実情にあった多職種の連携体制を構築することが重要である。

本稿では，日本産婦人科医会および日本周産期メンタルヘルス学会の最近の取り組みから多職種連携の基本的な考え方を示すと同時に，先駆的な地域での連携の実際を紹介する。

基本的な考え方

1. 連携の必要性の判断と対応の基本

妊産婦のメンタルヘルスの問題は，できるだけ早くそのリスクを評価して支援を開始することが望ましい。日本産婦人科医会では，産科医療機関で行う妊婦健診時に質問票を使ったスクリーニングを行い，その結果を踏まえた妊産婦への関わりのなかで，多職種連携の必要性を判断しこれを実践していくプロセスを「妊産婦メンタルヘルスケアマニュアル」[2]にまとめている。すなわち産科医療機関では，妊娠中，出産時および産後健診時に3つの質問票〔育児支援チェックリスト，EPDS，赤ちゃんへの気持ち質問票〕を使ったスクリーニングを行い，これによって支援が必要と判断された場合には，傾聴と共感の姿勢で接しながら，精神症状や生活機能，生活環境や家族関係等を評価し，どのような支援が必要なのかを総合的に判断する（図1）[2]。具体的には，精神症状や生活機能の障害があり，しかも予期せぬ妊娠や支援者がいない場合，あるいは出産後に不適切な養育が危惧される特定妊婦についてはまず行政と連携する。妊娠中期以降EPDSが高得点あるいは希死念慮が疑われる（EPDSの質問項目「10」の点数が1点以上）場合，さらに出産後に子どもに対する否定

図1 妊産婦メンタルヘルスの支援：産科医療機関で行うスクリーニングと基本的な考え方
（厚生労働省 平成28年度子ども・子育て支援推進調査研究事業 産前・産後の支援のあり方に関する調査研究：Ⅳ.妊産婦メンタルヘルスケアの実際．妊産婦メンタルヘルスケアマニュアル，日本産婦人科医会，東京，23-57，2017 より引用）[2]

質問票Ⅰ
〔育児支援チェックリスト〕
・育児を困難にする背景や要因のチェック

質問票Ⅱ
〔エジンバラ産後うつ病質問票（EPDS）〕
・うつ病/不安
・症状の持続期間
・家事機能，育児機能

質問票Ⅲ
〔赤ちゃんへの気持ち質問票〕
・否定的な気持ちの有無
・虐待の危険性の有無

総合的評価
育児の実施状況
言動や行動
経済状況，
家族の状況等

母親のメンタルヘルスチェック，
虐待やネグレクトのアセスメント

→ 支援計画

的な感情があるような場合には，産科医療機関で傾聴と共感による支援を行いつつ，さらなる支援が必要かどうかを考えていく。これらの症例のなかで，精神症状が持続し，生活機能障害が著しく，自立した生活が困難な場合または自殺の危険があると判断された場合には精神科と連携する(図2)。

2. 緊急度や家庭環境等を考慮した連携の実際

また自殺予防の観点からは，緊急性の判断や精神科救急体制との連携が重要である。周産期メンタルヘルス学会は厚生労働科学研究のなかで，日本産科婦人科学会および日本産婦人科医会と協働して「周産期メンタルヘルスコンセンサスガイド2017」[3]を作成しているが，このなかには緊急度や家庭環境を考慮した医療・保健・福祉の具体的な連携についての項目があり(CQ5)，立花はこれをフローチャートにまとめている(図3)[3〜5]。即日の対応が必要な緊急の場合とは，①自殺念慮・希死念慮があり本人がその気持ちを抑えることができない，②幻覚・妄想等の精神病症状が急に出現または悪化した，③自分や周りの家族・他人を傷つけてしまう危険性がある等で，このような場合には保健師とも連携して精神科救急につなげる必要がある。妊産婦がすでに精神科に通院している場合には当該医療機関に連絡するが，通院していない場合には地域の精神科救急体制を利用する。厚生労働省は1995(平成7)年度から，緊急を要する精神科患者が迅速かつ適切な医療を受けられるよう，都道府県を実施主体とした体制整備を進めているが，このなかでは「24時間精神医療相談窓口」と「精神科救急情報センター」の設置が努力義務になっており，特に後者は身体疾患合併の場合も含め，患者の搬送先を調整する役割を担っている。緊急時に迅速な対応をするためには，各地域の精神科救急体制について確認し，日頃から情報交換を行っておくことが有用である。また，育児や家庭環境に問題がある場合は，十分な面接で問題点を整理し，必要に応じて環境調整や社会資源の活用を考慮する。

地域の実情にあった連携体制

前述のような基本的な事項を踏まえた上で，実際に地域連携を行っていく際には，それぞれの地域の実情に即した連携体制を構築していく必要がある。

①
- 精神症状や，生活機能障害があり，悩んでいることを打ち明けられる相談相手がいない
- 予期せぬ妊娠
- その他，特に支援が必要と考えられる

②(妊娠中期以降)
- EPDS 9点以上
- EPDSの質問項目「10」の点数が1点以上
- EPDSの点数と面接時の印象が異なる

(出産後)
- 赤ちゃんへの気持ち質問票が3点以上で，総合的に支援が必要と判断される
- 初回面接から同じリスクが持続し，継続した支援が必要と考えられる

産科医療機関での面接，傾聴と共感を主とした支援

行政との連携

精神科との連携

出産後にきわめて不適切な養育が危惧され，出産前から自治体との連携した支援が必要と考えられる場合(特定妊婦)

①，②の場合で，精神症状が持続し，生活機能障害が著しく，家族や周囲のケアが必須であるか，自殺の恐れがある者

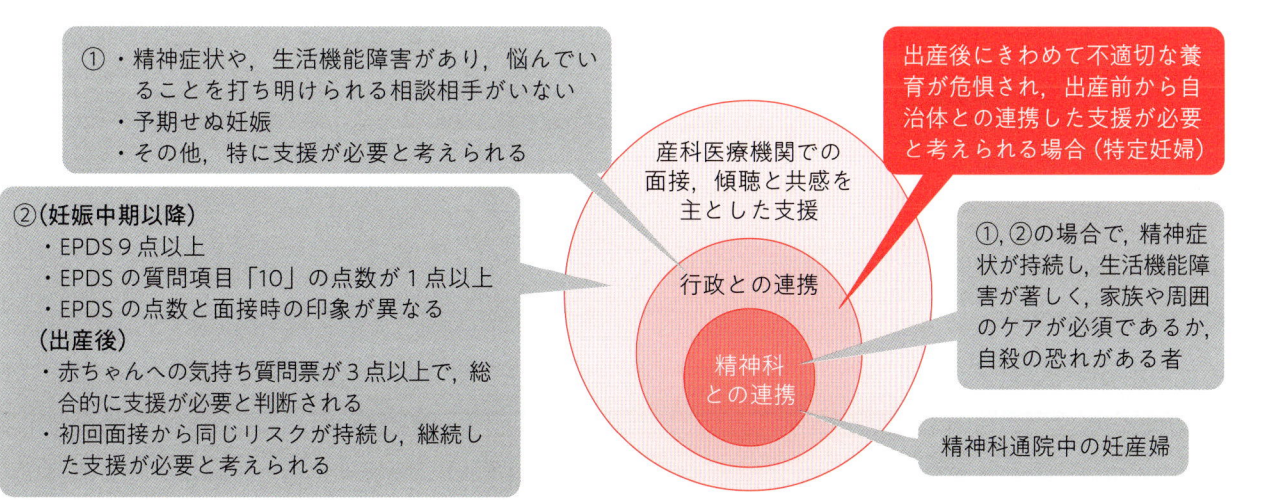

精神科通院中の妊産婦

図2 連携の必要性の判断

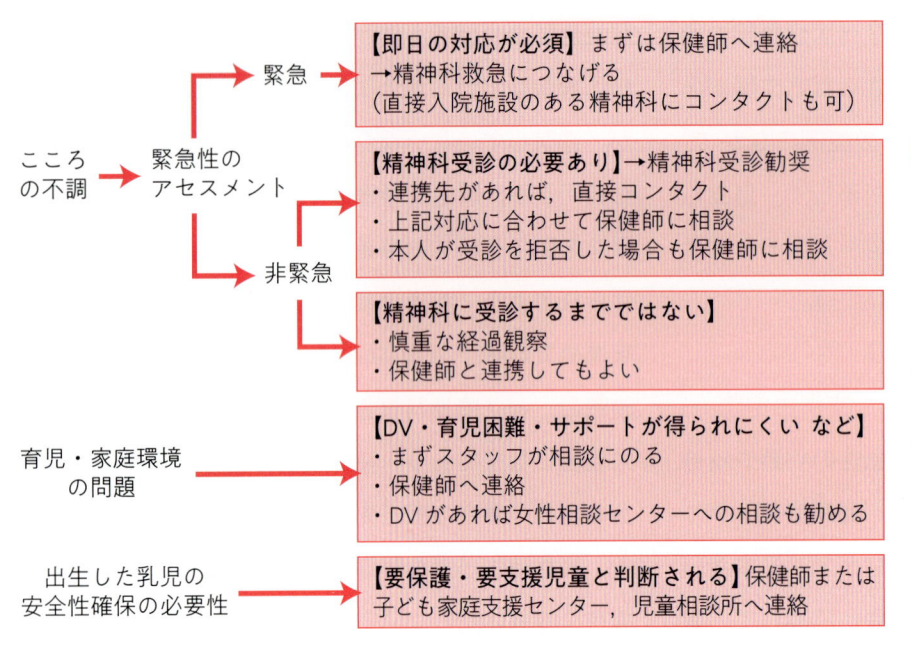

図3 メンタルヘルス不調の妊産褥婦に対する緊急度/育児・家庭環境/児の安全性確保に留意した医療・保健・福祉の連携と対応の仕方は？

(日本周産期メンタルヘルス学会：周産期メンタルヘルスコンセンサスガイド 2017, CQ 5／立花良之：メンタルヘルス不調の母親に対する妊娠期からの切れ目のない支援のための，医療・保健・福祉の連携体制の整備について．日周産期メンタルヘルス会誌 4：23-29, 2018／Tachibana Y, et al：Integrated mental health care in a multidisciplinary maternal and child health service in the community：the findings from the Suzaka trial. BMC Pregnancy Childbirth 19：58, 2019 より引用)[3〜5]

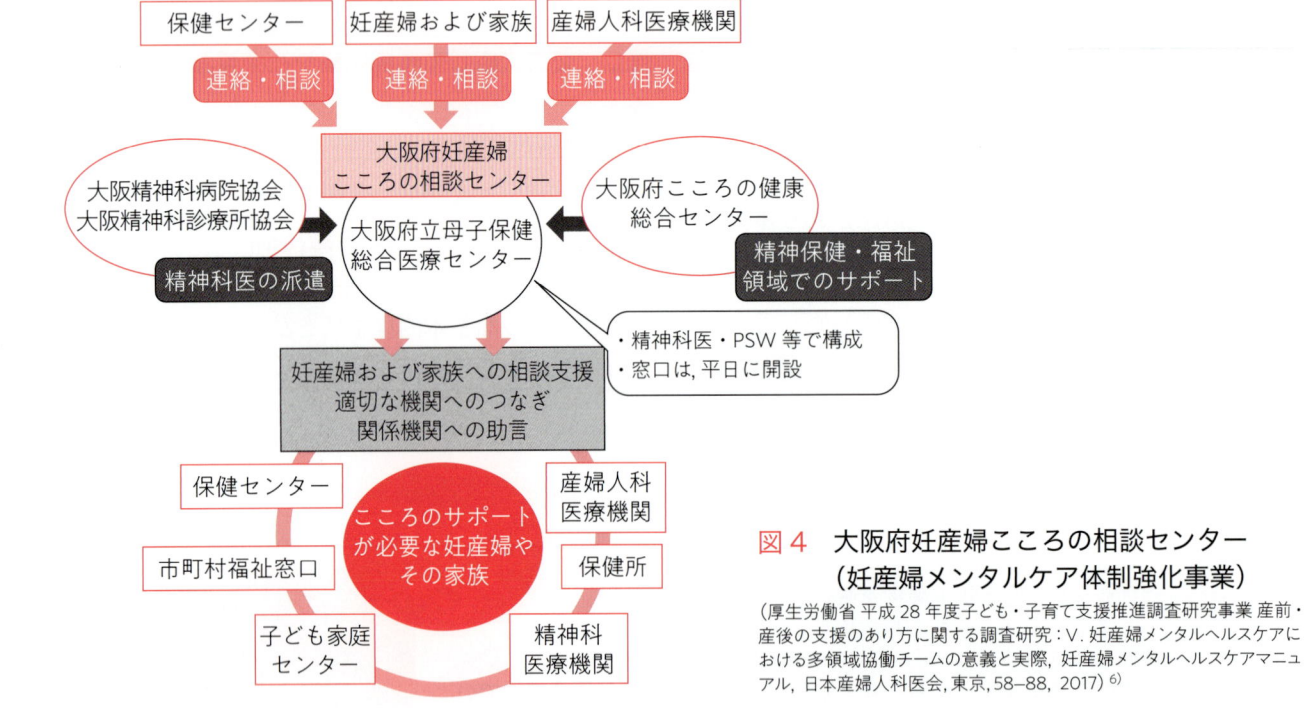

図4 大阪府妊産婦こころの相談センター（妊産婦メンタルケア体制強化事業）

(厚生労働省 平成 28 年度子ども・子育て支援推進調査研究事業 産前・産後の支援のあり方に関する調査研究：Ⅴ. 妊産婦メンタルヘルスケアにおける多領域協働チームの意義と実際, 妊産婦メンタルヘルスケアマニュアル, 日本産婦人科医会, 東京, 58-88, 2017)[6]

ここでは，すでに先駆的な取り組みを行っている地域の実例を紹介する。

1. 大阪府妊産婦こころの相談センター

大阪府では自殺対策強化事業の一環として「妊産婦のメンタルケア体制強化事業」を行っており，2016 年に大阪府立母子保健総合医療センター内に「大阪府妊産婦こころの相談センター」を開設している(図4)[6]。このセンターは精神的に不安定であるが精神科医療機関には受診していない妊産婦およびその周囲の人達からの電話相談を主な業務としているが，このような妊産婦に関わる医療・行政機関

にも助言を行っている。また、大阪精神科病院協会、大阪精神科診療所協会、大阪府こころの健康総合センター等とも連携し、支援が必要な症例を行政の支援機関だけでなく精神科医療機関へも速やかに紹介できる体制が整えられている。センターには母子保健や精神保健に精通する専従の職員が配置され、精神的な問題を抱える妊産婦のためのワンストップ窓口としての機能を果たしている。

2. 大分トライアル

大分県では2016年度から大分県周産期医療協議会の中心的な事業として、周産期メンタルヘルス体制整備事業である「大分トライアル」を開始している(図5)[7]。ここでは、産科医療機関における質問票を使ったスクリーニングと多職種連携のためのフローの作成、妊産婦の支援に関わる行政の担当部署相互の連携強化、および迅速な対応が可能な精神科医療機関の登録等が行われており、さらにリスクの高い妊産婦については、要保護児童対策地域協議会

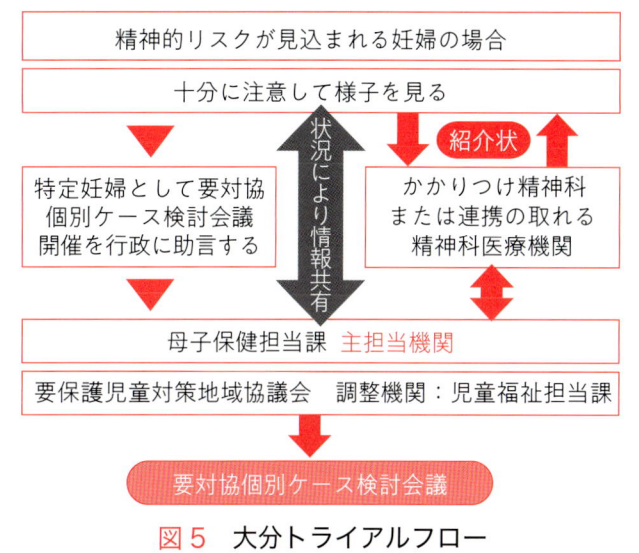

図5 大分トライアルフロー

(岩永成晃、他：大分県における周産期メンタルヘルスケア体制の整備事業「大分トライアル」－妊産婦のメンタルヘルスケア産科・行政・精神科の連携－. 日周産期メンタルヘルス会誌 5：21–25, 2019)[7]

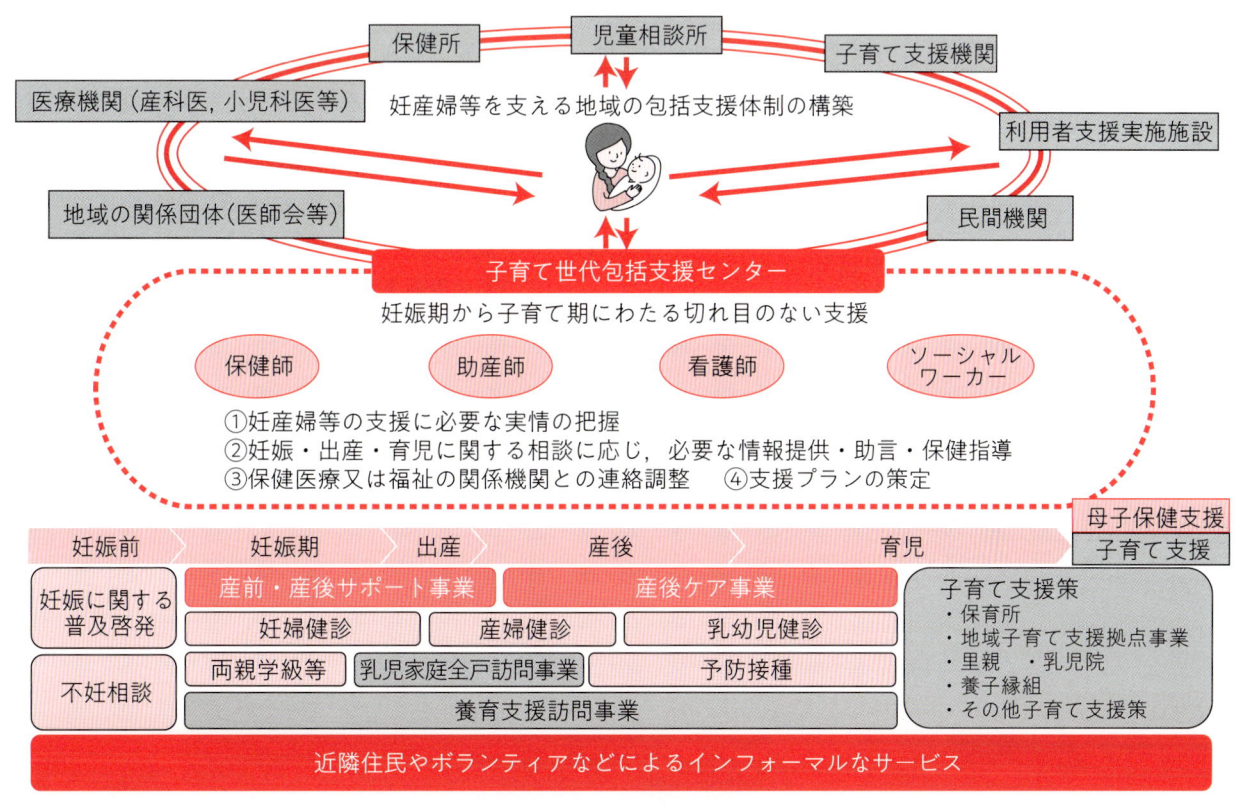

図6 子育て世代包括支援センター

(出典：厚生労働省資料)

のシステムを利用した個別ケース検討会議につなげている。大分県では，以前からすでに，産科・小児科・行政の連携による子育て支援システム「大分県ペリネイタルビジット事業」，および医療・保健・福祉・教育の連携による地域母子保健・育児支援システム「ヘルシー・スタートおおいた」等の事業を行っており，さらに「大分トライアル」が加わることで，精神科医療機関との連携も含む包括的な支援体制が構築されたことになる。

今後の展望

妊産婦のメンタルヘルスの支援は，家族を含めた生活全般が対象になり，長期にわたって多職種が連携してかかわっていく必要がある。本稿では連携の必要性の判断や状況に応じた担当機関についての基本的な考え方を中心に述べたが，実際に多職種が協働して切れ目のない支援を行っていくためには，全般的な知識をもちつつ，支援の経過を通じて患者やその家族に寄り添うコーディネーターの存在が必要である。厚生労働省は子ども・子育て支援事業のなかで子育て世代包括支援センターの設置を提案し，2020年までにその全国展開を目指すとしているが，ここでは保健師等の専門職がすべての妊産婦の状況を継続的に把握し，必要に応じて関係機関と協力して支援プランを策定するとされている（図6）。

このような役割を担うセンターの存在は非常に重要であり，支援体制の全貌を把握する子育て世代包括支援センターのもとに，個々の支援機関が協働で妊産婦やその家族を支えていく実践的な体制の整備が望まれる。

文献

(1) 竹田　省，他：東京都23区の妊産婦の異常死の実態調査．第68回日本産婦人科学会学術講演，東京，2016
(2) 厚生労働省 平成28年度子ども・子育て支援推進調査研究事業　産前・産後の支援のあり方に関する調査研究：Ⅳ．妊産婦メンタルヘルスケアの実際．妊産婦メンタルヘルスケアマニュアル，日本産婦人科医会，東京，23–57, 2017
(3) 日本周産期メンタルヘルス学会：周産期メンタルヘルスコンセンサスガイド2017. http://pmhguideline.com
(4) 立花良之：メンタルヘルス不調の母親に対する妊娠期からの切れ目のない支援のための，医療・保健・福祉の連携体制の整備について．日周産期メンタルヘルス会誌 4：23–29, 2018
(5) Tachibana Y, et al：Integrated mental health care in a multidisciplinary maternal and child health service in the community：the findings from the Suzaka trial. BMC Pregnancy Childbirth 19：58, 2019
(6) 厚生労働省 平成28年度子ども・子育て支援推進調査研究事業　産前・産後の支援のあり方に関する調査研究：Ⅴ．妊産婦メンタルヘルスケアにおける多領域協働チームの意義と実際．妊産婦メンタルヘルスケアマニュアル，日本産婦人科医会，東京，58–88, 2017
(7) 岩永成晃，他：大分県における周産期メンタルヘルスケア体制の整備事業「大分トライアル」―妊産婦のメンタルヘルスケア産科・行政・精神科の連携―．日周産期メンタルヘルス会誌 5：21–25, 2019

（相良 洋子）

総論編
基本編
治療編
システム編
▶ 各論

SAVING MOTHERS LIVES IN JAPAN 2020

各論　直接産科的死亡

弛緩出血

---

commentary

弛緩出血とは

　分娩第3期または胎盤娩出直後に，子宮筋の収縮不全に起因して起こる異常出血[1]のことで，全分娩の約5%にみられる[2]。胎盤娩出時，子宮の脱落膜にある胎盤循環を維持していたらせん動脈および子宮静脈洞は，生物学的結紮と呼ばれるように，子宮筋収縮により子宮血管を圧迫して止血するのが正常な止血機構である。しかし，このような子宮筋の収縮が起きなければ，止血機構が働かずに弛緩出血をきたす(図1)。弛緩出血の早期診断と適正な対処が必要である。

　「産科婦人科用語集・用語解説集」[1]では，分娩時に500 mL以上の出血を認めた場合に異常であると定義している。また，単胎・経腟分娩の分娩時出血量の90パーセンタイルは800 mL，単胎・帝王切開分娩の90パーセンタイルは1,600 mL(羊水含む)という報告がある[3]。触診による子宮収縮不良を伴う児娩出後の子宮出血には，子宮底マッサージ，子宮双手圧迫や補液等の処置，またはバイタルサインや血液データを基にした薬剤投与，血液製剤の補充を行う。

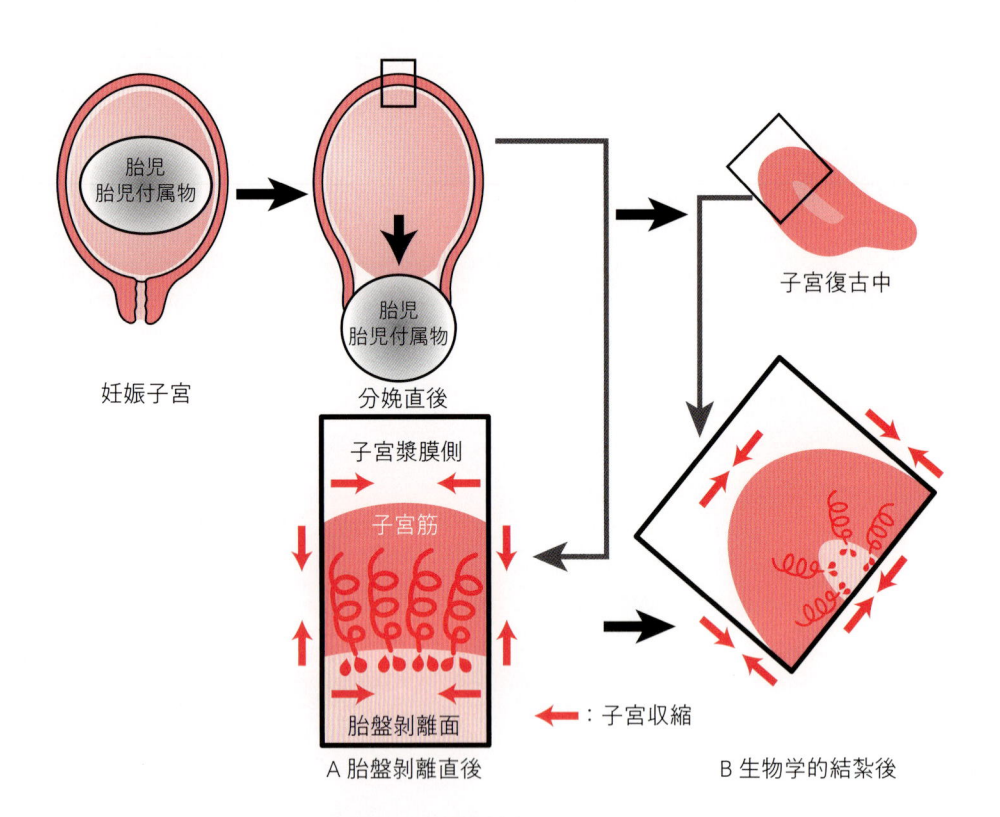

図1　生物学的結紮の機序
A：胎盤剥離直後は胎盤循環を維持していた血管が破綻し，出血する。
B：らせん動脈はあらゆる方向からの圧迫を受け，絞扼されて止血する。

▼事例1　30代，初産婦

妊娠38週に前期破水のため入院となり，翌日よりオキシトシンによる陣痛誘発を開始した．陣痛誘発開始7時間後に，自然経腟分娩で3,000 gの児を娩出した．5分後に胎盤を娩出したが，その後40分間に約1,200 gの出血を認めた．輪状マッサージとガーゼパッキングを試みたが止血は得られず，分娩後1時間で出血量は合計2,800 gに至った．shock index (SI)は1.6（脈拍128 bpm，血圧80/60 mmHg）となり，大量輸液とオキシトシンの点滴静注を行ったが，止血効果は得られなかった．2時間後には心停止を起こし，心肺蘇生を行いつつ高次施設に搬送したが死亡確認となった．病理解剖で子宮型羊水塞栓症，頸管裂傷や子宮破裂は否定された．

▼評価

分娩後の弛緩出血が死因であった事例である．大量出血後，早期から双手圧迫や子宮収縮薬の投与が行われた．子宮双手圧迫やバルーンタンポナーデ法による止血試験を試みる選択肢もあった．速やかに高次施設への搬送をする必要があった．

▼提言

- 子宮収縮薬，輪状マッサージ，子宮双手圧迫等の一次処置で出血がコントロールできなかった時点で，子宮摘出や動脈塞栓術といった止血法を考慮する．自施設でその止血法ができなければ，高次施設への搬送を行う．
- ガーゼパッキングは子宮収縮を障害することや子宮破裂を誘発することもあるので，注意が必要である．
- 弛緩出血は日常遭遇する機会の多い疾患であり，危機的出血の前段階である後産期出血から産科危機的出血への移行を防ぐこと，あるいは出血の進行を極力遅らせるための初期治療に習熟する．

病態生理

胎盤血流を維持していた子宮筋側の動脈は子宮動脈から分岐したらせん動脈で，胎盤娩出後の強い子宮筋収縮によって圧迫されることで，血流が遮断される．これは，生物学的結紮と呼ばれる生理的な止血メカニズムで，胎盤存在下では絨毛間腔に向かって流れていたらせん動脈および子宮静脈洞は，胎盤剥離後にこのメカニズムによって血流遮断される．しかし，何らかの原因で，本来収縮するはずの子宮筋の収縮が障害され，遮断されるべき血管や子宮静脈洞から出血が持続する状態が弛緩出血の本態である．

妊産婦死亡における弛緩出血

弛緩出血を含む産科危機的出血は，妊産婦死亡の

各論　直接産科的死亡　弛緩出血

原因として最も多かったが，J-CIMELS発足後から減少し続けている。2010～2017年の妊産婦死亡のうち，78例が産科危機的出血を原因として死亡し，そのうちの9%が弛緩出血であった[4]。

表　弛緩出血のリスク因子と管理のポイント

	リスク因子	管理のポイント
全身的要因	弛緩出血の既往	血管確保 子宮収縮薬投与可能な態勢
	分娩遷延	分娩前からの休息指導 リラックスできる環境作り
	麻酔薬（特に全身麻酔）	子宮収縮薬投与可能な態勢
局所的要因	急激な分娩進行	補液量の増量
	多胎	血管確保
	羊水過多	絶飲食
	巨大児	十分な補液
	子宮筋腫	筋腫の位置確認
	胎盤・卵膜の遺残	娩出胎盤・卵膜の確認 触診・超音波による遺残の確認
	膀胱・直腸充満	下剤の投与，導尿・摘便
	前置・低置胎盤	必要に応じた自己血貯血

リスク因子のある症例の管理のポイント

　弛緩出血と関連するリスク因子がある場合の妊娠，分娩時のポイントについて表に示す。弛緩出血のリスク因子がある場合，可能であれば，なるべく排除すべきであり，排除できないものは分娩前から出血に備えた管理が必要となる。

鑑別診断

　胎盤娩出後に異常出血をきたした場合は，以下の疾患を念頭に入れて診察を行う。内診，クスコ氏腟鏡診，下腹部触診，超音波検査を適宜行い，必要に応じてSimon氏腟鏡，粘膜鉗子を用いて出血源を同定することが重要である。

1．子宮頸管裂傷・会陰裂傷（211ページ参照）

　直視下に裂傷の有無と，出血源となる血管を確認する。

2．子宮内反症（215ページ参照）

　クスコ氏腟鏡で，腟内に子宮内膜面が確認できる。胎盤母体面に似た腫瘤として見えることが多い。超音波検査によって，子宮内膜面が子宮頸部より突出する像により診断可能である。また，子宮の双合診で子宮底部を触れないことでも診断がつくことがある。

3．子宮破裂（211ページ参照）

　帝王切開既往，筋腫核出術既往といった子宮手術の既往がある場合に鑑別することが重要である。内診指により子宮内腔を触知して，子宮筋層の欠損を確認したら診断できる。子宮手術の既往がない場合にも起こることがある。

4．羊水塞栓症（226ページ参照）

　分娩時の出血量に見合わない血圧低下と頻脈（SI ≧1.5），意識障害を認める場合，本疾患を疑う。胎児成分が母体血中に入ることによる物理的な血管閉塞と，アナフィラキシー様反応がその本態ともいわれている。出血量に見合わない著しい血清中フィブリノゲンの低下でも，本症を疑う必要がある。DICを起こし，子宮出血が持続する。羊水塞栓症の発症当初は，弛緩出血による出血性ショックとの鑑別が困難である。分娩後の子宮出血の持続では，常にその可能性を念頭におかなければならない。

対応の実際（治療編 99 ページ～を参照）

弛緩出血のリスクをもつ分娩における対応を，産科危機的出血の対応プロトコールとしてまとめる。

1．弛緩出血に対する準備としての血管確保

分娩時の出血に備え，輸血可能な留置針で末梢静脈路を確保する。点滴の内容は，生理食塩水および細胞外液で複数ルート確保する。全開大投与すると体温低下が起こるため，温めた輸液を準備する。

2．物理的刺激による子宮収縮促進

産後出血の原因となりうる要因の有無を分娩前に確認し，生物学的結紮の不全により子宮出血が増量し，弛緩出血であると考えられれば，子宮底輪状マッサージや氷庵を行う。それでも子宮収縮不良が持続し，出血が持続していれば，子宮収縮が良好になるまで子宮体部を双手圧迫し，必要に応じて子宮収縮薬の投与を行う。双手圧迫のポイントは，利き手で子宮頸部を固定した状態で子宮底部を経腹的に反対の手で圧迫し，子宮体部と子宮頸部および母体腹壁との角度が垂直に近くなるように圧迫する(102ページ図1参照)。この操作により，子宮動脈がらせん動脈より中枢側で圧迫され，胎盤剥離面からの出血を減少させる効果が期待できる。一旦子宮収縮が良好となった後も，子宮筋が弛緩することがあり，分娩第4期にも氷庵冷却を適宜使用する。

3．子宮収縮薬の投与

物理的刺激による子宮促進でも不十分な時は，子宮収縮が良好になるまで適宜子宮収縮薬を使用する。

帝王切開時に弛緩出血を確認した場合，物理的な子宮筋刺激を行いつつ，子宮収縮薬の投与を行う。子宮収縮薬の使用法は，経腟分娩の場合と同様に点滴静注する方法がある。子宮筋に直接注射投与する方法は，現在推奨されていない。帝王切開では子宮筋を直接刺激でき，子宮を腹腔外へ挙上および子宮動脈の直接圧迫ができることから，経腟分娩に比較して出血をコントロールするための操作は容易である。また，卵膜遺残や癒着胎盤といった弛緩出血の鑑別疾患の評価も容易である。

4．子宮内腔のタンポナーデ

物理的刺激や子宮収縮薬の投与を行っても弛緩出血が持続する場合，Bakri®バルーンを子宮内に充填することにより出血のコントロールを図る。Bakri®バルーンは滅菌水や生理食塩水を500 mLまで注入することができ，子宮内腔の形状に合わせて拡張する。シリコン性で，ラテックスアレルギーの場合も使用可能であり，内腔の出血がモニタリングできるドレナージルーメンを備えているのが特徴である。ただし，これらの処置は子宮収縮を障害し，出血を助長することがあるので注意が必要である。

5．ガーゼによる圧迫止血

注意すべきは，ガーゼによる子宮内腔のタンポナーデではないことである。産後の子宮，特に弛緩出血を起こすような収縮の悪い子宮にガーゼを詰め込もうと思えば，いくらでも挿入することができるため，このような処置を行うべきではない。ここでいう圧迫止血は，後腟円蓋の両脇から子宮に流入する子宮動脈を間接的に圧迫することである(図2)。実際には腟鏡下に確認できる外子宮口の頭側にある後腟円蓋から子宮動脈を圧迫するように両側交互にヨードホルムガーゼ等を用いて圧迫することにより子宮からの出血をコントロールできる。

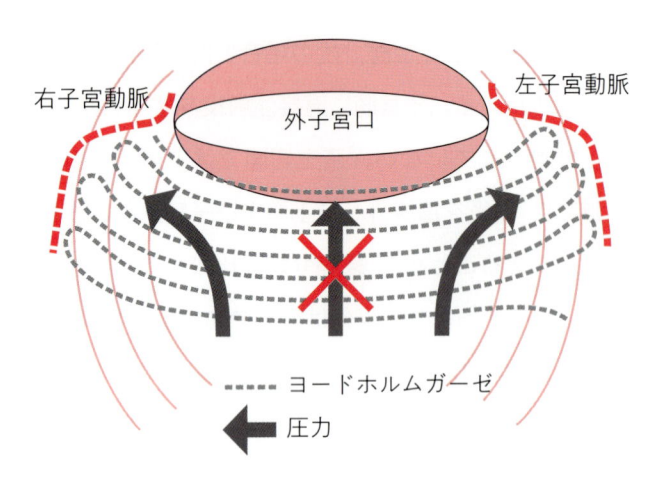

図2 ヨードホルムガーゼを用いた後腟円蓋からの子宮動脈圧迫
子宮口ではなく子宮動脈を母体腹側に圧迫するイメージで行う。

6．開腹圧迫・内腸骨動脈結紮・compression suture

経腟分娩において，上記の処置で出血のコントロールができない場合，開腹して帝王切開時と同様に子宮の直接圧迫，および内腸骨動脈を選択的に結紮することにより出血のコントロールを図る。ただし，子宮への血液灌流は外腸骨動脈の交通枝からもあるため，十分な効果を得られるのは約半数といわれている。また，子宮摘出を回避したい場合に考慮されるB-Lynch法[5]に代表されるcompression sutureを行うことがある。常位胎盤の場合は，B-Lynch法で胎盤付着部位が圧迫止血可能となるが，前置・低置胎盤では胎盤付着部位を圧迫できないため，vertical compression suture[6]，interrupted circular suture[7]，U字縫合[8]が必要となることもある。

7．子宮動脈塞栓術

造影CTや血管造影検査を施行し，出血点を確認した上で子宮動脈塞栓術が考慮される。この手技は開腹圧迫・内腸骨動脈結紮と並列で考慮される手技になる。塞栓術には一時的な塞栓子が用いられ，出血コントロール可能となる頃には塞栓子が吸収されて，子宮血流が回復する。塞栓した血管に由来する出血は止血可能であるが，子宮に流入する血流は多岐にわたり，止血ができないこともある。出血点が限定している場合には，その止血効果は高い。塞栓術により一時的であっても子宮血流が阻害されるため，その後の妊孕性と疎血が広範囲に及んだ場合の子宮壊死が問題となる。本治療を選択する際には，十分に適応を吟味することが重要である。

8．子宮摘出

前述の治療により，多くの症例は子宮摘出するまでもなく出血がコントロールされるが，出血コントロールが困難であれば，出血源である子宮を摘出しなければならない。

常位胎盤であれば，出血部位は子宮体部にあるため，腟上部切断術で出血がコントロールできる。前置・低置胎盤の場合，腟上部切断術では出血部位が除かれない可能性があるため，子宮頸部を含めて切除する子宮全摘術が必要になる。その場合，増大した妊娠子宮により，尿管等，周辺臓器の解剖学的な位置の偏位に注意した手術操作が必要である。また，DICが背景に存在する場合は，子宮摘出しても結紮による止血操作が効果的でなく，組織の剥離面からの出血コントロールが困難なことがある。そのような場合は，子宮動脈塞栓や骨盤内のガーゼパッキングといった結紮以外の方法で止血操作を加える必要がある。

まとめ

弛緩出血は，日常臨床で比較的よく遭遇する分娩時の合併症である。弛緩出血のリスク因子をもつ妊婦の分娩においては，なるべくそれを排除し，また

出血に備えた分娩管理が重要である。一旦弛緩出血が起きた場合は，可及的迅速に病態の把握に努め，止血処置を遂行すること，また妊婦の循環動態維持のための輸液療法が重要である。さらに，輸血のタイミングを逸しないように，早め早めの準備を行うことが妊産婦死亡を回避するために重要である。

文献

(1) 日本産科婦人科学会編：産科婦人科用語集・用語解説集，金原出版，東京，2003
(2) 小林隆夫：分娩時出血．池ノ上克，他（編）：NEWエッセンシャル産科学・婦人科学 第3版，医歯薬出版，東京，464–470, 2004
(3) 久保隆彦：産科異常出血の管理 分娩時異常出血量の新しい考え方．日産婦誌 62：N121–125, 2010
(4) 日本産婦人科医会 妊産婦死亡症例検討評価委員会：母体安全への提言 2018, 12–13, 2019
(5) B-Lynch C, et al：The B-Lynch surgical technique for the control of massive postpartum haemorrhage: analternative to hysterectomy? Five case reported. Br J Obstet Gynecol 104：372–375, 1997
(6) 田中利隆，他：前置胎盤．産と婦 77：171–177, 2010
(7) Cho JY, et al：Interrupted circular suture：Bleeding control furing cesarean delivery in placenta previa accurate. Obstet Gynecol 78：876–879, 1991
(8) 小辻文和：実践手術学：病変部位別手術対応方法 前置胎盤，低置胎盤，前置血管の帝王切開―従来法に「子宮底部横切開法」「子宮下部U字縫合」を組み合わせた治療指針―．産婦人科手術 No.19, メジカルビュー社，東京，47–54, 2008

（仲村 将光）

各論　直接産科的死亡

前置胎盤

> **commentary**
>
> ## 前置胎盤とは
>
> 　胎盤は，絨毛膜の一部が繁生絨毛となり，厚く成長することで形成される。本来，子宮体部に形成されるのが正常であるが，稀に子宮口側に形成されると前置胎盤となる。妊娠子宮と胎盤では，胎児に酸素や栄養を送るために，母児の多量の血液が循環している。前置胎盤は子宮口を胎盤が覆った状態であるので，子宮口の開大傾向があれば，胎盤が剥離して母体血の出血を惹起し，母児ともに生命の危機に曝されることとなる。このことから，前置胎盤は分娩前に，必ず診断されておかなければならず，緊急対応が可能な施設での健診・分娩管理が必要である。
>
> 　また，前置胎盤では帝王切開中の出血にも注意しなければならない。前置胎盤周囲の子宮の血流が豊富になっていることから，子宮下部の切開を行えば術野の出血が多くなる。また，子宮下部は子宮収縮力が弱いため，胎盤娩出後の収縮力も得られにくい。子宮下部に広く胎盤が付着しているほど弛緩出血となりやすい。さらに，子宮下部の子宮内膜は薄いため，癒着胎盤となりやすいという特徴もある（図1）。
>
> **図1**　前置胎盤の帝王切開時に大量出血になるメカニズム

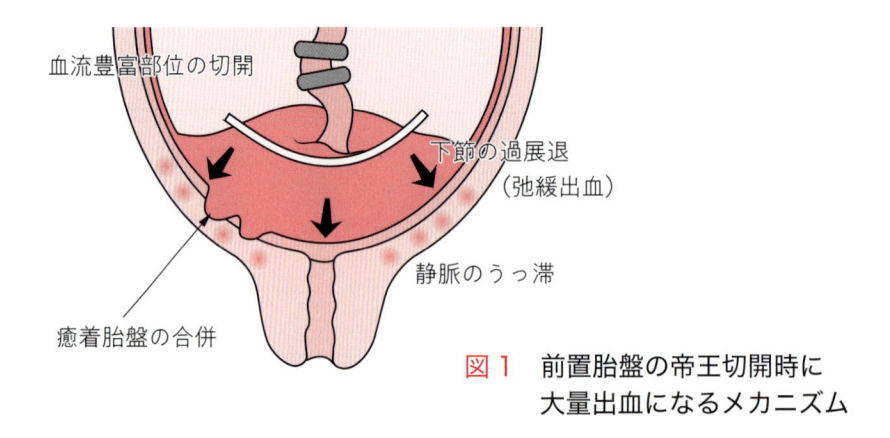

▼事例1　40代，経産婦

　5妊2産(2回の妊娠中期の死産歴あり。頸管無力症があり頸管縫縮術を3回行っている。2回は妊娠末期に帝王切開分娩)，155 cm，63 kg。妊娠初期より健診を受けていた。妊娠13週，予防的頸管縫縮術を施行した。妊娠20週，前置胎盤の診断となった。胎盤は子宮前壁の前回帝王切開創部に付着しており，前置癒着胎盤が疑われていた。子宮収縮を認めたため切迫早産の診断で入院し，塩酸リトドリン，硫酸マグネシウムを使用していた。妊娠30週，300 gの出血を認めたため，輸血をRBC 12単位，FFP 12単位用意し，同日，全身麻酔で緊急帝王切開を決定した。1,600 gの児を娩出後より血圧が低下し70/45 mmHgとなった。止血縫合を行いながら，メチルエルゴメトリン，プロスタグランジンを子宮筋に投与した。出血量は2,500 g(術野)であったが，最終的にシーツも含めると5,500 gあったことが判明した。Hb 5.3 g/dL，Plt 8万/μL，K 6.4，RBC，FFPを投与しながら手術終了，ICUに帰室した。帰室後さらに1,200 gの出血あり，血圧50～60 mmHg，脈拍120/分，30分後心停止となった。心臓マッサージを開始し，電気的除細動も行った。合計RBC 30単位，FFP 34単位投与し，蘇生が続けられたが2時間後に死亡確認となった。

　病理解剖所見では両側肺うっ血水腫と出血，急性尿細管壊死，前置癒着胎盤を認めた。また，子宮頸部から帝王切開領域にかけて静脈内には粘液や角化物，扁平上皮細胞の混入を認めた。胎盤については，頸部の一部で基底脱落膜が欠如し，直接頸管結合織や筋層に癒着する部分を認めた。

▼評価

　前置癒着胎盤に対する帝王切開時の大量出血と，出血性ショックによって死亡した事例である。正確な出血量の把握がなされておらず，輸血量が出血に追いついておらず，DIC，止血困難な状態へ陥り，死亡に至ったと考えられた。

▼提言

- 前置癒着胎盤における帝王切開では，子宮頸部からの出血が腟から流出するため，出血量の正確な把握を行い，十分な輸血を行う。
- 前置胎盤や前置癒着胎盤による出血は，急激に多量に起こるため，緊急帝王切開や高度の止血術を要する。出血の予測は困難であるため，重症の母体，新生児ともに対応できる施設で管理を行う。

疫学・病態生理

　前置胎盤は，全分娩の0.3～0.5%に発症するといわれる胎盤の位置異常である[1]。妊娠中の突然の大量出血や，分娩時のコントロール不能の大量出血を起こすことがあり，多量輸血・子宮摘出術を余儀な

くされることも少なくない。

　子宮口は，分娩末期に向かって熟化し，開大傾向にある。子宮口を覆う前置胎盤の場合，子宮口の開大傾向は，胎盤の脱落膜からの剥離を惹起し出血の原因となる。最初の微小な開大傾向に伴う前置胎盤からの出血を警告出血という。警告出血は，コントロール不良な出血の予徴であるといわれており，警告出血のあった症例で予定帝王切開まで待機できたのは半数に満たなかったという報告もある[2]。

　警告出血でとどまればよいが，出血が持続する場合は分娩とし，胎盤を娩出した後の子宮収縮（生物学的結紮）によって止血を図るしかない。出血性ショックのため緊急搬送，緊急帝王切開が必要となるが，その出血の予測が困難であることが前置胎盤の大きな問題である。

　さらに，前置胎盤の帝王切開の出血量は，他の適応に比べて多くなる。その理由は，そもそも子宮下部に胎盤が形成されていることによって，子宮下部の血流が多くなり，子宮下部の横切開が行われる場合，血流豊富な場所を切開することになるため，出血量が多くなる一因となる。また，子宮下部は子宮体部に比べて子宮収縮力が弱く，胎盤による過伸展もあって弛緩出血となりやすい。さらに，子宮下部の内膜は薄く，前置胎盤の5％に癒着胎盤を合併するといわれている。

　本妊産婦死亡症例検討評価委員会で検討された前置胎盤が関連した妊産婦死亡症例では，前置胎盤の出血単独で死亡した症例はなく，死亡の原因は前置癒着胎盤であった[3]。前置胎盤例では癒着胎盤の合併の可能性を考慮した術前評価と，戦略的な治療が必要である。

診断

　前置胎盤は，超音波検査（経腟）で診断する。前置胎盤であるだけでは自覚症状がないので，妊娠中期（妊娠23〜24週頃）の頸管長チェックと合わせた全例へのスクリーニングや，経腹超音波で子宮下部に胎盤が付着している場合に経腟超音波で精査する等で診断する。

　妊娠15〜24週に前置胎盤と診断されるのは1.1〜3.9％であるが，分娩時の診断では0.14〜1.9％に減少するという報告がある[4]。これは，胎盤のmigrationという現象である。胎盤のmigrationは，妊娠中期に起きる子宮下節の開大と，妊娠末期に著明となる子宮筋の伸展による胎盤辺縁と子宮口の超音波画像上のみかけの変化で，子宮の増大とともに胎盤が子宮口より離れていくようにみえることをいう。

1. 経腟超音波検査

　経腟超音波における検査に際しては，頸管が屈曲しないように気をつける，一旦前腟円蓋に進めたプローブを少し引き気味にして明瞭に描写できる場所を探す。胎児先進部が子宮口や胎盤に密着する場合は，下腹部から先進部を軽く押し上げて隙間をつくると診断しやすくなる。また，後壁の胎盤付着の場合，頸管をプローブで強く押し過ぎると前壁が後壁に近づき，あたかも前置胎盤かのように描出されることがあるので注意する。

　最近の超音波機器では，よく観察すると子宮頸管と子宮下節の区別が可能（図2）で，胎盤と本当の組織学的内子宮口との位置関係が正しく認識されれば，そのあとでmigrationする妊娠中期であっても，より正しい前置胎盤の診断が可能となる[5]。

　真の前置胎盤は，leaf likeに描出される頸管腺領

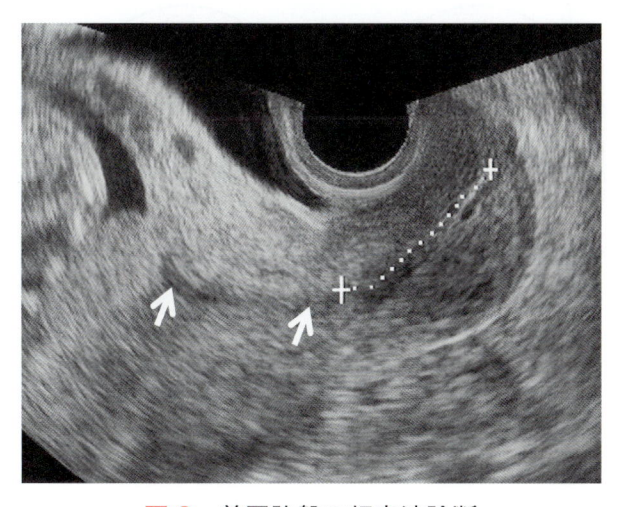

図2　前置胎盤の超音波診断
頸管（点線）と子宮下節（矢印の間）を意識して診断する。本症例は，胎盤は下節に接する程度であるので，下節が開大した時には前置胎盤でなくなる可能性が高い。

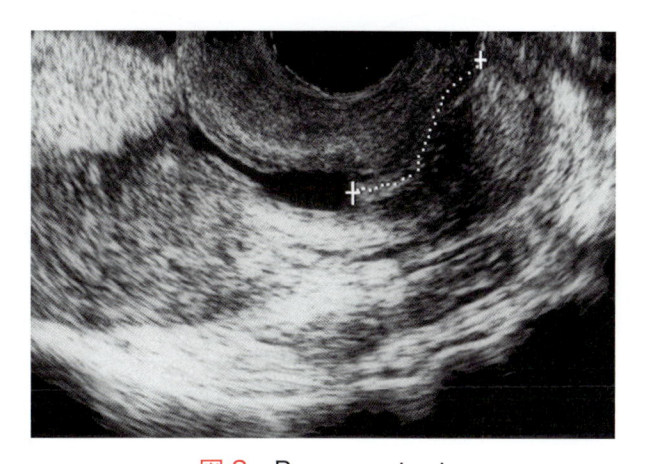

図3　Pressure test
子宮収縮や子宮底圧迫法（pressure test）によって羊水腔が下がり，下節を開大させることで，前置胎盤でないことが明らかになる場合もある。

域の最上端（組織学的内子宮口）を胎盤が覆う状態である。頸管腺領域を明瞭に描出し，そこよりもさらに子宮体部側で内腔が閉じているようにみえる場合は，子宮下節が閉じている状態（時期）であると考える。子宮下節が閉じている状態では，真の前置胎盤を診断することは困難である。子宮下節の閉じている時に前置胎盤のようにみえていても，下節の開大後に前置胎盤でなくなることは少なくない[5]。そのような場合は，子宮下節が開大するまで待ってから診断する。なお，子宮口を覆っている胎盤辺縁は，胎盤実質（high echoicに描出される部分）だけでなく，絨毛間腔や辺縁静脈洞（胎盤辺縁のlow echoicな部分やflowがみえる部分）も含める。

また，子宮口付近に存在する血腫も胎盤実質と誤認する原因となるため，カラードプラ等を併用し確認する（図3）。辺縁前置胎盤の確認は，矢状断に限らず内子宮口周囲の全周に渡って，胎盤が接する部分の有無について確認する。

2. 分類・鑑別診断

胎盤が内子宮口を完全に覆い，胎盤辺縁と内子宮口の最短距離が2 cm以上ある時を全前置胎盤，2 cm未満である場合を部分前置胎盤，ちょうど胎盤辺縁が子宮口を覆う場合を辺縁前置胎盤と定義する。低置胎盤は，内子宮口と胎盤下縁までの距離が2 cm以内の場合をいう（図4）。

辺縁・部分前置胎盤や低置胎盤の場合は，診察をした時々の子宮収縮の違いや，妊娠末期にかけて起きる子宮下節の伸展によって，内子宮口と胎盤辺縁の位置関係が異なってみられることがしばしばあるので，注意を要する。

一方，低置胎盤は，妊娠24週頃であればほとんどは妊娠末期に子宮下節が伸展するため，分娩時には常位胎盤になる。

3. 妊娠中の出血の予測

前置胎盤の妊娠中の出血の予測は難しいと考えられている。胎盤辺縁の膨らんだ静脈洞が内子宮口を覆うタイプの前置胎盤[2,6]や，胎盤下縁の実質の厚い低置胎盤[7]は妊娠中の出血と関連が深いという報告，妊娠末期の頸管短縮症例はその後の出血の頻度や緊急帝王切開を増すという報告[8]がある。前置胎

各論　直接産科的死亡　前置胎盤

　　　全前置胎盤　　　　部分前置胎盤　　　　辺縁前置胎盤　　　　低置胎盤

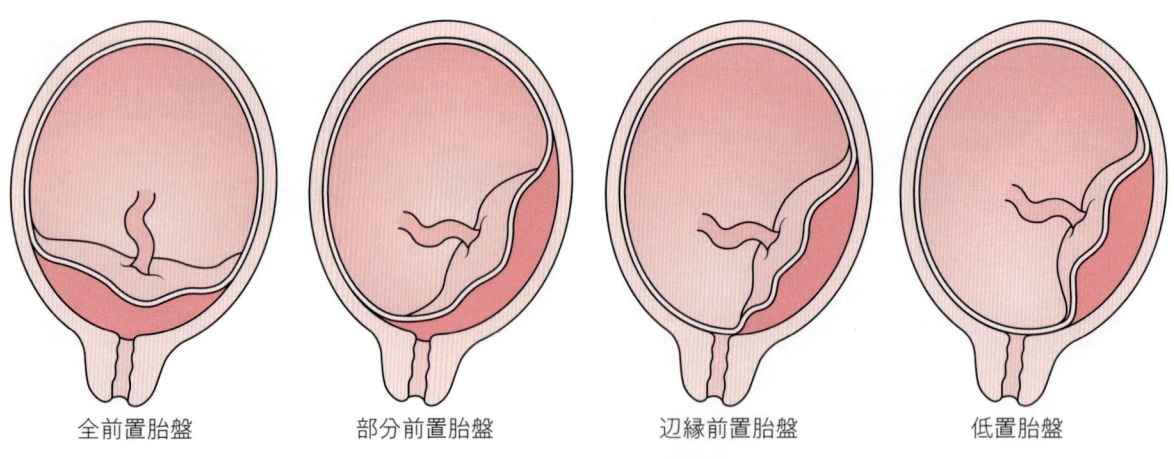

図4　前置胎盤の分類

盤で，頸管長の短縮を伴って出血をきたす症例には子宮収縮のエピソードがある例が多いという報告もあり[9]，子宮収縮の有無の問診も重要である。すべての前置胎盤で出血は突然起こりうると考えておく。

4．帝王切開時の出血の予測

　前置胎盤の帝王切開では，大量出血に対処するため多くのマンパワーが要求されるため，予定帝王切開での手術が望ましい。帝王切開時に次いで行われる子宮全摘時の出血量は，帝王切開が計画的に行われた場合のほうが，緊急で行われた時に比べ有意に少ないことが報告されている[10]。妊娠中の前置胎盤の適切な管理と，分娩前の癒着胎盤の可能性の評価，手術時の出血の予測，準備がその鍵となる。前置胎盤の帝王切開に際し2,500 mL以上の大量出血に関連する背景や超音波所見として，前回帝王切開（オッズ比3.9），帝王切開創部の胎盤付着（オッズ比6.4），sponge like echo（オッズ比3.7）（図5），頸管長が25 mm未満（オッズ比6.9），癒着胎盤の合併（オッズ比18.0）等があり[11]，これらを術前の出血予測の参考にする。

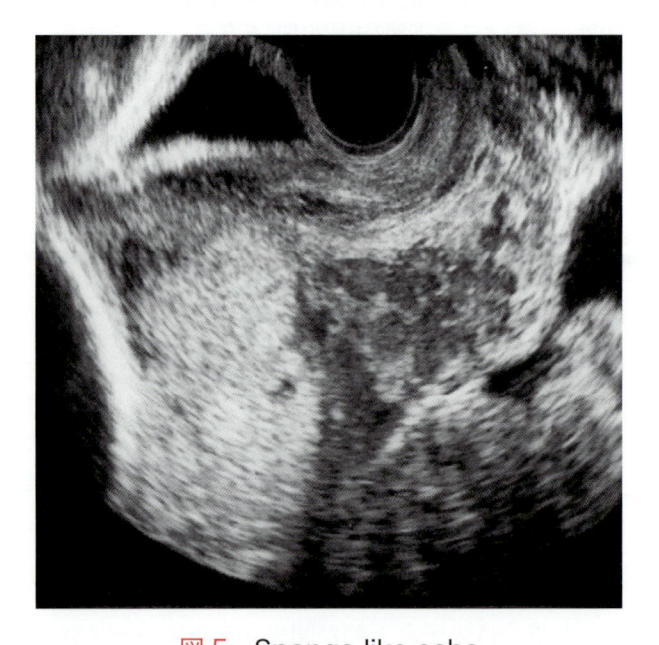

図5　Sponge like echo
子宮頸管内に複数の囊胞状エコーや血流がみられる場合，子宮下部の血流のうっ滞が疑われ，帝王切開時の子宮下部の切開で出血が多くなる場合がある。

管理

前置胎盤の分娩時期の決定

　前置胎盤の出血のコントロールがつかない場合は，いかなる妊娠週数であっても母体救命のために帝王切開が必要である。しかし，なるべく予定帝王切開での手術が望ましい。児の予後も勘案して，適切な選択的帝王切開のタイミングを決定する。

前置胎盤で警告出血，頸管長短縮等の徴候があった妊婦は，緊急帝王切開率が高いと報告されている[8,9,12]。その一方，癒着胎盤のリスクの少ない前置胎盤例で，無症候で頸管長短縮がなく，内子宮口上の胎盤の厚さが薄い場合は妊娠37〜38週の帝王切開でもよいが，癒着胎盤の可能性が高い場合は妊娠34〜35週での予定帝王切開とすべきであるという報告もある[13,14]。

治療

1. 前置胎盤の帝王切開

前置胎盤では，胎盤が子宮下部に付着していることから，帝王切開時に子宮下部の切開を選択すれば血流豊富な子宮壁からの出血量が増える。また，子宮下節は体部に比べて子宮収縮が弱いことから，弛緩出血になりやすい。癒着胎盤を合併する場合，剥離後に癒着胎盤の胎盤の残存部位から出血コントロールがつかなくなるケースも少なくない。出血がコントロールできない場合の病態を考慮した対応を心がけるべきである。

まず，胎盤の付着している場所の術前評価によって，子宮切開創を決める。前置胎盤でない帝王切開では，子宮下部横切開が児の娩出や出血，後の妊娠での癒着胎盤のリスク軽減の面で有利であると考えられて第一選択とされるが，前置胎盤ではこの限りではない。前置胎盤では，胎盤周辺の子宮筋の血流が豊富になっているので，胎盤の近くの切開は出血量を増やす可能性がある。また，児頭が胎盤の存在によって下降できず，子宮下節の切開部が展退していないことがしばしばあり，子宮筋層の厚いことも少なくない。そのような場合は児の娩出が難しく，結果的に創部からの出血を増やす可能性がある。術中超音波で胎盤位置を詳細に確認するのも1つの方法であるが，厳密に胎盤ギリギリの下節を狙わず，十分に離れた場所を切開部に選ぶのがよい。また，術前に決めた切開部に怒脹した血管があるような場合や，側方への裂傷を避けるために，切開部をクーパーでUやJ字にするのも1つの方法である。

手術全般にいえることではあるが，術野の確保は重要である。特に前置胎盤では大量出血のため，術野の確保が困難になることも多い。しかし，落ち着いて1つずつ確実な止血，術野確保の手順をとる。帝王切開で児を娩出後，切開創の出血部位を，コッヘルや粘膜鉗子を全周にわたって挟鉗する。その後，胎盤娩出前に両側の切開創を単結紮縫合する。そして胎盤娩出後は，速やかに切開創を縫合する。また，子宮下部の弛緩出血の予防のため，児娩出後は積極的にオキシトシンの点滴静注を行う。

2. 前置胎盤の胎盤剥離面の止血

前置胎盤で胎盤剥離面からの出血が多い場合は，胎盤遺残や癒着胎盤の有無を確認し，そうでない場合は弛緩出血と判断する。まずは，剥離面をガーゼやタオルで圧迫止血し，少しずつずらしながら確認を行う。胎盤遺残等があれば除去し，一部の癒着胎盤が疑われる，太目の血管から点状に出血がある等があれば，その部分を吸収糸で縫合止血する。それらの対処によっても，剥離面からの出血がある場合は，圧迫縫合法（compression suture）を行う[15〜18]（105ページ参照）。圧迫縫合法は，程度の強い弛緩出血等に対して有効な止血方法で，子宮前後壁を合わせて縫合し，圧迫することで止血を図る方法である。簡便に速やかにできる手技であり，子宮全摘の前に試みるべき方法である。それでも止血困難な場合は速やかに子宮全摘等を考慮する。子宮からの止血目的の場合，コントロールがつけば腟上部切断術で手術を終えてもよいが，前置胎盤の弛緩出血であ

る場合は子宮体部のみの切断では不十分なことがあり，手術難度はあがるが全摘したほうがよい場合も少なくない．適宜，腟側からの出血を確認しながら判断する．

　癒着胎盤を合併した場合については，本書，各論「癒着胎盤」（195ページ参照）および，治療編（99ページ参照）も参考のこと．前置胎盤ではいつ何時急変するかもしれないため，診断がついた時から本人や家族に対して詳細なインフォームド・コンセントが行われるべきである．その後も，自己血の貯血，貧血の改善，輸血の準備，麻酔科，小児科との打ち合わせ，術前の十分な補液等，緻密な計画が必要である．

文献

(1) Iyasu S, et al：The epidemiology of placenta previa in the United States, 1979 through 1987. Am J Obstet Gynecol 168：1424–1429, 1993

(2) Hasegawa J, et al：Can ultrasonography of the placenta previa predict antenatal bleeding? J Clin Ultrasound 39：458–462, 2011

(3) Hasegawa J, et al：Maternal deaths in Japan due to abnormally invasive placenta. Int J Gynaecol Obstet 140：375–376, 2018

(4) Oyelese Y, et al：Placenta previa, placenta accreta, and vasa previa. Obstet Gynecol 107：927–941, 2006

(5) Hasegawa J, et al：Improving the Accuracy of Diagnosing Placenta Previa on Transvaginal Ultrasound by Distinguishing between the Uterine Isthmus and Cervix：A Prospective Multicenter Observational Study. Fetal Diagn Ther 41：145–151, 2017

(6) Saitoh M, et al：Anticipation of uterine bleeding in placenta previa based on vaginal sonographic evaluation. Gynecol Obstet Invest 54：37–42, 2002

(7) Ghourab S：Third-trimester transvaginal ultrasonography in placenta previa：does the shape of the lower placental edge predict clinical outcome? Ultrasound Obstet Gynecol 18：103–108, 2001

(8) Ghi T, et al：Cervical length and risk of antepartum bleeding in women with complete placenta previa. Ultrasound Obstet Gynecol 33：209–212, 2009

(9) Stafford IA, et al：Ultrasonographic cervical length and risk of hemorrhage in pregnancies with placenta previa. Obstet Gynecol 116：595–600, 2010

(10) Briery CM, et al：Planned vs emergent cesarean hysterectomy. Am J Obstet Gynecol 197：154. e1–5, 2007

(11) Hasegawa J, et al：Predisposing factors for massive hemorrhage during Cesarean section in patients with placenta previa. Ultrasound Obstet Gynecol 34：80–84, 2009

(12) Fukushima K, et al：Cervical length predicts placental adherence and massive hemorrhage in placenta previa. J Obstet Gynaecol Res 38：192–197, 2012

(13) Vintzileos AM, et al：Using ultrasound in the clinical management of placental implantation abnormalities. Am J Obstet Gynecol 213：S70–77, 2015

(14) Robinson BK, et al：Effectiveness of timing strategies for delivery of individuals with placenta previa and accreta. Obstet Gynecol 116：835–842, 2010

(15) Allam MS, et al：The B-Lynch and other uterine compression suture techniques. Int J Gynaecol Obstet 89：236–241, 2005

(16) B-Lynch C, et al：The B-Lynch surgical technique for the control of massive postpartum haemorrhage：an alternative to hysterectomy? Five cases reported. Br J Obstet Gynaecol 104：372–375, 1997

(17) Makino S, et al：Double vertical compression sutures：A novel conservative approach to managing post-partum haemorrhage due to placenta praevia and atonic bleeding. Aust N Z J Obstet Gynaecol 52：290–292, 2012

(18) Hwu YM, et al：Parallel vertical compression sutures：a technique to control bleeding from placenta praevia or accreta during caesarean section. BJOG 112：1420–1423, 2005

〔長谷川　潤一〕

各論　直接産科的死亡

癒着胎盤

commentary

癒着胎盤とは

　妊産婦死亡の原因のなかで胎盤異常に起因するものは約1割に達し[1]，癒着胎盤もその異常の一つである。穿通胎盤等の侵入程度の深い症例以外は，分娩前の診断が困難である。

　癒着胎盤は，絨毛が筋層の表面のみに癒着し筋層内に侵入していないもの（単純癒着胎盤），絨毛が子宮筋層深く侵入して剝離が困難になったもの（侵入胎盤），さらに，絨毛が子宮壁を貫通して漿膜面にまで及んでいるもの（穿通胎盤）に分類される[2]（図1）。しかし，術中所見等でこれらの分類をすることもあるが，原則これらの分類は病理診断で行う。胎盤の病理検査ではなく，子宮摘出標本の病理検査でしか正確な細分類はできないと考える。

　英語表記として，2018年FIGOは癒着胎盤の呼称を改変した[3]。単純癒着胎盤をplacenta creta（acretaでない），侵入胎盤をplacenta increta，穿通胎盤をplacenta percretaと呼び，全体をplacenta accreta spectrum disorders（PAS）と呼称する。つまり，分娩前の超音波診断の段階では「癒着胎盤」「PAS」等と呼び，分娩後，病理診断がされた場合は細分類で呼ぶことができる。

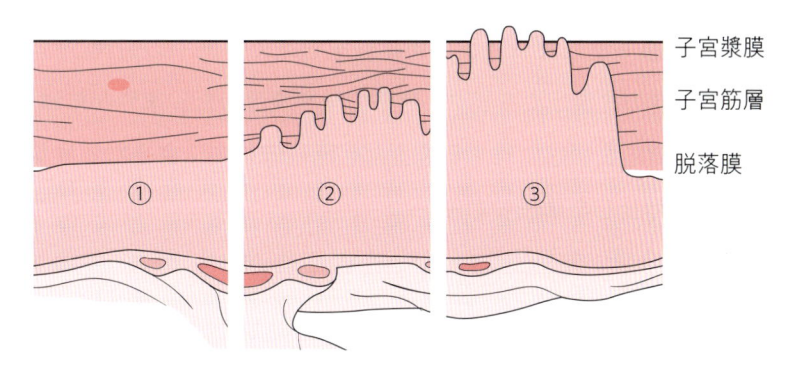

図1　癒着胎盤の病態と分類
① 単純癒着胎盤（placenta accreta spectrum）
② 侵入胎盤（placenta increta）
③ 穿通胎盤（placenta percreta）

各論　直接産科的死亡　癒着胎盤

▼事例1　30代，経産婦

　前回2回の分娩は帝王切開であり，手術所見として子宮頸部が薄く，術後の弛緩出血があった。妊娠22週に，前置胎盤であり，かつ胎盤が前回帝王切開創部にかかる状態であり，本人および家族にリスクの説明がなされた。警告出血等の徴候はなかったが，妊娠28週に管理入院となった。妊娠30週の夜間に1,500 g以上の性器出血を認めた。直ちにルート確保，赤血球濃厚液の輸血が開始され，保存的に経過をみていたが，出血のコントロールがつかないと判断し，帝王切開を決定した。採血結果では，Hb 7 g/dL，Plt 20万/μL，凝固系に異常を認めなかった。術前より癒着胎盤による子宮全摘も考慮し，臍上部までの正中切開による開腹を行い，子宮底部縦切開によって児を娩出した。全前置胎盤，癒着胎盤の術中所見であり，そのまま胎盤の剥離操作は行わず，腟上部切断術を施行した。手術室での血圧は80/40 mmHg，心拍数120〜140/分を推移していたが，手術開始1時間頃より増悪し，術中心停止に至り，蘇生を行ったが死亡確認となった。術中出血量は5,000 gあり，RBC 26単位，FFP 8単位，アルブミン製剤1,750 mLが使用された。摘出子宮の病理所見では筋層の菲薄化，漿膜露出部位にも血腫があり，子宮外への穿破があった。

▼評価

　多産，反復帝王切開後の前置癒着胎盤の事例である。前回分娩後より，次の妊娠のリスク評価が行われており，今回の妊娠後も前置癒着胎盤の可能性を考えて妊娠中の管理が行われた。入院中であったが，前置胎盤からの初発の大量出血を認め，帝王切開を決定した。速やかに輸血の準備等の処置が行われたが，児娩出後の前置癒着胎盤に対する腟上部切断術施行中にさらなる大量出血を引き起こし，出血性ショックによって心停止した事例である。

▼提言

- 多産婦や頻回な既往帝王切開は前置胎盤，癒着胎盤のリスク因子である。
- 前回帝王切開，子宮筋腫核出術の創部の上に位置する胎盤では，癒着胎盤の可能性を強く疑う。
- 前置癒着胎盤では，帝王切開の方法，胎盤の取り扱い方法，子宮全摘の方法，止血方法について，事前に熟考しておく。
- 前置癒着胎盤の可能性が高い症例では手術中の大量出血が問題となり，癒着胎盤の手術に熟練した医師を含むマンパワーを確保した上での予定帝王切開が望ましいが，急な出血によって緊急帝王切開をせざるをえなくなる場合もある。

疫学・病態生理

胎盤は、脱落膜上の絨毛膜の一部（繁生絨毛）が厚く成長することでつくられる。この時、脱落膜は絨毛の子宮筋層内への侵入を防ぐ働きをする。そして児の分娩後は、脱落膜とともに胎盤が容易に剥離、娩出される。

何らかの原因で子宮の脱落膜（子宮内膜）が欠損、菲薄化しているとき、絨毛組織は直接子宮筋層内に侵入して癒着胎盤となる。帝王切開、子宮筋腫核出術（TCR）、子宮内掻把等の子宮内手術、子宮内膜炎、子宮動脈塞栓術等は子宮内膜が損傷を受ける可能性があり、癒着胎盤のリスク因子となる[4]。

子宮手術既往のない症例に癒着胎盤を診断することはきわめて稀で、児娩出後や帝王切開中に胎盤剥離徴候がないことによって初めて本症が疑われる場合も少なくない。実際、分娩前に癒着胎盤が疑われるのは、前置胎盤か子宮手術の既往例がほとんどである[4]。また、前置胎盤は脱落膜の薄い子宮下部に胎盤が付着しているため、初妊婦でも癒着胎盤になりやすい（前置癒着胎盤）。特に既往帝王切開の前置胎盤では、前置癒着胎盤のリスクが高く、1回の既往帝王切開では24％に対し、3回以上の既往帝王切開では67％に上昇する[5]（図1）。

診断

癒着胎盤の妊娠中の診断のためには、癒着胎盤に関連する既往歴や超音波所見の有無を確認することが重要である。以下の超音波所見を参考に、妊娠中の評価を行う。

1. 直接所見

癒着胎盤は、子宮筋層に胎盤が浸潤している状態で

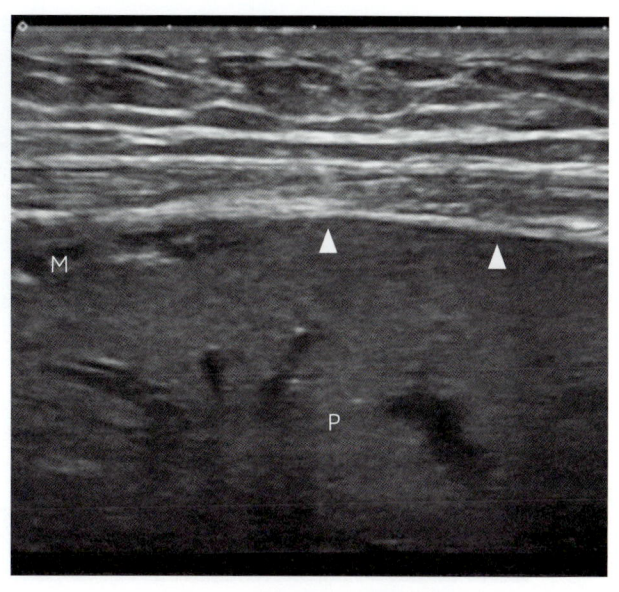

図2 子宮筋の菲薄化像
前回帝王切開創部に胎盤が付着し、癒着胎盤となった。
M：子宮筋層　P：胎盤　△：菲薄化した筋層

ある。したがって、子宮筋層の菲薄化が直接超音波で描出できた場合は癒着胎盤が疑われる[6〜8]（図2）。しかし、実際には癒着している深さや広さの程度の大きいものでなければ、妊娠中に確定診断するのは難しい。

また、癒着胎盤では脱落膜を欠くため、胎盤母体面の脱落膜領域にみられるlow echoicな線状のclear zoneが描出できない場合は、癒着胎盤との関連があることが知られている[9]。しかし、そもそも薄いこのclear zoneの判断自体が難しい場合も少なくない。

前回帝王切開部や、内膜まで達した既往子宮手術創部上に付着する胎盤は、最も癒着胎盤を注意する所見である。これらの創部では内膜が損傷していることが多く、癒着胎盤になりやすい。前回帝王切開創部上に付着する胎盤では、その3割に癒着胎盤があると報告されている[10]。

2. 間接所見

癒着胎盤を疑う超音波所見として、胎盤実質の不

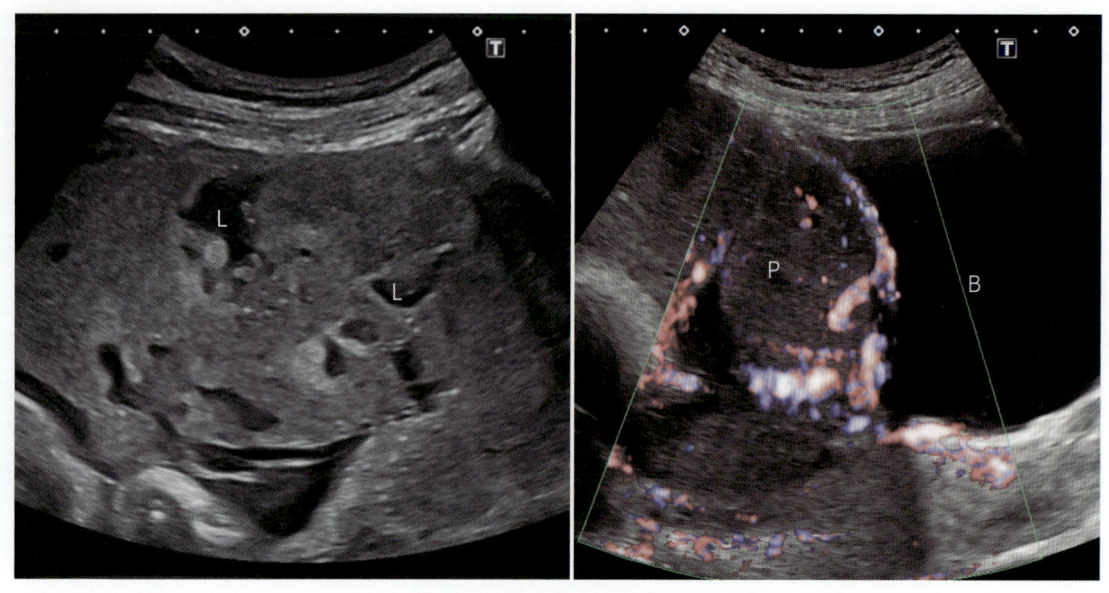

図3　前回帝王切開創部の癒着胎盤例
左：癒着胎盤例のplacenta lacuna（L），右：前回帝王切開創部の癒着胎盤例の膀胱との境界。膀胱側への突出像と血流が豊富なドプラ像を呈している。P：胎盤　B：膀胱

整な虫食い像(placenta lacuna)，膀胱の突出像(bulging)，bridging vessels，膀胱子宮窩組織の血流増加等が報告されている[6〜8,11]。Placenta lacunaは，胎盤実質に存在する1つ以上の辺縁が不正な無エコー領域のことを示す。内部に乱流像を呈する場合もある。Placenta lacunaは絨毛間腔の拡大した部分をみているもので，癒着胎盤に特有のものではない。胎盤から子宮静脈への母体血の還流が滞り，絨毛間腔でのpoolingを反映した間接所見と考えられている[11]。Lacunaの数が増えると癒着胎盤のリスクが高くなるという報告[12]もあるが，あくまでリスク評価における超音波マーカーとして考える。前壁付着の癒着胎盤には，膀胱への突出像や，膀胱と子宮の間の組織における血流増加像等が参考になるという報告もあるが[11]，これらも癒着胎盤によって二次的にできた超音波所見である(図3)。

MRIにおいても，超音波検査と同様の癒着胎盤を疑う所見を描出できる場合があるが，診断精度は後壁付着のような超音波で描出しづらい場合を除いて，超音波検査と変わらないという報告もあり[6,7]，全例にMRIを施行する意義は少ない。

治療

2010〜2018年の間に，妊産婦死亡症例検討評価委員会で検討された癒着胎盤に関連した妊産婦死亡症例は4症例あり，その概要を示す(表)[13]。3例は前置胎盤で癒着胎盤の合併が疑われていた事例であったが，夜間に出血のため緊急手術が行われた。術中に癒着胎盤が明らかとなり，子宮全摘に移行したが，出血性ショックによって術中心停止している。ショックに至った経緯として，術野よりも腟へ流出する出血が多く，出血量のカウントが過少評価され，麻酔科医による全身管理下にあったにもかかわらず，輸血が遅れていた。また，病院事例ではあるが，前置癒着胎盤の治療に習熟していない術者であったことや，子宮動脈塞栓術が行える施設ではなかったこと等の問題点があげられた[13]。

表 癒着胎盤に関連した妊産婦死亡

症例	経産(帝王切開)	前置胎盤	術前診断	分娩様式	病理所見	術中心停止	対応医師数 麻酔科	対応医師数 産婦人科	対応医師数 他科	出血量(g)	問題点
1	3(2)	あり	あり	帝王切開(子宮全摘)	increta	+	2	3	3	5,000	出血カウント，止血，輸血の遅延
2	6(2)	あり	あり	帝王切開(子宮全摘)	percreta	+	3	2	0	8,000	出血カウント，止血，輸血の遅延
3	2(1)	あり	あり	帝王切開(子宮全摘)	increta	+	2	1	1	17,000	出血カウント，輸血の遅延
4	1(0)	なし	なし	経腟分娩	increta	+	0	1	0	3,000	出血カウント，胎盤用手剥離，搬送の遅延

(Hasegawa J, et al：Maternal deaths in Japan due to abnormally invasive placenta. Int J Gynaecol Obstet 140：375–376, 2018)[13]

　癒着胎盤の治療に際しては，輸血，IVR，マンパワー等，十分な医療資源を要する。さらに，癒着胎盤はそれほどよく遭遇する疾患ではないので，経験が少ない場合も手術に難渋することとなる。手術法，止血法等の熟練が必要である。

1．分娩前に癒着胎盤を疑った場合の対応

　前述したような癒着胎盤を疑う所見を一次施設で発見した場合や，癒着胎盤の治療に自信のない施設では，患者を速やかに適切な施設に紹介する。前回の帝王切開創部上に胎盤がある場合等，画像診断で癒着胎盤が強く疑われる場合は，事前準備を整える。膀胱への穿通が疑われる場合は，膀胱鏡で確認することや，手術前に尿管ステントを挿入することも考慮する。前置癒着胎盤が明らかな症例では，帝王切開の創部は胎盤から十分に離れた場所を選択して児を娩出し，胎盤を剥がさないように子宮全摘を行う。子宮全摘時の出血量の軽減のために，児娩出後胎盤には手を付けずに閉創し，二期的に手術をする方法や[14,15]，癒着している膀胱壁ごと子宮摘出し，膀胱再建をする方法等も報告されている[16]。

2．経腟分娩で児娩出後に胎盤が娩出されない場合の対応

　自然な胎盤娩出が起きない時，癒着胎盤がある可能性を考える。子宮手術や子宮内操作をした既往歴をもつハイリスク例では，癒着胎盤の可能性が高いと認識する。一次施設等で「とりあえず胎盤用手剥離」は行わず，高次施設に搬送して万全の準備のもと治療にあたることを推奨する。

　分娩後は子宮収縮があって筋層が厚くなっているため，子宮破裂でもない限り，癒着胎盤による胎盤遺残(嵌頓)であるかの鑑別は，超音波，MRIでも難しい(図4)。

　子宮内の胎盤遺残は，胎盤の部分的な剥離や弛緩出血の原因となるため出血が始まることがある。頻回なバイタル測定を行い，ルートを2本以上とる等の初期対応を行う。出血が継続している場合には，細胞外液投与，輸血，酸素投与を行う。経腟分娩時に胎盤娩出されない場合の対応例を図5に示す。まず，超音波所見がある場合等の癒着胎盤のハイリスク症例と，そうでないローリスク症例に分けて対応を考える。

　癒着胎盤のハイリスクである場合で子宮温存の希望がなければ，万全の準備のもと，胎盤を剥離せず

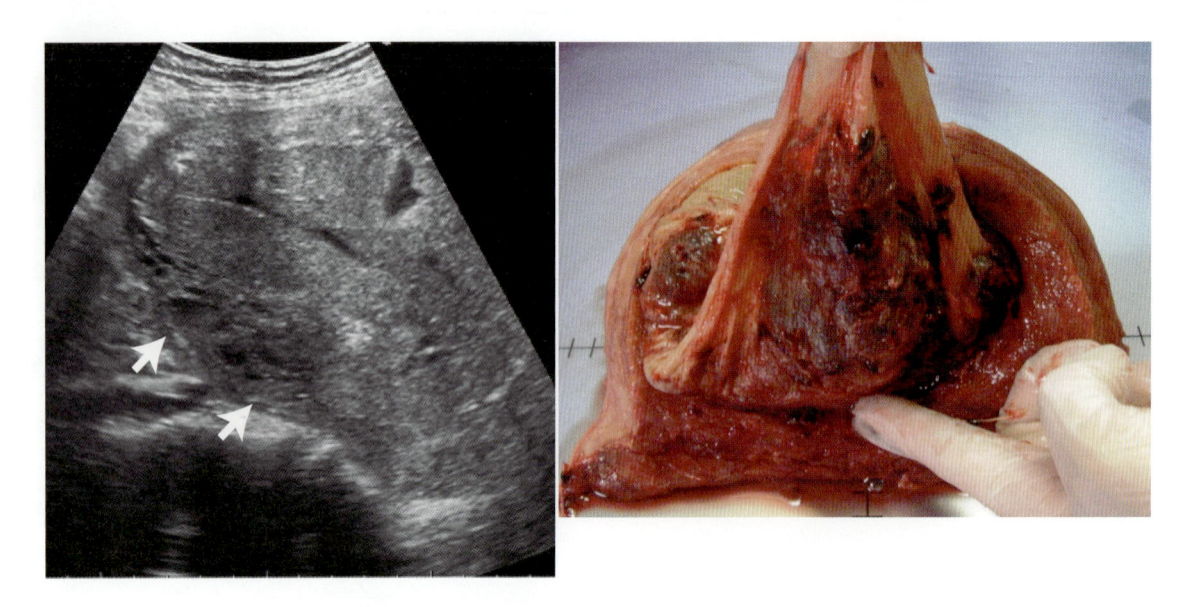

各論　直接産科的死亡　癒着胎盤

図4　児娩出後の癒着胎盤の超音波画像(左)と摘出胎盤写真(右)
左：2妊1産の経腟分娩後，胎盤が娩出されず超音波検査を施行．子宮後壁に子宮筋層と胎盤の境界不明瞭部分(矢印)があり，臍帯の牽引で，疼痛とともに同部が下降する像が描出され，癒着胎盤と診断した．
右：用手剥離をせず腟上部切断術を施行した．胎盤の一部は剥離していたが，大部分は侵入胎盤であった．

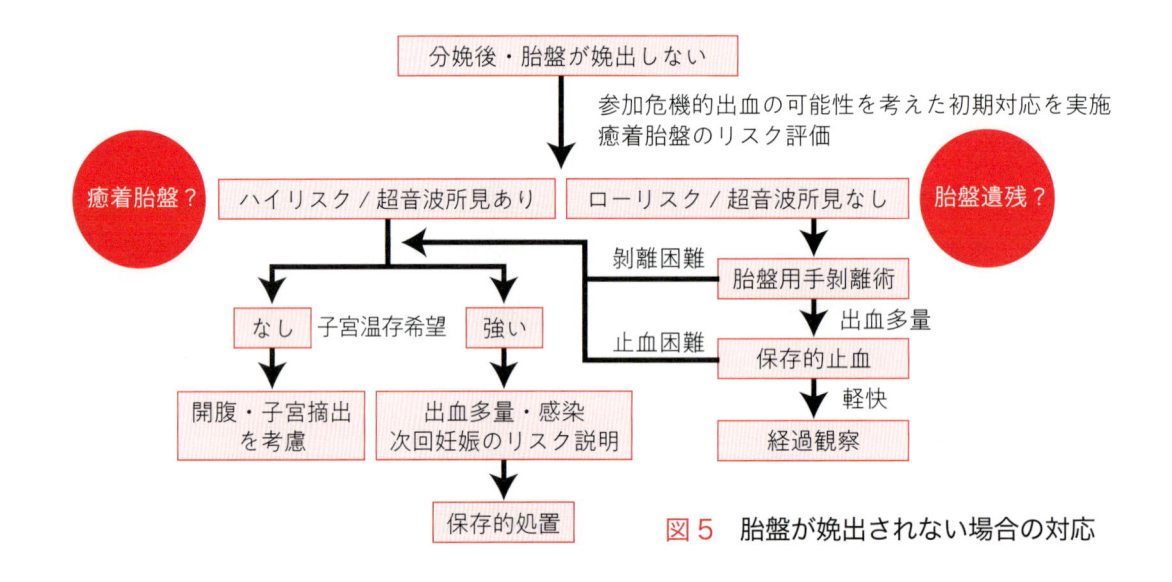

図5　胎盤が娩出されない場合の対応

子宮全摘等を施行するほうが安全である可能性がある．癒着胎盤が濃厚でありながらも子宮温存する場合は十分なインフォームド・コンセントの後に厳重な管理下に治療を行う．

　ローリスクの場合は，嵌頓であることもあるので，用手剥離術を選択できる．その際，大量出血になることや癒着胎盤である可能性も考慮して，すぐに次の対応ができるように準備を行う．手術室等で，十分な補液と輸血の準備，マンパワーを確保し，全身管理医による麻酔管理で，超音波ガイド下に胎盤用手剥離を行うことが望ましい．事前に，子宮全摘の可能性を踏まえた胎盤用手剥離に関するインフォームド・コンセントを行っておく．

3. 帝王切開時の癒着胎盤が明らかになった場合の対応

帝王切開中に胎盤が剝がれず，癒着胎盤を疑うことも少なくない．帝王切開中であると，直視下であることや，切開創部からの出血があり急いでいるため，とりあえず胎盤を剝がそうと試みてしまいがちであるが，前述した経腟分娩の時と同様に冷静に考える．

術者は，麻酔科や手術室スタッフに癒着胎盤であるかもしれないことを告げ，産科危機的出血に準じた初期対応を行ってもらう．切開創の出血は鉗子等で丁寧に止血し，癒着胎盤の状態について子宮と胎盤の観察を行う．

1）一次施設での対応

地域の事情も勘案しなければならないが，帝王切開中に癒着胎盤が疑われた場合は，高次施設へ搬送する．高次施設での再開腹を前提とするので，胎盤を剝離せず子宮切開創部を1層縫合で構わないので縫合し，確実に止血し，産科危機的出血の対応に準じた，バイタルチェック，ルート確保，十分な細胞外液の補液を行いながら搬送する．胎盤の一部が剝離することもあるので，定期的に出血の有無を確認する．早めに搬送先に詳細な情報を伝達し，搬送中にも高次施設での準備が進められるようなスムーズな連携をとる．

2）高次施設での対応

癒着胎盤に手を付けて起こった出血のコントロールは難しいことから，子宮漿膜側から胎盤が透見できる場合や，胎盤辺縁の観察で癒着胎盤が明らかである場合は胎盤剝離をせずに子宮全摘を行うのがよい．癒着している子宮部分の摘出と，安全な止血が目的であるため，子宮頸部まで全摘せず子宮腟上部切断術でもよく，癒着胎盤部の部分切除とする方法もある．しかし，部分切除は，次回妊娠の癒着胎盤や子宮破裂のリスクが高いため，「子宮温存＝次回妊娠可能」ではないことの十分なインフォームド・コンセントが必要である．以下に各種手術法の特徴を示す．実際の現場で，適宜適切な方法を選択する判断が求められるため，それぞれのメリット，デメリットを熟知しておかなければならない．

各種手術法

1．子宮摘出

経腟分娩後に胎盤が娩出されずに用手剝離等がうまくいかず癒着胎盤と診断した場合や，帝王切開中に直視下の子宮や胎盤の所見により明らかに癒着胎盤が診断された場合は，子宮摘出が考慮される．侵入胎盤や穿通胎盤を無理に剝離すれば，剝離によって断裂した胎盤の癒着している場所や，癒着胎盤以外の場所の胎盤剝離後の弛緩出血で大量出血となる恐れがある．癒着胎盤，特に前置癒着胎盤の剝離で起こる出血は急激で多量であるため，出血により術野の確保が困難となる等，熟練した術者であっても難しい手術である．そのため，母体の重篤な転帰や，妊産婦死亡となるリスクがある[13]．したがって，癒着胎盤を診断したら，胎盤を剝離せず子宮全摘をするのが大量出血を免れる根治術であると考える．

子宮摘出の方法として，単純子宮全摘術や子宮腟上部切断術があるが，出血を少なく癒着胎盤を治療することが目的であるので，子宮全摘にこだわる必要はなく，いかに安全に癒着胎盤を処理するかを念頭におく．一方，前置癒着胎盤である時は，子宮頸部近くからの出血が多くなることも懸念されるため，子宮頸部までしっかりと摘出する子宮全摘が必要となる場合も少なくない．また，術野の出血が少なくとも，腟側に大量出血となっている場合もあるので，適宜術中に経腟的に診察を行い，子宮頸部あ

たりの止血ができているかを確認する。

　既往に子宮下部横切開による帝王切開がなされていて，その手術創に胎盤が癒着した場合は，大量出血のみならず膀胱損傷の恐れがある。そのような場合には，膀胱子宮腹膜剥離を強く行わず，子宮の後側から子宮を開けて最後に膀胱側にアプローチする方法等が報告されている[17]。いずれにしても，安易に癒着胎盤の手術に臨まず，熟練した医師によって手術がなされることが望ましい。

2. 胎盤を残す方法

　子宮温存の希望が強い場合や，子宮摘出が困難である場合，児の娩出後に胎盤を剥離せず子宮を縫合，閉腹する方法である[18]。胎盤の自然吸収や自然娩出を期待する方法であるが，根治までに時間がかる。待機中の感染および急激な大量出血の可能性があるというリスクもある。そのため，待機中は母体の安全のため入院管理が必要になることや，敗血症で死亡に至る事例もあるので，決して簡単な治療法ではないと考える。

3. 胎盤を剥離して止血する方法

　胎盤を剥離してしまい，胎盤剥離面の出血を止血する方法である[19]。出血部位を直接縫合止血，子宮圧迫縫合（B-Lynch法，compression suture）[20〜23]等を行って止血する。癒着している場所の子宮を部分切除して子宮筋腫核出術のように子宮を縫合する方法等もある。

4. その他の止血方法

　子宮腔内バルーン，カテーテルによる動脈バルーン閉塞術，あるいは動脈塞栓術等の各種止血法がある。施設ごとに，どの方法を，どのような手順で行うかをあらかじめ決めておくことが必要である。前置胎盤や癒着胎盤の疑われる手術では，事前に小児科，麻酔科等の関連診療科だけでなく，手術室，輸血部等の関連部署とも患者情報を共有しておく。

文献

(1) Crane JM, et al：Neonatal outcomes with placenta previa. Obstet Gynecol 93：541–544, 1999
(2) 日本産科婦人科学会（編）：産科婦人科用語集・用語解説集. 金原出版, 東京, 2018
(3) Matsubara S, et al：Placenta accreta spectrum disorders：A new standardized terminology better defining the condition. J Obstet Gynaecol Res 44：1338–1339, 2018
(4) Wu S, et al：Abnormal placentation：twenty-year analysis. Am J Obstet Gynecol 192：1458–1461, 2005
(5) Clark SL, et al：Placenta previa/accreta and prior cesarean section. Obstet Gynecol 66：89–92, 1985
(6) Oyelese Y, et al：Placenta previa, placenta accreta, and vasa previa. Obstet Gynecol 107：927–941, 2006
(7) Comstock CH：Antenatal diagnosis of placenta accreta：a review. Ultrasound Obstet Gynecol 26：89–96, 2005
(8) Comstock CH, et al：Sonographic detection of placenta accreta in the second and third trimesters of pregnancy. Am J Obstet Gynecol 190：1135–1140, 2004
(9) Hasegawa J, et al：Predisposing factors for massive hemorrhage during Cesarean section in patients with placenta previa. Ultrasound Obstet Gynecol 34：80–84, 2009
(10) Miller DA, et al：Clinical risk factors for placenta previa-placenta accreta. Am J Obstet Gynecol 177：210–214, 1997
(11) Jauniaux E, et al：Prenatal ultrasound diagnosis and outcome of placenta previa accreta after cesarean delivery：a systematic review and meta-analysis. Am J Obstet Gynecol 217：27–36, 2017
(12) Finberg HJ, et al：Placenta accreta：prospective sonographic diagnosis in patients with placenta previa and prior cesarean section. J Ultrasound Med 11：333–343, 1992
(13) Hasegawa J, et al：Maternal deaths in Japan due to abnormally invasive placenta. Int J Gynaecol Obstet 140：375–376, 2018
(14) 炭竈誠二, 他：各施設における臨床経験と前置癒着胎盤の取り扱い　名古屋大学の取り扱い（2007年度）. 産婦の実際 57：905–913, 2008
(15) 福島明宗, 他：各施設における臨床経験と前置癒着胎盤の取り扱い　岩手医科大学における1期的手術法と2期的手術法の試み. 産婦の実際 57：931–938, 2008
(16) 松原茂樹, 他：各施設における臨床経験と前置癒着胎盤

の取り扱い 自治医科大学における取り扱い. 産婦の実際 57：945–952, 2008
(17) Matsubara S, et al：Re：Caesarean hysterectomy for placenta praevia/accreta using an approach via the pouch of Douglas. BJOG 123：1404–1405, 2016
(18) Sentilhes L, et al：Maternal outcome after conservative treatment of placenta accreta. Obstet Gynecol 115：526–534, 2010
(19) Sentilhes L, et al：FIGO consensus guidelines on placenta accreta spectrum disorders：Conservative management. Int J Gynaecol Obstet 140：291–298, 2018
(20) Allam MS, et al：The B–Lynch and other uterine compression suture techniques. Int J Gynaecol Obstet 89：236–241, 2005
(21) B-Lynch C, et al：The B–Lynch surgical technique for the control of massive postpartum haemorrhage：an alternative to hysterectomy? Five cases reported. Br J Obstet Gynaecol 104：372–375, 1997
(22) Makino S, et al：Double vertical compression sutures：A novel conservative approach to managing post–partum haemorrhage due to placenta praevia and atonic bleeding. Aust N Z J Obstet Gynaecol 52：290–292, 2012
(23) Hwu YM, et al：Parallel vertical compression sutures：a technique to control bleeding from placenta praevia or accreta during caesarean section. BJOG 112：1420–1423, 2005

（長谷川 潤一）

各論　直接産科的死亡

胎盤早期剝離

commentary

胎盤早期剝離とは

　胎盤早期剝離は，胎児娩出後に脱落膜とともに自然剝離すべき胎盤がその前に剝離してしまう状態である（図1）。母体と胎児の物質交換の場である妊娠子宮や胎盤は多量の母体血が灌流しているため，その剝離は母児ともに生命を脅かす危険な状態である。一度，胎盤が剝離し始めると，剝離面からの出血によって子宮内に溜まった血液が，さらなる胎盤剝離を助長する。胎盤剝離後の子宮からの出血は，子宮収縮による止血機転（生理的結紮）が起こらなければ止血できず，出血コントロールのつかない胎盤早期剝離では直ちに妊娠を終了させ，胎盤を娩出し，子宮収縮を促さなければならない。

　その時機を逸すると，DICとなり危機的状態となる。胎盤早期剝離は突然発症し，急激に増悪することから，産科危機的出血による妊産婦死亡の原因としても少なくない。

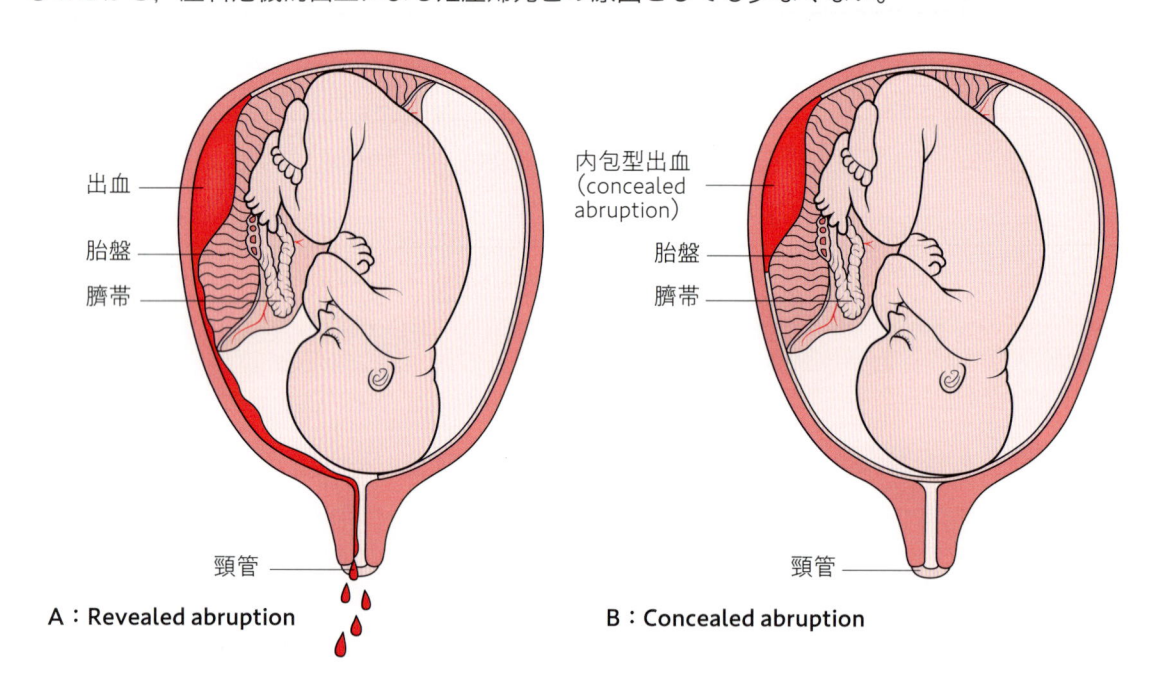

A：Revealed abruption　　　　　　　　　　B：Concealed abruption

図1　胎盤早期剝離の2つの型
A：剝離出血が外出血として明らかになっているもの。
B：剝離出血が母体面や絨毛膜下に閉じ込められて外出血の伴わないもの。子宮内圧が上がり，激しい腹痛を伴う。

▼事例1　30代，経産婦

　妊娠34週，持続的な下腹部痛が出現した。出血はなく，同日予約していた健診を受診した。その時点で，胎盤早期剝離による胎児死亡の診断となった。入院し，血液検査でDICの徴候を認めなかったため，分娩方法は経腟分娩とし，オキシトシンによる分娩誘発を開始した。分娩誘発開始2時間後Hb 7.0 g/dL，血小板6万/μL，Fib 60 mg/dL，AT Ⅲ 48%とDICを認め，輸血を準備した。分娩誘発開始3時間後，死産（経腟分娩）に至った。胎盤も同時に娩出し胎盤早期剝離の所見であった。血圧110/60 mmHg，脈拍110/分，SpO2 100%（マスク5 L），呼びかけに反応不良であった。子宮内より流動性の出血があったため，速やかにBakri®バルーンを留置した。両側上肢より，膠質液とオキシトシンの点滴を施行した。その後RBC 8単位，FFP 10単位，血小板20単位の輸血を行った。出血量の増量はなかった。分娩2時間後，家族と会話していた。血圧100〜140/60〜80 mmHg，脈拍120〜140/分，SpO2 90%後半，この時点での出血カウント合計は1,500 gであった。分娩3時間後Hb 4.0 g/dL，血小板9万/μL，Fib 80 mg/dLであった。出血カウント合計は2,000 gであった。血圧120/70 mmHg，脈拍140/分 SpO2 98%（リザーバー付きマスク10 L）であった。さらにFFP 10単位，RBC 6単位を輸血した。分娩6時間後出血あり，カウント合計は4,500 gとなった。Hb 4.0 g/dL，血小板5万/μL，Fib 80 mg/dL，AT Ⅲ 39%，血圧は130/110 mmHg，脈拍150/分，SpO2 98%であった。Bakri®バルーンで止血困難であると判断し，子宮動脈塞栓術を選択することとした。待機中はポンピングで輸血を続けた。分娩8時間後，カテーテル室入室時から総頸動脈は触知したが，下肢の血圧が測定困難となった。呼吸数40/分，脈拍数140/分であった。分娩10時間後，意識消失，心停止となった。蘇生を開始したが，死亡確認に至った。総出血量は8,000 g，輸血はRBC 28単位，FFP 32単位，血小板40単位使用した。

▼評価

　胎盤早期剝離の子宮内胎児死亡のため分娩誘発し，分娩後続いた出血性ショック，DICによって死亡したと考えられる。胎盤早期剝離を認めたが，外出血がないことから潜在型（concealed abruption）の胎盤早期剝離であったと推察される。子宮内胎児死亡の分娩に際し，DIC，ショックバイタルであったが，出血カウントが曖昧であった可能性や，止血や輸血が病勢に追いついていなかった可能性が考えられる。Bakri®バルーンでの止血効果が得られない場合は，早めに子宮全摘，子宮動脈塞栓術等の別の止血術を考慮する必要がある。早めに全身管理医と協働で治療にあたってもよかった。

各論　直接産科的死亡　胎盤早期剥離

> ▼提言
> ・重症妊娠高血圧症候群や，胎盤早期剥離，特に胎児死亡を伴う場合は，DIC，産科危機的出血の可能性を念頭において管理する。
> ・胎盤早期剥離によるDIC，ショックの症例では，速やかに凝固系の改善（FFPの使用）を行う。
> ・胎盤早期剥離による胎児死亡症例の経腟分娩に際しては，厳重な管理体制，マンパワー，輸血血液等の準備が必要である。

疫学・病態生理

胎盤早期剥離は全妊娠の約1%に発症する[1]。既往に胎盤早期剥離があるとその頻度は10倍になるだけでなく，その他，早産や妊娠高血圧症候群といった合併症を起こしやすいという報告等から[2]，母体の妊娠初期からの全身性による何らかの異常に起因していると考えられている。

そのため胎盤早期剥離は，妊娠高血圧症候群との関連がよく知られるところである。胎盤形成不全や機能不全，初期からの子宮胎盤循環不良により起きた慢性的な低酸素状態等が胎盤早期剥離発症に深く関与し，最終的には脱落膜のらせん動脈の攣縮を引き起こし，血流が阻害されて血栓形成が起こり，脱落膜の間質が壊死した後に出血することで発症すると考えられている[3〜6]。

胎盤早期剥離のリスク因子として，高齢，多産，喫煙，麻薬使用，多胎，高血圧，妊娠高血圧症候群，前期破水，羊水過少，絨毛膜羊膜炎，栄養不良[4, 7〜12]，外傷[13]，血栓性素因[14]，低フィブリノゲン血症，羊水過多，子宮内感染[15]，胎児発育不全，母体貧血，早産期の子宮収縮[16]等と，慢性的なものから急性的なものまで多くの因子との関連が報告されている。これらのことからも，胎盤早期剥離の発症には多くの因子がかかわっており，発症要因はケースバイケースであることがわかる。比較的強いリスクとしては，胎盤早期剥離既往や高血圧（妊娠高血圧症候群）があるが，実際の臨床で胎盤早期剥離を予測するのは困難である。

一度，胎盤が剥離し始めると，剥離面からの出血によって子宮内に溜まった血液がさらなる胎盤剥離を助長する。胎盤剥離後の子宮からの出血は，子宮収縮による止血機転（生理的結紮）が起こらなければ止血できず，出血コントロールのつかない胎盤早期剥離では直ちに妊娠を終了させ，胎盤を娩出し，子宮の収縮を促さなければならない。

また，急な子宮内の大量出血によって子宮内圧が上昇し，子宮筋が過伸展，子宮筋層や漿膜へ血液浸潤することがある（Couvelaire徴候：図2）。また，大量出血によって胎盤や脱落膜の組織因子がDICを惹起することで，胎盤娩出後も子宮からの出血が持続し，コントロールできないことがある。

胎盤早期剥離は，母体だけでなく胎児にも危機的影響を及ぼす。胎児への酸素供給元である胎盤と母体とのコネクションが断たれるため，胎児低酸素が起き，胎児機能不全，胎児死亡，脳性麻痺等の結果となることが多い。脳性麻痺の原因分析において，胎盤早期剥離の占める割合が高いこと（約3割）も報告されている[17]。

1. 腹痛が先行するタイプ（潜在型）は注意

胎盤早期剥離には，2つのタイプがあり，出血顕

在型(revealed abruption)と潜在型(concealed abruption)がある[15]。顕在型は，剥離面からの出血が子宮口より外に流出するタイプで，多量の出血があることから胎盤早期剥離の診断がしやすい。一方潜在型は，胎盤の後面に出血がとどまってしまうタイプで，子宮内圧が上がることで子宮が固くなり，ひどくなると板状硬になる(図1B)。2010～2018年に妊産婦死亡症例検討評価委員会で胎盤早期剥離による妊産婦死亡事例であると判定された8例すべてで潜在型であった(表)。

潜在型は，子宮内の出血によって子宮内圧が上がり，血液が子宮筋層の間に浸潤するため，胎盤を娩出した後も生理的結紮が効かず，強度の弛緩出血となり，止血に抵抗する。また，血腫が筋層浸潤するため，羊水塞栓症を続発することや，血腫が残っていることによる凝固因子の消費が激しい。速やかに大量輸血(FFPやフィブリノゲン製剤)で補正する必要がある。輸血ができない施設では，複数のルート確保，細胞外液の補液を行い，速やかに高次施設に搬送する。その際，輸血の準備が必要なことを申し送り，搬送後の速やかな治療開始ができるようにする。Couvelaire子宮となった時の止血は，保存的に行うのは難しく場合が多いので，速やかにcompression sutureや子宮全摘術等を施行する。

2）胎児死亡例は速やかに集学的治療を開始

また，胎盤早期剥離によって妊産婦死亡に至った事例の特徴は，妊娠30週以降の妊娠高血圧症候群

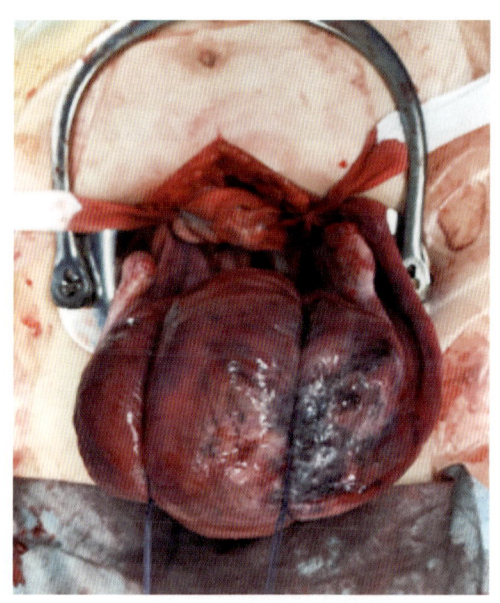

図2　Couvelaire徴候
急な子宮内の大量出血によって子宮内圧が上昇し，子宮筋が過進展，子宮筋層や漿膜へ血液浸潤した状態。子宮収縮不良となり，胎盤娩出後も弛緩出血による出血が持続する。compression sutureによって止血した写真である。

表　胎盤早期剥離に関連した妊産婦死亡

症例	経産	週数	高血圧	初発症状	子宮内胎児死亡	分娩様式	施設間搬送	フィブリノゲン値	再発防止
1	1	35	不明	不明（子宮破裂）	あり	未分娩	未受診（自宅死亡）	測定なし	受診啓発
2	1	40	なし	腹痛	なし	経腟分娩	あり（車内心停止）	測定なし	早期診断，搬送
3	1	37	なし	腹痛	あり	帝王切開	なし	50 mg/dL	早期輸血
4	0	38	あり	子宮収縮	あり	経腟分娩	なし	不明	早期輸血，止血
5	1	34	なし	腹痛	あり	経腟分娩	なし	62 mg/dL	早期輸血，止血
6	1	27	なし	腹痛・板状硬	あり	経腟分娩	あり	25 mg/dL	積極的FFP使用
7	0	31	なし	腹痛	あり	経腟分娩	あり	67 mg/dL	積極的FFP使用
8	0	36	なし	腹痛	あり（双胎一児）	帝王切開	あり（車内心停止）	不明	早期娩出，搬送，輸血，子宮収縮薬の取り扱い

各論　直接産科的死亡　胎盤早期剝離

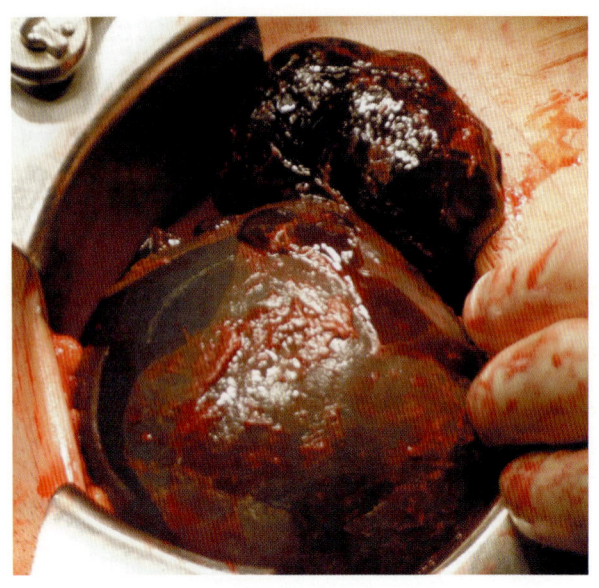

図3　Concealed abruptionの帝王切開
外出血はなかったが板状硬で，緊満した子宮に切開を加えると多量の凝血塊が排出された。

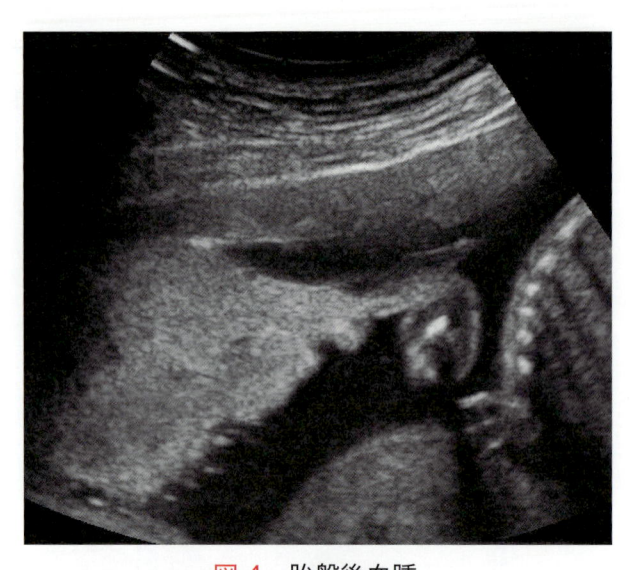

図4　胎盤後血腫
胎盤の母体面に凸レンズ様のlow echoic areaとして描出される血腫がある。

等のリスクがない事例がほとんどである。事前リスクや外出血がないため，診断に時間がかかり，最初の診察時点での子宮内胎児死亡となっている事例が多い。また，前述したように子宮収縮や腹痛が先行して発症した潜在型の胎盤早期剝離であるため，板状硬や外出血が現れたときにはすでに病勢が進行しており，重症であると考えなければならない。このように，胎児死亡を伴った胎盤早期剝離では，速やかに集学的治療を開始する必要がある。

診断

胎盤早期剝離の典型的な症状は，腹痛と性器出血である。子宮口の開大を伴わず急激に剝離し，多量の血液で子宮内圧が上がるような場合が，板状硬と表現される強い子宮収縮による激痛となる。胎盤早期剝離による出血が子宮内に閉じ込められる(concealed abruption)ような場合，腹痛が顕著であることが多い。一方，子宮口が開大している(revealed abruption)場合は，腹痛よりも多量な性器出血が症状の主体である(図1, 3)。

しかし，緩徐に胎盤早期剝離が起こる場合は，軽い腹部緊満感，腹痛，腰背部痛，少量の性器出血等の切迫流早産様の症状にとどまることも多く，注意が必要である。低酸素による胎児機能不全，胎児死亡によって胎動減少を主訴とする場合も多いので，細心の注意が必要である。

超音波診断で典型的なものは，胎盤内血腫，胎盤後血腫(図4)，胎盤辺縁血腫，絨毛膜下血腫(図5)である。発生してから時間の経っていない胎盤早期剝離による出血(血腫)は，胎盤と同等のエコー輝度であるため，胎盤との区別がつきにくいことから肥厚した胎盤として描出されることもある(図6)。超音波診断ができた場合，診断が確実となるが，超音波診断ができるような胎盤早期剝離は大きな剝離が起こっている症例で，初期の胎盤早期剝離の診断は難しく[18]，超音波で画像所見がないことで胎盤早期剝離を完全に否定することはできない[19]。

切迫早産徴候のある妊婦や，超音波検査で明らか

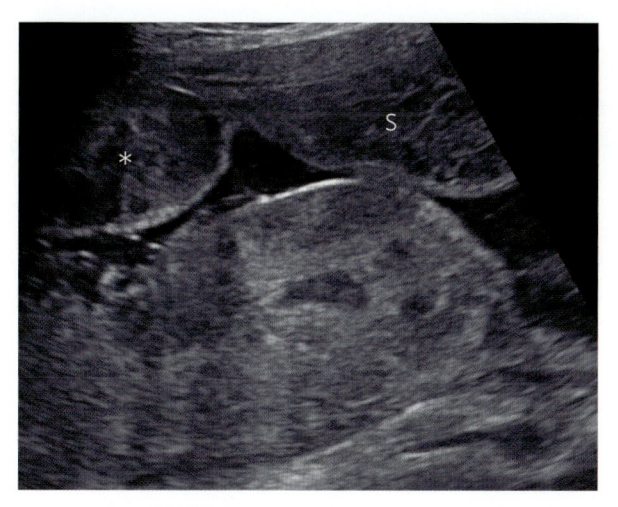

図5　胎盤辺縁血腫と絨毛膜下血腫の経腹超音波写真（矢状断）
胎盤は後壁に付着しているが，子宮底付近で胎盤辺縁血腫を認める（＊）。前壁にはもう一つ絨毛膜下血腫（S）を認める。

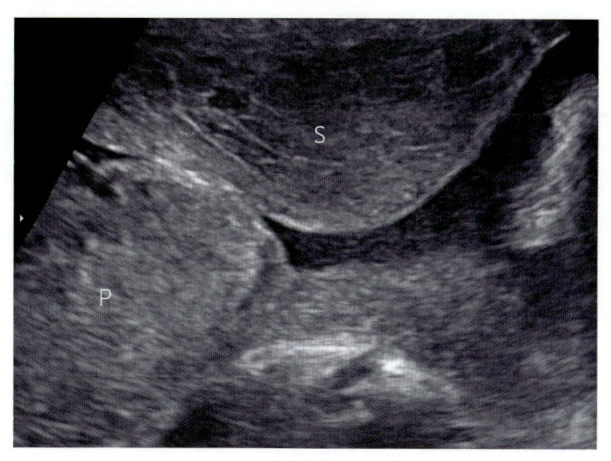

図6　絨毛膜下血腫
子宮後壁に胎盤（P）を認め，前壁に絨毛膜下血腫（S）を認める。出血から超音波検査の時期によっては，血腫は胎盤実質とほぼ同等なエコー輝度を呈することがあり，実際の臨床では診断が難しい場合がある。

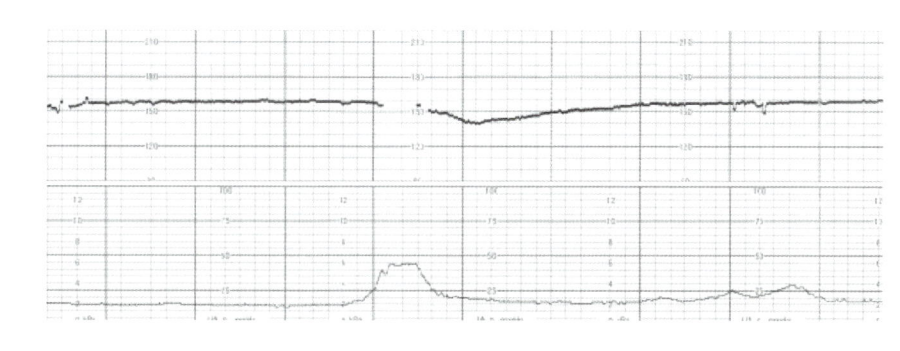

図7　胎盤早期剥離症例の胎児心拍数図
基線細変動の減少と遅発一過性徐脈を認める。超音波での胎盤早期剥離の診断だけでなく，胎児心拍数図にも注意を払う。

な胎盤早期剥離所見をみつけられない場合，採血で貧血やDICの有無を確認することも必要である。また，胎児心拍数陣痛図によって胎盤早期剥離を確信することもある。子宮収縮波形では，過強陣痛や，不規則で細かく頻回な子宮収縮（さざ波様所見）を示すことが多い。胎児心拍数では，細変動消失，遅発一過性徐脈等の胎児機能不全の所見が臨床症状や超音波所見に先行してみられることがしばしばある（図7）。

治療

剥離した胎盤が子宮内に残存する状態は，子宮収縮による生理的結紮が働かず，止血できない状態である。一部の胎盤が剥離した子宮壁から出血が続くため，さらなる胎盤剥離も助長される。したがって，胎盤早期剥離では，直ちに妊娠を終了させ，胎盤を娩出し，子宮収縮を促すのが根本的治療である。

他の産科危機的出血と同様に，まず初期対応（気道確保，酸素化，ルート確保），バイタルの厳重監視と輸血が基本であるが，産科DICのスコアリングにおいて，胎児死亡や胎盤早期剥離（子宮硬直）の点数が高くなっているように，子宮内胎児死亡や潜在型の胎盤早期剥離例は検査結果を待たなくとも，重度なDICが起こっていると考えて集学的治療を開始する。速やかな血中フィブリノゲン値の正常化のため，

速やかにFFPを投与開始する。

　胎盤早期剥離の根本的治療として，児と付属物の娩出を急がなければならない。児生存であれば，緊急帝王切開を速やかに決定できるが，子宮内胎児死亡例では，インフォームド・コンセント等で治療開始が遅れがちになる。また，娩出に際し，経腟分娩が選択肢の一つとなる。経腟分娩をする場合では，子宮内の出血が持続すること，血腫でDICが増悪しやすいことから，児・胎盤娩出後も注意が必要なことを認識する。

　一次施設では高次施設に搬送を要請しながら初療に努める。治療にあたる施設では，十分な医療資源（マンパワー，輸血）を搬送到着前より準備し，積極的な治療を行う。そして，胎児死亡例であったとしても，必要があると判断した場合は，帝王切開や開腹止血をためらわない（治療編99ページ参照）。

文献

(1) Ananth CV, et al：Placental abruption and adverse perinatal outcomes. JAMA 282：1646–1651, 1999
(2) Rasmussen S, et al：Outcome of pregnancies subsequent to placental abruption：a risk assessment. Acta Obstet Gynecol Scand 79：496–501, 2000
(3) Ananth CV, et al：Placental abruption in term and preterm gestations：evidence for heterogeneity in clinical pathways. Obstet Gynecol 107：785–792, 2006
(4) Ananth CV, et al：Influence of hypertensive disorders and cigarette smoking on placental abruption and uterine bleeding during pregnancy. Br J Obstet Gynaecol 104：572–578, 1997
(5) Kramer MS, et al：Etiologic determinants of abruptio placentae. Obstet Gynecol 89：221–226, 1997
(6) Rasmussen S, et al：A history of placental dysfunction and risk of placental abruption. Paediatr Perinat Epidemiol 13：9–21, 1999
(7) Salihu HM, et al：Perinatal mortality associated with abruptio placenta in singletons and multiples. Am J Obstet Gynecol 193：198–203, 2005
(8) Sheiner E, et al：Incidence, obstetric risk factors and pregnancy outcome of preterm placental abruption：a retrospective analysis. J Matern Fetal Neonatal Med 11：34–39, 2002
(9) Ananth CV, et al：Preterm premature rupture of membranes, intrauterine infection, and oligohydramnios：risk factors for placental abruption. Obstet Gynecol 104：71–77, 2004
(10) Ananth CV, et al：Placental abruption among singleton and twin births in the United States：risk factor profiles. Am J Epidemiol 153：771–778, 2001
(11) Ananth CV, et al：Placental abruption and its association with hypertension and prolonged rupture of membranes：a methodologic review and meta-analysis. Obstet Gynecol 88：309–318, 1996
(12) Ananth CV, et al：Maternal cigarette smoking as a risk factor for placental abruption, placenta previa, and uterine bleeding in pregnancy. Am J Epidemiol 144：881–889, 1996
(13) ACOG educational bulletin. Obstetric aspects of trauma management. Number 251, September 1998（replaces Number 151, January 1991, and Number 161, November 1991）. American College of Obstetricians and Gynecologists. Int J Gynaecol Obstet 64：87–94, 1999
(14) Kupferminc MJ, et al：Increased frequency of genetic thrombophilia in women with complications of pregnancy. N Engl J Med 340：9–13, 1999
(15) Oyelese Y, et al：Placental abruption. Obstet Gynecol 108：1005–1016, 2006
(16) Hasegawa J, et al：Capable of identifying risk factors for placental abruption. J Matern Fetal Neonatal Med 27：52–56, 2014
(17) 公益財団法人日本医療機能評価機構, 産科医療補償制度再発防止委員会：第4回　産科医療補償制度　再発防止に関する報告書～産科医療の質の向上に向けて～. 2014
(18) Nyberg DA, et al：Sonographic spectrum of placental abruption. AJR Am J Roentgenol 148：161–164, 1987
(19) Glantz C, et al：Clinical utility of sonography in the diagnosis and treatment of placental abruption. J Ultrasound Med 21：837–840, 2002

（長谷川 潤一）

各論　直接産科的死亡

子宮破裂，産道裂傷

commentary

子宮破裂，産道裂傷とは

- **子宮破裂**

子宮破裂は，主に分娩中，妊娠中に発症する子宮の裂傷をいう。突発的に発症し，多量の出血を伴うため産科危機的出血の原因として重要である。初妊婦や既往歴のない妊婦には起きにくく，その多くは帝王切開や子宮筋腫核出術等の子宮手術後の瘢痕に破裂が起き，子宮収縮のある経腟分娩中に起きやすい。また，前置胎盤や癒着胎盤の存在下では起きやすくなる。また，卵管角や帝王切開瘢痕部等の通常の子宮内膜でない場所に胎盤が発育する場合にも起きる(図1)。陣痛促進薬の使用による過強陣痛，鉗子・吸引分娩，骨盤位牽出術，子宮底圧出法等の産科処置が関連して発生することも少なくない。

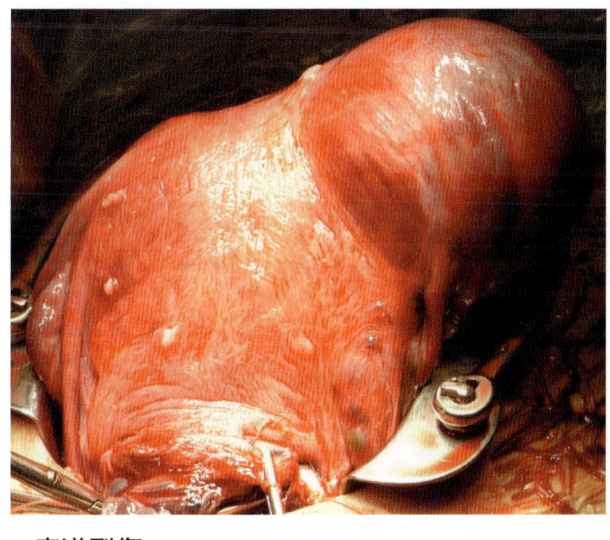

図1　卵管間質部に発育した胎盤による不全子宮破裂の術中写真
漿膜は保たれているが，卵管角に発育した胎盤が破裂していた。

- **産道裂傷**

産道裂傷は，分娩時の損傷としてみられる子宮頸管裂傷，腟・会陰裂傷を総じていう。産道の伸展不良な初産婦や瘢痕がある場合や，浮腫がある場合，児の通過周囲が大きい巨大児，回旋異常例，娩出が急激な過強陣痛，過度な怒責，子宮底圧出法，急速遂娩の施行で生じやすい。程度が軽いものは日常臨床でよく遭遇するが，裂傷が深いものや大きいものでは急激に出血性ショックに至ることから，適切な処置が必要である。外出血が著明なものは診断しやすいが，そうでない後腹膜に血腫をつくるものもあり，注意を要する。

各論　直接産科的死亡　子宮破裂，産道裂傷

▼事例　30代，経産婦

　子宮頸部筋腫，切迫早産があり，妊娠33週に1,900gの児を逆T字切開による帝王切開で出産した既往がある。妊娠35週，腹痛を自覚したため病院へ連絡し受診した。1時間後，自家用車で病院に到着した。来院時，疼痛を訴え会話不能であった。胎児心拍は徐脈であったので，分娩室へ直ちに入室したが，呼びかけ・疼痛刺激に反応がなくなりJCS III-300となった。血圧測定不能，脈拍数100回/分，ルートを確保し，気管挿管，人工換気を開始した。超音波検査で腹腔内出血を認め，胎児心拍は消失し，子宮破裂と診断し，緊急開腹した。術中所見は既往手術の縦切開部の子宮破裂で，胎盤が剥離した状態で多量の凝血塊を認めた。児，胎盤を娩出し，子宮を縫合，止血し閉腹した。術後，輸血（RBC 80単位，FFP 10単位，濃厚血小板：PC 30単位），血液透析等の集学的治療を行ったが，多臓器不全のため死亡確認となった。

▼評価

　妊娠35週に，既往の縦切開帝王切開創部の子宮破裂を突然発症し，緊急手術によって止血したが，出血性ショックによって死亡した事例であった。

▼提言

- 子宮手術既往のある妊婦が腹痛を訴えた場合には，子宮破裂を疑う。
- 分娩後の子宮からの出血が急激で大量である場合，鑑別診断として不全子宮破裂を念頭におく。
- 不全子宮破裂では腹腔内出血の症状や超音波所見を認めない場合も多く，診断が難しい。
- 産科危機的出血の鑑別で，子宮破裂が疑われる場合は子宮全摘も考慮する。

疫学・病態生理

　子宮破裂は，主に分娩中，妊娠中に発症する子宮の裂傷をいい，突発的に発症し，多量の出血を伴うため産科危機的出血の原因として重要である。裂傷の程度により，裂傷が漿膜まで達する完全子宮破裂と，漿膜まで達さず子宮筋の一部の裂傷にとどまる不全子宮破裂に分けられる（図2）。

　脆弱な術後瘢痕のある子宮に，子宮収縮等により子宮内圧が上昇することで発症することが多い。帝王切開や子宮筋腫核出術等の子宮手術後では注意が必要で，子宮収縮のある経腟分娩中に起きやすい。初妊婦や既往歴のない妊婦には起きにくく，8,000〜15,000分娩に1の頻度で，稀である[1]。

　また，癒着胎盤の存在下では起きやすく，漿膜まで胎盤が浸潤する穿通胎盤では，妊娠中の子宮収縮がない時に突然発症するケースもある。癒着胎盤は，多産婦，頻回な人工妊娠中絶，前置胎盤，帝王切開や子宮筋腫核出術等の子宮手術既往のある症例に発症しやすい[2]。前置胎盤症例における癒着胎盤の頻

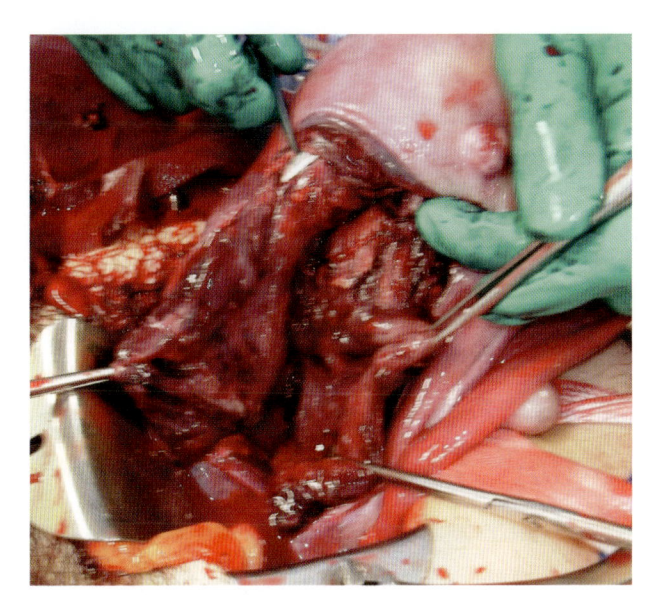

図2 側壁の完全子宮破裂の術中写真
子宮側壁が破裂し，腹腔内に穿破，出血していた。

度は1回の既往帝王切開での24%に対し，3回以上の既往帝王切開では67%に上昇することや[3]，既往子宮瘢痕上に付着する胎盤では，その3割に癒着胎盤があることが報告されている[4]。回数の多い帝王切開既往の症例や，帝王切開既往がある妊婦で子宮の前壁，もしくは子宮下部に付着する胎盤の症例では，癒着胎盤とともに子宮破裂のハイリスクであると考えるべきである。近年の帝王切開率の上昇から，癒着胎盤とともに子宮破裂に遭遇する機会が増加する可能性がある。

子宮に手術後の瘢痕がない症例では，陣痛促進薬の使用による過強陣痛，鉗子・吸引分娩，骨盤位牽出術，子宮底圧出法等の分娩時の産科処置が関連して発生することが少なくない。これらの処置を行う際には，子宮破裂のリスクを考慮しておくべきである。子宮破裂は子宮筋の血管が断裂するために羊水に曝露される可能性が高まり，子宮型羊水塞栓症の発症原因にもなりやすいと考えられている。わが国の子宮底圧出法を行っている施設で，子宮底圧出法後に子宮破裂に至った症例の頻度はおよそ1/6,000

であり，その1例に子宮型羊水塞栓症を合併し，妊産婦死亡に至った症例も報告されている[5]。

一方，産道裂傷は，分娩時の子宮頸管以下の産道の損傷としてみられる子宮頸管裂傷，腟・会陰裂傷を総じていう。産道の伸展不良な初産婦や瘢痕がある場合，浮腫がある場合，児の通過周囲が大きい巨大児，回旋異常例で多い。子宮破裂同様に，分娩進行が急激な過強陣痛，過度な怒責，子宮底圧出法，急速遂娩の施行で生じやすい。程度が軽いものは日常臨床でよく遭遇するが，裂傷が深いものや大きいものでは急激に出血性ショックに至ることもあるので，速やかに適切な処置を行うことが必要である。

診断

産道裂傷の診断は，原則的には内診，腟鏡診による視診で行われる。深い産道裂傷や子宮破裂の内診，腟鏡診による診断には，助手の介助が必要であり，熟練を要する。産道裂傷の延長で子宮破裂が同時に存在することもあるので，一つ一つ確実に出血部位を確認する必要がある。

子宮破裂も産道裂傷も，外出血が著明なものは診断しやすいが，そうでない腹腔内出血をするものや後腹膜に血腫をつくるものもあることを忘れてはならない。分娩直後の強出血がある場合，弛緩出血，胎盤遺残，癒着胎盤，子宮型羊水塞栓症等が鑑別として考えられるが，子宮破裂（特に不全子宮破裂は診断が難しい）があることも念頭におく。

これらの出血原因の鑑別に，簡便に行うことができる超音波検査が有用である。子宮内腔にmassがある場合は，胎盤遺残，癒着胎盤の遺残を考える。腹腔内やダグラス窩に液体貯留がみられれば，完全子宮破裂が強く示唆される。それらの所見がない場合は，弛緩出血，不全子宮破裂，子宮型羊水塞栓症

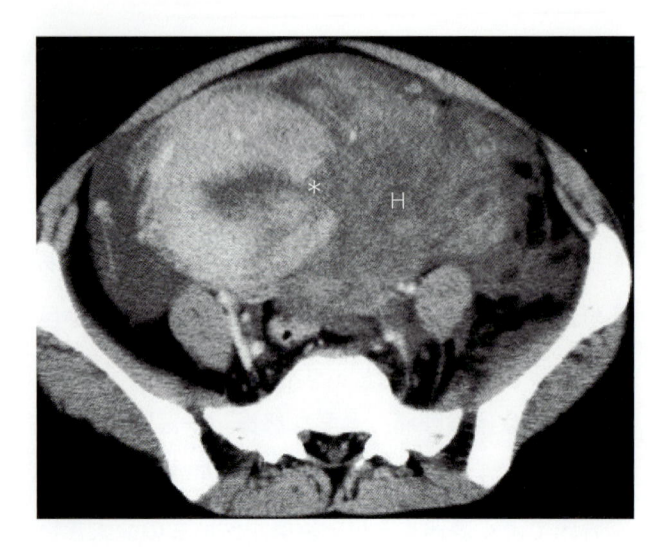

図3　子宮破裂の造影CT写真
図2と同症例の術前の造影CTである。断裂した子宮筋（＊）と，造影される血腫像（H）が描出されている。

が疑われる。出血原因の診断に至らない場合や，出血と不釣り合いなバイタルや血液検査の悪化がある場合は，超音波診断の難しい後腹膜への出血も考慮して，造影CTを行うことも推奨される（図3）。

治療

子宮破裂も産道裂傷も，大量出血によってショックになる可能性があることから，速やかな止血が治療の大前提である。子宮破裂は開腹止血もしくは子宮全摘術を要するため，同疾患を疑ったら，迅速な手術と輸血の準備（搬送）が必要である。手術の準備等に際し，一時的にバルーン等でタンポナーデを行う（101ページ参照）場合もあるが，内圧によって余計に裂傷が大きくなることもあるので，挿入後も厳重な監視が必要である。

そして，ほかの産科危機的出血と同様に，止血と同時にバイタルの管理を行わなければならない。多量輸液だけでなく，出血性ショックが増悪するとDICに至ることから，速やかに赤血球だけでなくFFPの輸血を行う（113ページ参照）。

頸管裂傷等の産道出血の縫合法については手術書に委ねるが，分娩にかかわる限り，必ず遭遇するものであるから，すべての手技を習得しておかなければならない。子宮破裂や深部の産道裂傷で出血が多い場合は，術野の確保が困難で止血に難渋することも多く，熟練した止血術と助手の介助が必要である。術者の未熟さによって止血に時間がかかることで，出血性ショックとなり，妊産婦死亡の原因となることもある。したがって，分娩直後の迅速な判断と処置が重要なポイントで，分娩を取り扱う施設では，止血困難な子宮破裂や産道裂傷を引き起こした症例に遭遇する可能性を念頭において，対処についてもシミュレーションしておくべきである。

文献

(1) Miller DA, et al：Intrapartum rupture of the unscarred uterus. Obstet Gynecol 89：671–673, 1997
(2) Wu S, et al：Abnormal placentation：twenty-year analysis. Am J Obstet Gynecol 192：1458–1461, 2005
(3) Clark SL, et al：Placenta previa/accreta and prior cesarean section. Obstet Gynecol 66：89–92, 1985
(4) Miller DA, et al：Clinical risk factors for placenta previa-placenta accreta. Am J Obstet Gynecol 177：210–214, 1997
(5) Hasegawa J, et al：Uterine rupture after the uterine fundal pressure maneuver. J Perinat Med 43：785–788, 2015. doi：10.1515/jpm-2014-0284.

（長谷川　潤一）

各論　直接産科的死亡

🫀 子宮内反症

> **commentary**
>
> ## 子宮内反症とは
>
> 　子宮が内膜面を外方に反転した状態をいい，子宮が陥没または下垂反転し，時には子宮内壁が腟内または外陰に露出する。
>
> 　程度により全内反症・不全内反症・子宮圧痕等に分類される（図1）。主に臍帯の牽引，胎盤用手剥離等により分娩第3期に起こる。8,000〜10,000分娩に1例の頻度で起こる。視診・双合診等で診断され，下腹痛，ショック，大量出血を伴う[1]。
>
> 第1度　子宮内反症　　　　第2度　　　　　　　第3度
>
> 子宮陥凹
>
> 不全子宮内反症　　　完全子宮内反症　　　完全子宮内反症
> 　　　　　　　　　　（腟内脱出）　　　　（腟外脱出）
>
> **図1　子宮内反症の分類**

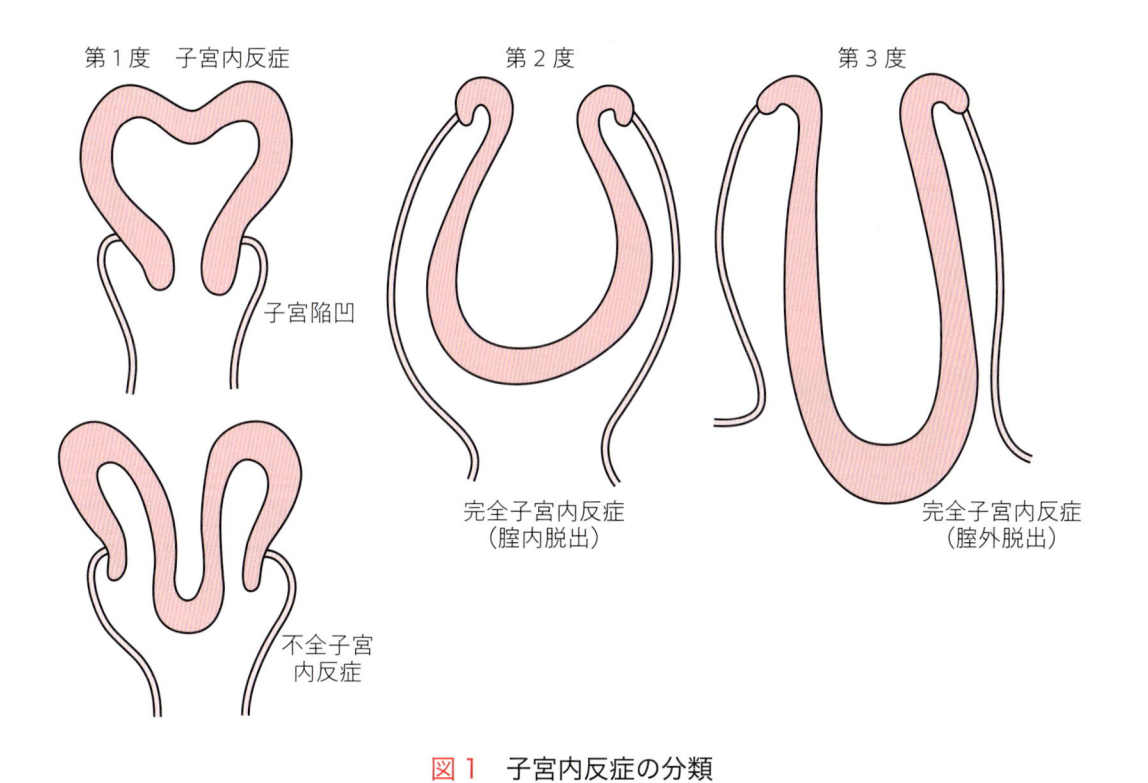

各論　直接産科的死亡　子宮内反症

▼**事例**　20代，初産婦

　妊娠40週，子宮口全開大後，胎児徐脈が遷延したため，クリステレル圧出法を併用した吸引で分娩となった。胎盤娩出にやや時間がかかり，臍帯を牽引しつつ子宮底のマッサージをして娩出に至った。胎盤娩出後の出血が多く，弛緩出血と判断し子宮収縮薬を点滴投与し，子宮底の輪状マッサージを施行した。その後強い腹痛の訴えがあり，さらに出血の持続がみられた。出血量は1,500 gとなった。子宮底が触知できず，クスコ氏腟鏡診上，腟内に筋腫分娩様の5 cm大の腫瘤を認めた（図2）。子宮内反症と診断した。産婦は顔面蒼白，血圧80/28 mmHg，脈拍100/分，意識レベルは低下していた。ニトログリセリン製剤を静脈投与し子宮を弛緩させた後，子宮内反の用手整復に成功した。血圧100/40 mmHg，脈拍100/分，shock index (SI) 1.0。この時点で高次病院に搬送を依頼し，分娩から1時間後に搬送先病院に到着。到着時の血圧は85/35 mmHg，顔面蒼白，再び強い腹痛を訴え意識レベルも低下していた。超音波で確認すると子宮底部が陥凹しており，不全内反となっていることが判明した。出血も持続していた。用手的に再度整復し超音波で治ったことを確認しオキシトシンを点滴投与した。血圧86/50 mmHg，脈拍140/分，SI＝1.3，輸血・輸液を急速に施行したが，ここまでで出血量約4,500 gでDICとなり，非凝固性の血液の流出が持続した。その後心停止，死亡確認となった。

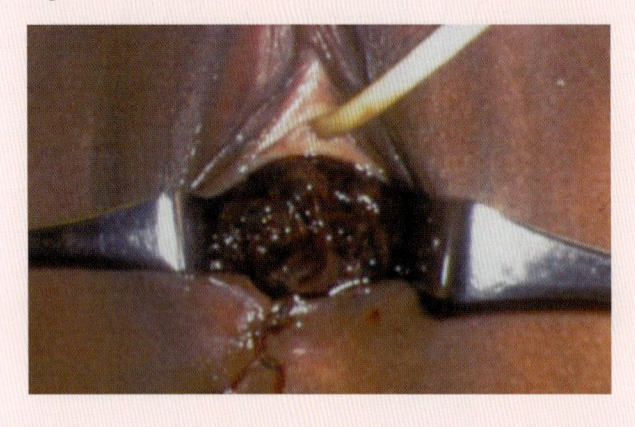

図2　内反した子宮底部が筋腫分娩時のように腫瘤状にみえる

▼**評価**

　胎盤娩出時に不用意に臍帯を牽引し，子宮内反に至った可能性があると考えられた。最初の整復が不十分であると，再内反することも知られており，内反症の整復後には超音波で不全内反や子宮圧痕の状態になっていないかこまめにチェックすることと，十分な子宮収縮薬の投与が必要である。出血量，SIや意識レベル，時間尿量等で全身状態をできるだけ正確に把握し，産科危機的出血ガイドラインに基づき，速やかな輸血・輸液，DIC対策を講じることが求められる。

▼**提言**

・子宮内反症であっても経験がないと，「ただの弛緩出血だろう」，「通常より大きな胎盤が娩出され

- てきた」，「胎盤娩出後にもう1つ胎盤が出てきた」，「胎盤娩出後に筋腫分娩が起こった」等と考えてしまうことが多く，いつも内反症を念頭においた診療を行う。
- 子宮内反症は産婦人科医であれば誰でも知っている疾患であるが，頻度は稀であり，実際に経験したことのない臨床医も少なくない。
- 癒着胎盤のリスク因子は，子宮内反症のリスク因子でもある。
- 子宮内反症が起こってしまった場合の整復時に使用する薬剤，用手整復の方法手技，開腹手術の方法等も周知しておく。
- 内反症は出血性ショック以外にも迷走神経反射による神経原性ショックも伴うため，脈拍数の増加がみられず，出血性ショックが過小評価されることもある。
- 用手整復できたとしても，完全に整復されたことを超音波検査で確認する。再内反が起こらないよう，収縮が得られるまで内診手をそのまま子宮底まで挿入しておく。完全な整復が確認されたら，十分な子宮収縮薬を投与する。不十分な整復に子宮収縮薬を投与すると，再度内反になる可能性がある。

疫学・原因・症状・診断・分類

2010年より行っている妊産婦死亡症例検討のなかで4例の子宮内反症による事例が報告されている[2]。妊産婦死亡症例検討評価委員会でも子宮内反症の診断の遅れが死亡につながっているとの指摘が多い。

子宮内反症の原因として，①癒着胎盤・過短臍帯，②進行の早い分娩・子宮壁の過度の伸展，③粗暴な産科操作（過度のCredé胎盤圧出，過度な臍帯牽引，胎盤用手剥離）等が考えられるが，原因不明の症例も少なくない。

症状は激烈で，対応は緊急を要する。子宮支持組織の牽引による迷走神経反射や，腹膜刺激症状により非常に強い腹痛と神経原性ショック・低血圧症を呈し，また子宮収縮不良や胎盤剥離面からの大量出血等が起こる。

1．診断

①内診・双合診により子宮底が触れない，子宮底が陥凹している(内反漏斗)。
②クスコ氏腟鏡診・肉眼的に内反子宮が腟外に脱出している(図2)。
③超音波検査・MRI等で子宮のinside out，upside down像を認める(図3)。

2．分類

①子宮陥凹・子宮圧痕
②不全子宮内反(①と②を第1度子宮内反症という)
③完全子宮内反症，子宮底は腟内に突出(第2度子宮内反症)
④完全子宮内反症，子宮底が腟口〜腟外に脱出(第3度子宮内反症)[3,4] (図1)

また発症時期により，①急性(83.4%)：分娩から24時間以内，②亜急性(2.6%)：分娩後24時間〜4週まで，③慢性(13.9%)：分娩後4週以降，非産褥期，に分類される[5]。

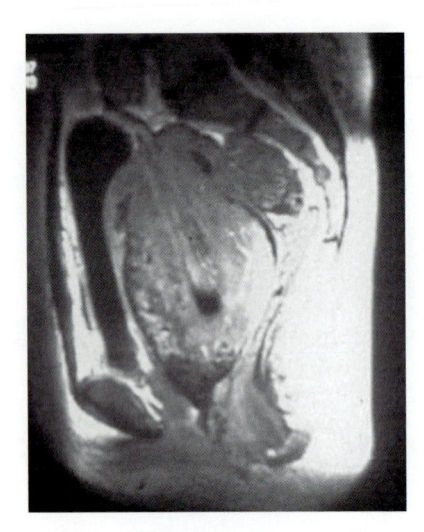

図3　子宮内反症のMRI像

治療・予防法

1．治療法

まずは十分な人員を確保したのち，以下の治療を行っていく．

1）抗ショック療法（神経原性ショック・出血性ショック）

神経原性ショックによる低血圧と出血性ショックによる低血圧が起こるため，昇圧薬とともに輸血療法を開始する．

2）子宮整復

(1)用手的整復：子宮収縮薬を中止し，子宮を弛緩させたのち内反した子宮底を押し上げて元に戻す（Johnson法，Harris法）．

・使用する薬剤：セボフルラン（吸入），塩酸リトドリン6～10 mgを緩徐に静注，硫酸テルブタリン250 μgを静脈あるいは皮下注射，硫酸マグネシウム：4～6 gを15～20分かけて静注，ニトログリセリン50～500 μgを静注（ニトログリセリンは効果発現が約1分後と即効性があるため使用されることが多い．血圧降下の危険があるためエフェドリン塩酸塩等の昇圧薬を準備しておく）．

(2)観血的整復：

①Huntington法（開腹し，陥凹した子宮底部を円靱帯や卵巣固有靱帯を鉗子で牽引し頭側へ少しずつ引き上げる）．

②Haultain法〔子宮後壁（子宮後方の収縮輪部）を縦切開し，内反部分を引き上げる方法〕．

③その他〔水圧を用いた方法（O'sullivan法，ソフトカップ法）もある〕[6]．

3）子宮全摘術

子宮内反症の発症から時間が経過している症例では，整復しても子宮収縮が得られない場合もあり，その際は子宮の摘出が必要になる．

2．予防法

胎盤娩出時に臍帯の牽引と子宮底マッサージを同時に行わない（過度のCredé法を施行しない）．児の娩出後，早めの子宮収縮薬の投与を考慮する．胎盤娩出まで焦らない．剥離しにくい時は超音波で確認しながら行う．

Brandt-Andrews法を用いる：恥骨上の子宮体部を頭側に圧迫しながら臍帯を牽引する（剥離徴候に注意しつつ行うこと）．

文献

(1) 日本産科婦人科学会（編）：産科婦人科用語集・用語解説集，金原出版，東京，130，2018
(2) 妊産婦死亡症例検討評価委員会，日本産婦人科医会：2010年～2019年に報告され，事例検討を終了した390例の解析結果：母体安全への提言 2018 vol. 4, 3, 8–29, 2019
(3) Pauleta JR, et al：Ultrasonographic diagnosis of incomplete uterine inversion. Ultrasound Obstet Gynecol 36：260, 2010
(4) 安達知子：子宮内反症．竹田　省（編著）：産科救急ハンドブック．産科危機的出血への対応ガイドラインに基づく管理法，総合医学社，東京，211–214, 2010
(5) Livingston SL, Booker C, et al：Chronic uterine inversion at 14 weeks postpartum. Obstet Gynecol 109：555, 2007
(6) 林　周作，他：子宮内反症．産科大出血危機的出血への対応と確実な止血戦略．OGS now 10, 112–121, 2010

（早田　英二郎）

各論　直接産科的死亡

妊娠高血圧症候群，HELLP症候群，子癇

commentary

妊娠高血圧症候群，HELLP症候群，子癇とは

・妊娠高血圧症候群

妊娠高血圧症候群の定義を表1[1]，2[1]に示す。脳出血の予防という観点からいえば，血圧の管理と降圧療法に力点が置かれる。1981年のSibaiらの報告[2]，2012年の大野の報告[3]では，高血圧に伴う脳出血や子癇を発症した時点の血圧は収縮期がそれぞれ168±23 mmHg，177±27.7 mmHg，拡張期がそれぞれ108±14 mmHg，106±18.1 mmHgとなっている。この値はおおむね重症の妊娠高血圧症候群の定義に合致する。しかし，非重症域であっても母児の予後を悪化させることを念頭に管理することが大切である。

表1　妊娠高血圧症候群の定義と病型分類

名称
和文名称：妊娠高血圧症候群／英文名称：hypertensive disorders of pregnancy（HDP）とする

定義
妊娠時に高血圧を認めた場合，妊娠高血圧症候群とする。妊娠高血圧症候群は妊娠高血圧腎症，妊娠高血圧，加重型妊娠高血圧腎症，高血圧合併妊娠に分類される

病型分類

妊娠高血圧腎症（PE：preeclampsia）
1. 妊娠20週以降に初めて高血圧を発症しかつ蛋白尿を伴うもので，分娩12週までに正常に復する場合
2. 妊娠20週以降に初めて発症した高血圧に蛋白尿を認めなくても以下のいずれかを認める場合で，分娩12週までに正常に復する場合
   i) 基礎疾患のない肝機能障害〔肝酵素上昇（ALTもしくはAST＞40 IU/L），治療に反応せず他の診断がつかない重度の持続する右季肋部もしくは心窩部痛〕
   ii) 進行性の腎障害（Cr＞1.0 mg/dL，他の腎疾患は否定）
   iii) 脳卒中，神経障害（間代性痙攣・子癇・視野障害・一次性頭痛を除く頭痛等）
   iv) 血液凝固障害〔妊娠高血圧症候群に伴う血小板減少（＜15万/μL）・DIC・溶血〕
3. 妊娠20週以降に初めて発症した高血圧に蛋白尿を認めなくても子宮胎盤機能不全〔胎児発育不全（FGR），臍帯動脈血流波形異常，死産〕を伴う場合

妊娠高血圧（GH：gestational hypertension）
妊娠20週以降に初めて高血圧を発症し分娩12週までに正常に復する場合で，かつ妊娠高血圧腎症の定義に当てはまらないもの

加重型妊娠高血圧腎症（SPE：superimposed preeclampsia）
1. 高血圧が妊娠前あるいは妊娠20週までに存在し，妊娠20週以降に蛋白尿もしくは基礎疾患のない肝腎機能障害，脳卒中，神経障害，血液凝固障害のいずれかを伴う場合
2. 高血圧と蛋白尿が妊娠前あるいは妊娠20週までに存在し，妊娠20週以降にいずれかまたは両症状が増悪する場合
3. 蛋白尿のみを呈する腎疾患が妊娠前あるいは妊娠20週までに存在し，妊娠20週以降に高血圧が発症する場合
4. 高血圧が妊娠前あるいは妊娠20週までに存在し，妊娠20週以降に子宮胎盤機能不全を伴う場合

高血圧合併妊娠（CH：chronic hypertension）
高血圧が妊娠前あるいは妊娠20週までに存在し，加重型妊娠高血圧腎症を発症していない場合

(Watanabe K, et al：Outline of the new definition and classification of "Hypertensive Disorders of Pregnancy（HDP）"；a revised JSSHP statement of 2005. Hypertens Res 2018；6：33-37)[1]

表2　妊娠高血圧症候群における高血圧と蛋白尿の診断基準，症候による亜分類

妊娠高血圧症候群における高血圧と蛋白尿の診断基準

収縮期血圧 140 mmHg 以上，または，拡張期血圧が 90 mmHg 以上の場合を高血圧と診断する

血圧測定法

5分以上の安静後，上腕に巻いたカフが心臓の高さにあることを確認し，座位で1〜2分間隔にて2回血圧を測定し，その平均値をとる。2回目の測定値が 5 mmHg 以上変化する場合は，安定するまで数回測定する。測定の30分以内にはカフェイン摂取や喫煙を禁止する。初回の測定時には左右の上腕で測定し，10 mmHg 以上異なる場合には高いほうを採用する。測定機器は水銀血圧計と同程度の精度を有する自動血圧計とする

次のいずれかに該当する場合を蛋白尿と診断する

- 24時間尿でエスバッハ法等によって 300 mg/日以上の蛋白尿が検出された場合
- 随時尿で protein/creatinine（P/C）比が 0.3 mg/mg・CRE 以上である場合
- 24時間蓄尿や随時尿でのP/C比測定のいずれも実施できない場合には，2回以上の随時尿を用いたペーパーテストで2回以上連続して尿蛋白1+以上陽性である場合を蛋白尿と診断することを許容する

症候による亜分類

重症について：次のいずれかに該当するものを重症と規定する。なお，軽症という用語はハイリスクでない妊娠高血圧症候群と誤解されるため原則用いない

1. 妊娠高血圧・妊娠高血圧腎症・加重型妊娠高血圧腎症・高血圧合併妊娠において，血圧が次のいずれかに該当する場合
   収縮期血圧：160 mmHg 以上の場合／拡張期血圧：110 mmHg 以上の場合
2. 妊娠高血圧腎症・加重型妊娠高血圧腎症において，母体の臓器障害または子宮胎盤機能不全を認める場合

発症時期による病型分類：妊娠34週未満に発症するものは早発型（EO：early onset type）／妊娠34週以降に発症するものは遅発型（LO：late onset type）

(Watanabe K, et al：Outline of the new definition and classification of "Hypertensive Disorders of Pregnancy（HDP）"；a revised JSSHP statement of 2005. Hypertens Res 2018；6：33–37)[1]

・HELLP症候群

HELLP症候群は1982年にWeinsteinによって提唱された，hemolysis（溶血），elevated liver enzymes（肝酵素上昇），low platelets（血小板減少）を3主徴とする症候群である[4]。全妊娠の0.2〜0.9％に発症し，妊娠高血圧症候群となった妊産婦では10〜20％に合併する。重篤な合併症としては，DICが5〜56％に，常位胎盤早期剥離が9〜20％，子癇が4〜9％，肺水腫が3〜10％，肝被膜下出血・肝破裂が約2％に認められ，脳出血を合わせると1〜25％が妊産婦死亡の転帰となっている（表3）。

表3　HELLP症候群による合併症

母体合併症	胎児・新生児合併症
・子癇（4〜9％）	・周産期死亡（7〜34％）
・常位胎盤早期剥離（9〜20％）	・胎児発育不全（38〜61％）
・DIC（5〜56％）	・早産（70％）
・急性腎不全（3〜10％）	・超早産（15％）
・肺水腫（3〜10％）	・新生児血小板減少症（15〜50％）
・脳出血（1.5〜40％）	・呼吸窮迫症候群（6〜40％）
・肝被膜下出血・破裂（1.8％）	
・妊産婦死亡（1〜25％）	

・子癇

妊娠20週〜分娩期・産褥期に初めて痙攣発作を起こし，その原因として，てんかんや脳出血等の二次性痙攣が否定される場合をいう。基本的には，妊娠高血圧症候群に起きる重篤な母体合併症の一つと考えられる。

▼ **事例1　20代，初産婦**

　妊娠初期より定期的に妊婦健診を受けていた。妊娠34週の健診で，血圧140/85 mmHg，尿蛋白（+）だった。妊娠36週には血圧165/105 mmHg，尿蛋白（3+）となり入院となった。硫酸マグネシウムの点滴静注とメチルドパの内服を開始したが，血圧は180/100 mmHg台を推移した。同日夜半に心窩部痛を訴え，血液検査でAST 280 IU/L，ALT 210 IU/L，LDH 640 IU/Lと上昇，血小板は8万/μLであった。HELLP症候群の診断で緊急帝王切開を施行，2,100 gの児を分娩した。術後も硫酸マグネシウムの点滴静注を継続し，血圧は170〜180/90〜100 mmHgで推移した。術後4時間後に突然の意識消失と痙攣が出現した。CTにて右脳室内出血を認め，脳外科にて緊急開頭，血腫除去，脳室ドレナージが行われたが，死亡確認となった。

▼ **評価**

　妊娠高血圧症候群と診断し入院加療となっているが，血圧のコントロールが不良であった。術後の降圧も不十分であり，正常血圧を目標に降圧することが望ましかった。

▼ **提言**

- 妊娠末期の妊娠高血圧症候群やHELLP症候群の症例では，血圧コントロール，分娩管理，産褥期の管理において速やかな対応と適切な管理が必要である。
- 術後の血圧コントロールの目標は正常血圧とすべきである。
- 意識障害が発生した場合は脳出血を疑い，精査・加療を行う。

妊産婦死亡の背景因子として妊娠高血圧症候群・HELLP症候群・子癇

　2010年から開始された日本産婦人科医会の妊産婦死亡報告事業において2019年までに報告された427例のうち，症例結果報告書が作成され医療機関に送付された390事例における妊産婦死亡の原因疾患では，妊娠高血圧症候群，HELLP症候群や子癇が直接死因となる疾患としては記載されていない。これらの疾患を背景因子としながら，他の原因を死因としてあげているためである。そこで背景因子にこれらの疾患を有するものを解析すると，2010〜2015年の妊産婦死亡例277例中30例（11%）が妊娠高血圧症候群を合併していた。死因の内訳は，脳実質内出血が22例，くも膜下出血が3例，肝被膜下出血が2例，周産期心筋症が2例，子癇が1例であった[5]。これら30症例のなかで医療行為上の問題点が指摘された19例の具体的な課題点を表4に示す。

　妊産婦死亡の主原因である羊水塞栓症，脳出血・脳梗塞，周産期心筋症は，妊娠高血圧症候群を背景とする場合が多く，本疾患は妊産婦死亡へとつながる重要な因子として認識する必要がある。

表4 妊産婦死亡の19例

病態	医療行為上の課題点
ICH	重症HDPでCS後。HELLP, DIC増悪するも降圧, Mg, FFP, Plt投与なし
ICH	重症HDPの入院が遅い
ICH	BP 170/110 mmHg, upo3+の入院遅い。180/120 mmHgからメチルドーパは不適切。Mgなし
ICH	BP 150/100 mmHg, upo3+の入院遅い。200/130 mmHgでメチルドーパ内服は不適切。Mgなし
ICH	BP 160/110, upo3+入院遅い。170/110 mmHgでヒドララジン内服は不適切。Mgなし
ICH	CS後HELLP増悪, BP 180/110 mmHgも降圧処置およびMgなし
ICH	CS後HELLP増悪, BP 190/120 mmHgも降圧処置およびMgなし
ICH	脳出血, 脳梗塞の診断が遅い
ICH	血液検査がなくHELLPの診断が遅い, 高次施設への搬送が遅い
ICH	Intrapartum BP 190/100 mmHgも降圧処置なし, Mgなし
ICH	Intrapartum HELLP増悪(BP 170/100 mmHg, Plt 2万/μL)も降圧, Mg, Plt輸血なし
ICH	BP 150/90 mmHg, upro+入院遅い。BP 210/120 mmHg, 胃痛もHELLP鑑別の採血なし
ICH	重症HDPをTOLAC。BP 180/140 mmHgで降圧処置なし
ICH	CS後高血圧続くが, 採血なし, 降圧処置, Mgなし
SAH	妊娠14〜20週, BP 180/130 mmHg, 220/130 mmHg。外来でヒドララジン60 mg/日のみ
SAH	BP 200/130 mmHg, 降圧処置, Mgなし
PPCM	双胎, 塩酸リトドリン使用例で, 浮腫, 呼吸苦あるも入院精査なし
SHL	CS後HELLP増悪(血圧, 肝機能, 血小板)も降圧遅い
SHL	CS後HELLP増悪(血圧, 肝機能, 血小板)も降圧遅い

BP：血圧, CS：帝王切開, DIC：播種性血管内凝固, FFP：新鮮凍結血漿, ICH：脳実質内出血, Mg：硫酸マグネシウム, Plt：血小板製剤, PPCM：周産期心筋症, SAH：くも膜下出血, SHL：肝被膜下出血, TOLAC：既往帝王切開後妊娠の経腟分娩トライアル

(妊産婦死亡症例検討評価委員会・日本産婦人科医会, 母体安全への提言 2017. 2018)[5]

妊娠高血圧症候群の診断と管理

産婦人科診療ガイドライン―産科編2017では, 妊娠高血圧症候群における降圧薬の投与基準として高血圧重症(収縮期160 mmHg以上, 拡張期110 mmHg)が反復して確認された場合をあげている[6]。この基準は日本高血圧学会による診療指針とも合致している[7]。また, いずれも収縮期血圧が180 mmHg以上, あるいは拡張期血圧が120 mmHg以上の場合は「高血圧緊急症」と診断し静脈注射薬(持続静脈注射)を用いた迅速な治療を推奨している。表5に各種降圧薬の使用法を掲載しているが, 高血圧による合併症を防ぐために注意深いモニタリングと適切かつ迅速な対応が肝要である。ただし, 先にあげた妊産婦死亡症例では必ずしも脳出血直前の血圧がモニタリングされているわけではないので, 非重症域(以前の軽症域)の血圧であれば安全であると担保しているわけではない。

重症妊娠高血圧症候群は妊娠34週以降, 非重症域の妊娠高血圧症候群では妊娠37週以降, 少なくとも妊娠40週までに妊娠を集結させることが望ましい[8〜10]。母体の臓器障害や胎児機能不全への進展・増悪に注意し, 母児の生命にとって危険と考えられる場合は妊娠週数に関係なく妊娠を集結させることを考慮する必要がある。調節困難な高血圧(180/110 mmHg前後), 急激な体重増加(3.0 kg/週), 血小板数の低下

表5　妊娠高血圧症候群における降圧薬の使用

	以下の4剤を単独または併用	投与量	備考
妊娠中	メチルドパ	250～2,000 mg/日	交感神経抑制薬
	ヒドララジン	30～200 mg/日	血管拡張薬
	ラベタノール	150～450 mg/日	交感神経抑制薬
	徐放性ニフェジピン(妊娠20週以降に限る)	20～40 mg/日	血管拡張薬
	ACE阻害薬，ARBは原則として使用しない		
	2剤併用の場合，血管拡張薬と交感神経作用薬の組み合わせが望ましい		
	降圧不十分な場合，2剤もしくは3剤の併用も考慮されるが，ニカルジピンやヒドララジンの持続静注への切り替えを考慮		
緊急降圧	MgSO4を併用(初回量4 gを20分以上かけて静注，引き続き1～2 g/時)		
	ヒドララジン	1アンプル(20 mg)を筋注　1/4アンプルを静注，以後，20 mg/200 mL生理食塩水を1時間かけて点滴静注	
	ニカルジピン	10 mg/100 mL生理食塩水を0.5 µg/kg/分で投与開始	

(10万/L)，GOT(AST)/LDHの異常値出現や尿蛋白の増加(5.0 g/日)等に注意し，いずれにしても重症化による合併症の重篤化を防ぐことが念頭にある。

HELLP症候群の診断と管理

HELLP症候群の診断基準として一般に用いられているものとしてはSibaiらの提唱したTennessee classification[11,12]とMississippi-triple class system (Mississippi classification)[13]があげられる(表6)。臨床的にはMississippi classificationのclass 3を満たすようであれば，重症化する可能性を念頭において管理することが望ましいと思われる。最近の研究ではMississippi分類のclass 1は，class 2，3，あるいはHELLP症候群を伴わない妊娠高血圧症候群に比較して有意に高い合併症を有することが明らかとなっており，class 3の場合，特に注意を要する。なお，HELLP症候群の診断においては，溶血，肝酵素上昇，血小板減少の3主徴が必ずしも揃わないことも多いという点に留意する必要がある。

HELLP症候群と診断した場合，重篤な合併症を考

表6　HELLP症候群の診断基準

class	Tennessee classification	Mississippi classification
1	血小板数 ≦ 10万/µL AST ≧ 70 IU/L LDH ≧ 600 IU/L	血小板数 ≦ 5万/µL ASTないしALT ≧ 70 IU/L LDH ≧ 600 IU/L
2		血小板数 ≦ 10万/µL ASTないしALT ≧ 70 IU/L LDH ≧ 600 IU/L
3		血小板数 ≦ 15万/µL ASTないしALT ≧ 40 IU/L LDH ≧ 600 IU/L

慮して児の成熟がある程度得られたlate preterm以降は分娩を終了することが肝要である。薬剤を用いた管理としての代表的な2本の柱は，硫酸マグネシウム投与と降圧薬投与である。硫酸マグネシウムの作用機序と効果については定かでない部分も多いが，血管拡張作用による末梢および中枢神経系の末梢血管抵抗の減弱，抗痙攣作用による子癇発作の予防，血液脳関門の保護による脳浮腫の軽減等があげられる[14]。高血圧に対する加療は前述の妊娠高血圧症候群の管理に準ずる。

表7 HELLP症候群に対するMississippi protocol

デキサメタゾン静注開始基準
- 血小板数が10万未満
- Class 3に加え下記のいずれかを認める
  1) 子癇
  2) 重篤な心窩部痛
  3) 重篤な合併症の存在
  4) 重症高血圧
- 分娩前：デキサメタゾン10 mg 静注/12時間ごと
- 分娩後：デキサメタゾン10＋10＋5＋5 mg/0, 12, 24, 36時間後

(Martin JN Jr : Milestones in the quest for best management of patients with HELLP syndrome (microangiopathic hemolytic anemia, hepatic dysfunction, thrombocytopenia). Int J Gynaecol Obstet 121：202-207, 2013)[15]

いずれにしても硫酸マグネシウムや降圧薬を積極的に使用し，同時にDIC，脳出血，肝障害の進行や子宮胎盤循環不全による胎児機能不全の有無を監視するために集中的に管理する必要がある．分娩方法は必ずしも帝王切開を選択する必要はないとされているが，いずれの方法を選択するにしてもDICの合併に注意し，輸血や血液製剤の手配と確保，頻回の血液検査等による病態の変化を捉えることが必要である．分娩後の血圧管理は妊娠中の場合と異なり，可能な限り正常血圧を目標に降圧する．子癇の発症は産褥期に多く認められるため，硫酸マグネシウムの使用を継続することを推奨する．血管内脱水の状態ではあるが肺水腫の合併を懸念し水分バランスに注意するとともに理学所見以外に胸部単純X線による所見に注意する．HELLP症候群はこのように集中管理・集学的管理が必要なため，二次ないし三次医療機関での管理が望ましい．児の状態によってはNICUとの連携も必要であり，発症を疑った時点で搬送を含めて密接な連絡を行うことが必要である．

HELLP症候群に対するMississippi protocol

Martin Jr.らはHELLP症候群に対する積極的な副腎皮質ホルモンの投与を推奨している（表7）[15]。彼らは190例に対して副腎皮質ホルモンを標準的に使用するプロトコールを導入した結果，脳出血，肝破裂や死亡症例を認めず重篤な母体合併症を減少できたと述べている[16]。しかし，現時点のCochrane reviewでは副腎皮質ホルモンのHELLP症候群への効果は未だ不明とされており[17]，今後の臨床研究結果の集積が望まれる。

文献

(1) Watanabe K, et al：Outline of the new definition and classification of "Hypertensive Disorders of Pregnancy (HDP)", a revised JSSHP statement of 2005. Hypertens Res Pregnancy 6：33-37, 2018
(2) Sibai BM, et al：Eclampsia. I. Observations from 67 recent cases. Obstet Gynecol 58：609-613, 1981
(3) 大野泰正：分娩時高血圧に対する対応．日妊娠高血圧会誌 20：31-33, 2012
(4) Weinstein L：Syndrome of hemolysis, elevated liver enzymes, and low platelet count：a severe consequence of hypertension in pregnancy. Am J Obstet Gynecol 142：159-167, 1982
(5) 妊産婦死亡症例検討評価委員会，日本産婦人科医会：母体安全への提言 2017, 2018
(6) 日本産科婦人科学会，日本産婦人科医会：産婦人科診療ガイドラインー産科編2017, 日本産科婦人科学会, 2017
(7) 日本妊娠高血圧学会（編）：妊娠高血圧症候群の診療指針2015 Best Practice Guide, メジカルビュー社, 東京, 2015
(8) ACOG Practice Bulletin No. 202：Gestational Hypertension and Preeclampsia. Obstet Gynecol 133：e1-e25, 2019
(9) ACOG Practice Bulletin No. 203：Chronic Hypertension in Pregnancy. Obstet Gynecol 133：e26-e50, 2019
(10) Brown MA, et al：Hypertensive Disorders of Pregnancy：ISSHP Classification, Diagnosis, and Management Recommendations for International Practice. Hypertension 72：24-43, 2018
(11) Sibai BM：The HELLP syndrome (hemolysis, elevated liver enzymes, and low platelets)：much ado about nothing? Am J Obstet Gynecol 162：311-316, 1990
(12) Sibai BM：Diagnosis, controversies, and management of the syndrome of hemolysis, elevated liver enzymes, and low platelet count. Obstet Gynecol 103：981-991, 2004
(13) Martin JN Jr, et al：The spectrum of severe preeclampsia：comparative analysis by HELLP (hemolysis, elevated liver enzyme levels, and low platelet count) syndrome

classification. Am J Obstet Gynecol 180：1373–1384, 1999
(14) Euser AG, et al：Magnesium sulfate for the treatment of eclampsia：a brief review. Stroke 40：1169–1175, 2009
(15) Martin JN Jr：Milestones in the quest for best management of patients with HELLP syndrome（microangiopathic hemolytic anemia, hepatic dysfunction, thrombocytopenia）. Int J Gynaecol Obstet 121：202–207, 2013
(16) Martin JN Jr, et al：Standardized Mississippi Protocol treatment of 190 patients with HELLP syndrome：slowing disease progression and preventing new major maternal morbidity. Hypertens Pregnancy 31：79–90, 2012
(17) Woudstra DM, et al：Corticosteroids for HELLP（hemolysis, elevated liver enzymes, low platelets）syndrome in pregnancy. Cochrane Database Syst Rev（9）：CD008148, 2010

（中田 雅彦）

各論　直接産科的死亡

羊水塞栓症
―心肺虚脱型羊水塞栓症，子宮型羊水塞栓症

commentary

羊水塞栓症の病型

　羊水塞栓症の診断分類は，81ページの図6で述べた。羊水塞栓症は肺の血管に羊水成分，胎児成分を検出することにより診断されるが，剖検されなかった症例や救命例では臨床的な診断基準で羊水塞栓症の診断を行っている。臨床的羊水塞栓症の診断基準を表1に示した。

　この表1の基準は米国，英国の羊水塞栓症の登録基準と比較し，分娩後の発症時間をいつまでに設定するかについて若干の相違（下記①の項目）があるが，基本的な内容はほぼ同一のものである。

　多くの症例解析から，羊水塞栓症は初発症状および主病態が，心肺虚脱症と弛緩出血・DICの2つに分類されることが明らかになっている。そこで妊産婦死亡症例検討評価委員会では，剖検所見がある場合，羊水塞栓症を心肺虚脱型羊水塞栓症と子宮型羊水塞栓症の2つに細分類している。症状として下記の①と③を満たし，②の下線（A，D）を主体とするものを心肺虚脱型羊水塞栓症，①と③を満たし②の二重下線（B，C）を主体とするものを子宮型羊水塞栓症と呼ぶ。

表1　臨床的羊水塞栓症の診断基準

①妊娠中または分娩後12時間以内に発症した場合

②下記に示した症状・疾患（1つまたはそれ以上でも可）に対して集中的な医学治療が行われた場合
　A）心停止
　B）分娩後2時間以内の原因不明の大量出血（1,500 mL以上）
　C）DIC
　D）呼吸不全

③観察された所見や症状がほかの疾患で説明できない場合
　以上の3つを満たすものを臨床的羊水塞栓症と診断する。

▼事例1　30代，経産婦

前回帝王切開で，妊娠36週に性器出血あり，緊急帝王切開術を施行した。児娩出時より呼吸苦の訴えがあり，児娩出4分後心停止した。娩出30分後エフェドリン10 mgを静注し，娩出40分後胸骨圧迫を開始した。その後，高次施設に搬送されたが心拍再開なく死亡確認となった。

▼事例2　30代，初産婦

妊娠40週，朝から陣痛発来し，分娩経過中，変動一過性徐脈を認め酸素投与を開始した。子宮口全開大になった時に呼吸苦を訴え顔面蒼白となった。15分後，意識消失した。胎児徐脈を認め，30分後に急速遂娩した時には母体の心拍は停止していた。心停止8分後に母体の胸骨圧迫と人工呼吸が開始された。羊水塞栓症を疑い高次施設へ搬送されたが，救命できず死亡確認となった。

▼評価

事例1は，病理解剖所見より心肺虚脱型羊水塞栓症と診断された症例であった。一方，事例2は血液検査や解剖が行われておらず，羊水塞栓症の診断を下せず，肺血栓塞栓症（PTE：pulmonary thromboembolism）や急性冠症候群等も鑑別として考えられた。どちらの症例も心停止に至るまでの経過が早く，児娩出前後に発症しており，迅速に対処すべき母体の症状や徴候に気づくことができず，初期対応の開始が遅れていた。母体に変化が現れた時には身体所見やモニターから状態を評価し，初期対応を開始すべきである。

▼事例3　30代，経産婦

妊娠39週，オキシトシンを使用し経腟分娩後，1.5 Lの出血を認めたため母体搬送となった。到着時血圧70/40 mmHg，脈拍100/分，意識は清明であった。子宮からの出血は非凝血性で，PT<10%，APTT>120秒であった。分娩後3時間からRBCポンピング輸血した。血圧80 mmHg，脈拍140回/分台。止血困難と判断し，子宮摘出を決定した。RBC輸血計12単位，アルブミン製剤1 Lを使用した。子宮摘出後も，創部からの出血が増量，腟断端〜後腹膜からの止血が困難となった。分娩4時間後にFFP投与を開始した。手術中に心停止，蘇生に反応せず死亡確認となった。血中STN上昇から子宮型羊水塞栓症が考えられた。

▼評価

入院時の検査より，子宮型羊水塞栓症によるDICが強く疑われたが，RBCのみでFFPの投与がなされておらず，凝固因子の補充がなされていなかった。産科大量出血ではFFPの投与を優先することが重要であると考えられた。

各論　直接産科的死亡　羊水塞栓症 —心肺虚脱型羊水塞栓症，子宮型羊水塞栓症

> ▼提言
> ・分娩周辺期の突然のショック，呼吸困難，意識消失は羊水塞栓症を念頭におく。
> ・原因不明の胎児機能不全に羊水塞栓症がある。
> ・羊水塞栓症ではDICが急激に発症し大量出血となる。速やかにフィブリノゲン(FFP等)の補正が必要である。

病態生理

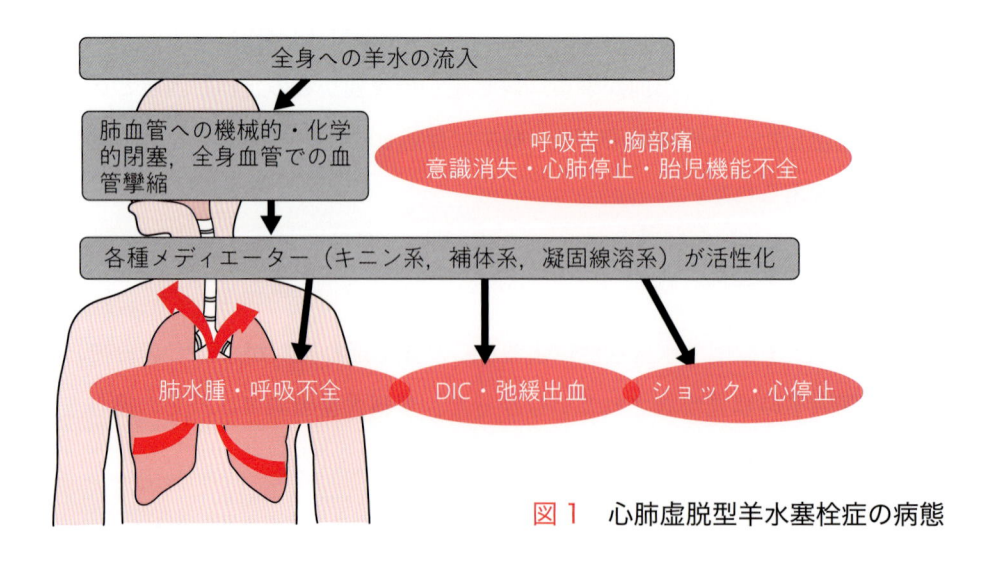

　心肺虚脱型羊水塞栓症と子宮型羊水塞栓症の病態を図1，2にまとめた。心肺虚脱型羊水塞栓症では，羊水の母体循環系への流入により肺動脈の物理的塞栓，あるいは各種メディエーターの活性化による血管攣縮が発生する。その結果，肺水腫，呼吸不全，DIC・弛緩出血，ショックが発生する。一方，子宮型羊水塞栓症では，羊水の母体循環系(主に子宮血管)への流入，あるいは羊水の母体免疫組織との接触により補体系，凝固系，キニン系が活性化される。その結果，DIC，子宮弛緩症が発生する。なお，病理学的に子宮血管への羊水成分流入の検出，DIC，子宮弛緩症を認めるものを子宮型羊水塞栓症という(後述)。補体系，凝固系，キニン系の活性化が強度に発生した場合は肺水腫や全身性浮腫も併発する。

　2012～2015年に浜松医科大学に血清診断の依頼があった臨床的羊水塞栓症の症例を，臨床的羊水塞栓症(心肺虚脱型)と臨床的羊水塞栓症(子宮型)に分けて患者背景を表にまとめた。次に，それぞれの病型の初発症状と重症化するまでの時間を比較検討した。

　心肺虚脱型羊水塞栓症の初発症状は呼吸苦，意識消失，不穏状態，原因不明の胎児機能不全が多く，初発症状から心停止までの時間は30分程度であり，経過が急激である。一方，子宮型羊水塞栓症の初発症状は胎盤娩出後(帝王切開時含む)サラサラした非凝固性器出血が初発で，同時に重症の子宮弛緩症が発症していることが判明した。出血がコントロールできないと発症から2時間程度で心停止に至っている。検査所見はフィブリノゲン値の急激で極端な低下が特徴であり，発症後早期より100 mg/dL以下になる症例が多い。また肺水腫を伴う症例

図1　心肺虚脱型羊水塞栓症の病態

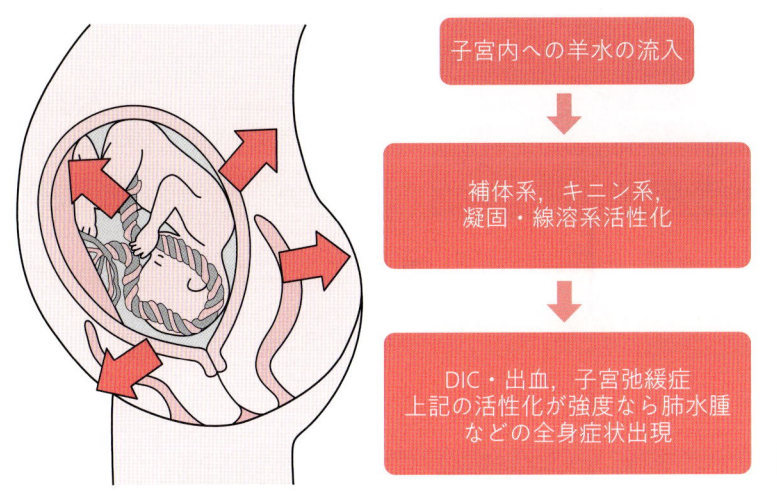

図2 子宮型羊水塞栓症の病態

表 臨床的羊水塞栓症の症例背景

	臨床的羊水塞栓症（心肺虚脱型）	臨床的羊水塞栓症（子宮型）
症例数（例）	99	404
平均年齢（歳）	34.6	34.5
初産（例）	38 (38%)	227 (56%)
胎児機能不全（例）	50 (50%)	112 (28%)
前期破水	32 (32%)	102 (25%)
分娩誘発促進	42 (42%)	143 (35%)
帝王切開	46 (46%)	202 (50%)

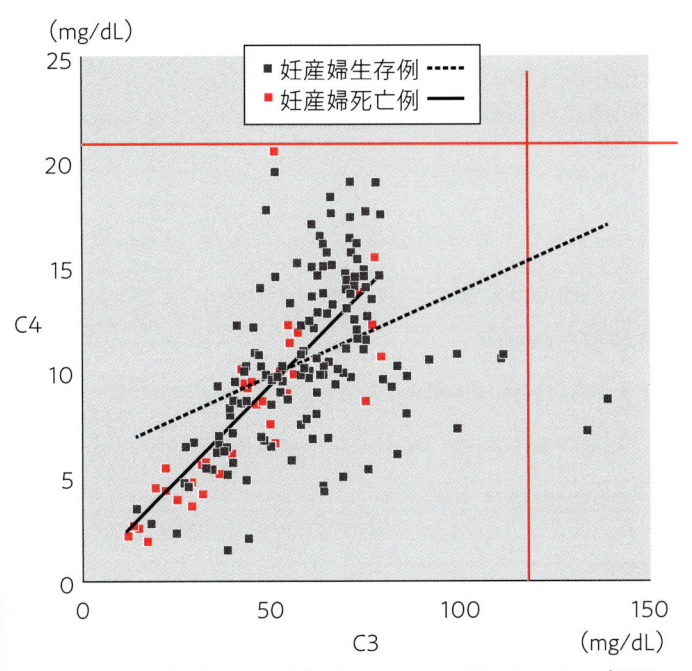

図3 臨床的羊水塞栓症におけるC3とC4の相関
図中の実線（―）はC3, C4の妊婦正常下限値。

も少なからずあった。

検査・診断

血清マーカー，病理診断については総論を参照されたい。臨床的羊水塞栓症では補体系が活性化している[1]。

補体の活性化は心肺虚脱型羊水塞栓症，子宮型羊水塞栓症のどのタイプでも共通してみられる。図3に臨床的羊水塞栓症の補体C3, C4の値を示した[2]。どちらも正常妊婦に比較し低値を示している。特に死亡例では低値となる傾向にある。C3, C4はどの施設でも測定できる項目であり，羊水塞栓症が疑われる例では測定しておくと補助診断として有用である。

治療

1．病態の把握および初期対応

羊水塞栓症をはじめとする産科ショックでは，初期対応と並行してマンパワーを集めることと，可及的速やかにICUに移動させ管理することが重要である。鑑別診断および羊水塞栓症の初期対応としては，妊産婦死亡症例検討評価委員会（研究代表者 池田智明）の「母体安全への提言2011 Vol. 2」[3]（一部改変）に記

各論 直接産科的死亡 羊水塞栓症 —心肺虚脱型羊水塞栓症，子宮型羊水塞栓症

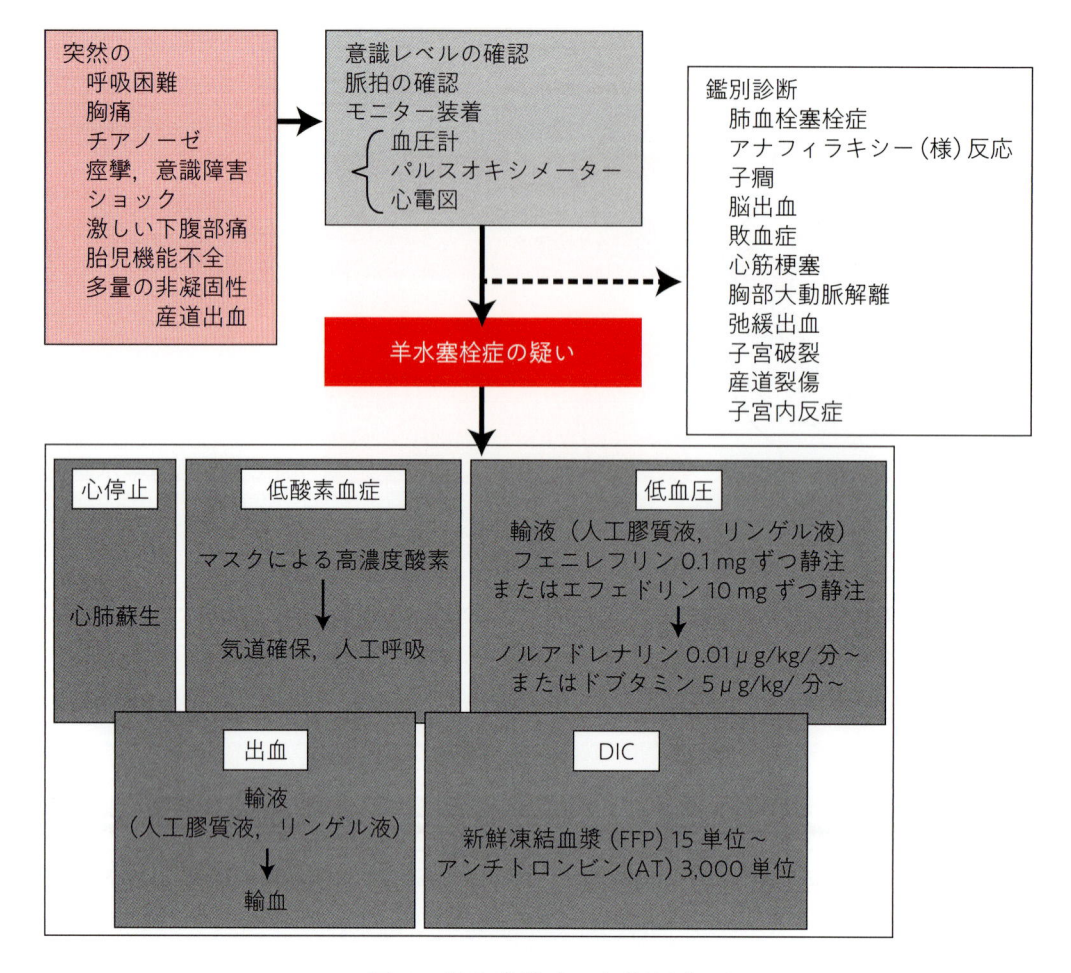

図4 羊水塞栓症の初期対応

※心肺虚脱型の羊水塞栓症では，肺塞栓血栓症とアナフィラキシー（様）反応の鑑別が困難であり，この二者も念頭においた対処が必要である。
※痙攣が認められた場合には，ジアゼパム5〜10mgまたはミダゾラム2〜5mgを静注する。
※羊水塞栓症はアナフィラキシー（様）反応と類似した病態であることも示唆されており，アドレナリン副腎皮質ステロイドの早期投与を考慮すべきである。
※診断のためには，フィブリノゲン，血小板，Dダイマーの測定が特に重要である。
※STNやZnCP1等の測定のため，2〜3mL程度の血清を遮光凍結保存しておく。

載してあることを忠実に行う（図4）。心肺虚脱型羊水塞栓症では未だに救命することが困難な症例も多数あるが，迅速な初期対応は予後を大きく左右する。子宮型羊水塞栓症はDICの早期対応によって救命率は上がる。

2．DIC対策

DIC対策のポイントは，凝固因子の早期からの大量補充と大量の抗線溶療法である。羊水塞栓症のDICは凝固と線溶の亢進が劇的に進行するので，両者に対して十分な治療を行うことがポイントである。具体的な治療内容を下記に示した。

DIC療法の実際

1) FFP（10〜15単位）とAT 3,000単位投与，RCC-LR（濃厚赤血球）投与は出血の程度で決める。
2) その後は検査・症状をみながら輸血 FFP：RBC比1.5以上を目指す。
3) 血小板は病態を考慮して投与を考える
4) ウリナスタチン30万単位投与，トラネキサム酸

2～4g投与（1時間程度で）
5）アドレナリン 0.2～0.5 mg 大腿外側に筋注
6）ステロイド大量静脈投与（500～1,500 mg）

　上記を早期に行えば，多くのDIC症例で改善が得られる。今後羊水塞栓症の病因として最も考えられるC1インヒビター低下に対して，C1インヒビターの補充療法が注目されている[4]。

3．輸血療法

　DIC，大量出血時は異型輸血をためらわない。緊急時には，具体的にはO型RBC，AB型FFPを投与する。またFFPの早期からの大量投与が重要で，濃厚血小板（PC：platelet concentrates）は必ずしも初期より投与する必要はない。

4．外科療法

　薬物療法で十分な止血効果が得られない場合，外科的方法を考慮する。まず，子宮腔内のバルーンタンポナーデを挿入し，出血が減少するかをみる。バルーンタンポナーデ法にて効果が得られなければ，子宮動脈塞栓術も考慮する。しかし，羊水塞栓症は多くの場合アナフィラトキシンが子宮に大量発生していることが多く，子宮全摘術によって子宮に含まれる大量のアナフィラトキシンが除去されることで，病態が改善に向かうことが多い。大量にアナフィラトキシンが産生している子宮に子宮動脈塞栓術を行うことは，壊死や，膿瘍形成の原因となるので留意する。

妊産婦死亡に至った場合の対応

　妊産婦死亡に遭遇した時の対応は以下がポイントである。
1）必ず病理解剖を行う。家族が解剖に否定的であっても原因究明の重要性を話し，剖検の承諾が得られるよう極力努力する。
2）日本産婦人科医会と各都道府県産婦人科医会に妊産婦死亡連絡票を提出し，その後，事例についての詳細を，日本産婦人科医会に調査票を用いて報告する。
3）施設長に届け出て，調査システムに沿って対応する。
4）血清を遮光して保存する。

予防

　羊膜，絨毛膜は羊水と母体を隔てる重要なバリアである。卵膜，特に羊膜により羊水と母体免疫細胞との接触が制限されているといえる。したがって，卵膜が破綻した時は母体にアナフィラクトイド反応が起こりやすい時と認識して，日常の分娩管理をすることが肝要である。

　破水していなければ，妊娠中は母体の肥満細胞，好酸球，好塩基球等のアレルギー関連細胞が大量の羊水に曝露されることはない。また破水していたとしても，重層扁平上皮である腟に羊水が漏出する分には，あまり母体免疫・アレルギー細胞とは接触しない。破水により羊水が頸管組織や子宮組織と触れれば，子宮局所に大なり小なりアレルギー様反応が惹起される。破水時，羊水と母体との接触はなるべく少なくしたほうがよいと考えられる。破水の正常は，適時破水である。適時破水とは「子宮口が全開大し破水が起こる」ことである。この当たり前に昔から記載されていたことが，安全な分娩管理に重要である。羊水塞栓症の予防のために，以下のことが重要と考える。

　胎児先進部の高さ（station）が高い，または，展退していない症例での人工破膜は，頸管の円柱上皮あるいは頸管の間質（裂傷がある場合）と接触することから，アレルギー反応が起こりやすいと認識する。人工破膜は陣痛間欠時に行う。頸管裂傷等の傷が発

表2 羊水塞栓症の予防のポイント

- 破水に敏感になる。羊水塞栓症は破水を契機に発生する
- 破水後しばらくの間は，母児の状態を注意深く観察する
- 原因不明の胎児機能不全に羊水塞栓症があることを頭の片隅におく
- 帝王切開は羊水塞栓症のリスク因子であると認識する
- 帝王切開時，なるべく羊水をリークさせない
- 低置胎盤，子宮内腔に近い子宮筋腫，腺筋症の破水時は特に注意する
- 非生理的な人工破膜はしない。station-1 より高い位置の破膜，子宮口が 5 cm 未満の人工破膜は避ける
- 人工破膜は陣痛間欠時に行う
- 前期破水の誘発分娩は慎重に管理する。羊水が母体血中に入りやすい状況なので，ハイリスク分娩として管理する
- 羊水混濁，遷延分娩の破水例は注意して管理する
- クリステレル圧出法＋吸引分娩後は注意して管理する
- 子宮内圧が上昇するような処置（メトロ等）は慎重に管理する

生した時は，羊水が直接母体血中に流入する可能性が高まっている。吸引分娩や鉗子分娩は，羊水塞栓症のリスク因子となることを認識する。既往頸管裂傷，アレルギー疾患合併妊娠，切迫早産，妊娠高血圧症候群，低置胎盤，前置胎盤等も羊水塞栓症のリスクとなる。これらのリスクをもつ妊婦の破水時は，慎重に経過をみることも重要である。混濁した羊水や遷延分娩の羊水は種々のケミカルメディエーターが多量に含まれており，そのような症例の破水時も注意が必要である。

文献

(1) Benson MD, et al：Immunologic studies in presumed amniotic fluid embolism. Obstet Gynecol 97：510–514, 2001
(2) Kanayama N, et al：Amniotic fluid embolism：pathophysiology and new strategies for management. J Obstet Gynaecol Res 40：1507–1517, 2014
(3) 妊産婦死亡症例検討評価委員会，日本産婦人科医会：母体安全への提言 2：27–31, 2012
(4) Tamura N, et al：C1 esterase inhibitor activity in amniotic fluid embolism. Crit Care Med 42：1392–1396, 2014

〔小田 智昭，田村 直顕，金山 尚裕〕

各論　直接産科的死亡

肺血栓塞栓症

commentary

肺血栓塞栓症とは

　肺塞栓症（PE：pulmonary embolism）は，静脈系で形成された塞栓子（血栓，脂肪，腫瘍，空気，羊水中の胎児成分等）が血流に乗って肺動脈を閉塞し，急性および慢性の肺循環障害を招く病態であるが，その多くは深部静脈血栓症（DVT：deep vein thrombosis）からの血栓遊離によるため肺血栓塞栓症（PTE：pulmonary thromboembolism）を指す場合が多い。これらは合併することも多いので総称して静脈血栓塞栓症（VTE：venous thromboembolism）と呼ばれている。

　VTEはこれまでわが国では比較的稀であるとされていたが，生活習慣の欧米化等に伴い近年急速に増加し，その発症頻度は欧米に近づいている。VTEで臨床的に問題となるのは，DVTとそれに起因するPTEである。PTEはDVTの一部に発症する疾患で，症状としては，呼吸困難，胸部痛，失神，気分不快，嘔吐等があるが，重症例では突然死やショックに陥り致命的となるので，急速な対処が必要となる（図）[1]。PTEは，特に手術後や分娩後，あるいは急性内科疾患での入院中等に多く発症し，わが国では急性PTEの死亡率は20～30％とされている[1～3]。なお，飛行機に乗った後や災害被災者に発生する"エコノミークラス症候群"と同じ病気である。

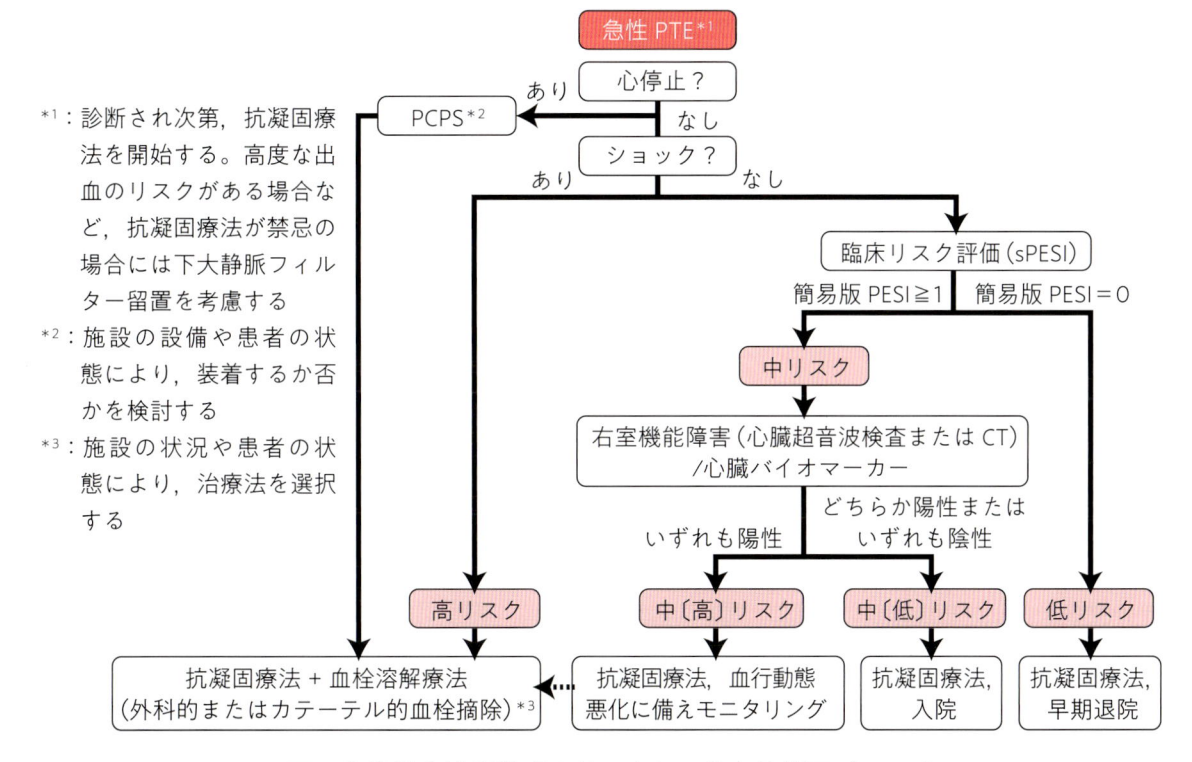

*1：診断され次第，抗凝固療法を開始する。高度な出血のリスクがある場合など，抗凝固療法が禁忌の場合には下大静脈フィルター留置を考慮する
*2：施設の設備や患者の状態により，装着するか否かを検討する
*3：施設の状況や患者の状態により，治療法を選択する

図　急性肺血栓塞栓症のリスクレベルと治療アプローチ
PTE：肺血栓塞栓症，PCPS：経皮的心肺補助，sPESI：簡易版肺塞栓症重症度指数
（肺血栓塞栓症および深部静脈血栓症の診断，治療，予防に関するガイドライン（2017年改訂版）より引用）[1]

▼事例1　40代，初産婦

　身長158 cm，体重80 kg（BMI＝32.0）。妊娠8週の産婦人科初診時につわり症状はあったが，尿ケトン体は陰性であった。血液検査を施行して2週間後の受診を指示。妊娠10週，嘔吐するようになり，つわり症状が強くなったが，自宅で様子をみていた。夜間，呼吸困難が出現したため，緊急受診した。補液を500 mL施行し，安静入院となった。ところが，翌朝トイレ歩行時に突然倒れ，心停止状態となった。直ちに蘇生しながら高次医療機関に搬送したが，集学的治療にも反応せず死亡確認となった。

▼評価

　VTEリスク因子として，高齢(35歳以上)，肥満があげられるが，つわり症状がある場合は，たとえ初診時に異常がなかったとしても，特にVTEに注意する。つわり症状が強く，自宅で安静にしていたこともVTE発症の一因と考えられた。妊娠初期発症の大きなリスク因子として重症妊娠悪阻に伴う脱水と安静臥床が指摘されているので，これらの異常があれば直ちに受診するように指導しておくべきであった。

▼事例2　40代，初産婦

　身長148 cm，体重60 kg（BMI＝27）。自然流産歴3回。自然妊娠したため妊娠6週に受診した。抗核抗体陽性であったが，ループスアンチコアグラントは陰性であった。妊娠中は順調に経過したが，妊娠40週に児頭骨盤不均衡（CPD：cephalopelvic disproportion）の診断にて帝王切開予定となっていたところ，前期破水したため緊急帝王切開となり，3,500 gの児を娩出した。手術時間30分，出血量700 gであったため，術中・術後とも弾性ストッキングによるVTE予防のみを行っていた。産褥2日目初回歩行したが，トイレ歩行後に廊下で意識消失し倒れ，すぐ心停止となった。気管挿管・抗ショック療法等を行ったが，死亡確認となった。

▼評価

　VTEリスク因子として，高齢(35歳以上)，肥満，習慣流産があげられる。習慣流産の場合，抗リン脂質抗体症候群であるかどうか，確定診断すべきである。その結果で，妊娠初期から抗凝固療法が考慮される。本事例は，緊急帝王切開が施行されたため，術後VTE予防対策としては，弾性ストッキングのみの対応では十分でなかったかもしれない。また，離床開始時期が遅く，術翌日には初回歩行させるべきであった。もし術後安静が長いのであれば，持続的に間欠的空気圧迫法を施行するか，抗凝固薬を施行すべきであった。さらに，初回歩行前にパルスオキシメータでSpO_2の確認を行い，歩行時には看護師が付き添うべきであった。心停止後の対応についても，院内救急蘇生体制の見直しが必要であると考えられた。

▼提言

- 妊産婦に対しては，妊娠中であっても分娩後であっても，VTEリスクを常に把握し，そのリスクに応じた予防対策を講じる。
- PTEは歩行後やベッド上での体位変換，排便・排尿等が誘因となって発症することが多く，動作時，特に安静解除後には十分な注意が必要で，歩行時には付き添う。
- DVTの有無にかかわらずVTEリスク因子をもつ患者が，①突発する胸部痛と呼吸困難，ショックを伴う心停止，②軽い胸痛，息苦しさ，咳嗽，血痰等，③経皮SpO_2の低下（90％以下）等を呈する場合はPTEを疑う。
- PTEを疑った場合，血液検査，パルスオキシメータによるSpO_2の測定，酸素投与，ヘパリン静注等施行後，バイタルサインを観察しながら十分な補液を持続点滴し，必要に応じた集学的アプローチを行う。
- PTEの管理が自院で対応できない場合は，たとえ休日の深夜であっても高次施設へ搬送すべきである。また，このような診療連携体制を日頃から整えておくべきである。
- 心停止後の対応に関して院内救急蘇生体制を整えておく。

成因・疫学

妊娠中は以下の理由で，VTEが生じやすくなっている。すなわち，①血液凝固能亢進，線溶能低下，血小板活性化，プロテインS活性低下，②女性ホルモンの静脈平滑筋弛緩作用，③増大した妊娠子宮による腸骨静脈・下大静脈の圧迫，④帝王切開等の手術操作による総腸骨静脈領域の血管（特に内皮）障害および術後の臥床による血液うっ滞，等である[2,3]。日本産婦人科・新生児血液学会の1991〜2000年の調査報告[4]では，PTEは妊娠中発症が22.4％，分娩後発症が77.6％，死亡率は14.5％であり，帝王切開は経腟分娩より約22倍発症が多かった。また，BMI 25以上のオッズ比は1.89（$p<0.05$），BMI 27以上のオッズ比は3.47（$p<0.001$）となり，いずれも非発症妊婦との間に有意差がみられた。さらに2001〜2005年の調査[5]では，妊娠中発症が45.7％，分娩後発症が54.3％で，死亡率は8.5％であった。これらの調査によると，妊娠初期と後半期および産褥期に3相性のピークを示しているが，21世紀になってからは妊娠中発症，特に妊娠初期の発症が増加しているものの死亡率は減少していることが明らかになった。妊娠初期の発症が大きい理由は，エストロゲンによる血液凝固因子の増加およびプロテインS活性の低下，重症妊娠悪阻による脱水と安静臥床，さらには先天性凝固制御因子異常の顕性化等が考えられる。

日本病理剖検輯報に収載された1989〜2004年の剖検例468,015例から妊産婦死亡を抽出すると193例あり，死因別では，PTEは25例（13.0％）と羊水塞栓症，DICに次いで第3位であった[6]。また，日本産婦人科医会では2004年より偶発事例報告事業を行ってきたが，2009年までの6年間で報告された111例の妊産婦死亡事例のうち，PTEは14例

各論 直接産科的死亡 肺血栓塞栓症

表1 妊娠中の静脈血栓塞栓症(VTE)の予防は?

Answer
1) 表2の第1群に対して,妊娠期間中に予防的抗凝固療法を行う(B)
2) 表2の第2群に対して,妊娠期間中(あるいは一時期)の予防的抗凝固療法を検討する(B)
3) 表2の第3群に対して,妊娠期間中(あるいは一時期)の予防的抗凝固療法を検討する(C)
4) 表2の第2群に対して,妊娠期間中の手術後には予防的抗凝固療法を行う(B)
5) 表2に示すリスク因子を有する妊娠女性には発症リスクを説明し,下肢挙上,膝の屈伸,足の背屈運動,弾性ストッキング着用等を勧める(C)
6) 妊娠中の抗凝固療法には未分画ヘパリンを用いる(外科手術後には低分子量ヘパリン使用可能)(C)
7) 手術後以外に低分子量ヘパリンを用いる場合には文書による同意を得る(B)
8) 分娩・手術前には,未分画ヘパリンを3〜6時間前までに中断する(B)
9) ヘパリン(未分画/低分子量)投与時には有害事象に注意し以下を行う
   (1) PT,APTT,血小板数,肝機能等を適宜測定・評価する(B)
   (2) 重篤な有害事象としてHIT(heparin-induced thrombocytopenia)があるので,血小板数推移に注意する(B)
   (3) 硬膜外麻酔等の刺入操作/カテーテル抜去には適切な時間間隔を設ける(B)
10) 妊娠前からワルファリンが投与されている場合は速やかに未分画ヘパリンに切り替える(A)

注:表1,表3のAnswerの推奨レベル
A:(実施すること等が)強く勧められる。
B:(実施すること等が)勧められる。
C:(実施すること等が)考慮される(考慮の対象となるが,必ずしも実施が勧められているわけではない)。

(日本産科婦人科学会/日本産婦人科医会(編・監):産婦人科診療ガイドライン一産科編2017:CQ004-1 妊娠中の静脈血栓塞栓症(VTE)の予防は? 10-14,日本産科婦人科学会,東京,2017より作成)[8]

(12.6%)であり羊水塞栓症(含疑い),出血に次いで第3位であった[6]。これらの報告をまとめると,日本での妊産婦死亡に占めるPTEの割合は12〜13%前後と推察される。しかし,日本産婦人科医会が2010年から行っている妊産婦死亡報告事業によれば,毎年PTEに起因する死亡例は減少し,2010〜2019年の同報告事業で症例検討が終了した390例の解析結果では,産科危機的出血,脳出血,羊水塞栓症(心肺虚脱),心・大血管疾患,感染症よりも低くPETは7%にまで減少し,第6位に低下した[7]。

リスク因子および予防

一般的なVTEのリスク因子としては,65歳以上,手術後,肥満,VTE合併/既往,長期臥床,悪性腫瘍,外傷・骨折後等であるが,ハイリスク妊婦と考えられるのは,血栓症の家族歴・既往歴,抗リン脂質抗体陽性,高齢妊娠(35歳以上),肥満(妊娠後半期のBMI 27以上),長期ベッド上安静(重症妊娠悪阻,切迫流産,切迫早産,重症妊娠高血圧症候群,多胎妊娠,前置胎盤等),産褥期,特に帝王切開術後,習慣流産(不育症)・子宮内胎児死亡・子宮内胎児発育不全・常位胎盤早期剥離等の既往(抗リン脂質抗体症候群や先天性血栓性素因の可能性),血液濃縮(妊娠後半期のヘマトクリット37%以上),卵巣過剰刺激症候群,著明な下肢静脈瘤等である[1〜3]。なお,妊娠中および分娩後のVTEリスク因子と予防に関しては,産婦人科診療ガイドライン一産科編2017(CQ004-1:表1,表2[8],CQ004-2:表3,表4[9])に詳細に記載されているので,参照されたい。妊娠中と分娩後のリスク因子は基本的には差異はないが,分娩後では帝王切開というリスクが加味される。予防の基本としては,妊娠中の安静臥床はできるだけ避け,分娩後は早期離床と積極的な運動を基本と

表2　妊娠中の静脈血栓塞栓症(VTE)リスク因子

第1群　妊娠中に抗凝固療法が必要な女性
1) 妊娠成立前よりVTE治療(予防)のための抗凝固療法が行われている
2) VTE既往2回以上
3) VTE既往は1回，かつ以下のいずれかがあてはまる
   a) 血栓性素因†がある
   b) 既往VTEは①安静・脱水・外科手術と無関係，②妊娠中，あるいは③エストロゲン服用中
   c) 両親のいずれかにVTE既往がある

第2群　「妊娠中の抗凝固療法」を検討するべき女性
1) VTE既往が1回あり，安静，脱水，手術等の一時的リスク因子によるもの
2) VTE既往はないがアンチトロンビン欠損症(あるいは欠乏症)，抗リン脂質抗体中高力価持続陽性があるもの
3) VTE既往はないが血栓性素因†(プロテインC欠損症〔欠乏症〕，プロテインS欠損症〔欠乏症〕)があるもの
4) 以下のような疾患(状態)の存在(妊娠期間中，あるいは一時期)
   心疾患，肺疾患，SLE(免疫抑制薬服用中)，悪性腫瘍，炎症性消化器疾患，多発関節症，ネフローゼ症候群，鎌状赤血球症(日本人には稀)

第3群　以下のリスク因子を3つ以上有している女性(妊娠期間中，あるいは一時期)
≧35歳，BMI>25 kg/m²，喫煙者，表在性静脈瘤が顕著，全身感染症，四肢麻痺・片麻痺等，妊娠高血圧腎症，脱水，妊娠悪阻，卵巣過剰刺激症候群，多胎妊娠，両親にVTE既往歴，安静臥床

血栓性素因†：アンチトロンビン欠損症(欠乏症)，プロテインC欠損症(欠乏症)，プロテインS欠損症(欠乏症)〔プロテインSは妊娠中低下するため非妊時に評価する。わが国の女性では欧米女性に比し，プロテインS欠損症(欠乏症)が高頻度で認められる〕，ならびに抗リン脂質抗体(APTTとRVVTによるループスアンチコアグラント陽性，抗カルジオリピン抗体か抗β₂GPI抗体中高力価陽性が12週間以上持続する)の4者。
VTE既往のない女性を対象としての血栓性素因スクリーニングを行うことに関してはその臨床的有用性に疑義が示されており，妊娠中/産褥期VTE予防のための血栓性素因スクリーニング実施の必要性は低い。
(日本産科婦人科学会/日本産婦人科医会(編・監)：産婦人科診療ガイドライン-産科編2017：CQ004-1 妊娠中の静脈血栓塞栓症(VTE)の予防は？10-14, 日本産科婦人科学会，東京，2017 より作成)8)

し，リスク因子に応じて弾性ストッキングや間欠的空気圧迫法等の理学的予防法，さらには出血リスクを評価した上で，ヘパリン等による抗凝固療法を適宜行う。

診断

最も大切なことは，注意深い臨床症状の観察である。PTEで最も多い症状は，突然発症する胸部痛と呼吸困難であるが，軽い胸痛，息苦しさ，咳嗽から血痰やショックを伴い失神するものまで多彩である。早いものでは手術後12〜24時間に急速に発症することもあるが，歩行を開始した術後に発症することが多い。特に，ベッド上での体位変換，歩行開始，排便・排尿等が誘因となってPTEが発症することが多いので，動作時には注意が必要である。これらの症状がみられたら胸部X線写真，心電図，パルスオキシメータ，動脈血ガス分析(PaO_2の低下，多呼吸のため$PaCO_2$の低下)，血液検査(血算，血液凝固線溶系，生化学等)，心臓超音波・ドプラ検査，造影CT，MRA，核医学検査，肺動脈造影等で診断する。なかでもパルスオキシメータと心臓超音波検査は，ベッドサイドで非侵襲的に短時間で検査可能であるため，きわめて有用な検査である。パルスオキシメータでSpO_2が90%以下になると危険徴候であるため，DVTの診断がついたら直ちに装着する。SpO_2 90%はPaO_2 60 mmHgに相当する。心臓超音波では，右室負荷に伴う右房・右室の拡大，収縮

各論 直接産科的死亡 肺血栓塞栓症

表3 分娩後の静脈血栓塞栓症(VTE)の予防は？

Answer
1）早期離床を勧める(C)
2）表4の第1群女性に対して，分娩後抗凝固療法を行う(B)
3）表4の第2群女性に対して，「分娩後抗凝固療法」あるいは「間欠的空気圧迫法」を行う(B)
4）表4の第3群女性に対して，「分娩後抗凝固療法」あるいは「間欠的空気圧迫法」を行う(C)
5）表4に示すリスク因子を有する女性には発症リスクを説明し，下肢挙上，膝の屈伸，足の背屈運動，弾性ストッキング着用等を勧める(C)
6）未分画ヘパリンは分娩後6～12時間後(止血確認後は直後からでも可)から開始し，5,000単位を1日2回皮下注する(低分子量ヘパリンに関しては解説参照)(B)
7）抗凝固療法の変更(ヘパリン等からワルファリンへ)時は，両薬剤併用期間を設ける(B)
8）間欠的空気圧迫法については，以下のように行う
　(1)分娩前に問診・触診で下肢静脈血栓症の有無を検討しておく(C)
　(2)手術中(帝王切開や産褥期の他の手術)より開始する(C)
　(3)歩行可能となるまで行う(B)
　(4)抗凝固療法併用時には歩行開始時に中止してよい(B)
　(5)経腟分娩後では歩行困難な期間のみ使用する(B)
9）帝王切開は砕石位でなく，仰臥位あるいは開脚位で行う(C)
10）ワルファリンおよびヘパリンは授乳中の女性に投与することができる(A)
11）ヘパリン投与時の血液検査や硬膜外麻酔カテーテル抜去等に関しては表1を参照する(B)

(日本産科婦人科学会/日本産婦人科医会(編・監)：産婦人科診療ガイドライン-産科編 2017：CQ004-2 分娩後の静脈血栓塞栓症(VTE)の予防は？15-19, 日本産科婦人科学会, 東京, 2017)[9]

表4 分娩後の静脈血栓塞栓症(VTE)リスク因子

第1群　分娩後抗凝固療法が必要な女性
1）VTE既往が1回以上ある
2）妊娠中にVTE予防(治療)のために長期間抗凝固療法が実施された

第2群　分娩後抗凝固療法(通常，3日間以上)あるいは間欠的空気圧迫法が必要な女性
1）血栓性素因[†]があり，第3群に示すリスク因子を有している
2）BMI＞40 kg/m^2
3）以下のような疾患(状態)を有している
　心疾患，肺疾患，SLE(免疫抑制薬服用中)，悪性腫瘍，炎症性消化器疾患，多発関節症，ネフローゼ症候群，鎌状赤血球症(日本人には稀)

第3群　分娩後抗凝固療法(通常，3日間以上)あるいは間欠的空気圧迫法が考慮される女性
1）以下のリスク因子を2つ以上有している
　帝王切開，≧35歳，BMI＞30 kg/m^2，3回以上経産婦，喫煙者(1日に10本以上)，分娩前安静臥床≧2週間，表在性静脈瘤が顕著，全身性感染症，四肢麻痺・片麻痺等，産褥期の外科手術，妊娠高血圧腎症，分娩所要時間≧36時間，輸血を必要とする分娩時出血，両親のいずれかにVTE既往

血栓性素因[†]：アンチトロンビン欠損症(欠乏症)，プロテインC欠損症(欠乏症)，プロテインS欠損症(欠乏症)(プロテインS活性は妊娠中低下するため非妊時に評価する)，ならびに抗リン脂質抗体(APTTとRVVTによるループスアンチコアグラント陽性，抗カルジオリピン抗体か抗β2GPI抗体中高力価陽性が12週間以上持続する)の4者。
VTE既往のない女性を対象としての血栓性素因スクリーニングを行うことに関しては，その臨床的有用性に疑義が示されており，妊娠中/産褥期VTE予防のための血栓性素因スクリーニング実施の必要性は低い。
プロテインC，S欠損症(欠乏症)では皮膚壊死のリスクのためワルファリンを避ける。

(日本産科婦人科学会/日本産婦人科医会(編・監)：産婦人科診療ガイドライン-産科編 2017：CQ004-2 分娩後の静脈血栓塞栓症(VTE)の予防は？15-19, 日本産科婦人科学会, 東京, 2017)[9]

期における心室中隔の左室圧排像・奇異性壁運動，三尖弁閉鎖不全，肺高血圧（肺動脈平均圧＞20 mmHg）等を認める。造影CTは，緊急時の検査として現在最も有用と考えられている検査法である。短時間で両肺から骨盤内，そして下肢に至るまで血栓の描出が可能であるため，超音波検査とともに確定診断のためにはぜひ施行すべきである。肺動脈造影は，塞栓の部位と大きさをみる上で非常に信頼度の高い検査法であり，血栓による血管内の陰影欠損像（filling defect），血流途絶像（cut off），壁不整等の所見が認められれば診断は確定する。肺動脈内に血栓溶解薬を投与する必要がある場合や，カテーテルインターベンションを施行する場合には治療に先立って行う[10]。

なお，妊婦の被曝に関する記載を産婦人科診療ガイドライン－産科編2011から抜粋すると，①受精後10日までの被曝では奇形発生率の上昇はないと説明する，②受精後11日〜妊娠10週での胎児被曝は奇形を発生する可能性があるが，50 mGy未満では奇形発生率を増加させないと説明する，③妊娠10〜27週では中枢神経障害を起こす可能性があるが，100 mGy未満では影響しないと説明するとなっており，それぞれエビデンスレベルBでの推奨である[11]。被曝に関係する検査法で最も被曝線量が大きいのは大腿動脈ルートによる肺動脈造影で最大3.74 mGyであるため[12]，重症のPTE症例では造影CTも肺動脈造影も差し支えないと思われる。ただし，造影剤による胎児（新生児）の一過性甲状腺機能低下症の可能性も否定できないので，注意を要する。

治療

PTEの治療の要点は，①急性期を乗り切れば予後は良好であるため，早期診断治療が最も重要となること，および②循環動態が安定した例では再発に注意し，DVTへの迅速な対応が必要となることである。治療の基本は，呼吸および循環管理である。酸素投与下で，血圧に応じて薬物療法（塩酸ドパミン，塩酸ドブタミン，ノルエピネフリン等）を行う。しかし，治療の中心は薬物的抗血栓療法であり，重症度により抗凝固療法と血栓溶解療法とを使い分ける。出血リスクが高い場合には非永久留置型下大静脈フィルターやカテーテル治療により薬物治療の効果を補い，重症例ではPCPSや外科的血栓摘除術も選択する。また，状態が許す限り早急に残存するDVTの状態を評価して，下大静脈フィルターの適応を判断する。図[1]に示すリスクレベルと治療アプローチはあくまでも基本的な考え方であり，個々の症例の病態や施設の状況に合わせて，柔軟に治療法を選択する。

血圧・右心機能ともに正常である場合には，抗凝固療法を第一選択とする。抗凝固療法としては，ヘパリン投与が基本である。ヘパリンは初回5,000単位（ヘパリンナトリウム5 mL）静注後，10,000〜15,000単位を24時間で持続点滴（400〜625単位/時間）し，4〜6時間後にAPTT値を測定，その後は1日1回測定して増減する。通常量を静注したヘパリンの半減期は約1時間である。通常APTTが正常の1.5〜2.5倍となるように適宜調節する。妊婦の場合，30,000単位/日を超えることもしばしば経験する。皮下注射の場合は，投与後6時間のAPTTが治療範囲内に維持されるように皮下注射する。妊娠中はヘパリン投与によってもAPTTが延長しにくいため投与量を増加することが多いが，ヘパリン増量に伴う出血やヘパリン起因性血小板減少症に注意することはいうまでもない。

ワルファリンは妊婦への投与は避け，分娩後に投与するが，褥婦に投与しても授乳は差し支えない。

ワルファリンは，初めから3〜5 mgを毎日1回服用し，数日間をかけて治療域に入れ，以後プロトロンビン時間の国際標準比（PT-INR）が1.5〜2.5となるように調節して維持量を服用する。投与期間は，可逆的なリスク因子がある場合には3カ月間，誘因のない場合は少なくとも3カ月間（リスクとベネフィットを勘案して期間を決定），癌患者や再発をきたした場合はより長期間投与を継続する[1]。

　欧米で広く使われているエノキサパリンは，わが国ではVTE治療の適応はないが，フォンダパリヌクスに関しては，5 mg（体重50 kg未満），7.5 mg（体重50〜100 kg）または10 mg（体重100 kg超）1日1回の皮下投与が治療に保険適用されている。腎から排泄されるため，対象例の腎機能には十分に注意する。

　さらに，2015年末までにVTEの治療および再発抑制として，直接経口抗凝固薬（DOAC：direct oral anticoagulant）が相次いで保険適用となった。エドキサバンは，1日1回経口投与（体重60 kg以下：30 mg，体重60 kg超：60 mg，腎機能，併用薬に応じて1日1回30 mgに減量）とし，リバーロキサバンは，通常，成人にはVTE発症後の初期3週間は15 mgを1日2回食後に経口投与し，その後は15 mgを1日1回食後に経口投与する。アピキサバンは，通常，成人には1回10 mgを1日2回，7日間経口投与した後，1回5 mgを1日2回経口投与する。しかし，DOACの妊娠女性・胎児への安全性については不明であり，かつ，乳汁中への移行が認められているので，妊娠・産褥期のVTE予防ならびに治療としての使用は推奨されていない[2,13]。

　血圧が正常であるも右心機能障害を有する場合には，抗凝固療法のみでは予後の悪い場合が少なくなく，効果と出血のリスクを慎重に評価して，組織プラスミノーゲンアクチベータによる血栓溶解療法も選択肢に入れる。モンテプラーゼの場合，13,750〜27,500 IU/kgを約2分間で静注する。ショックや低血圧が遷延する場合には，禁忌例を除いて，血栓溶解療法を第一選択とする。血栓溶解療法は，PTEの重症度に応じて使用するが，分娩後10日以内は出血を惹起する恐れがあるため慎重投与になっており，十分なインフォームド・コンセント取得後に投与する。

　これらの治療を行ったにもかかわらず不安定な血行動態が持続する患者には，カテーテルインターベンション（カテーテル的血栓溶解療法，カテーテル的血栓破砕・吸引術，流体力学的血栓除去術）や外科的血栓摘除術を選択し，より積極的に肺動脈血流の再開を図る。患者救命にとっては，診断治療の流れのなかで患者の状態により臨機応変に躊躇なく治療を進めることが肝要である。

PTE治療後の妊娠中の予防

　ヘパリンにより急性期の治療に成功した場合でも，アンチトロンビン欠乏症，プロテインC欠乏症，プロテインS欠乏症，抗リン脂質抗体症候群等，明らかな血栓性素因が存在する場合は，妊娠中に再発することが多いので，ヘパリンカルシウム5,000単位，1日2回の皮下注射（低用量未分画ヘパリン）に切り替え，分娩時，さらには分娩後まで続行する。皮下注射は，入院して行う場合，通院して行う場合（近医も含む），および自宅にて自己注射する場合がある。在宅ヘパリン自己注射は2012年1月1日より保険適用されたが，日本産科婦人科学会をはじめ4学会で作成した「ヘパリン在宅自己注射療法の適応と指針」[14]を参照し，ヘパリン自己注射の正しい知識や使用方法，さらには副作用等に関して十分に教育指導した上で使用を勧めていただきたい[15]。な

お，DVTが軽快した後に弾性ストッキング着用，十分な水分補給，下肢運動を励行し，下肢の血流うっ滞を防止することは基本的な再発予防法である。また，下肢超音波検査，Dダイマー等の血液凝固線溶系検査，CRP，血算等は定期的に施行し，DVTを評価する[2,3,10]。

下大静脈フィルターに関して

妊娠中にVTEを発症した妊婦でも，DVTが消失ないしは器質化，もしくはPTEが完治していれば留置の必要はないと思われる。しかし，薬物療法の禁忌例や維持不能例，ヘパリン投与によってもDVTが消失ないしは器質化しない，もしくはPTEを併発または再発している場合は，一時的下大静脈フィルターの留置を考慮する。最近は回収式フィルターがあるので，恒久的フィルター留置は可能な限り避けるべきである。一時的下大静脈フィルター挿入に際しては，十分なインフォームド・コンセントを得た上で対処する。分娩方法はなるべく経腟分娩を選択するが，あえて帝王切開を選択する場合は，術後PTE悪化の可能性について十分説明し，最高リスク例として抗凝固療法と理学的予防法を併用する（薬物療法が禁忌例を除く）。通常フィルターは分娩後1週間〜10日前後で抜去するが，フィルターを抜去する数日前からワルファリンも併用し，抜去後はワルファリン単独に切り替えていく[10]。

救命のためのポイント

正確な病状の把握とそれに応じた正しい治療がPTE患者救命のためのすべてである。そのためには，高リスク妊産婦に対してはまずリスク評価を行い，そのリスクに応じて理学的予防法，場合によっては抗凝固療法を行うことが重要である。そして，パルスオキシメータも含めた注意深い臨床症状の観察を行い，もし，PTEを強く疑わせる徴候が認められた際には，PTEを常に疑うことが診断の第一歩である。直ちに酸素投与を開始し未分画ヘパリンを静注後，高次医療センターやICUへ速やかに移送し，循環器専門医，麻酔科医，胸部外科専門医等による集学的治療が必要である[16]。

救命のためにまず行うべきこと

- 胸痛や呼吸困難等の症状がみられたら，まずPTEを疑う
- 酸素投与
- 未分画ヘパリン静注（ヘパリンナトリウム 5,000〜10,000 単位）
- 循環器専門医，放射線診断医，麻酔科医等への連絡
- 確定診断のための検査（血液凝固線溶系，心臓超音波・ドプラ検査，造影CT，肺動脈造影等）
- 重症度に応じた呼吸・循環管理
- 抗凝固療法と血栓溶解療法，重症度に応じてカテーテル的治療等
- 家族への連絡と説明

おわりに

PTEに起因する妊産婦死亡に対する母体安全への提言をまとめた。近年は予防効果の浸透によりPTEによる妊産婦死亡は第6位にまで低下してきたが，さらにより一層の妊産婦死亡防止可能な疾患である。そのためには高リスクの妊産褥婦を確実に抽出しPTE予防を推進することを基本として，仮にPTEを発症したとしても早期発見・早期治療に努めてほ

しい。高リスク妊産褥婦に対しては，PTEは「どの症例に起こってもあたり前」という考え方で接していただきたい。

文献

(1) 肺血栓塞栓症および深部静脈血栓症の診断，治療，予防に関するガイドライン（2017年改訂版）．http://www.j-circ.or.jp/guideline/pdf/JCS2017_ito_h.pdf
(2) 小林隆夫：血栓塞栓症合併妊娠．日本産婦人科・新生児血液学会（編）：産婦人科・新生児領域の血液疾患診療の手引き．メジカルビュー社，東京，41–52, 2017
(3) 小林隆夫：妊娠中の血栓塞栓症．産婦人科分野（監修）：金山尚裕．今日の臨床サポート（改訂第4版）．エルゼビア・ジャパン，東京，2018 http://clinicalsup.jp/jpoc/search.aspx
(4) 小林隆夫，他：産婦人科領域における深部静脈血栓症／肺血栓塞栓症—1991年から2000年までの調査成績—．日産婦新生児血会誌 14：1–24, 2005
(5) 小林隆夫，他：産婦人科血栓症調査結果 2001-2005．日産婦新生児血会誌 18：S3–S4, 2008
(6) 日本産婦人科医会（編）：妊産褥婦死亡時の初期対応（平成23年3月）．東京，1–22, 2011
(7) 日本産婦人科医会，妊産婦死亡症例検討評価委員会：母体安全への提言 2018. 1–59, 2019
(8) 日本産科婦人科学会／日本産婦人科医会（編・監）：産婦人科診療ガイドライン—産科編 2017：CQ004-1 妊娠中の静脈血栓塞栓症（VTE）の予防は？ 日本産科婦人科学会，東京，10–14, 2017
(9) 日本産科婦人科学会／日本産婦人科医会（編・監）：産婦人科診療ガイドライン—産科編 2017：CQ004-2 分娩後の静脈血栓塞栓症（VTE）の予防は？ 日本産科婦人科学会，東京，15–19, 2017
(10) 小林隆夫：研修コーナー．妊産婦死亡報告からみた母体安全への提言 4）肺血栓塞栓症．日産婦会誌 64 別冊：N418–N424, 2012
(11) 日本産科婦人科学会／日本産婦人科医会（編・監）：産婦人科診療ガイドライン—産科編 2011. CQ103 妊娠中の放射線被曝の胎児への影響についての説明は？ 日本産科婦人科学会，東京，12–15, 2011
(12) Toglia MR, et al：Venous thromboembolism during pregnancy. N Engl J Med 335：108–114, 1996
(13) Cohen H, et al：Management of direct oral anticoagulants in women of childbearing potential：guidance from the SSC of the ISTH. J Thromb Haemost 14：1673–1676, 2016
(14) 日本産科婦人科学会，日本産婦人科医会，日本産婦人科・新生児血液学会，日本血栓止血学会．ヘパリン在宅自己注射療法の適応と指針．http://www.jsognh.jp/common/files/society/demanding_paper_07.pdf
(15) 小林隆夫：ヘパリン在宅自己注射療法の適応と指針．Thrombosis Medicine 3：71–75, 2013
(16) 小林隆夫：妊産婦死亡予防に向けて—まず行うべきこと—．肺血栓塞栓症．産婦の実際 60：39–47, 2011

（小林 隆夫）

各論　間接産科的死亡

💓 周産期心筋症

commentary

周産期心筋症とは

　明確な診断基準はないが，一般的には以下の状態を示す。
①妊娠中から分娩後6カ月以内に新たに心収縮機能低下・心不全を発症
②他に心収縮機能低下や心不全の原因となる疾患がない，発症までに心筋疾患の既往がない
③左室収縮機能の低下〔心臓超音波左室駆出率（EF：ejection fraction）≦45％〕

　現在のところ，周産期心筋症に特異的な検査所見はなく，除外診断病名であり，多様な疾患背景を含む疾患群である。

・周産期心筋症の頻度

　1：100～1：15,000出生とされており[1]，日本の報告では20,000分娩に1例である[2]。また，日本の死亡率は3.9％で欧米の報告と同等であった。幅が広いのは，ハイチ，その他一部の国・地域において高頻度に発症しており，人種やエリアによる差異があると考えられる。また，心臓超音波検査にて心機能を精査せずに下腿浮腫にて診断しているエリアも存在するため，報告には妊娠高血圧が一部含まれていると考えられる。

・周産期心筋症のリスク因子

　多胎妊娠，妊娠高血圧，高齢妊娠，アフリカ系人種，周産期心筋症の家族歴等がリスク因子と報告されている[3]。

▼事例1　20代，初産婦

　身長160 cm，体重55 kg。妊娠26週に初めて病院を受診した。妊娠34週に前期破水のため入院となった。塩酸リトドリン，抗菌薬が投与された。妊娠37週より発熱があり子宮収縮抑制薬を中止したが陣痛は発来せず，子宮内感染の診断で脊椎麻酔下に帝王切開分娩とした。術後1日目より咳嗽し，軽い呼吸困難感があり，喘息の診断で酸素，ネオフィリン，ステロイドが投与された。その6時間後さらに症状が悪化しSpO$_2$が低下し心停止となった。気管挿管，心臓マッサージによる蘇生を行いながら高次施設へ搬送した。肺血管造影にて肺血栓はなく，心臓超音波でびまん性の高度左室収縮低下を認め，周産期心筋症が疑われた。集中治療を行ったが死亡確認となった。

▼評価

　帝王切開1日後に発症した喘息症状で，心臓超音波でびまん性の高度左室収縮低下の診断がついていることから，心機能低下による心不全が死因の一因であったと考えられる。心臓疾患の既往があったかは不明であり，確定診断には至らないが，周産期心筋症が疑われる。

▼事例2　30代，初産婦

　心疾患の既往のない初産婦。妊娠35週より血圧上昇，下腿浮腫増悪，尿蛋白を認め，重症妊娠高血圧腎症の診断で帝王切開となった。術後5Lの弛緩出血があり緊急IVR治療を施行した。産後2日目より呼吸困難感を訴えたが，大量輸液・輸血と妊娠高血圧症による肺水腫が重なったと判断し，酸素吸入・利尿薬投与を開始した。しかし呼吸困難感の改善は乏しく，肺水腫が増悪，CTR拡大を認め（図1），心室性期外収縮が頻発するようになった。さらに心臓超音波にてびまん性の高度心収縮能の低下を認め（EF 30%）（図2），周産期心筋症と診断された。ICUにて心不全治療（ドブタミン・利尿薬の点滴治療，ブロモクリプチン・β遮断薬・ARBの内服）を開始し，心不全は改善した。2年後の心臓超音波のEF，BNPは正常化している。

▼評価

　重症妊娠高血圧腎症に加えて弛緩出血後の大量輸液・輸血が重なったことにより，病態をより複雑にし，周産期心筋症の診断が遅れた事例である。X線写真上のCTRの拡大や不整脈が周産期心筋症を疑うきっかけとなっており，早期に心臓超音波検査を行うことが非常に重要である。本症例では分娩後4日目の採血でBNP 1,200 pg/mL，NT-proBNP 2,600 pg/mLと異常高値を認めており，これらの血中マーカーの測定も周産期心筋症の診断への一助となりうる。

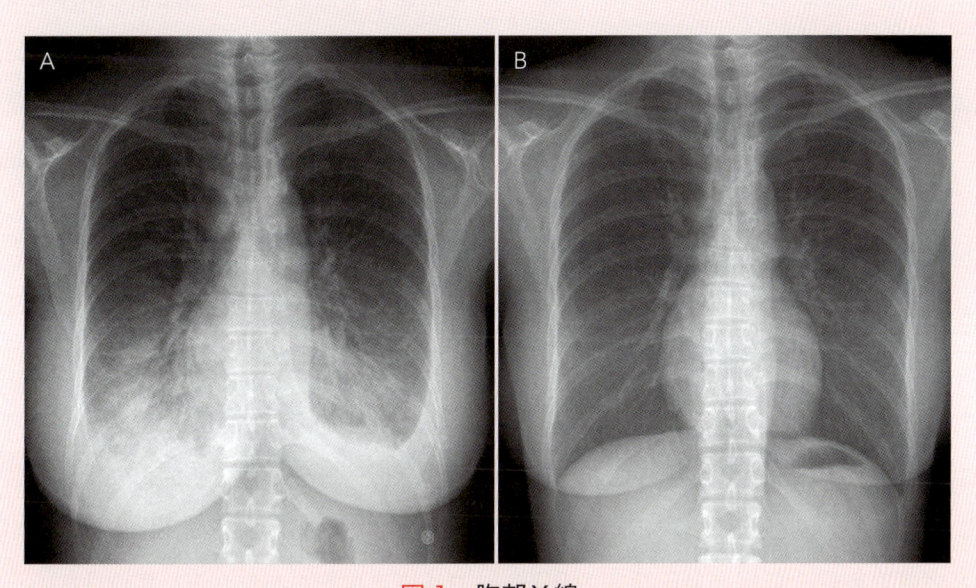

図1　胸部X線
A：周産期心筋症発症時。CTRの拡大と肺水腫を認める。B：6カ月後。CTRの改善を認める。

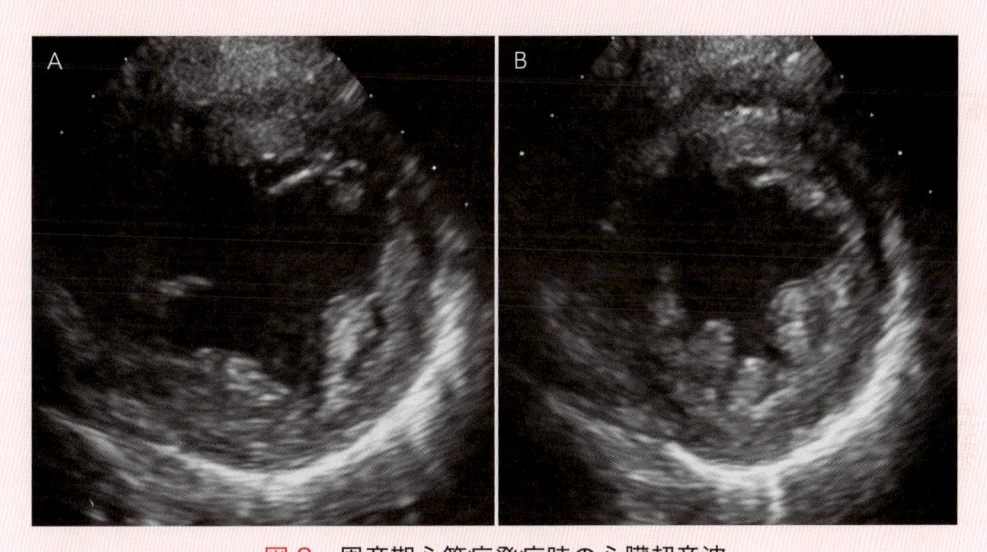

図2　周産期心筋症発症時の心臓超音波
A：左室短軸像拡張期　B：収縮期左室拡大・収縮力低下，心嚢液貯留を認める。

▼提言

- 多胎，妊娠高血圧症候群，高齢妊娠，β刺激薬の使用は，周産期心筋症のリスク因子と認識する。
- 呼吸器症状は，重要な心不全徴候の一つであり，速やかに鑑別診断を行う。
- 周産期心筋症のリスク因子を有し，呼吸器症状を訴える場合は，心臓超音波での心収縮能を確認する。

周産期心筋症の主な症状

　一般的には息切れ，咳，動悸，夜間の起坐呼吸等で発症する。救急外来で「喘息」と誤診されることも多いため，喘鳴の生じた時期と喘息の既往等に注意し，心不全を否定できない場合には心臓超音波検査や胸部X線撮影を行う。

　妊娠高血圧症候群でも浮腫や肺水腫をきたすことがあるが，これらは主として母体の血管内皮細胞障害により，血管透過性を亢進させ，浮腫を惹起する。これは必ずしも周産期心筋症とは同じ病態ではないことに注意が必要である。妊娠高血圧腎症の90%以上は重症であっても心機能低下は起こさず，または周産期心筋症の半数は妊娠高血圧腎症の併発はない。オーバーラップする部分はあるものの，異なる疾患と考えられている。

周産期心筋症の画像診断・病理組織像・血液検査項目

　妊娠中は被曝のない心臓超音波検査が最も有用である。左心室は拡大し，収縮力はびまん性に低下する。みた目は，拡張型心筋症の「丸く拡大した左室」と区別がつかない。発症時期や臨床所見等により鑑別診断を行う。左室拡張末期径≧60 mm，駆出率<30%では出産後の心機能の回復が不良との報告がある[4]。心臓MRI遅延造影は心筋の炎症や浮腫・線維化を示唆し，周産期心筋症では0〜71%において遅延造影陽性であったと報告によりばらつきがある。

　周産期心筋症の病理組織学的所見は，心筋細胞の肥大や核の濃染・不整・間質の線維化等の非特異的所見である。したがって心筋生検の主目的は，①心筋炎，②二次性心筋症(サルコイドーシスや蓄積病等)の有無を確認することである。

　BNPまたはNT-proBNP(N末端プロBNP)は心不全において血中濃度が増加するホルモンである。しかし，正常妊娠や分娩でも軽度上昇することがあり，また肺塞栓・心筋炎・大動脈解離・不整脈でも上昇するため，血液マーカーのみで周産期心筋症と確定診断することはできない。

周産期心筋症の病因

　周産期心筋症の病因は未だ解明されておらず，血管障害因子・遺伝性心筋症・ウイルス性心筋炎，妊娠に対する異常な免疫反応，炎症・アポトーシス等さまざまな説があり，未だ定説はない[2]。

1. 血管障害因子説・異常プロラクチン説

　妊娠中の主なストレスはホルモン・産科ストレス・容量負荷である。2007年以降，周産期心筋症モデルマウスの研究により判明していることは，PCG1α・STAT3の経路の異常(図3)[3]により酸化ストレスが増え，その結果cathepsin Dが増加し，正常プロラクチンより異常プロラクチン/切断プロラクチン(16 kDaプロラクチン)を産生する。さらにこの16 kDaプロラクチンが血管新生を傷害し，細胞死を誘導する。そのため，高濃度のプロラクチンと酸化ストレスを抑えることで，周産期心筋症が改善する可能性がある。Dopamine-2D agonistであり，プロラクチン分泌を抑えるブロモクリプチンの内服が周産期心筋症に対し効果があったという報告がある[3]。

　妊娠高血圧症候群の患者においても異常プロラクチンの増加を認めるが，切断プロラクチンを全く検出しない症例もあり，今後も検討を重ねる必要がある。

2. 遺伝性心筋症説

　これまでにいくつかの遺伝子変異が報告されてお

図3　異常プロラクチンの経路

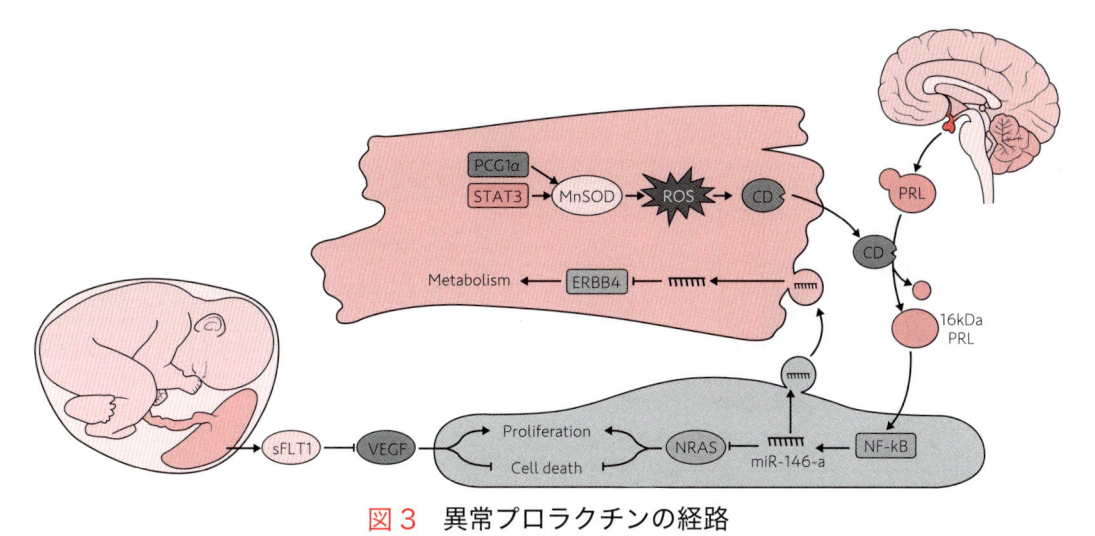

(Hoes MF, et al：Peripartum cardiomyopathy：Euro Observational Research Program. Neth Heart J 22：396–400, 2014)[3]

り，一部の周産期心筋症患者が，拡張型心筋症に関連する遺伝子変異を有することがわかっている。国際共同研究では周産期心筋症172例に対して43の拡張型心筋症関連遺伝子をスクリーニングしたところ，26例（15%）が陽性であり，特にタイチン遺伝子の変異が2/3を占めた[5]。したがって妊娠初期の家族歴の聴取は重要である。

3. 感染説・ウイルス心筋炎説

妊娠中は母体の免疫反応が低下しており，未感作のウイルス感染による心筋炎が発症しやすく，また既感染のウイルスによる炎症が再燃しやすい状態と考えられる。米国の報告では62%に心筋炎を認めたとしている[6]。ドイツの報告では，心筋生検にてウイルスのゲノム（パルボウイルスB19，ヒトヘルペスウイルス6，EBウイルス，ヒトサイトメガロウイルス）を約30%の周産期心筋症患者に認めたと報告しており，ウイルスが心筋の炎症に関与している可能性がある。

周産期心筋症の死亡率と予後

周産期心筋症の死亡率は25〜50%，または9〜15%との報告がある[7]。30〜50%は正常心機能まで回復するとされているが，これらの数字は人種や地域によりばらつきがある。発症時の左室EFが30%以上であれば，正常心機能に回復する可能性があるとされている。一般的には，低心機能＋高度左室拡大症例ほど回復が悪い。通常は発症後1カ月である程度心機能が回復するが，完全に回復するには発症後6カ月はかかるとされている。妊娠高血圧合併の周産期心筋症では，非合併症例と比較して入院期間が有意に短く，長期的な心機能も良好であるという報告がある[2,8]。

周産期心筋症の治療

妊娠中であれば，児の発育や母体の状況に応じて分娩の時期を検討する。出産後であれば，授乳は禁ずる。心不全の治療は，拡張型心筋症の心不全治療方法に準ずる。酸素・利尿薬・ACE阻害薬/ARB（出産後）・β遮断薬・血栓予防薬を用いる。内服のみではコントロール不十分な重症例ではカテコラミン治療，さらに急性期にはメカニカルサポート〔非侵襲的陽圧呼吸・人工呼吸器・大動脈バルーンパンピング（IABP）・PCPS〕等を行う。超重症例においては，ほかの重症臓器不全がなければ補助人工心臓

各論　間接産科的死亡　周産期心筋症

図4　周産期心筋症後次回妊娠時の心不全・死亡に関する報告
(Elkayam U：Risk of subsequent pregnancy in women with a history of peripartum cardiomyopathy. J Am Coll Cardiol 64：1629-1636, 2014)[10]

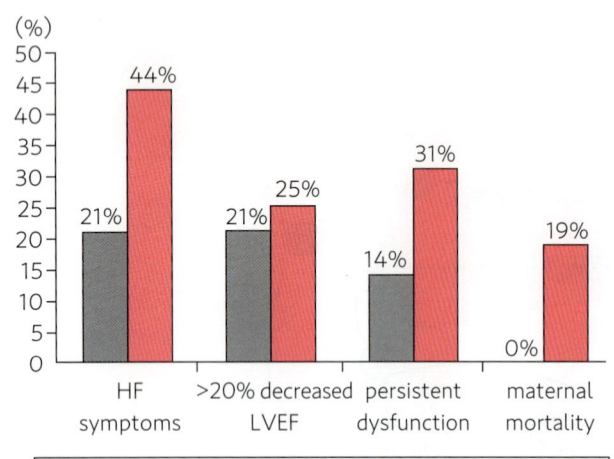

group 1. women with left ventricular ejection fraction (LVEF)≥50% before subsequent pregnancy.
group 2. women with LVEF<50% before subsequent pregnancy. HF=heart failure.

(VAD)，そして，心移植の適応となることがある。

　プロラクチン病因説をもとに抗プロラクチン療法が近年試みられているが，有効性は未だ確定されていない。抗プロラクチン療法に使用されるブロモクリプチンは，血管攣縮等の副作用が知られ，米国では産婦への使用は禁忌とされている。国内では妊娠高血圧症に対し，添付文書上は使用禁忌と記載されている。

周産期心筋症の再発と次回妊娠のリスク

　最近の報告でも25～50%は再発するため[9]，次回妊娠に関しては，事前にかなり慎重に検討しなければならない。初回周産期心筋症後のEFの回復が悪い群においては，次回妊娠で44%の症例が心不全を発症した。一般的には左室機能低下の残存症例においては次回妊娠を避けるべきとされている。初回周産期心筋症後に完全にEFが回復した症例に対する次回のリスク評価は定まっておらず，やはり25%程度が心不全を発症するとされており，死亡報告もある（図4）[10]。負荷心臓超音波で次回妊娠時の心不全をどのくらい予測できるかは不明である。現時点では左室機能正常化の基準や心筋予備能の評価方法に関して一定のコンセンサスはなく，今後の検討が望まれる。

文献

(1) Pearson GD, et al：Peripartum cardiomyopathy：National Heart, Lung, and Blood Institute and Office of Rare Diseases（National Institutes of Health）workshop recommendations and review. JAMA 283：1183-1188, 2000
(2) Kamiya CA, et al：Different characteristics of peripartum cardiomyopathy between patients complicated with and without hypertensive disorders. -Results from the Japanese Nationwide survey of peripartum cardiomyopathy. Circ J 75：1975-1981, 2011
(3) Hoes MF, et al：Peripartum cardiomyopathy：Euro Observational Research Program. Neth Heart J 22：396-400, 2014
(4) McNamara DM, et al：IPAC Investigators. Clinical Outcomes for Peripartum Cardiomyopathy in North America：Results of the IPAC Study（Investigations of Pregnancy-Associated Cardiomyopathy）. J Am Coll Cardiol 66：905-914, 2015
(5) Ware JS, et al：IMAC-2 and IPAC Investigators. Shared Genetic Predisposition in Peripartum and Dilated Cardiomyopathies. N Engl J Med 374：233-241, 2016
(6) Felker GM, et al：Underlying causes and long-term survival in patients with initially unexplained cardiomyopathy. N Engl J Med 342：1077-1084, 2000
(7) Murali S, et al：Peripartum cardiomyopathy. Crit Care Med 33（10 Suppl）：S340-346, 2005
(8) Bello N, et al：The relationship between pre-eclampsia and peripartum cardiomyopathy：a systematic review and meta-analysis. J Am Coll Cardiol 62：1715-1723, 2013
(9) Demakis JG, et al：Natural course of peripartum cardiomyopathy. Circulation 44：1053-1061, 1971
(10) Elkayam U：Risk of subsequent pregnancy in women with a history of peripartum cardiomyopathy. J Am Coll Cardiol 64：1629-1636, 2014

（椎名　由美）

各論　間接産科的死亡

致死性不整脈

commentary

致死性不整脈とは

　意識が消失したり突然死の引き金になったりする不整脈のことで，心拍数の速い心室頻拍(VT：ventricular tachycardia)や心室細動が含まれる。心拍出量が保たれず，脳血流が減少するため，失神やめまいを起こし，意識不明や心停止に至る。

　VTは，心室から発生した異常刺激による頻拍で，QRS波が100拍/分以上で3拍以上連続するものを指す。30秒以内に自然停止するものを非持続性VT，30秒以上持続するか，血行動態が悪化し30秒以内に停止のための処置を必要とするものを持続性VT（図1 A）という。持続性VTは不整脈による突然死の主因で，頻拍レートが200拍/分を超えると高率に失神をきたす。心機能低下例では，より低い頻拍レートでも重症となる。持続性VTの基礎疾患は心筋梗塞，心筋症，弁膜症，心臓手術後，特発性等，多彩である。

　Torsade de pointes（図1 B）は，VTのうちQRSの軸が徐々に変化し，ねじれた形態を呈するものであり，心室細動に近い状態である。QT延長症候群等に合併することが多い。

　心室細動（図1 C）は，心室からの異常刺激による非常に速く不規則な拍動で，心臓が小刻みに震え，心停止とほぼ同じ状態である。数秒以内に意識不明になり，即座に治療しなければ死に至る最も重篤な不整脈である。

　先天性QT延長症候群では，心筋細胞膜イオンチャネルの遺伝子異常が報告されている。これまでに16個の遺伝子形が報告されているが，1型が40％，2型が40％，3型が10％であり，この3型で90％以上を占める。特に2型患者で，出産後9カ月まで不整脈リスクの増加が報告されている。

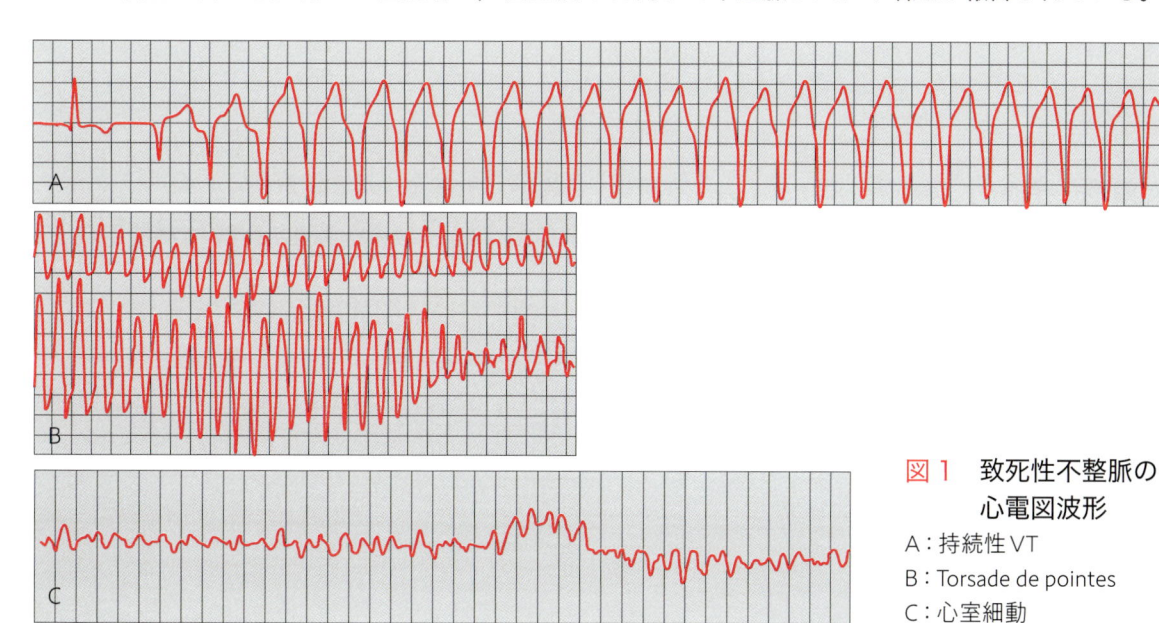

図1　致死性不整脈の心電図波形
A：持続性VT
B：Torsade de pointes
C：心室細動

▼事例　20代，経産婦

多産婦，同胞に突然死の家族歴があった。妊娠22週から動悸，息切れが出現したため近医循環器内科を受診し，心電図検査上QT延長症候群が疑われた。本人には疾患について説明されたが，家族や妊婦健診を行っている産科医には診断名が申告されていなかった。妊娠24週，39℃の発熱，咳，痰を主訴に，産科を受診した。SpO₂ 90％に低下し，WBCとCRP上昇，胸部X線写真で左肺野に肺炎像を認めた。流行していたマイコプラズマ肺炎が疑われ，入院の上，アジスロマイシンの内服が開始された。心電図検査は施行されていなかった。入院翌朝，突然の呼吸苦が出現し，ナースコールにより看護師が訪室したところ，意識消失しており，目覚まし時計のアラームが鳴っていた。酸素投与を開始し，心電図モニターを装着したところ，torsade de pointesを認めた。ショックバイタルとなり，当直医の到着時には心停止状態であった。AEDを用いた心肺蘇生を行いながら，高次施設へ救急搬送されたが心拍再開せず，死亡確認となった。

▼評価

突然死の家族歴をもち，妊娠中にQT延長症候群が疑われたにもかかわらず，近医内科と産科かかりつけ医の間に情報共有が行われず，院内心停止に至った事例である。アジスロマイシンを含むマクロライド系抗菌薬は後天性QT延長をきたす代表的な薬剤であり，本事例ではQT延長を増悪させた可能性がある。2型患者では，音刺激で発作が誘発されやすい。QT延長症候群のtorsade de pointes発作時には，心肺蘇生はもちろんのこと，β遮断薬やリドカイン，硫酸マグネシウムの静注による薬物治療が行われる。蘇生の際の医療従事者にQT延長症候群の診断が伝わっていなかったことも，転帰に関与した可能性はある。

▼提言

・突然死を含め，高血圧，糖尿病，脳血管障害等，家族歴の聴取，把握は重要である。
・カリウムやマグネシウム等の電解質異常や，薬剤（マクロライド系抗菌薬，Ia群・III群抗不整脈薬，三環系抗うつ薬等）が原因で，QT延長することがある。
・病歴の共有を含め，他科・他院との連携は大切である。
・院内発症の致死的不整脈に対し，迅速に心肺蘇生が行えるよう，普段からのトレーニングが必要である。

病態生理と診断

1．VT

　VTの心電図はQRS幅が広く，通常は3.5 mm（0.14秒）を超え，典型的な右脚ブロックや左脚ブロックとは違った波形になる。P波は確認できないことも多いが，頻拍中も心房は洞調律で維持しているため，QRS波形と全く関係なくP波の出現を認識できる場合がある（房室解離）。また，VTの間に，心室不応期が消失した瞬間に上室からの伝導が伝わることがあり，この時，QRS幅の狭い収縮が入り込む形となる（心室捕捉）。脚ブロックを伴う上室性頻拍（pseudo VT）との鑑別は難しいが，房室解離や心室捕捉を認めれば，VTと確定できる。

　VTはQRS波形が一定で心拍数が規則的なことが多く，単形性VTと呼ぶ。これに対し，QRS波形が刻々と変わるものを多形性VTという。多形性VTのうちQT延長を伴う場合，torsade de pointesという。多くは自然停止するが，torsade de pointesを繰り返したり，心室細動に移行し突然死したりすることもある。

2．心室細動

　心室細動の心電図は全く不規則な振幅ならびに波形を呈し，QRS波やST部分，T波等の区別はできない。出現初期には300/分以上のことが多い。心室の電気的同期性が消失し，心室が局所的にそれぞれ脱分極・再分極を起こしている状態で，心室全体が細かく震えているようにみえる。臨床的には，心音は消失し心拍出は停止して，意識障害や痙攣を起こし，間もなく呼吸停止から死に至ることになる。心筋梗塞に合併することが多いが，その他さまざまな状況において循環系の末期像として認められる。

3．QT延長症候群

　QT延長症候群は，心電図のQT時間の延長に伴いtorsade de pointesを引き起こし，失神や突然死の原因となる疾患である。QT延長の明らかな原因を認めず，多くは遺伝性を認める先天性QT延長症候群と，薬剤や徐脈，電解質異常等，QT延長の明らかな原因が存在し，これを取り除けばQT時間がほぼ正常化する後天性QT延長症候群に分類される。若年女性の致死性不整脈の原因として，筆頭にあげなければいけない疾患である。

　QT時間とは，QRS波の始まりからT波の終わりまでで，心室筋細胞の活動電位持続時間，すなわち心室興奮の開始から終了（脱分極から再分極）までの時間をいう。活動電位持続時間は，心室筋のナトリウムイオンやカルシウムイオンの内向き電流と，カリウムイオンの外向き電流のバランスにより決定される。これらのイオン輸送にかかわる心筋細胞膜のイオンチャネルに異常をきたすと，外向き・内向き電流が増減し，活動電位持続時間が延長もしくは短縮する。QT延長症候群では，このようなイオンチャネル異常がわかっており，channelopathy（チャネル病）の一つに分類される。

　Bazett式により心拍数補正した修正QT時間（$QTc = QT/\sqrt{RR}$）が440 msec以上の場合にQT延長と定義される。440〜460 msecは境界域であり，健常者にも時に認める。また，女性は男性に比べてややQT時間が長い。QT延長症候群の心電図を図2に示す。先天性QT延長症候群の臨床診断は，1993年のSchwartzらの診断基準（表）[1)]に準じて行われ，QT時間等の心電図所見，失神発作や家族歴等の有無で点数化する。各点数の合計が4点以上は診断確実，2〜3点は疑い，1点以下は可能性が低いと判定する。

　QT延長症候群合併妊娠の報告では，産褥期に最も

各論　間接産科的死亡　致死性不整脈

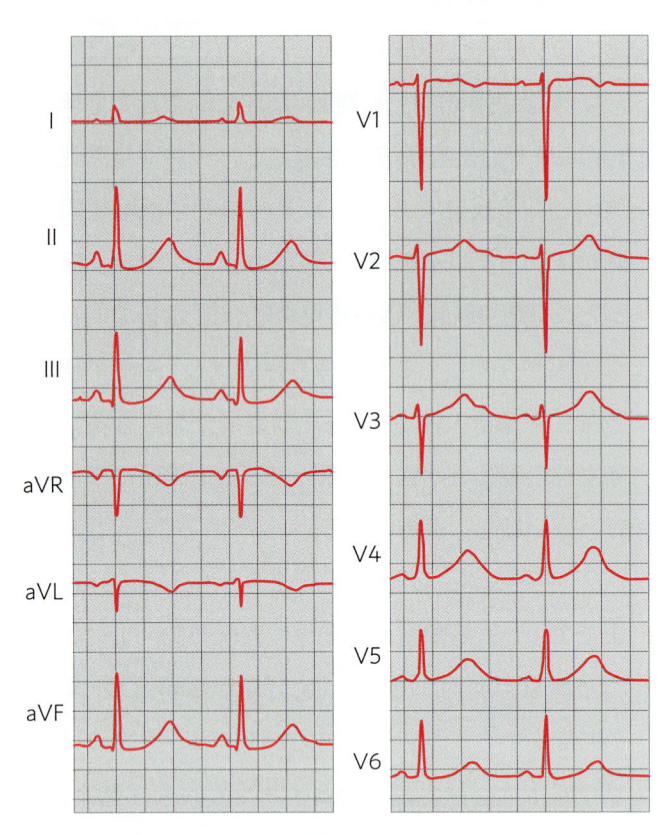

図2　先天性QT延長症候群（1型）の心電図

表　先天性QT延長症候群の診断基準

	点数
心電図所見	
a．QTc	
≧480 msec$^{1/2}$	3
460〜470 msec$^{1/2}$	2
450 msec$^{1/2}$（男性）	1
b．Torsade de pointes	2
c．交代性T波（T-wave alternans）	1
d．Notched T波（3誘導以上）	1
e．徐脈	0.5
臨床症状	
a．失神発作	
ストレスに伴う	2
ストレスに伴わない	1
b．先天性聾	0.5
家族歴	
a．診断の確実な先天性QT延長症候群の家族あり	1
b．30歳未満での突然死の家族あり	0.5

QTc：修正QT時間
（Schwartz PJ, et al：Diagnostic criteria for the long QT syndrome：an update. Circulation 88：782-784, 1993）[1]

イベントリスクが高いことが知られており，妊娠中だけでなく，産後も注意が必要である（図3）[2]。

治療

1．VT

ショックや意識消失を伴う場合は電気的除細動を行う。血行動態が安定している場合には，十分な鎮静を行ってからQRSに同期させて除細動を行う。心機能低下症例やQT延長に伴うtorsade de pointesでは，硫酸マグネシウムやメキシレチン，β遮断薬の静注が有効である。徐脈依存性にQTが延長する症例では，一時ペーシングが有効である。

2．心室細動，無脈性VT

可及的速やかに電気的除細動を行う。図4[3]に心

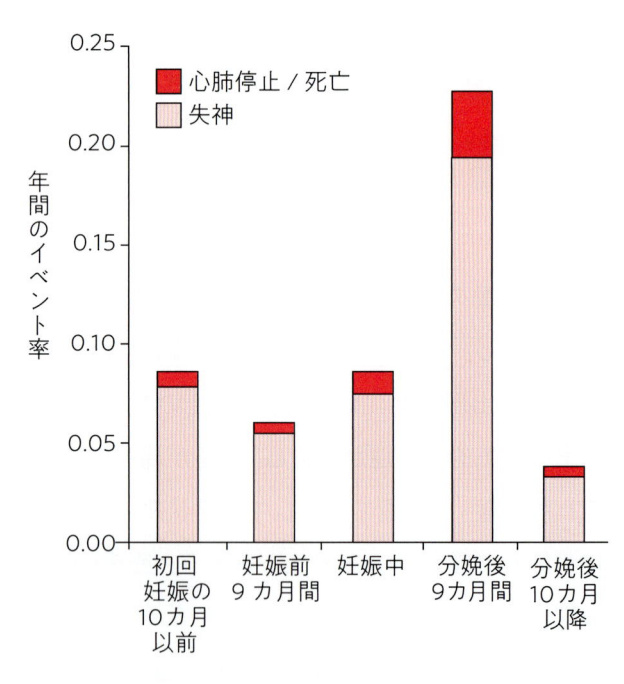

図3　QT延長症候群合併妊娠における年間の心イベント発生率
（Seth R, et al：Long QT syndrome and pregnancy. J Am Coll Cardiol 49：1092-1098, 2007）[2]

252

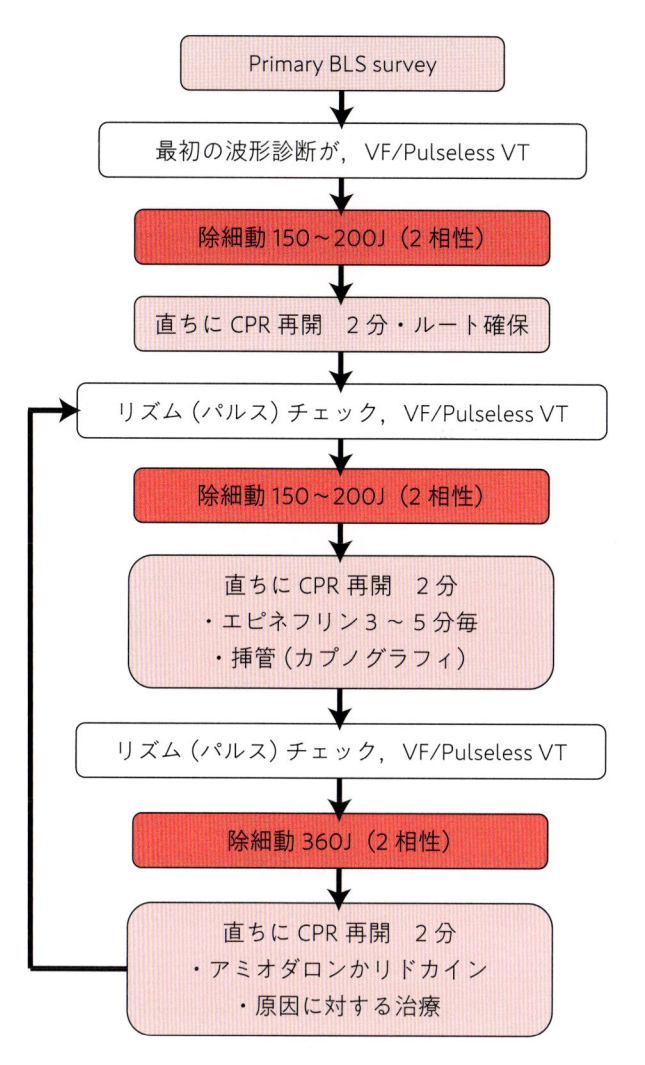

図4 VF/pulseless VT心肺蘇生アルゴリズム
（Panchal AR, et al：2018 American Heart Association Focused Update on Advanced Cardiovascular Life Support Use of Antiarrhythmic Drugs During and Immediately After Cardiac Arrest: An Update to the American Heart Association Guidelines for Cardiopulmonary Resuscitation and Emergency Cardiovascular Care. Circulation 138：e740–749, 2018）3)

肺蘇生プロトコールを示す3)（治療編「母体の心肺蘇生法」122ページも参照）。

3．QT延長症候群

1型，2型では，β遮断薬の有効性が示されている。また，妊娠〜産褥期のβ遮断薬内服が周産期の心イベント抑制効果をもつことが知られており，妊娠中から産後も内服継続が推奨される。内服治療下にも発作が頻回の場合には，植え込み型除細動器の適応と考えられる。

文献

(1) Schwartz PJ, et al：Diagnostic criteria for the long QT syndrome：an update. Circulation 88：782–784, 1993
(2) Seth R, et al：Long QT syndrome and pregnancy. J Am Coll Cardiol 49：1092–1098, 2007
(3) Panchal AR, et al：2018 American Heart Association Focused Update on Advanced Cardiovascular Life Support Use of Antiarrhythmic Drugs During and Immediately After Cardiac Arrest: An Update to the American Heart Association Guidelines for Cardiopulmonary Resuscitation and Emergency Cardiovascular Care. Circulation 138：e740–749, 2018

（神谷 千津子）

各論　間接産科的死亡

先天性心疾患

---

commentary

ハイリスク先天性心疾患とは

　妊娠中厳重な注意を要する，妊娠前の修復手術（再手術）が必要，あるいは妊娠を避けることが推奨されるハイリスク先天性心疾患を表1に示す。

・完全大血管転位心房位血流転換手術後

　完全大血管転位心房位血流転換手術後は，全身の血流を担う体心室は右室のままであり，心機能低下，三尖弁逆流（TR），上室性不整脈が問題となる。心房位血流転換術後で，体心室右室機能が良好かつ不整脈を認めない患者は，妊娠リスクは低い[1,2]。出産年齢である20代後半は，右室駆出率が40%台に低下していることが多く，妊娠中，出産後に右室機能不全（約10〜25%），三尖弁逆流増大，心房細動を含む上室性頻拍（数%），洞機能不全等の合併症が起こることがある。早産，低出生体重児出産がやや多い。

・Fontan手術後

　Fontan手術は機能的修復術で，肺に血流を駆出する心室がなく，右房あるいは体静脈が肺動脈への通路となる。したがって，中心静脈圧，心房圧は高く，静脈血うっ滞と低心拍出量に基づく心血管合併症を伴う。心不全，不整脈，血栓形成等が問題となる。妊娠中の循環血液量増加（容量負荷），出産時の急激な血行動態の変動に対する適応予備能は低い。妊娠末期は上室性頻拍，心房細動，心不全を伴いやすく，さらに，凝固能が亢進するため血栓を生じやすい。NYHA I〜II度で心機能が良好で洞調律が保たれている患者は，妊娠出産は可能であるが，重大な母体合併症を生じることがある。また，低心拍出量と軽度のチアノーゼを認めるため流産，低出生体重児出産の頻度が高い[3]。一般と比べ，排卵が安定せず不妊の頻度は高い[4]。出産時に病状が悪化し，出産後に心不全が持続することがある。今後，年間500人程度のFontan手術後の女性が毎年成人を迎えるため，妊娠出

表1　妊娠中厳重な注意を要する，妊娠前の修復手術（再手術）が必要，あるいは妊娠を避けることが推奨される先天性心疾患と病態

1.	肺高血圧（Eisenmenger症候群）
2.	流出路狭窄（大動脈弁高度狭窄，＞40〜50 mmHg）
3.	心不全（NYHA III度以上，左室駆出率：＜35〜40%）
4.	Marfan症候群（大動脈拡張期径：＞40 mm），大動脈拡張性先天性心疾患（大動脈拡張期径：＞50 mm）
5.	機械弁置換術後
6.	チアノーゼ型疾患（特に，SpO_2：＜85%）
7.	Fontan手術後
8.	修復術後の高度遺残，続発病変

産は大きな問題になるとされている。

・未修復チアノーゼ型先天性心疾患および修復術後チアノーゼ残存

　チアノーゼ残存患者は，妊娠中に体血管抵抗が低下するため，右左短絡が増加して，チアノーゼが増悪することが多い。心予備能に乏しく，心不全を生じる場合も多い。血液凝固因子異常，血小板減少/機能異常等の出血凝固系異常，末梢血管拡張/増生を伴うため，分娩時に大量出血を起こしやすい。一方，妊娠末期の凝固機能亢進により肺梗塞，脳血栓を生じることもある。心不全，チアノーゼ増悪，肺内出血血栓，大動脈弁閉鎖不全等の母体合併症を約30%に認める[5,6]。SpO_2 85%以下では生産児が得られる確率は非常に低く（12%程度とされる），自然流産，死産，早産，低出生体重児等の胎児合併症の発生率が非常に高い。心機能が悪く（駆出率＝40%以下），チアノーゼが中等度以上の場合は，母児ともにリスクが高いため，妊娠を避けることが推奨される。特に，肺血管拡張療法が普及している現在でもEisenmenger症候群の妊産婦死亡率は20〜70%と高い[7〜9]。妊産婦死亡は，出産直後から数日〜1カ月以内が多い[8]。胎児死亡率も50%前後と高い。高度の肺血管閉塞性病変（肺高血圧）を伴うEisenmenger症候群は，避妊を勧めることが望ましい代表的な疾患である。

各論　間接産科的死亡　先天性心疾患

▼事例　20代，初産婦

　先天性心疾患(心内膜床欠損症)があり，小児期に心房中隔欠損症，僧帽弁置換術(MVR，機械弁)の手術を施行した。術後は，近医小児科でワルファリンを内服しながらフォローがされていた。NYHA I度であり，妊娠したためワルファリンからヘパリン自己注射に切り替えた。併診した小児科では，MVR後によって僧帽弁のサイズが小さく，心不全徴候もあるため妊娠継続は困難であると説明された。妊娠12週，自宅で呼吸困難，咳嗽があり，会話も短時間しかできなくなった。横になると苦しく，睡眠も困難であった。妊娠13週，背臥位がとれなくなり，小児科に入院となった。酸素吸入でSpO$_2$ 90％，心拍数110/分，肺野は左右ともラ音を聴取，心不全の診断で強心薬等の治療が開始されたが，すぐに意識消失(JCS III-300)，血圧50/20 mmHgとなり，心肺蘇生が行われたが，死亡確認となった。

▼評価

　小児期に施行された僧帽弁置換術(MVR，機械弁)による相対的僧帽弁狭窄症合併妊娠であった。NYHA I度であるが，弁輪径が小さく妊娠継続は困難な状態であった。僧帽弁狭窄症合併妊娠では，母体の循環容量が増大した時に左心負荷から肺うっ血となり心不全・肺水腫を引き起こす可能性が高い。本事例は，妊娠初期であったが，同様の機序で肺うっ血および心不全となり死亡した可能性が高い。また，不整脈による心停止の可能性も否定できない。ワルファリンからヘパリンに抗凝固薬を変更しているが，その後の抗凝固治療が十分かどうかは不明であるため，血栓による死亡も否定できないと考えられた。

▼提言

- 先天性心疾患合併妊娠に対する情報が不足しており，弁置換後の女性は，妊娠希望前に心機能および抗凝固治療の評価を行う。
- 幼少期の弁置換患者が成人した場合，小児の体格に見合うサイズの人工弁輪径のため相対的な弁狭窄となることがあり，致死的な合併症が引き起こされることを念頭におく。
- 成人先天性心疾患の女性および妊婦に対する診療を行う場合，各診療科の連携が必要なことは当然であるが，産婦人科がコーディネートを行う主診療科となり，主体的に動く。

はじめに

　医療の発達の恩恵を受けて，先天性心疾患全般の予後は，著明に改善している。これに伴い，妊娠可能ないし妊娠希望の先天性心疾患女性は急速に増えている。わが国では，現在，総妊娠数の0.5〜1％は，先天性心疾患女性の妊娠である[10]（図1）。また，新生児医療の進歩に伴い，早期産児の生存率と

予後が飛躍的に改善した．このため，妊娠末期の母体の循環負荷，合併症が強い場合は，その負荷を避けて出産し児をもつことも可能となっている．さらに，少子高齢化が進む時代にあって，いかなる疾患の女性の妊娠出産希望も支援していくことが求められている．しかし一方では，妊娠，出産，育児による循環負荷が，先天性心疾患母体に及ぼす影響も危惧されている．最近，妊娠出産の高年齢化がみられるが，先天性心疾患の女性は，一般よりも強く子どもをもちたいという希望があることが多く，若い年齢で結婚することが少なくない[7]．しかし，自分が心臓病をもっているために，結婚生活，妊娠出産が可能であるか，妊娠出産での注意点は何か，普通分娩ができるか，子どもに遺伝しないか，育児は大丈夫か等，多くの不安を抱えている．

心血管疾患にみられる妊産婦死亡

心血管疾患は，妊産婦の5大死因の一つであり，日本産婦人科医会と厚生労働省研究班の2010～2019年の390例の妊産婦死亡例の検討（母体安全への提言2018）[11]では，心血管疾患の死亡数は36/390（9.2％）である．大動脈解離が最も多く（17/36），周産期心筋症（5/36）が次いで多い．その

なかで，いわゆる先天性心疾患は1例と比較的少ないが，大動脈解離は，Marfan症候群や大動脈二尖弁等の先天性心疾患に合併することが非常に多い．このため，先天性心疾患は心血管疾患死亡の重要な原因の一つと考えてもよいと思われる．心血管疾患による死亡の60％近くは，最善の対応ができたとしても，救命が困難と評価されている．心血管疾患による死亡は，2013年に認めなかったものの2010～2016年の間ほぼ10％で推移している．しかし2017年，2018年は減少に転じている[12]．2015年の提言[12]では，心血管系合併症の特徴を理解し早期対処を心がけることとしている．

妊娠出産時の母体の血行動態やその他の変化と心機能

妊娠中は，体液循環の負荷のみならず，血液学的，呼吸機能的，内分泌学的，自律神経学的な変化をきたし，心拍出量，心拍数，不整脈が増加，凝固能亢進，大動脈中膜弾性線維の断裂と大動脈拡張が生じる（表2）．また，出産時は，陣痛，出血，出産直後の静脈還流増加等，急激な血行動態変化が起こる．出産に対する精神的ストレスも少なくない．母体治療薬は，胎児奇形の原因となることもある．さらに，育児による疲労，不眠も母体へ大きな影響を及ぼす．

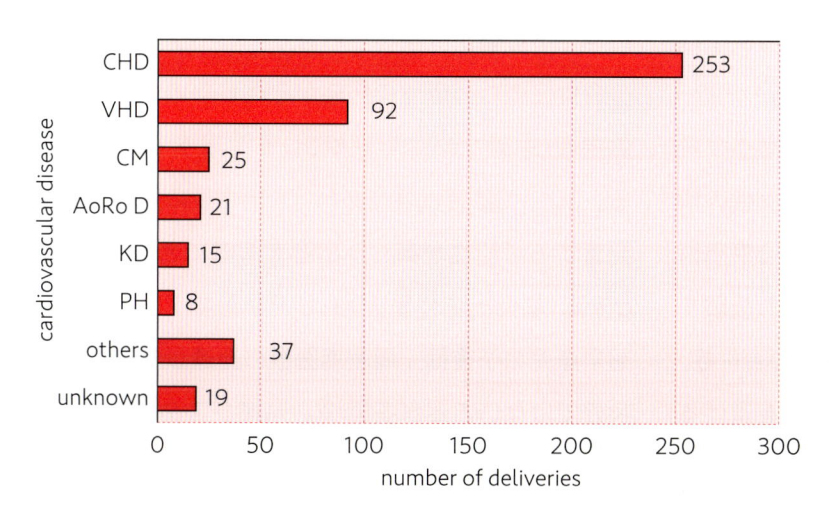

図1 心血管疾患女性の妊娠出産の頻度（2002〜2003年）

日本の出産取り扱い施設138施設での調査．2002～2003年の2年間に80,455人の出産を認め，769人（0.96％）が，心疾患女性の出産．470人（0.58％）が，structured heart diseaseの女性の出産であり，そのうち253人（53.8％）が先天性心疾患女性の出産であった．
CHD：先天性心疾患，VHD：弁膜疾患，CM：心筋症，AoRo D：大動脈拡張性疾患，KD：川崎病，PH：肺高血圧疾患

表2 妊娠出産時の循環生理とその他の身体変化

1. 血行動態的変化
   全血液量：非妊娠時の140〜150%増加
   心拍出量：非妊娠時の140〜150%増加
   末梢血管拡張，静脈血圧上昇
   陣痛：500 mL/回の血管内容量負荷，
   出産時出血：500〜900 mL
2. 血液学的変化（凝固能亢進，貧血）
3. 呼吸機能の変化（分時換気量増加）
4. 内分泌学的変化（コルチゾール，エストロゲンの増加）
5. 自律神経学的変化（心拍数増加，不整脈増加）
6. 大動脈壁変化（大動脈中膜の弾性線維断裂，大動脈拡張）

これらが，先天性心疾患患者の妊娠，出産，そして，出産後の心機能に影響を及ぼすことになる。

先天性心疾患にみられる妊娠中の合併症

先天性心疾患女性の多くは，一般と同様に妊娠出産が可能であるが，合併症を認め，治療を必要とすることもある。また，流産や低出生体重児の頻度が高い。先天性心疾患女性の妊娠出産時に認められる主要な母体合併症は，心不全，不整脈，血栓塞栓，出血，高血圧，大動脈解離，チアノーゼ増強，感染性心内膜炎等である[7,13]。妊娠中の治療薬投与時は，胎児への影響を考慮する必要があり，出産後も多くの薬剤は母乳移行する。流産，低出生体重児，死産等も，胎児の大きな合併症である。先天性心疾患は多彩であり，それぞれの先天性心疾患に特有の病態，血行動態を伴い，妊娠出産中の合併症，注意点が異なることも少なくない。成人先天性心疾患女性の増加とともに，Fontan手術後等，複雑先天性心疾患術後，チアノーゼ型先天性心疾患の合併妊娠も経験するようになった。これに伴い，妊娠出産時の合併症，ハイリスク疾患，妊産婦死亡率が高く妊娠を避けることが推奨される疾患が明らかになりつつある。一部のハイリスク疾患では，妊娠前に修復術を行っておくか，避妊あるいは妊娠を中断することが勧められる。

妊娠出産がハイリスクと考えられる先天性疾患

妊娠出産のハイリスク疾患あるいは妊娠を避けることが勧められる疾患には，①肺高血圧疾患（特にEisenmenger症候群），②大動脈瘤，拡張を伴う疾患（Marfan症候群，大動脈二尖弁兼大動脈拡張等），③チアノーゼ残存疾患，④左室流出路狭窄（大動脈弁狭窄），⑤心不全，⑥Fontan手術後，⑦機械弁装着後，⑧修復術後の高度遺残，続発病変等がある（表1）[7,10,13〜17]。

先天性心疾患女性の妊娠では，固有の循環動態を把握する必要がある。先天性心疾患女性の妊娠は計画的に行うべきで，産科周産期科医だけではなく，循環器科医（あるいは小児循環器科医），成人先天性心疾患専門医師，麻酔科医，新生児科医，看護師，助産師との連携を必要とする場合も多い[18]。帝王切開は，心不全の合併，大動脈拡張，機械弁等の場合に適応となることがあるが，先天性心疾患という理由のみでは行わず，多くは産科的適応に基づく[7]（表3）。ハイリスク疾患は，分娩中血行動態のモニタリングを厳重に行う必要があり，無痛分娩は循環動態に与える影響が少ないとされる。心不全，不整脈等の合併症のため母体の病態が悪化した場合には，妊娠中断（中絶ないし早期娩出）を考慮することがある。30〜32週以降であれば，出生後の児は正常に発育する可能性が高く，出産を考慮できる。1,000g未満（超低出生体重児）もしくは妊娠28週未満の超早産児の予後は，周産期医療の発達した現在でも良好ではないことが多い[19]。ハイリスク疾患で，心臓血管手術での修復が可能な場合は，妊娠前の手術

表3 先天性心疾患の妊娠出産で起こりうる母体, 胎児合併症

母体
1. 心不全
2. 不整脈〔上室性頻拍, 心室頻拍(VT)〕
3. 血栓, 塞栓, 出血(人工弁, 奇異性血栓, 肺血栓)
4. 高血圧(大動脈縮窄)
5. 大動脈拡張, 瘤, 解離(Marfan症候群, 大動脈縮窄, 大動脈二尖弁)
6. チアノーゼ増悪
7. 細菌性心内膜炎

胎児
1. 流早産, 死産, 低出生体重児(低酸素, 低心拍出量に起因することがある)
2. 催奇形性, 薬物副作用
3. 先天性心疾患の再発

が勧められる. 手術後6カ月以上経てば, 心機能は回復して, 妊娠・出産のリスクは低下する. しかし, Fallot四徴, Ebstein病, 完全大血管転位心房位血流転換手術(MustardないしSenning手術)後等の一部では, 妊娠出産を契機に心機能が低下し, 出産後も低心機能が持続する場合もある[20, 21]。

　中等度リスク以上の疾患では, 妊娠出産を安全に進めるには, チーム診療と妊娠前カウンセリングが不可欠である. 現在, 日本では, 先天性心疾患女性の妊娠出産に関する専門家は少なく, この分野に関する成書も十分ではない. このため, 先天性心疾患女性の妊娠の際に, 適切なカウンセリングが十分に行われていないことも多い. また, 妊娠, 出産に際して, 的確なアドバイス, 治療を受けられない場合も少なくない. 日本循環器学会の心疾患婦人の妊娠出産に関するガイドライン[7]は有用であるが, 未だにこの分野のデータの蓄積は少なく, 今後のデータの集積が望まれている.

文献

(1) Canobbio MM, et al: Pregnancy outcomes after the Fontan repair. J Am Coll Cardiol 28: 763–767, 1996
(2) Drenthen W, et al: Pregnancy and delivery in women after Fontan palliation. Heart 92: 1290–1294, 2006
(3) Guedes A, et al: Impact of pregnancy on the systemic right ventricle after a Mustard operation for transposition of the great arteries. J Am Coll Cardiol 44: 433–437, 2004
(4) Genoni M, et al: Pregnancy after atrial repair for transposition of the great arteries. Heart 81: 276–277, 1999
(5) Presbitero P, et al: Pregnancy in cyanotic congenital heart disease. Outcome of mother and fetus. Circulation 89: 2673–2676, 1994
(6) Connolly H, et al: Outcome of pregnancy in patients with complex pulmonic valve atresia. Am J Cardiol 79: 519–521, 1997
(7) 赤木禎治, 他: 心疾患患者の妊娠・出産の適応, 管理に関するガイドライン(2018年改訂版). http://j-circ.or.jp/guideline/pdf/JCS2018_akagi_ikeda.pdf
(8) Weiss BM, et al: Outcome of pulmonary vascular disease in pregnancy: a systematic overview from 1978 through 1996. J Am Coll Cardiol 31: 1650–1657, 1998
(9) Kiely DG, et al: Pregnancy and pulmonary hypertension: new approaches to the management of a life-threatening condition. Steer PJ, et al (eds): Heart Disease and Pregnancy, RCOG Press, 211–229, 2006
(10) Tateno S, et al: Arrhythmia and conduction disturbances in patients with congenital heart disease during pregnancy-Multicenter study-. Circ J 67: 992–997, 2003
(11) 妊産婦死亡症例検討評価委員会・日本産婦人科医会: 母体安全への提言 2018, 2019
(12) 日本産婦人科医会: 妊産婦死亡報告事業 J-CIMELS 報告, 2019. http://www.jaog.or.jp/wp/wp-content/uploads/2018/09/123_20180912_1.pdf
(13) Siu SC, et al: Cardiac Disease in Pregnancy (CARPREG) Investigators. Prospective multicenter study of pregnancy outcomes in women with heart disease. Circulation 104: 515–521, 2001
(14) 丹羽公一郎: 妊娠出産の循環生理と疾患別特徴. 丹羽公一郎, 他(編): 目でみる循環器病シリーズ14: 成人先天性心疾患, メジカルビュー社, 東京, 167–175, 2005
(15) 丹羽公一郎(編著): さまざまな先天性心疾患の特徴と妊娠, 出産. 先天性心疾患の方のための妊娠・出産ガイドブック, 中央法規出版, 東京, 87–137, 2006
(16) Niwa K, et al: Arrhythmia and reduced heart rate

(17) Siu SC, et al：Risk and predictors for pregnancy-related complications in woman with heart disease. Circulation 96：2789-2794, 1997
(18) Niwa K, et al：Survey of specialized tertiary care facilities for adults with congenital heart disease. Int J Cardiol 96：211-216, 2004
(19) 松田義雄, 他：妊娠出産の関知, 避妊, 人工妊娠中絶. 丹羽公一郎, 他（編）：目でみる循環器病シリーズ14：成人先天性心疾患, メジカルビュー社, 東京, 163-166, 2005
(20) Kamiya CA, et al：Outcome of pregnancy and effects on the right heart in women with repaired tetralogy of fallot. Circ J 76：957-963, 2012
(21) Katsuragi S, et al：Risk factors for maternal and fetal outcome in pregnancy complicated by Ebstein anomaly. Am J Obstet Gynecol 209：452.e1-6, 2013

（丹羽 公一郎）

variability during pregnancy in women with congenital heart disease and previous reparative surgery. Int J Cardiol 122：143-148, 2007

各論　間接産科的死亡

🫀 大動脈解離

> **commentary**
>
> ## 大動脈解離とは
>
> 　大動脈解離とは，大動脈壁が中膜のレベルで 2 層に剥離し，動脈走行に沿ってある長さをもち 2 腔になった状態で，大動脈壁内に血流，血腫もしくは血栓が存在する病態である[1,2]。発生のメカニズムとして，Marfan 症候群や Ehlers-Danlos 症候群等の先天性結合組織疾患では囊胞状中膜壊死による中膜の脆弱性，Loeys-Dietz 症候群では弾性板間の弾性線維の減少による中膜の integrity の低下が考えられている[3〜7]。また，妊娠中は循環血液量の増加に適応するため，血管中膜の弾性線維が断裂し血管が拡張する。そのため，妊娠は大動脈解離のリスク因子である可能性がある。
>
> **図 1　大動脈解離の病態**

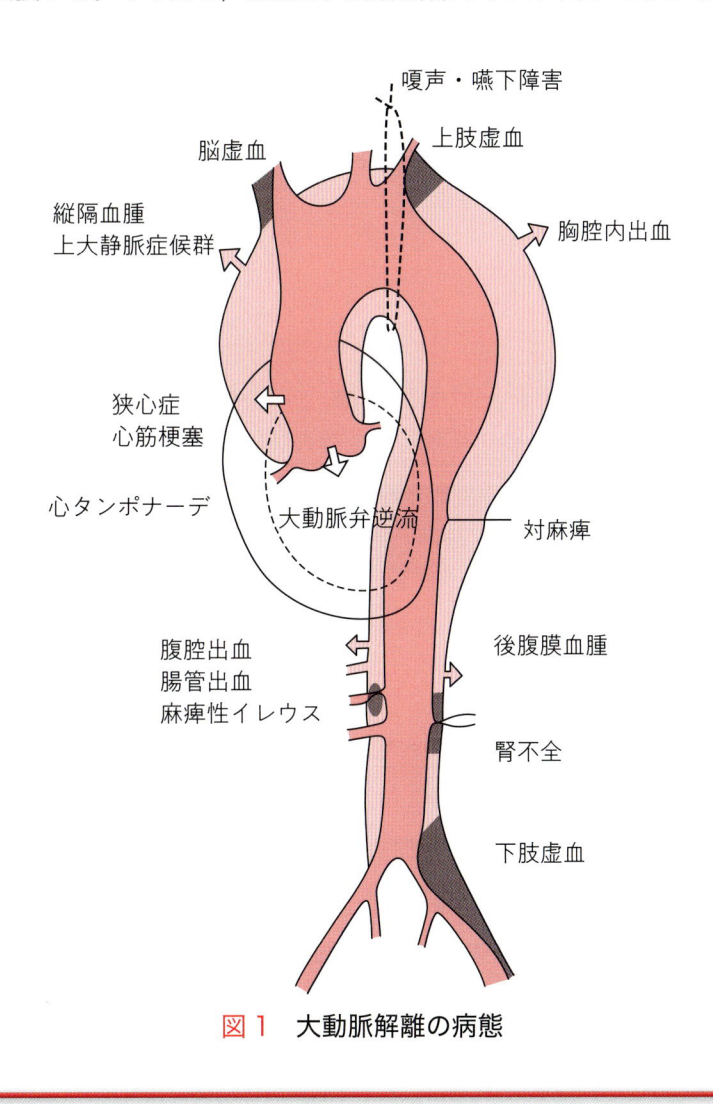

各論　間接産科的死亡　大動脈解離

▼**事例**　30代，初産婦

　身長175 cm，体重60 kg。水晶体脱臼の既往があった。有床診療所で妊婦健診を受けていたが，特に異常は指摘されていなかった。妊娠32週，胸背部痛を自覚した。鎮痛薬でも胸背部痛が改善せず持続したが，経過観察するよう指示された。数日後，トイレで倒れているのを家族が発見した。救急車を要請し，心肺蘇生を行いながら救急車で搬送された。病院到着時，脈拍は触知せず，瞳孔散大，心停止であった。心肺蘇生を継続したが，死亡確認となった。Aiによって，大動脈弁輪拡張症と大動脈解離（Stanford A）と診断された。死後の遺伝子検査において，*FBN1*遺伝子変異を診断された。

▼**評価**

　Marfan症候群を背景とした急性大動脈解離によって死亡した事例であった。若年性大動脈解離は稀であるが，若年発症の急性大動脈解離には，Marfan症候群等の先天性結合組織疾患や二尖弁等の先天性心疾患が関与していることが多い。本事例は妊娠前にMarfan症候群を診断されてはいないが，Marfan症候群を疑う既往歴（水晶体脱臼）や身体的特徴（高身長）が認められていた。鎮痛薬でコントロールできず，原因が説明できない胸背部痛に対し，精査が必要であった。

▼**提言**

- 原因が説明できず，強い胸背部痛を訴える場合には，大動脈解離を鑑別疾患として考慮する。
- Marfan症候群の身体的特徴（長頭・頰骨低形成等の特異的顔貌，側彎，漏斗胸等）を理解する。
- 診断は造影CTが有用であり，妊娠中であることを理由に躊躇しない。

疫学

　わが国における大動脈解離に関する全国統計は未だないが，大動脈解離の発症のピークは70歳代と考えられている[8]。また，妊娠中に発症した大動脈解離についても同様である。2010～2012年の3年間における日本の心血管疾患に関連した妊産婦死亡は15例であった。1991～1992年の2年間で行われたNagayaら[9]の厚生労働科学研究・妊産婦死亡班の調査では，心血管疾患に関連する妊産婦死亡は5例であった。心血管に関連した妊産婦死亡率を比較すると，1991～1992年：0.20，2010～2012年：0.37であった。1991～1992年と比べ，2010～2012年では約2倍に増加していた[10]。

　2010～2017年にかけて登録され，解析が終了した376例における心血管疾患に関連した妊産婦死亡は33例（9%）であった。心血管疾患に関連した妊産婦死亡の内訳は，大動脈解離が15例（46%），心筋症が5例（15%），不整脈・心筋炎・心筋梗塞がそれぞれ3例（9%）で，大動脈解離が約1/2近くを占めていた（表1）。

　高齢者の大動脈解離の発症では，高血圧や動脈硬

化を背景として発症することが多いが，若年者の場合はMarfan症候群，Ehlers-Danlos症候群，Loeys-Dietz症候群，大動脈縮窄症，大動脈二尖弁，TGF-β受容体遺伝子の異常，Turner症候群，大動脈炎症候群，若年性高血圧，外傷が背景であることが多い。

表1 心血管疾患に関連した妊産婦死亡原因（2010～2017年）

	n=33
大動脈解離	15 (46%)
心筋症	5 (15%)
不整脈	3 (9%)
心筋梗塞	3 (9%)
心筋炎	3 (9%)
肺高血圧	2 (6%)
心不全	1 (3%)
鎖骨下静脈瘤破裂	1 (3%)

病態生理

大動脈解離は，発症直後から経時的な変化を起こす。広範囲な血管に病変が伸展し，血管の1. 拡張，2. 破裂，3. 狭窄・閉塞に分類された症状を呈する[8]。

1．拡張

1）大動脈弁閉鎖不全

解離が大動脈弁輪部に及んだ場合に大動脈弁尖が左心室内に下垂した状態となって逆流をきたす。

2）瘤形成

解離腔の外壁が拡張し瘤を形成する。

2．破裂

1）心タンポナーデ

解離した大動脈の心囊内破裂もしくは切迫破裂に伴う血性滲出液貯留によって生じる。大動脈解離の死因として最も頻度が高く重篤なものである。

2）解離した血管壁の破裂

破裂によって，胸腔内や他の部位へ出血し死亡の原因となる。

3．狭窄・閉塞

末梢循環障害

解離により大動脈分枝に狭窄や閉塞が発生した場合には，その分枝から血液供給を受けている臓器の循環障害が生じる。狭窄・閉塞部位によって，冠動脈は狭心症・心筋梗塞，総頸動脈は脳虚血，腕頭・鎖骨下動脈は上肢虚血，椎骨動脈は対麻痺，腹腔動脈・上腸間膜動脈は腸管虚血，腎動脈は腎不全，腸骨動脈は下肢虚血等の症状を呈する。

妊娠による血管の生理的変化

妊娠・分娩によって，女性の体は生理学的に大きく変動する。循環血液量は非妊時の1.5倍に増加し，心拍出量と心拍数が増加する。大動脈中膜弾性線維は断裂と大動脈拡張が生じ，末梢血管抵抗は低下する。これらの変化は，正常妊婦であれば合目的変化である。しかし，結合織疾患や先天性心疾患等，大動脈が拡張する疾患を有する女性では，この合目的変化が病態の悪化を招くことがある。

診断

診断については，2010年に日本循環器学会より策定された大動脈瘤・大動脈解離診療ガイドライン（2011年改訂版）に沿って解説する[8]。急性大動脈解離診断・治療のフローチャートを図2に示した。

大動脈解離は，疑いをもつことが診断の第一歩で

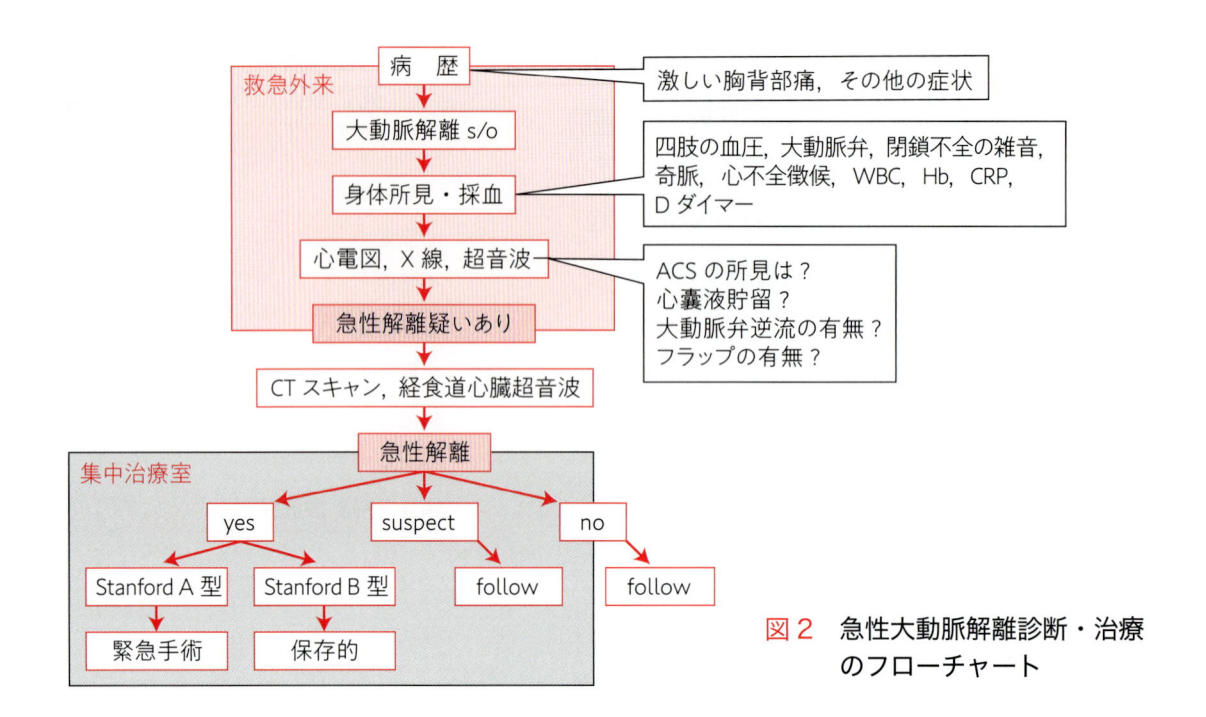

図2 急性大動脈解離診断・治療のフローチャート

ある。解離の特徴は，大動脈が裂ける際の突然の急激な胸背部痛である。この痛みは背中から腰部へと移動することが多く，典型的な症状を認める場合は大動脈解離を疑うことが重要である。約70～80％の症例でこの胸背部痛は認められるが，症状のない例も存在する[11,12]。症状がない場合の早期診断はきわめて困難である。疑った場合は，身体的特徴がMarfan体型でないか確認する。Marfan症候群の診断基準は**表2**に示す[13]。続いて，心電図，胸部単純X線撮影を行いながら循環器内科医，心臓血管外科医等の専門医へ連絡をする。専門医が到着した時点で，経胸壁超音波検査を行う。経胸壁心臓超音波では，壁運動異常，心嚢液，大動脈弁逆流の有無，上行大動脈の径や剥離内膜の有無，頸動脈や腹部大動脈の剥離内膜の有無を確認し，大動脈解離かそれ以外の疾患であるか大まかな鑑別を行う。これらの検査は，ベッドサイドで簡便に行えることが利点である。診断のためには，造影CTが最も情報量を得ることができるため，可能な限りは造影CTを行う。ただし，造影CTはCT室に移動しなければならず，患者

の状態を勘案し判断する。CTによって，大動脈解離の型診断（Stanford A型 or B型），瘤径，血管外の血腫の有無，胸水や心嚢液について評価され，緊急の外科的治療の適応があるかどうかの判断がなされる。

治療

Stanford分類は，解離の範囲からA型（上行大動脈に解離があるもの）とB型（上行大動脈に解離がないもの）に分けられている[12]。Stanford A型はきわめて予後不良であるため，緊急の外科治療の適応である。現在における外科治療は上行大動脈置換術，および必要に応じた弁輪部の修復術である。

Stanford B型はStanford A型よりも自然予後が良く，内科療法が初期治療として選択される。合併症のないStanford B型の場合，内科療法による30日間の死亡率は約10％と報告されているのに対し，外科治療の成績も同等と報告されている[14～16]。

表2　Marfan症候群と類縁疾患の診断のための改訂Ghent基準

家族歴がない場合：

(1) 大動脈基部病変[注1]（Z≧2）かつ水晶体偏位→「Marfan症候群」*
(2) 大動脈基部病変（Z≧2）かつ *FBN1* 遺伝子変異[注2]→「Marfan症候群」
(3) 大動脈基部病変（Z≧2）かつ身体徴候（≧7点）→「Marfan症候群」*
(4) 水晶体偏位かつ大動脈病変と関連する *FBN1* 遺伝子変異[注3]→「Marfan症候群」

- 水晶体偏位があっても，大動脈病変と関連する *FBN1* 遺伝子変異を認めない場合は，身体徴候の有無にかかわらず「水晶体偏位症候群（ELS）」とする
- 大動脈基部病変が軽度で（Valsalva洞径；Z＜2），身体徴候（≧5点で骨格所見を含む）を認めるが，水晶体偏位を認めない場合は「MASS」[注4]とする
- 僧帽弁逸脱を認めるが，大動脈基部病変が軽度で（Valsalva洞径；Z＜2），身体徴候を認めず（＜5点），水晶体偏位も認めない場合は「僧帽弁逸脱症候群（MVPS）」とする

家族歴[注5]がある場合：

(5) 水晶体偏位かつ家族歴→「Marfan症候群」
(6) 身体徴候（≧7点）かつ家族歴→「Marfan症候群」*
(7) 大動脈基部病変（20歳以上Z≧2，20歳未満Z≧3）かつ家族歴→「Marfan症候群」*

*この場合の診断は，類縁疾患であるShprintzen-Goldberg症候群，Loeys-Dietz症候群，血管型Ehlers-Danlos症候群との鑑別を必要とし，所見よりこれらの疾患が示唆される場合の判定は，*TGFBR1/2* 遺伝子，*COL3A1* 遺伝子，コラーゲン生化学分析等の諸検査を経てから行うこと．なお，鑑別を要する疾患や遺伝子は，将来変更される可能性がある

身体徴候（最大20点，7点以上で身体徴候ありと判定）

・手首サイン陽性かつ親指サイン陽性	3点
（手首サイン陽性または親指サイン陽性のいずれかのみ	1点）
・鳩胸	2点
（漏斗胸または胸郭非対称のみ	1点）
・後足部の変形	2点
（扁平足のみ	1点）
・肺気胸	2点
・脊髄硬膜拡張	1点
・股臼底突出	2点
・重度の側彎がない状態での，上節/下節比の低下＋指極/身長比の上昇	1点
・側彎または胸腰椎後彎	1点
・肘関節の伸展制限	1点
・特徴的顔貌（5つのうち3つ以上）：長頭，眼球陥凹，眼瞼裂斜下，頬骨低形成，下顎後退	1点
・皮膚線条	1点
・近視（－3Dを超える）	1点
・僧房弁逸脱	1点

[注1] 大動脈基部病変：大動脈基部径（Valsalva洞径）の拡大（Zスコアで判定），または大動脈基部解離
[注2] *FBN1* 遺伝子変異：別表に詳しく規定される（仔細省略）
[注3] 大動脈病変と関連する *FBN1* 遺伝子変異：これまでに，大動脈病変を有する患者で検出された *FBN1* 遺伝子変異
[注4] MASS：近視，僧帽弁逸脱，境界域の大動脈基部拡張（Valsalva洞径；Z＜2），皮膚線条，骨格系症状の表現型を有するもの
[注5] 家族歴：上記の(1)～(4)により，個別に診断された発端者を家族に有する

各論　間接産科的死亡　大動脈解離

Marfan症候群合併時の妊娠管理

　若年性大動脈解離の約半数がMarfan症候群に関連しているという報告があり[17]，Marfan症候群は若年性大動脈解離において重要な基礎疾患である。妊娠による変化によって大動脈壁中膜の細網線維断裂，酸性ムコ多糖体の減少，弾性線維配列の変化，平滑筋細胞の増殖と過形成がみられ，その結果として動脈壁のコンプライアンスが上昇し，Marfan症候群を有する女性では大動脈壁はきわめて脆弱となり大動脈解離の危険が増加する。

　本事例では，広範囲な剥離を発症する前に，大動脈弁輪拡張症に対する大動脈基部置換術等によって急性大動脈解離を予防できた可能性が残される。産婦人科医が，Marfan症候群を疑うことは難しいかもしれないが，身体的特徴的からMarfan症候群を疑われていたら，異なった経過をたどった可能性があった。若年発症の急性大動脈解離を予測することは困難であるが，持続し原因の説明が困難な強度の胸背部痛のため受診した時点で，胸部疾患，心血管疾患の可能性を考慮し，専門施設への紹介により大動脈解離を回避できた可能性も残された。

　若年発症で背景疾患がない場合，急性大動脈解離を予測することは困難であるが，強い胸痛，背部痛の原因として急性大動脈解離の可能性があることを念頭におく。特に妊娠では，子宮増大によって体幹に重量負荷がかかる上に，エストロゲン，プロゲステロン，胎盤性リラキシン等のホルモンの影響により靭帯が弛緩するため，生理学的な変化の結果として，腰痛・背部痛を訴えることも少なくない。しかし，繰り返し受診する妊婦，特に強い痛みを訴える妊婦に対しては，訴えに耳を傾け，生理学的な腰痛・背部痛ではない可能性を考慮することが寛容である。

　大動脈解離を疑った場合，診断には造影CTが有用である。若年性大動脈解離は，Marfan症候群等の先天性結合組織疾患や大動脈二尖弁等の先天性心疾患，血管壁の脆弱化の原因の一つであるTGF-β受容体遺伝子の異常[18]，原発性アルドステロン症等の若年性高血圧が背景としてあることが多いとされており，大動脈解離による死亡に遭遇した場合は，これらの背景疾患について明らかにするために血液検査，遺伝子検査，剖検を行うことが推奨される。

　Marfan症候群を有する女性の妊娠・分娩管理については，日本循環器学会の心疾患患者の妊娠・出産の適応，管理に関するガイドライン[19]やEndorsed by the European Society of Gynecology（ESC）[20]ガイドラインに準じて管理を行う。Marfan症候群における妊娠・分娩管理のポイントは下記のように記されている[19]。

①遺伝する可能性が50%あることを説明する。
②外科治療の適応がある場合，妊娠前に手術を受けるよう指導する。
③上行大動脈径（Valsalva洞を含む）44 mm以上か，大動脈解離がある場合は，妊娠しないよう指導する。それ以下は，妊娠可能と告げるが，解離による急変の可能性を説明する。
④上行大動脈径40 mm未満は，通常分娩が可能である。
⑤僧帽弁逆流症は，弁膜症のガイドラインに準じて治療を進める。
⑥必要に応じてβ遮断薬を投与する（母体と胎児への影響に注意する）。
⑦血圧管理や疼痛管理を厳重に行う。

　上行大動脈径が40 mmを超える場合は，大動脈解離のハイリスクであり，特に45〜50 mm以上の場合には妊娠前に大動脈基部置換術を考慮する。妊娠中は厳重な血圧管理が必要で，収縮期血圧130

mmHg未満で管理することが推奨されている[20]。日本では，KatsuragiらがMarfan症候群合併妊娠について検討を行っており，大動脈解離の家族歴，40mm以上のValsalva洞径，妊娠中のValsalva洞径の増大は妊娠中における大動脈解離のリスク因子であると報告している[21]。2019年より妊娠中に発症した大動脈解離の悉皆調査が開始されており，その結果が待たれるところである。また，2021年を目標に，妊娠中に発症した大動脈解離の前向き登録制度が設立される予定である。それらの結果から，妊娠中に発症した大動脈解離の詳細が明らかにされることが期待される。

文献

(1) Hiratzka LF, et al：2010 ACCF/AHA/AATS/ACR/ASA/SCA/SCAI/SIR/STS/SVMguidelines for the diagnosis and management of patients with Thoracic Aortic Disease：Executive summary. Circulation 121：1544–1579, 2010
(2) Erbel R, et al：Diagnosis and management of aortic dissection. Recommendation of the task force on aortic dissection, European Society of Cardiology. Eur Heart J 22：1642–1681, 2001
(3) Nakashima Y, et al：Dissectinganeurysm：a clinicopathologic and histopathologic study of 111 autopsied cases. Hum Pathol 21：291–296, 1990
(4) Nakashima Y, et al：Alterations of elastic architecture in human aortic dissecting aneurysm. Lab Invest 62：751–760, 1990
(5) Nakashima Y, et al：Alteration of elastic architecture in the lathyritic rat aorta implies the pathogenesis of aortic dissecting aneurysm. Am J Pathol 140：959–969, 1992
(6) Nakashima Y：Pathogenesis of aortic dissection：Elastic fiber abnormalities and aortic medial weakness. Ann Vasc Dis 3：28–36, 2010
(7) Maleszewski JJ, et al：Histopathologic findings in ascending aortas from individuals with Loeys–Dietz syndrome (LDS). Am J Surg Pathol 33：194–201, 2009
(8) Guidelines for Diagnosis and Treatment of Aortic Aneurysm and Aortic Dissection (JCS 2011)
(9) Nagaya K, et al：Causes of maternal mortality in Japan. JAMA 283：2661–2667, 2000
(10) Tanaka H, et al：The increase in the rate of maternal deaths related to cardiovascular disease in Japan from 1991–1992 to 2010–2012. J Cardiol 69：74–78, 2017
(11) Nallamothu BK, et al：Syncope in acute aortic dissection：diagnostic, prognostic, and clinical implications. Am J Med 113：468–471, 2002
(12) Klompas M：Does this patient have an acute thoracic aortic dissection? JAMA 287：2262–2272, 2002
(13) Loeys BL, et al：The revised Ghent nosology for the Marfan syndrome. J Med Genet 47：476–485, 2010
(14) Hagan PG, et al：The International Registry of Acute Aortic Dissection (IRAD)：new insights into an old disease. JAMA 283：897–903, 2000
(15) Suzuki T, et al：Clinical profiles and outcomes of acute type B aortic dissection in the current era：Lessons from the international registry of aortic dissection (IRAD). Circulation 108 (Suppl II)：312–317, 2003
(16) Neya K, et al：Outcome of Stanford type B acute aortic dissection. Circulation 86：II 1–7, 1992
(17) Januzzi JL, et al：Characterizing the young patient with aortic dissection：Result from the international registry of aortic dissection (IRAD). J Am Coll Cardiol 43：665–669, 2004
(18) Dean JC：Marfan syndrome：clinical diagnosis and management. Eur J Hum Genet 15：724–733, 2007
(19) 日本循環器学会/日本産科婦人科学会．心疾患患者の妊娠・出産の適応，管理に関するガイドライン（2018年改訂版）．2019. http://j-circ.or.jp/guideline/pdf/JCS2018_akagi_ikeda.pdf
(20) The Task Force on the Management of Cardiovascular Diseases during Pregnancy of the European Society of Cardiology (ESC)：ESC Guidelines on the management of cardiovascular diseases during pregnancy. Eur Heart J 32：3147–3197, 2011
(21) Katsuragi S, et al：Pregnancy–associated aortic dilatation or dissection in Japanese women with Marfan syndrome. Circ J 75：2545–2551, 2011

（田中 博明）

各論　間接産科的死亡

心血管系合併症

commentary

心血管系合併症妊娠とは

　妊娠末期には循環血液量が非妊娠時の約1.5倍に増加する。またレニン・アンジオテンシン系等の活性も高まり，心拍出量，心拍数ともに増加する。したがって非妊娠時よりも心負荷が増えることになり，心疾患をもつ妊婦においては動悸，易疲労感等の臨床症状に注意し，心臓超音波，心電図等総合的に管理を行うべきである。心疾患女性の妊娠出産時に認められる主要母体合併症は，心不全，不整脈，血栓塞栓，出血，高血圧，動脈解離，チアノーゼ増強，感染性心内膜炎である。流産，低出生体重児，死産等も大きな合併症である。しかしながら，心疾患は多彩であり，それぞれの心疾患に特有の病態変化を伴い，妊娠出産中の合併症，注意点が異なることも少なくない。産科，循環器内科，麻酔科，新生児科による複数の診療科のチーム医療が重要である。

　2010～2017年における妊産婦死亡330例のうち，心・大血管系合併症による妊産婦死亡は30例（10％）であった。内訳は大動脈解離15例，周産期心筋症5例，不整脈3例，肺高血圧症2例，虚血性心疾患2例，心筋炎1例，僧房弁狭窄症1例，鎖骨下静脈破裂1例である。発症時年齢〔中央値（範囲）〕は33（19～41）歳，初産婦は16例であった。妊娠初期，中期，末期，産褥期の発症がそれぞれ3，6，10，11例であり，妊娠末期，産褥期の発症が多く注意を要する。

　昨今，多くの先天性心疾患患者が外科手術で救命され，その大多数の寿命が成人期に達するようになった。また，特発性心筋症や肺動脈性高血圧，さらにはMarfan症候群等の遺伝性結合組織患者の予後も改善したことにより，従来は管理が困難であった心疾患患者の妊娠・出産の可能性および機会が増えた。心血管系合併症をもつ女性の妊娠・出産に関しては小児循環器科，心臓血管外科，麻酔科，産婦人科，思春期内科による総合医療のみならず，妊娠・出産に関連した遺伝カウンセリングも重要である。

　心血管系合併症をもつ女性の妊娠・出産に関して，循環生理の変動を踏まえた管理が大切である（表1）。

　2018年の心疾患患者の妊娠・出産の適応，管理に関するガイドライン（2018年改訂版）[1]で表2が提唱されている。

　表2の6疾患のなかで2010～

表1　妊娠・出産時の循環生理の変動

①血行動態的変化（運動時と類似した変化）（図1）
　全血液量増加：正常時の140～150％
　心拍出量増加：正常時の140～150％
　末梢血管拡張，静脈血圧上昇
　出産時出血：500～900 mL
　出産後4週間で妊娠前の状態に復帰

②血液学的変化（凝固能亢進，貧血）

③呼吸機能の変化（分時換気量増加）

④内分泌学的変化（コルチゾール，エストロゲンの増加）

⑤自律神経学的変化（心拍数増加）

⑥大動脈壁変化（弾性線維断裂）

2018年の妊産婦死亡のなかで肺高血圧症による死亡2例は妊娠前は未診断の例が妊娠中に高度の肺動脈性肺高血圧症を発症し予測が不可能であった点で特徴的である。

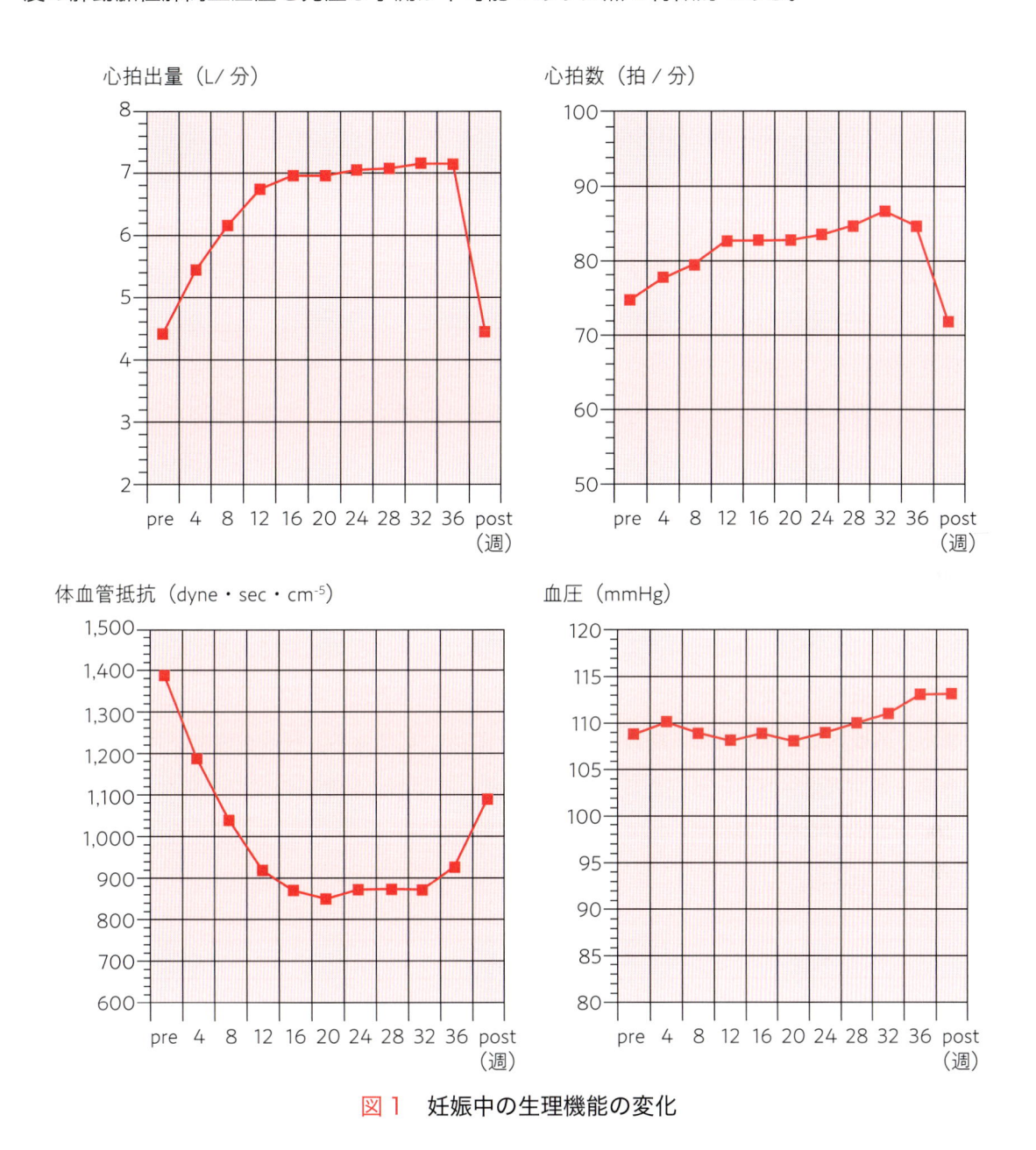

図1　妊娠中の生理機能の変化

表2　妊娠の際厳重な注意を要するあるいは妊娠を避けることが強く望まれる心疾患

・肺高血圧症	・Marfan症候群（大動脈径＞40 mm）
・流出路狭窄（大動脈弁高度狭窄）	・機械弁
・心不全	・チアノーゼ性心疾患（SpO_2＜85％）

各論　間接産科的死亡　心血管系合併症

▼**事例1**　**20代，初産婦**

　高校の健診時，心電図異常が疑われたが，再検査にて観察となった。妊娠中は特に症状なく経過していたが，妊娠38週から息苦しさ，動悸の自覚があった。妊娠39週，陣痛発来し，入院したが，SpO_2低値，洞性頻脈，心電図で右心負荷所見を認め，肺血栓塞栓症（PTE：pulmonary thromboembolism）の可能性を疑い，循環器内科に紹介となった。SpO_2 91％（room air），血圧111/87 mmHg，心拍数120/分，動脈血液ガス分析：pH 7.453，CO_2 22.8 mmHg，O_2 59 mmHg，HCO_3 15 mmol/L，BE-6.5 mmd/L。X線写真にて右肺動脈は分枝まで拡張しており，心電図は洞性頻脈，右軸偏位，右室肥大であった。心臓超音波は右心系の著明拡大と右心の肥大，中隔は収縮期/拡張期ともに圧排されており，三尖弁逆流（TR）を認め，著明な肺高血圧と診断された。その後，経腟分娩となり，産科病棟で管理を開始した。出産後に時間単位で酸素化が悪化し，酸素10LでSpO_2 95％前後であった。心臓超音波では心嚢水が貯留していた。分娩3日後，酸素化が悪くなり，咳嗽も出現した。利尿は良好であったが，状態はよくならず，超音波上で左室腔は狭小化していた。SpO_2の戻り方が悪くなり，ICUに転棟し，動脈圧モニタリングを開始した。しかし軽快することなく，死亡確認となった。

▼**評価**

　発症時の低SpO_2，頻脈，心電図による右室負荷所見は肺高血圧症の徴候である。心不全徴候のある重症肺高血圧症妊婦の分娩管理を行うには高いレベルの循環器管理，麻酔科管理，産科管理が必要である。また，分娩方法，麻酔方法，補液量に関する計画が必要である。経腟分娩であれば，硬膜外麻酔下の無痛分娩が考慮される。肺高血圧症では血栓症，不整脈，肺動脈の突然の狭窄を原因として，産褥1週間以内が最も死亡率が高いことを考慮し，分娩後にはフローラン等の肺高血圧薬を導入したICU管理が必要である。

▼**提言**

- 息切れ，動悸は妊娠中の多くの妊婦にみられるが，肺高血圧症，拡張型心筋症等の初期症状のこともあり，軽視しない。
- 坂道や階段で息切れがして途中で休む，立ち上がった時にめまいがする，疲れやすい等が肺高血圧症の初発症状である。
- 咳，呼吸困難，血痰例では肺高血圧症を鑑別する。心電図で右心負荷，SpO_2モニタリングで低酸素血症の評価を行う。
- 肺高血圧症患者は本来妊娠禁忌とされているが，妊娠後にわかった場合は，高次施設における妊娠分娩管理を行う（図3）。

- 経腟分娩であれば，硬膜外麻酔下の無痛分娩が望ましい。妊娠出産を安全に進めるには産科医，循環器科医，小児循環器科医，麻酔科医，新生児科医，看護師等の綿密な協力が必要で，妊娠前カウンセリングも不可欠である。

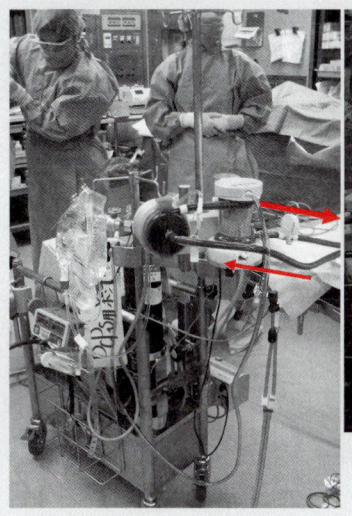

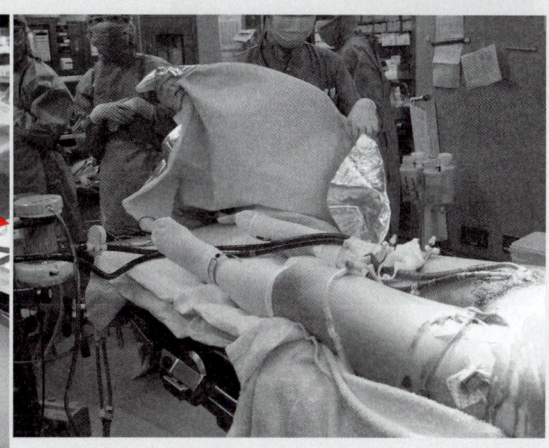

図3 原発性肺高血圧合併妊娠30週 PCPS下，帝王切開術施行

肺高血圧症と妊娠

1. 肺高血圧症

肺高血圧症は肺動脈圧が正常範囲を超えて上昇した状態である（図4）。安静時の平均肺動脈圧が25 mmHg以上の状態が，肺高血圧症と定義されている。肺高血圧症における妊娠予後は20～60％の妊産婦死亡率[1〜4]で，特に分娩後1週間以内の死亡率が高いと報告されている。死亡理由は突然死，心不全，血栓塞栓症の順に高い。Elliotら[5]は，軽症の肺高血圧症で平均肺動脈圧が40 mmHg未満のものは比較的母体予後は良いとしているが，Bédardら[6]は，軽症例においても分娩後心不全，死亡となる確率が30％に上ると報告している。

2. 国立循環器病研究センターにおける肺高血圧症合併妊娠の母体予後

1985～2010年までの42人，42妊娠を対象とした。これらの症例ではシルデナフィル，フローラン等の肺高血圧治療薬を使用していない。42症例の肺高血圧症の分類を表3，4に示す。

3. 肺高血圧症妊婦における分娩週数

分娩週数は2峰性の分布をとった（図5）。第1グループは30～32週にピークを示し，赤で示す重症例で構成され，Eisenmenger症候群4例と特発性肺高血圧症5例が90％以上を占めた。第2グループは妊娠37～38週にピークをもつもので，90％以上を軽症例が占めた。第1グループのほとんどは喀血，全身倦怠感増強，下腿浮腫進行等の心不全徴候を示し，Eisenmenger症候群においてはSpO$_2$低下が特徴的であった。胎児発育に関しては重症例の57％が妊娠週数に比べて小さな発育（SGA：small for gestational age）をしていたが，軽症例では10例すべてが週数相当の発育をしていた（表5）。

今回，肺高血圧薬を使用した例は含めずに検討を行った。近年の3症例においては肺高血圧症合併妊娠において十分な説明と予後を説明した後，タダラ

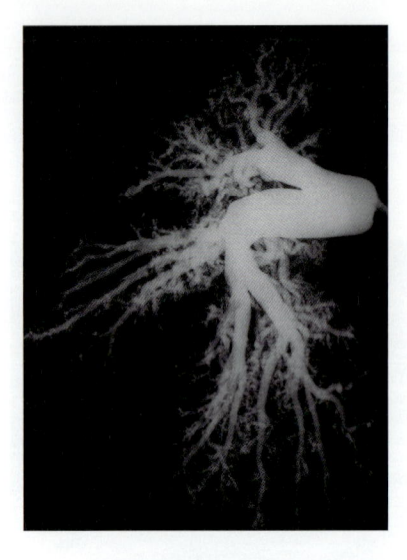

各論　間接産科的死亡　心血管系合併症

図4　肺高血圧症の剖検例における肺動脈造影像
枯れ木パターン

表3　重症度分類

	平均肺動脈圧（カテーテル）	収縮期肺動脈圧（エコー）
軽症（n=14）	25～40 mmHg	＜50 mmHg
重症（n=28）	≧40 mmHg	≧50 mmHg

表4　肺高血圧症の分類

	軽症（n=14）		重症（n=28）	
	中絶(4)	分娩(10)	中絶(14)	分娩(14)
原発性肺高血圧症	2	−	2	3
膠原病	−	2	−	−
先天性心疾患	2	8	1	6
Eisenmenger症候群	−	−	10	4
その他	−	−	1	1

軽症肺高血圧 14 人→4 人妊娠初期に人工妊娠中絶，10 人妊娠継続
重症肺高血圧 28 人→14 人妊娠初期に人工妊娠中絶，14 人妊娠継続

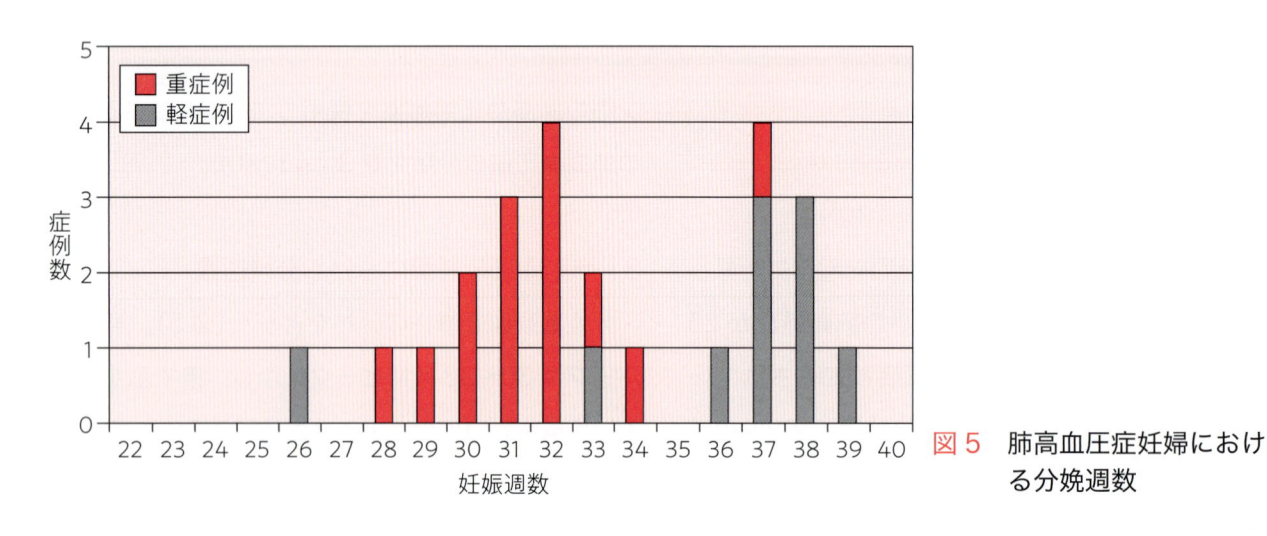

図5　肺高血圧症妊婦における分娩週数

表5　重症度別の患者背景と産科関連情報

	軽症（n=10）	重症（n=14）	p-value
分娩週数	36.4±4.0	31.4±2.8	＜0.005
新生児体重(g)	2,543±350	1,464±290	＜0.005
不当軽量児（SGA）	0	8	＜0.05
経腟分娩/帝王切開	6/4	2/12	ns
硬膜外/全身麻酔	0/4	0/12	ns

フィル，フローランの 2 剤を妊娠第 1 期に導入し，妊娠第 2 期における循環動態の変化に備えた。そのような例においては胎児発育不全が少ない傾向にあった（0/3）。

4．妊娠中の肺動脈圧の変化

重症例において平均肺動脈圧は右心カテーテル，心臓超音波による推定収縮期圧の双方の評価で妊娠週数が進むにつれて上昇した（図6）。

軽症例においては心臓超音波による推定収縮期圧（39.3±6.6 vs. 47.2±9.2 mmHg, ns）に有意な上昇はみられなかった。

図6 妊娠中の肺動脈圧の変化
A：右心カテーテルによる平均肺動脈圧
B：超音波による収縮期圧

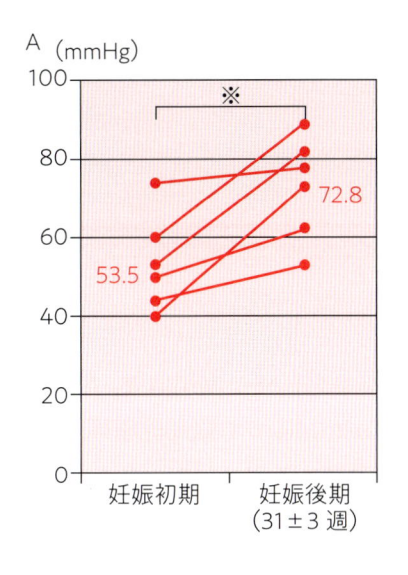

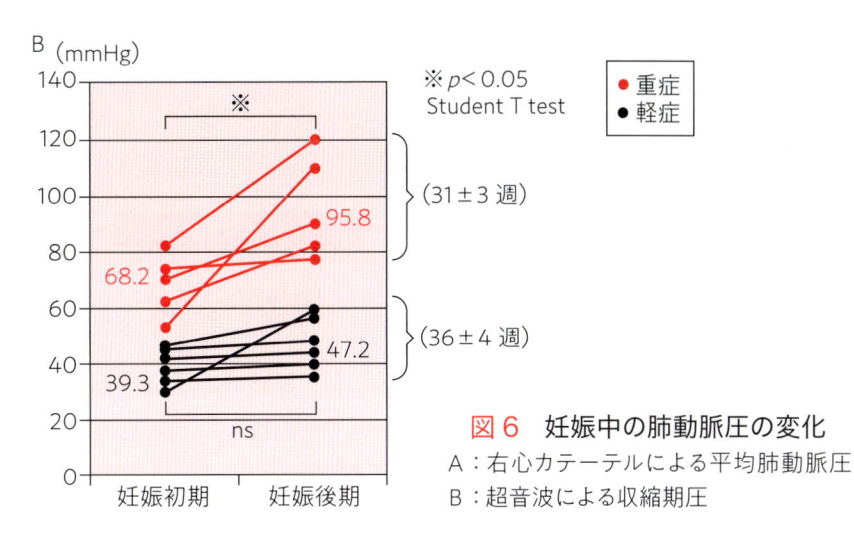

まとめ

　肺高血圧症はガイドライン上，妊娠禁忌の疾患である。今回の検討では，軽症例は先天性心疾患に関連する症例が多かった。今回の死亡例は，原発性肺高血圧症の重症例と考えられる。表4では，重症例は妊娠中期（妊娠30週前後）に心不全のために妊娠中断となっている例がほとんどである。妊娠中の息切れ，動悸は妊娠中の多くの妊婦にみられ，心不全徴候とはみなされないが，肺高血圧症，拡張型心筋症等の初期症状のこともあり，注意が必要である。坂道や階段で息切れがして途中で休む，立ち上がった時にめまいがする，疲れやすい等が肺高血圧症の初発症状である。これらは狭くなった肺の血管を血液が流れにくくなるため，体が酸素不足の状態になるために生じる。これらの症状が異常に早い時期から出現している場合には，何らかの問題が生じていることを疑う。理学所見での浮腫についても同様である。

文献

(1) 日本循環器学会/日本産科婦人科学会合同ガイドライン．心疾患患者の妊娠・出産の適応，管理に関するガイドライン（2018年改訂版）．http://j-circ.or.jp/guideline/pdf/JCS2018_akagi_ikeda.pdf

(2) Weiss BM, et al：Outcome of pulmonary vascular disease in pregnancy：a systematic overview from 1978 through 1996. J Am Coll Cardiol 31：1650-1657, 1998

(2) Lam GK, et al：Inhaled nitric oxide for primary pulmonary hypertension in pregnancy. Obstet Gynecol 98：895-898, 2001

(3) Bendayan D, et al：Pregnancy outcome in patients with pulmonary arterial hypertension receiving prostacyclin therapy. Obstet Gynecol 106：1206-1210, 2005

(4) Sigel CS, et al：Postpartum sudden death from pulmonary hypertension in the setting of portal hypertension in the setting of portal hypertension. Obstet Gynecol 110：501-503, 2007

(5) Elliot CA, et al：The use of iloprost in early pregnancy in patients with pulmonary arterial hypertension. Eur Respir J 26：168-173, 2005

(6) Bédard E, et al：Has there been any progress made on pregnancy outcomes among women with pulmonary arterial hypertension? Eur Heart J 30：256-265, 2009

（桂木 真司）

各論　間接産科的死亡

脳出血

---

commentary

脳出血とは

　妊娠分娩に伴う出血性脳卒中の原因には，妊娠高血圧症候群やHELLP症候群に伴う脳出血等，母体変化に直接由来するものと，脳動静脈奇形(AVM：arteriovenous malformation)や脳動脈瘤等，潜在する脳血管障害に由来するものに大別される。しかし，脳血管障害が潜在する場合においても，その発症においては，脳循環動態の変化・血管内皮異常・血液凝固能の亢進等の母体変化が少なからず影響している。

　この20年間でわが国の分娩数は，35～39歳で3.6倍，40～44歳と45～49歳では4.5倍となっており，妊婦の高齢化が明らかに進んでいるにもかかわらず，妊産婦死亡率は著しく低下している。特に高齢妊娠での死亡率の減少が妊産婦死亡の減少に貢献している[1]。しかし，年齢階級ごとの死因分析によれば，脳出血の割合は年齢とともに上昇し，40歳以上の高齢妊娠では産科危機的出血を抜いて死因の第1位となっている。今後，さらなる妊婦の高齢化が予想されるわが国において，脳出血対策の重要性はますます大きくなっている。

　広義の脳出血(頭蓋内出血)には，脳内出血・脳室内出血・くも膜下出血等が含まれる。脳内出血の原因としては妊娠高血圧症候群・HELLP症候群・AVMの破裂が多く，脳室内出血の原因としてもやもや病が，くも膜下出血の原因は脳動脈瘤の破裂が多い(図1)。

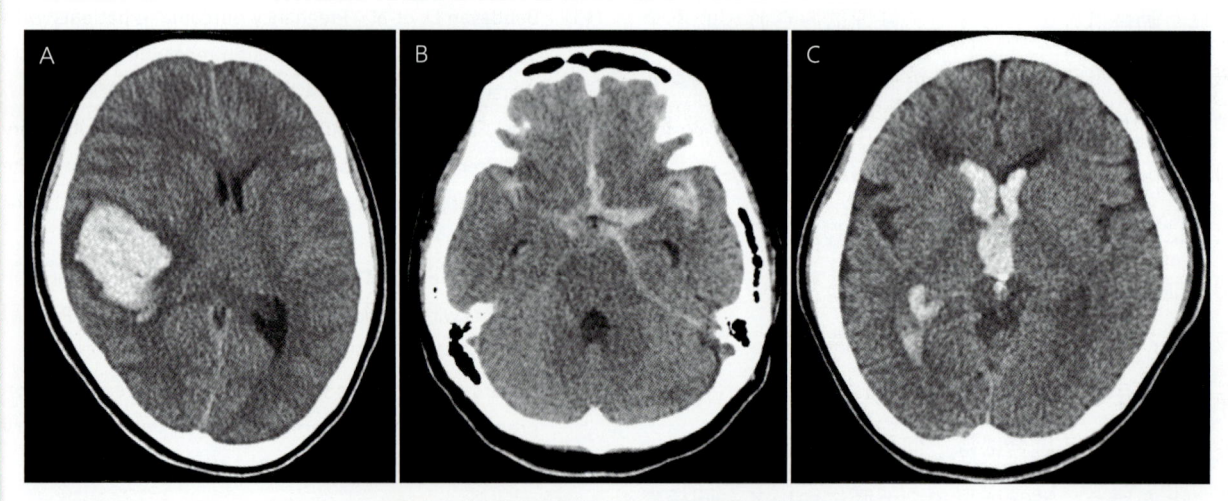

図1　妊産婦頭蓋内出血の頭部単純CT
A：AVM破裂による脳内出血，B：脳動脈瘤破裂によるくも膜下出血，C：もやもや病による脳室内出血

▼事例1　20代，初産婦

　身長160 cm，妊娠前体重100 kg，既往歴に特記すべきことはなかった。肥満妊婦であったため，自宅血圧測定の指示がされていたが，正常血圧内で推移していた。妊娠20週，道路脇に停車した車内で意識不明の状態であったところを付近の者が発見し，救急要請した。救急隊到着時は，血圧120/40 mmHg，心拍数80/分，呼吸数30/分，SpO2 85%（O2 10 L），JCS Ⅲ-300で，総合病院へ搬送された。単純CT検査で，左視床出血と診断され，直ちに脳室ドレナージの緊急手術が行われた。脳神経外科医，循環器内科医によって管理が行われたが，状態が悪化し，死亡確認となった。

▼評価

　妊娠中に偶発的に合併した視床出血による妊産婦死亡の事例である。妊婦健診等の管理は行われていたものの，1人の運転中の発症で，意識消失しているところを発見されて救急搬送されているため，救命困難な事例であった。

▼事例2　30代，経産婦

　妊娠38週に妊娠高血圧症候群の診断を受けた。経腟分娩は問題なく終了したが，6時間後に意識消失しているところを発見され，直ちに高次施設に搬送された。来院時意識レベルは，JCS 200と深昏睡であり，頭部単純CTでは脳室穿破を伴う右の被殻から尾状核の脳内出血を認めた(図2)。同時に実施したCTAでは，器質的な脳血管異常を認めなかった。血液検査では，WBC 27,000/μL，Hb 11.0 g/dL，Plt 7.4万/μL，PT-INR 1.06，APTT 27.6秒，AT Ⅲ 50%，AST/GOT 618 IU/L，LDH 1,644 IU/Lであり，血小板減少や肝酵素の上昇を認めた。開頭血腫除去術が施行された。血腫は凝固しており，一見すると通常の高血圧性脳内出血と同様の外観であったが，血腫を摘出すると周囲の白質からoozingが始まり，止血にきわめて難渋した(図3)。

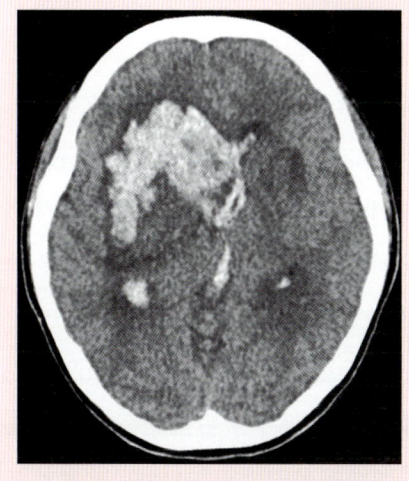

図2　術前の頭部単純CT

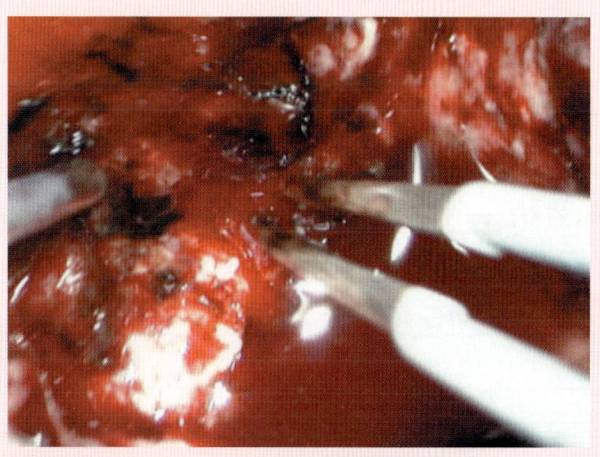

図3　術中写真
血腫の摘出腔からoozingが始まり，止血は困難をきわめた。

> **▼評価**
> 妊娠高血圧症候群合併妊娠であり，血小板減少・肝酵素上昇を認めたことから，HELLP症候群による脳内出血と考えられた。

> **▼提言**
> ・頭部CTや血腫の性状は，一見したところ高血圧性脳内出血と同様であるが，HELLP症候群合併の血腫除去術は止血困難である。
> ・HELLP症候群は，通常の血腫除去と考えて手術に臨むと思わぬピットフォールに陥る危険がある。DICの十分な治療を行いながらの手術が望ましい。
> ・脳神経外科では脳出血の背景因子としての妊娠高血圧症候群/HELLP症候群等の産科的合併症について十分に認知されていない可能性があるため，産科・脳神経外科の緊密な連携とともに，脳神経外科医への啓発が必要である。

病態生理

妊娠に伴う脳出血発症リスクに影響する要因として，脳循環動態の変化と血管内皮異常が重要である。

脳循環動態の変化には，妊娠の週数に伴う長期間に及ぶ変化と，分娩に伴う短時間の変化がある。正常妊娠の脳血流量は，妊娠12～15週にかけて一過性に増加した後，徐々に低下傾向を示し，36～40週では非妊娠時より低値となり，分娩後1週間以内に非妊娠時の値に戻る[2]。分娩時は，痛みによる血圧上昇や子宮収縮に伴う循環血液量と心拍出量の増加といった脳血流量の増加を招く要因と，陣痛時の過換気や，怒責に伴う胸腔内圧上昇の結果としての脳静脈還流低下等，脳血流量の低下を招く要因が，複合的に影響して変化する。児娩出の直前までは脳血流速度が低下し，娩出直後にはリバウンドが認められる。特に，この分娩に伴う劇的な脳循環動態の変化が脳血管の破綻リスクを高めるものと思われる。

全身性の血管内皮異常は，妊娠高血圧症候群やHELLP症候群の中心的な病態と考えられており，凝固因子の活性化や抗リン脂質抗体により惹起される[3～5]。脳血管内皮障害による血管透過性亢進が脳浮腫や脳出血を招く[6]。

疫学

これまでにも複数の妊産婦脳卒中調査が行われてきたが[7,8]，日本脳卒中学会の2014年度公式事業として実施された全国調査が，その悉皆性の高さからも現時点における最大の調査報告である[9]。日本脳卒中学会認定研修教育病院(736施設)において脳卒中診療にかかわるすべての診療科に対して，2012～2013年の2年間における妊産婦・産褥期脳卒中の治療結果を調査した。

内訳は出血型脳卒中が111例(73.5%)，虚血型脳卒中が37例(24.5%)，混合型脳卒中が3例(2.0%)であり，虚血性脳卒中の頻度が高い欧米とは異なり，日本人においては大半が出血性疾患であった。

厚生労働省の統計によれば，本研究調査期間中の妊婦は211万5,949例，生児出生数は206万7,047例，胎児死亡数は4万8,902例と報告されており，日本における妊産婦脳卒中の発症率は分娩10万件あたり10.2件と推計され，近年の海外からの報告と比較して低かった。

出血原因の疾患別では，脳動脈瘤が最多で19.8%，次いで脳動静脈奇形が17.1%，妊娠高血圧症候群が11.7%，HELLP症候群が8.1%であり，この4疾患で妊産婦出血性脳卒中の6割を占めた。また，脳動脈瘤や動静脈奇形以外に，もやもや病等を含め，既存の脳血管障害が潜在していた例が半数以上(53.1%)を占めた。好発時期については，脳血管障害が潜在する場合と産科的合併症による出血では異なる傾向を示し，前者は分娩前後には少なく，例えば動脈瘤破裂は妊娠末期と産褥後期に発症ピークを有し，脳動静脈奇形破裂は妊娠中期に多い。一方，産科的合併症に伴う出血は，分娩中およびその前後の短期間に集中していた。

診断

子癇発作と脳卒中による痙攣発作との鑑別は必ずしも容易ではない。その上，妊娠に関連した脳出血は致死率が高いため，頭部CTやMRI等による積極的な画像検査で原因を特定し，必要に応じて高次施設への搬送を考慮すべきである[10〜13]。診断までに3時間以上要した場合や，妊娠高血圧症候群/HELLP症候群の合併例は特に予後が悪い[14]。妊娠関連脳出血は，原因としてAVM等の器質的疾患を有する可能性も高く，出血の原因となる脳血管疾患の存在を念頭においてCTAやMRA等の脳血管評価を早期に行うことも重要である。

治療

妊産婦の脳出血に対する急性期対応の原則は，母体の生命を優先し，妊娠していない場合と同様に検査・治療を行うことである。

1. 妊娠高血圧症候群/HELLP症候群に伴う脳内出血

頭部CT上は通常の高血圧性脳内出血と類似しているが，出血傾向のために術中止血にきわめて難渋することも多いため，周到な術前準備と厳重な術後管理を要する。

2. AVM破裂による脳内出血

血腫除去と再破裂防止の根治性から，開頭術による血腫およびAVMの摘出が望ましい。血管内手術によるAVMの塞栓を考慮する場合，放射線被曝・造影剤使用・ヘパリン使用等が問題となるが，前2者については，適切な放射線防護と造影剤使用により妊娠中でも安全に行える[15,16]。ヘパリン使用は，出血性合併症の問題で帝王切開を同時に行えないことが問題となる。また，近年AVM塞栓物質として臨床使用されているOnyxは，溶媒として使用されているDMSOが小児には禁忌であるため，児の分娩の可能性がある場合は使用できない[17]。

3. 脳動脈瘤破裂によるくも膜下出血

くも膜下出血後の病状が待機可能な状態で，胎児が娩出可能であれば，緊急帝王切開を行ってから脳動脈瘤手術を行う。妊娠中期前半までに発症した場合や，高度の水頭症や大きな脳内血腫を伴うくも膜下出血であれば，動脈瘤治療を優先する。妊娠中の手術においては，胎児心拍数モニタリングを行い，必要に応じて緊急帝王切開も行えるよう，産科と脳神経外科の緊密な連携が必要である。クリッピング

かコイル塞栓かの選択は，動脈瘤の部位・大きさ・形状等の要素や，施設の状況により判断する。コイル塞栓では，放射線被曝・造影剤使用・ヘパリン使用等に対する配慮が必要となる。

4. もやもや病による脳内出血・脳室内出血

必要に応じて開頭血腫除去や脳室ドレナージ術を行うが，その際には，慢性期に虚血予防のための血行再建術を追加する可能性を念頭においた手術計画が必要となる。分娩方法については，経腟分娩による血圧上昇や過換気の影響を危惧して帝王切開が選択される傾向にあるが，分娩方法の違いは母体予後に影響しないとの報告もある。無痛分娩等も含め，施設ごとに最も慣れた方法を選択するのが妥当である。

文献

(1) 妊産婦死亡症例検討評価委員会，日本産婦人科医会池田智明，他：20年間における妊産婦死亡率の変化―高齢妊娠における妊産婦死亡率の減少と各年代の死亡原因―. 母体安全への提言 2013. vol. 4, 17–20, 2013
(2) Ikeda T, et al：Effect of early pregnancy on maternal regional cerebral blood flow. Am J Obstet Gynecol 168：1303–1308, 1993
(3) El-Roeiy A, et al：The relationship between autoantibodies and intrauterine growth retardation in hypertensive disorders of pregnancy. Am J Obstet Gynecol 164：1253–1261, 1991
(4) Carreras LO, et al：Arterial thrombosis, intrauterine death and lups anticoagulant：detection of immunoglobulin interfering with prostacyclin formation. Lancet 31：244–246, 1981
(5) Roger GM, et al：Preeclampsia is associated with a serum factor cytotoxic to human endothelial cells. Am J Obstet Gynecol 159：908–914, 1988
(6) 安達知子：妊娠に伴う凝固・線溶系の変化. 産婦の実際 53：497–502, 2004
(7) Takahashi JC, et al：Pregnancy-associated intracranial hemorrhage：Results of Neurosurgical Institute across Japan. J Stroke Cerebrovasc Dis 23：e65–71, 2014
(8) 池田智明，他：妊娠関連の脳血管障害の発症に関する研究 わが国の妊産婦死亡原因の主要疾患に関する研究 平成24年度～25年度総合研究報告書, 2014
(9) Yoshida K, et al：Strokes Associated With Pregnancy and Puerperium：A Nationwide Study by the Japan Stroke Society. Stroke 48：276–282, 2017
(10) Scott CA, et al：Incidence, risk factors, management, and outcomes of stroke in pregnancy. Obstet Gynecol 120：318–324, 2012
(11) Simolke GA, et al：Cerebrovascular accidents complicating pregnancy and the puerperium. Obstet Gynecol 78：37–42, 1991
(12) 大野泰正：産婦人科救急システムのシステム化と母体搬送の現状と問題点 愛知県における母体脳血管障害と母体搬送. 産婦治療 100：844–849, 2010
(13) 板倉敦夫，他：子癇と妊産婦の頭蓋内出血の現状と麦角アルカロイド投与の影響について. 産婦治療 94：1081–1085, 2007
(14) 吉松 淳，他：わが国における妊娠関連脳血管障害. 産婦治療 99：265–269, 2009
(15) Kizilkilic O, et al：Endovascular treatment of ruptured intracranial aneurysms during pregnancy：report of three cases. Arch Gynecol Obstet 268：325–328, 2003
(16) Marshman LA, et al：Comment to "Endovascular treatment of ruptured intracranial aneurysms during pregnancy：report of three cases". Arch Gynecol Obstet 272：93, 2005
(17) 江面正幸，他：妊娠分娩とAVM. The Mt. Fuji WS on CVD 講演集 31：48–51, 2013

（吉田 和道，高橋 淳，宮本 享）

各論　間接産科的死亡

脳梗塞

commentary

脳梗塞とは

　脳梗塞は，脳を栄養する動脈が血栓や塞栓のため閉塞，または狭窄し，脳組織が壊死，または壊死に近い状態になることをいう。一般にわが国では，脳梗塞は脳卒中の 3/4 以上を占めるが，妊産褥婦では 1/3 で出血性脳卒中が多数となる。これまでの妊産婦死亡症例検討評価委員会での検討事例では，明らかに脳梗塞で死亡したと考えられる症例は出血性梗塞の 1 例のみで，出血性脳血管障害に比して生命予後は良い。

　脳梗塞は運動麻痺，言語障害，意識障害等で発症し，死亡に至らずとも後遺症が残ることが多い。高血圧，糖尿病，脂質異常症，肥満，喫煙等がリスク因子として知られている。また，プロテインS欠損症，プロテインC欠損症，アンチトロンビンⅢ欠損症等の血栓性素因保有者，抗リン脂質抗体症候群などは若年者の原因疾患となりうる。

　脳梗塞の予後は，部位や大きさとともに治療開始までの時間に依存する。脳梗塞発症から 4.5 時間以内に血栓溶解療法を行うことで，予後の改善が認められる[1]（図1）[2]。

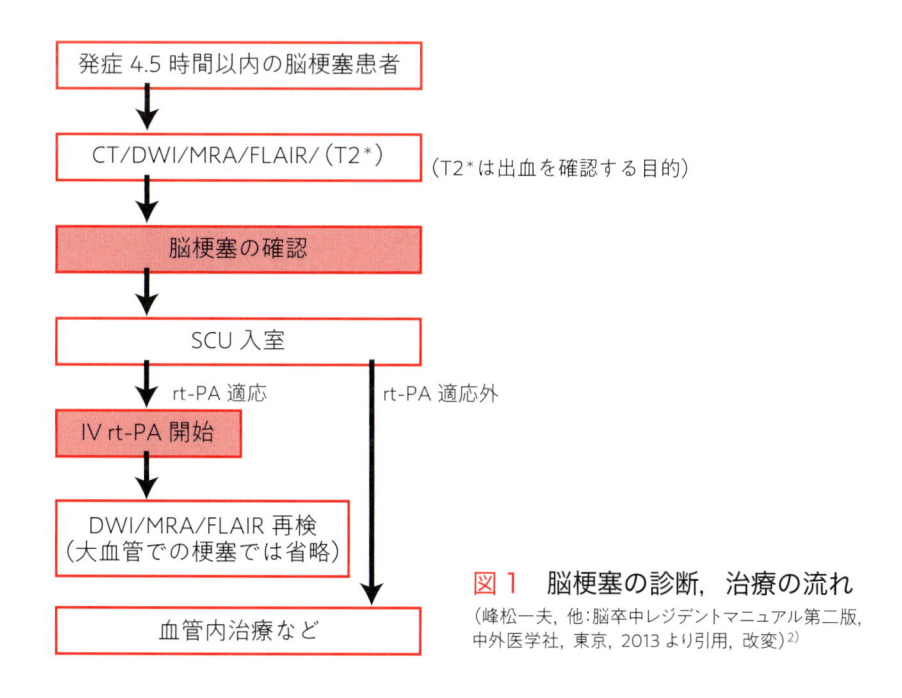

```
発症 4.5 時間以内の脳梗塞患者
            ↓
CT/DWI/MRA/FLAIR/(T2*)   (T2*は出血を確認する目的)
            ↓
       脳梗塞の確認
            ↓
         SCU 入室
       ↓        ↓
   rt-PA 適応   rt-PA 適応外
       ↓           ↓
   IV rt-PA 開始    ↓
       ↓           ↓
DWI/MRA/FLAIR 再検    ↓
（大血管での梗塞では省略）↓
       ↓
   血管内治療など
```

図1　脳梗塞の診断，治療の流れ
(峰松一夫, 他:脳卒中レジデントマニュアル第二版, 中外医学社, 東京, 2013 より引用, 改変)[2]

各論　間接産科的死亡　脳梗塞

▼事例1　30代，初産婦

妊娠30週まで異常を指摘されていなかった。妊娠33週に血圧が150/100 mmHgと上昇し，妊娠高血圧症候群のため入院となった。妊娠34週に血圧の上昇がみられ，分娩の方針となった。オキシトシンで陣痛誘発し，吸引分娩で2,100 gの児を娩出した。分娩後出血のため子宮動脈塞栓術を施行した。子宮塞栓術終了時，Hb 3.5 g/dL，Fib＜50 mg/dLでRBC 10単位，FFP 5単位が投与された。この際，一過性に激しい頭痛，意識障害を認めた。CT，MRIが行われたが所見を認めず，自然に軽快した。産褥2週間，突然，痙攣が出現した。緊急頭部CTで頭頂部の脳梗塞が明らかになった。痙攣重積したため気管挿管，鎮静し人工換気を行った。翌日の頭部MRIで前頭葉の広範囲な出血性脳梗塞，脳ヘルニアと診断された。すでに脳死状態と診断され，後に死亡確認となった。

▼評価

前頭葉の広範囲な出血性脳梗塞による脳ヘルニアに引き続く脳死から死亡に至った事例であった。解剖はされていないがCT，MRIで広範囲の出血性脳梗塞を認めた。神経症状は，子宮塞栓術終了直後，意識混濁，共同偏視，対光反射の消失等の症状を認めたが，CT，MRIでは所見がなかった。この時は強い脳血管の攣縮があったと考えられる。産褥2週間で視覚障害が起こり脳梗塞が疑われ，この後，痙攣が出現，頭頂部の脳梗塞が明らかになった。痙攣が重積し，MRIで前頭葉の広範囲な出血性脳梗塞と診断された。

▼提言

・大量出血，DICなどで凝固・線溶系に障害が起きた後は血栓症に注意する。
・一過性の脳虚血や血管攣縮後の脳梗塞発症に注意する。
・妊産褥婦に神経症状がみられた場合には速やかに画像診断を行い，専門医へのコンサルト，もしくは専門施設への搬送を考慮する。脳梗塞の予後は発症の程度や部位によるが，治療開始までの時間もまた大きな因子である。

疫学・病態生理

わが国では年間25万人が新たに脳梗塞を発症し，日本人全体の死因の第3位である。年齢の進行に伴って発症率は上がり，高齢者に多く，生殖年齢の女性には少ない。妊娠関連の発症は，2012～2013年の日本脳卒中学会の全国調査で37例で，その原因で最も頻度が高かったものはRCVS (reversible cerebral vasoconstriction syndrome) であった。発症のピークは妊娠初期，後期，産褥期とされる。妊娠による凝固系の亢進，母体の血行動態の変化，ホルモンの変化などは，梗塞性脳血管障害の発

症を助長する因子といえる。脳出血では認めない妊娠初期の発症ピークは，急激なエストロゲンの上昇と凝固系の亢進に妊娠悪阻による脱水が加わり，発症するものと考えられる。

　脳梗塞の病系分類は3階層で行われる。すなわち，①機序，②臨床カテゴリー，③部位，の3階層で分類される。臨床的カテゴリーとしては，アテローム血栓性脳梗塞，心原性脳塞栓症，ラクナ梗塞，その他の4つに分類される[3]。アテローム血栓性脳梗塞は，頭蓋内外のアテローム硬化病変による脳梗塞で，主幹動脈の50％以上の狭窄がある場合をいう。ラクナ梗塞は，脳の細動脈の単一穿通枝動脈領域の脳梗塞をいう。心原性脳梗塞は，心腔内に形成された血栓により，奇異性脳梗塞等がこれに分類される。そのほかの脳梗塞には，抗リン脂質抗体症候群によるものや脳動脈解離によるものが含まれる。脳動脈解離は脳を灌流する動脈に発生する解離で，その結果，脳梗塞のみならずくも膜下出血など，さまざまな病像を呈しうる疾患である。若年者に発生しやすいことから，妊婦では注意が必要である。最近の自験例では，妊娠中の梗塞性脳血管障害7例中2例が後大脳動脈解離によるものであった。

　脳梗塞の経過は，まず，発生の数時間後から脳の損傷部位や大きさに応じた脳浮腫が発生する。脳浮腫は3～4日で顕著になり，1週間でおよそ収束する。高度な場合には脳ヘルニアを発症する。脳ヘルニアにより脳幹が障害されると，Cheyne-Stokes呼吸と呼ばれる周期性の呼吸がみられるようになる。脳ヘルニアは生命予後，機能予後に大きくかかわる病態であり，迅速な対応が求められる[2]。

　脳梗塞の範囲が広い場合や脳浮腫が高度な場合には，出血性梗塞となるリスクが高まる。出血性梗塞とは，梗塞巣内に脳出血を併発するもので，塞栓性脳梗塞では30～60％に認める。このような場合，後述する治療で用いられる血栓溶解療法を即座に行うことができず，予後を悪化させる要因となる。

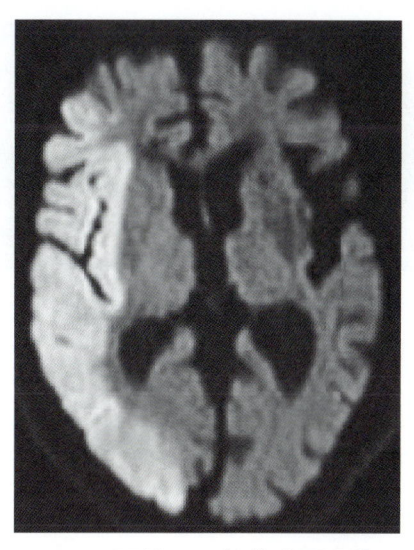

図2　頭部MRI拡散強調画像
右中大脳動脈領域に広範な梗塞像を認める（提示した症例とは別）。

診断

　脳梗塞の症状は頭痛，嘔吐，めまい，意識障害など多彩であるが，必ず局所の神経症状を伴う。初発症状を早期に発見することが予後の改善につながる。米国脳卒中協会が提唱しているFASTという標語は，顔の麻痺（FACE），腕の麻痺（ARM），言葉の麻痺（SPEECH），そして発症時刻の確認（TIME）を素早く判断し，早期に治療介入しようというもので，妊産褥婦にも応用できるものである。たとえ早期に発見できても意識障害が重度である場合，その予後は悪い。また，時間とともに進行する意識障害は，出血性梗塞や脳ヘルニアの進行を示す症状となりうる。診断は画像診断による。早期の脳虚血変化は，その程度と時間に依存する。早期の変化として，灰白質の軽微な濃度低下と大脳皮質の腫脹が認められるが，変化を見出せないことも少なくない[4]。診断にはMRIの有用度が高い。撮像法としては拡散強調

各論　間接産科的死亡　脳梗塞

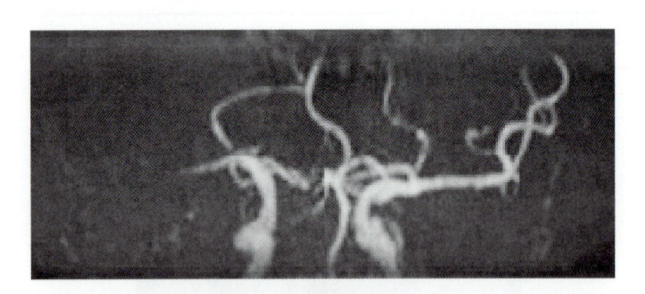

図3　頭部MRA
右中大脳動脈の閉塞を認める。

画像(DWI)(図2)，T2強調画像，FLAIR画像が虚血領域を描出するのに適している。MRAは主幹動脈の閉塞の評価に有用である(図3)。

治療

梗塞性脳卒中の治療の主体は血栓溶解療法となる。近年，最も有効とされるのは組織型プラスミノーゲンアクチベータ(recombinant tissue plasminogen activator：rt-PA)の静脈投与である。現在は，発症から4.5時間以内の治療開始であれば有効性が確認されている[1]。また，4.5時間以内でも治療開始が早いほど良好な転帰が期待できるため，できるだけ早期の血栓溶解療法が求められる[5]。rt-PAは胎盤通過性がなく，児への直接的影響はない[6]。しかし子宮出血への懸念から，わが国での妊婦に対する使用経験は少ない。2010年に山口ら[7]から妊娠18週の脳梗塞への投与例が報告されており，母児ともに良好な予後が得られている。海外の諸家から[6,8]も使用経験の報告がみられる。Leonhardtら[6]は28例の報告を集計し，2例の妊産婦死亡と6例の胎児，新生児死亡を報告している。

妊娠中期以降で児の生存限界を超えている場合には，rt-PAを投与しながら妊娠期間の延長を図るのか，妊娠を終了して母体への血栓溶解療法を行うのか，重症度や妊娠週数を考慮した個別の判断が求められる。rt-PAの有害事象は出血が中心である。そのため，頭蓋内はもちろん，消化管，尿路などの他臓器に出血を認める場合にはrt-PAの適応から除外される。また，高血圧(収縮期185 mmHg以上，拡張期110 mmHg以上)も，また適応から除外される[1]。絨毛間腔への血流が増加した妊娠中期以降では，出血による母児の予後への影響は強くなり，より慎重な判断が求められる。

妊娠中の脳梗塞への対応

妊娠中に脳梗塞を疑わせる症状が出現した場合には，積極的に画像診断を行う。上述したように，早期の診断にはMRIが有用である。画像診断が自施設で行えない場合には速やかに専門施設へ搬送し，治療開始が4.5時間以内となることが求められる。診断から治療までの流れは図1[2]に示した。

急性期の血栓溶解療法が奏効した場合には抗凝固療法が継続される。ただし，出血性梗塞，範囲の広い梗塞，高血圧症例では早期の抗凝固療法は大出血の危険があり，避けることが勧められている。

妊娠中の抗凝固療法は未分画ヘパリンで行われることが一般的であるが，当院での未分画ヘパリンの導入は，15単位/kg/時から開始し4〜6時間ごとにAPTTを測定している。正常値の2〜3倍(APTT 60〜90秒)に到達したところで，APTTの測定間隔を漸増している。分娩間近となったら，未分画ヘパリンの投与方法を持続静脈注射で行い，抗凝固作用が十分に低下する分娩の6時間前に中止している。

分娩終了後は速やかに抗凝固療法を再開するが，分娩後の出血が十分にコントロールされていることを確認し，経腟分娩であれば4〜6時間後，帝王切開であれば12時間後に未分画ヘパリンを再開する。未分画ヘパリン再開後に子宮出血を認め，輸血

を要した症例を経験しており，慎重な観察が求められる。

文献

(1) 日本脳卒中学会：rt-PA（アルテプラーゼ）静注療法適正治療指針第二版，2012
(2) 峰松一夫，他：脳卒中レジデントマニュアル第二版，中外医学社，東京，2013
(3) Amarenco P, et al：Classification of stroke subtypes. Cerebrovasc Dis 27：493–501, 2009
(4) Hirano T, et al：Presence of early ischemic change on computed tomogramphy depends on severity and the duration of hypoperfusion：a single photon emission computed tomogramphic study. Stroke 36：2601–2608, 2005
(5) 日本脳卒中学会 脳卒中ガイドライン[追補2017]委員会（編）．脳卒中治療ガイドライン2015[追補2017]. http://www.jsts.gr.jp/img/guideline2015_tuiho2017.pdf
(6) Leonhardt G, Gaul C, Nietsch HH, et al：Thrombolyic therapy in pregnancy. J Thrombolysis 21：271–276, 2006
(7) 山口裕子，他：妊娠18週で遺伝子組み換え組織プラスミノゲンアクチベーター（recombinant tissue plasminogen activator：rt-PA）静注療法を施行された脳塞栓症の1例. 臨床神経学 50：315–319, 2010
(8) Ahearn GS, et al：Massive pulmonary embolism during pregnancy successfully treated with recombinant tissue plasminogen activator：a case report and review of treatment options. Arch Intern Med 162：1221–1227, 2002

（吉松 淳）

各論　間接産科的死亡

てんかん

commentary

てんかんとは

　大脳の神経細胞は，規則正しいリズムで調和を保ち電気的に活動している。しかし，過剰興奮（激しい電気的乱れ）を生じることがあり，これが，てんかん発作であると考えられている。そして，てんかんは，てんかん性発作を引き起こす持続性素因を特徴とする脳の障害とされている。

　てんかんをもつ女性の妊娠・出産に関しての診療指針は，「てんかん診療ガイドライン2018」（日本神経学会），「てんかんを持つ妊娠可能年齢の女性に対する治療ガイドライン」（日本てんかん学会）に示されている。以下に，簡潔に紹介するが，妊娠前からの入念な準備が重要であることが述べられている。

　中学生頃からライフステージに沿って，将来の妊娠・出産に関し，家族を含めたカウンセリングを導入し（プレコンセプションケア），本人・家族の疾患やその治療方針についての理解を深めることに努める。例えば妊娠・出産にかかわるリスクを減らすためには，催奇形性リスクが少なく，かつ発作抑制の可能な薬剤調整が必要であり，そのためには「計画的な妊娠・出産」が望ましいことを伝え，妊娠前や妊娠判明後に，自己判断による休薬の防止に努める。カウンセリングには，必要に応じて産婦人科や小児科もかかわることが望ましく，心理的サポートにも配慮する。避妊の相談においては，経口避妊薬が抗てんかん薬に影響することにも注意する。妊娠期には，児への安全面から選択されることの多いレベチラセタムとラモトリギンは，妊娠中に血中濃度が低下しやすく，産褥期には発作の誘因となる授乳等のストレスに配慮する。

　てんかんを持つ女性の90％は通常の出産が可能といわれている。近年，reproductive rights（性と生殖に関する権利）という概念が着目されており，疾患を有する女性の権利を擁護しつつ，安全な妊娠・出産を支援する。

　わが国の妊産婦死亡において，直接産科的死亡の占める割合は減少傾向にあり，今後はてんかんを含む間接産科的死亡の減少を視野に入れる必要がある。てんかん合併妊娠は妊娠判明後からの介入が困難であり，プレコンセプションケアの普及が望まれる。合併症をもつ女性に対応する窓口（プレコンセプション外来，妊娠前相談外来等）の設置・充実が望まれる。そのカウンセリングの過程では，shared decision making（患者・家族と，医療者による双方向性の治療方針決定）を導入していくことが，治療へのアドヒアランス構築に有効である。

▼事例1　40代，初産婦

妊娠前はてんかん発作でICU入室を繰り返していた。てんかん診療の主治医により内服を勧められていたが，本人の強い希望により内服中止となっていた。妊娠37週に，横位で選択的帝王切開が施行された。術後5日目にベッド上で心停止状態にて発見され，心肺蘇生により心拍再開しICU管理となったが，低酸素脳症となり，その後死亡確認となった。

▼事例2　30代，初産婦

小児期にてんかんを発症し，複数薬剤が投与されていたが，発作のコントロールは困難であった。挙児希望のため，妊娠成立2年前からラミクタールを導入し，単剤400 mg/日に切り替えた。体外受精にて妊娠し，同一施設の神経内科で管理を受けていた。しかし，3日に1回の頻度で意識消失発作を認めていた。妊娠20週に自宅で発作があり，家族により救急車が要請された。搬送中に，心停止状態となり，心肺蘇生を施行したが死亡確認となった。

▼評価

いずれの事例も，痙攣重積発作とそれに伴う気道閉塞により低酸素血症をきたし心停止に至った。事例1は，抗てんかん薬の内服を拒否していた。このように，抗てんかん薬の催奇形性や不妊への不安から，患者が薬剤を自己判断で中断してしまうことがある。家族を含めたプレコンセプションケアにより，自己判断による休薬の防止が期待される。また，双方向性のshared decision makingは，治療へのアドヒアランスの向上につながる可能性がある。

事例2のように，意識消失発作を繰り返す場合には，コントロール不良と判断し，薬剤の増量や変更等の検討が必要であったと考えられた。また，ラミクタールは妊娠中に血中濃度が低下することがあり，血中濃度のモニタリングによる管理が必要である。

▼事例3　40代，経産婦

海綿状血管腫による症候性てんかんに対し，抗てんかん薬の内服を勧められていたが，挙児希望により拒否していた。その後，妊娠成立し，繰り返す痙攣発作のため，総合病院へ入院となった。重積発作の危険性等の説明の上，レベチラセタム内服が開始された。妊娠16週から外来管理となったが，抗てんかん薬の胎児への影響を理由として，休薬を表明していた。妊娠18週，自宅で亡くなっているところを発見された。

▼事例4　30代，初産婦

小児期にてんかんと診断され，定期的に通院していた。ラミクタール250 mg/日で管理されており，アドヒアランスも良好であった。妊娠32週頃，自宅トイレで倒れているところを発見された。救

急隊到着時には，死後硬直が出現していた。調査法解剖で，ラミクタールの血中濃度は治療域であったことが明らかとなった。

▼事例5　20代，初産婦

小児期に脳神経外科でてんかんと診断されて以降，カルバマゼピン内服で血中濃度モニタリングしながら，管理されていた。妊娠前の2年間は発作もなく安定していた。妊娠39週に，自然分娩に至った。分娩後カルバマゼピン内服し，産後約6時間経過した時点で，病室で心停止の状態で発見された。蘇生に反応せず，死亡確認となった。

▼評価

事例3〜5はてんかん患者の予期せぬ突然死（SUDEP：sudden unexpected death in epilepsy）という疾患概念の範疇である。現在，有効なSUDEP発症の予測や予防として，確立したものはない。発作のコントロールがSUDEPの予防につながるという意見もあるが，事例4，5においては，妊娠9カ月以内にてんかん発作がなく，コントロールは良好であり，予測は困難であったと考えられる。事例3の症候性てんかんは妊娠第1半期に増悪しやすいとされており注意が必要な状況であった。

▼提言

- てんかんを有する女性が妊娠を希望する際には，てんかんの専門診療科と連携し，安全な妊娠・出産管理に向けて，妊娠前からの準備，プレコンセプションケアを行う。
- 抗てんかん薬の胎児への影響の懸念のため，自己判断による休薬が重積発作に伴う妊産婦死亡のリスクにつながる。
- レベチラセタムとラモトリギンは胎児への安全性が高いが，妊娠中に血中濃度が低下することがあり，投薬中は血中濃度のモニタリングを実施する。
- SUDEPという救命困難な病態が存在することを認識し，可能な限り，妊娠中，産褥期はbystanderをおき，入院中は生体モニタリングをしようする等，発作の早期発見に努める。

てんかんと妊娠

てんかんは有病率が約1%とされており，比較的頻度の高い疾患である。国外の報告ではあるが，てんかんを有する妊産婦の死亡は，一般の妊産婦と比べ死亡率が10倍高く，その約8割がSUDEPであると報告されている[1]。妊娠・出産へのてんかんの及ぼす影響として，てんかんを合併した場合，自然流産，早産，妊娠高血圧症候群，分娩後異常出血，帝王切開率等，産科合併症は有意に上昇するが，わずかである[2]。他方，妊娠がてんかんに与える影響として，発作の頻度は半数では変化がないが，残りの

1/4は減少，1/4は増加するとされている[3]。

プレコンセプションケアという概念は国外では1980年代頃から提唱されているが，まだわが国において普及・定着しているとはいえない。この概念は，受胎前からのカウンセリングや健康管理といった介入を行うことで，母児ともに予後を向上させることを目指すものである。こうした概念が提唱されるようになった背景には，特に先進国において，妊娠後からの介入では出産までの管理に限界があり，現状よりも母児の予後を向上させていくためには，より早い時期，つまり受胎前からの介入が必要との考えがある。てんかん女性に適切なプレコンセプションケアを行うことは，より安全な妊娠および出産につながると期待される。ほとんどのてんかん女性は，妊娠・出産が可能であるが，抗てんかん薬による催奇形性等，児への影響を心配していることも多い。したがって，医療者側から，妊娠中の発作がもたらす児への悪影響や抗てんかん薬の児への影響について適切な情報提供を行うことで，自己判断での休薬による不幸な転帰を回避できる可能性がある。日本神経学会の「てんかん診療ガイドライン2018」や，日本てんかん学会の「てんかんを持つ妊娠可能年齢の女性に対する治療ガイドライン」には，妊娠前からの入念な準備について記載されている。てんかんの診療は，脳神経内科，脳神経外科，精神科等が主に担っているが，これら専門診療科が個別で診療するのではなく，産婦人科，小児科等，多職種で，プレコンセプションケアを含め，情報を共有しておくとよいという意見がある。

妊娠前，妊娠，産後の管理方針

1．プレコンセプションケア

プレコンセプションケアにおいて，医療者からの一方的な治療方針の提案ではなく，shared decision making（患者・家族と，医療者による双方向性の治療方針決定）に至るよう努めることは，その後の治療方針へのアドヒアランス向上の鍵となると考えられる[4]。事例を振り返ってみると，抗てんかん薬による生殖内分泌機能の低下や催奇形性を不安に感じ，自己中断をしているケースが散見され，医療者－患者・家族の間での相互理解が十分でなかった可能性は否定できない。てんかんの主治医，産婦人科医が協力して，安全な妊娠・出産という共通の目標に向かって本人・家族と治療方針を決定していくように努めることは，こうした治療アドヒアランスを向上させる可能性がある。しかしながら現状では，わが国においてプレコンセプションケアは普及しているとはいえず，妊娠判明後に産婦人科医が関与することになるケースが多い。今後，プレコンセプションケアという概念が普及すれば，将来の妊娠・出産の希望について，患者・家族と十分な時間をとって話し合う外来窓口（プレコンセプション外来，妊娠前相談外来等）の設置・充実へと進展することが期待される。表1に具体的な管理の方針を示した[3,5～7]。患者が，カウンセリングを通して薬剤の調整，葉酸の補充等の必要性を理解できるように努める。薬物の変更により悪化することがあり，また調整に時間がかかることがあるため，余裕をもって調整を開始しておくとよいという意見もある（妊娠の約半年前に薬剤調整と症状の安定化を確認することを目安とする）。妊娠中に痙攣の重積発作が生ずると母児ともに危険になってしまうこと，妊娠中のてんかん発作そのものが児に及ぼす悪影響（低酸素症，早産，胎盤早期剥離等）についても情報を提供し，胎児にとって抗てんかん薬の影響だけでなく，てんかん発作の影響も最小限とする必要があること，その双方のリスクが最小となるよう薬剤を調整していく必要がある

表1 プレコンセプションケアのポイント

①プレコンセプションカウンセリング：本人・家族とのアドヒアランス構築
- てんかん女性の出産と妊娠の基礎知識についての説明
- 生活および服薬指導（自己判断による服薬中断の防止）
- 計画的な妊娠・出産を推奨
- 必要に応じて遺伝カウンセリングの実施
- 妊娠・出産が現実的か（家族の協力の重要性を説明）パートナーとともに検討
- 必要に応じて心理面での専門的サポート考慮

②薬剤調整（表2も参照）等，妊娠成立に向けた準備
- 抗てんかん薬は原則的には単剤・少量でのコントロールを目指す（胎児リスクを最小）
- バルプロ酸の投与は極力避ける。投与必要例では，徐放製剤を600 mg/日以下を目指す
- 避けるべき組み合わせ：バルプロ酸＋カルバマゼピン，フェニトイン＋プリミドン＋フェノバルビタール
- 葉酸の補充（0.4 mg/日程度）
- 産婦人科，小児科との連携（妊娠前～出産後までの全経過の連携が理想）

（文献3, 5～7を参考に作成）

表2 薬剤選択のポイント

①単剤投与を原則
②投与量は必要最低限
③催奇形性の少ないものを選択
④妊娠期間中の血中濃度の変動のモニタリング

（文献3, 5～7を参考に作成）

こと等をプレコンセプションケアにおけるカウンセリングを通して伝え，shared decision makingにて，てんかん患者および家族による治療方針の選択・決定をサポートする。

2. 薬剤の選択 [3, 5～7]（表2）

抗てんかん薬のうち，バルプロ酸は，大奇形のリスクが高く，また認知機能への影響（IQの低下）が大きいことが知られている[8]。したがって，妊娠可能な年齢の女性にはバルプロ酸は選択されないことが多いが，発作が抑制できない時には少量で使用されることもある。バルプロ酸600 mg/日の場合，大奇形の発生率は5％と報告されており[9]，自然発生が3～5％であることから，バルプロ酸でなければ発作がコントロールできないケースでは考慮される。また，血中濃度の安定化のためには，徐放製剤を使用する。

最近では，妊産婦への抗てんかん薬は，胎児への安全性が高い（催奇形性や認知機能への影響が低い），レベチラセタムとラモトリギンが主流となってきている。事例においても，妊娠中にラモトリギンで管理されていたケースが散見された。注意すべき点は，ラモトリギンは，妊娠中にエストロゲンによって促進されるグルクロ酸抱合（肝代謝）のため，妊娠末期にかけて，遊離型の濃度が非妊娠時と比べ約40％程度にまで減少することがあり，発作が増悪しやすいことである。他方，レベチラセタムは腎排泄型の薬剤であるが，妊娠中は腎臓のクリアランスが増加するため，遊離型の濃度は約50％以上減少することがあり，注意が必要である。したがって，これらの薬剤は，妊娠前から血中濃度を定期的に測定し，非妊娠時の至適濃度を把握しておくこと，さらに，妊娠後にはその変化（減少の程度）を把握することが重要である。

3. 妊娠中の管理

主なポイントを表3に示す[3, 5～7]。

発作状況や，血中濃度を参考に，必要に応じ，薬剤の投与量を調整する。

4. 出産および産褥期の管理

主なポイントを表4に示す[3, 5～7]。

表3 妊娠中の母体管理のポイント
①定期的な通院を勧める ②服薬アドヒアランスに注意する．特に初期には悪阻による服用中止に注意する ③服薬アドヒアランスが良好でかつ発作が増悪した時には，抗てんかん薬の増量を行う ④抗てんかん薬の妊娠前，妊娠中には血中濃度モニタリング実施が望ましい．非妊娠時の至適濃度をベースラインとする

注）児の催奇形性，発作による転倒や外傷による児へのリスクへの考慮等の管理指針は割愛した．
（文献3, 5～7を参考に作成）

表4 出産および産褥期の母体管理のポイント
①基本的には，自然分娩の方針でよい ②分娩前後の不規則な服薬による痙攣発作の頻発，重積状態に注意する ③全身性痙攣発作には，ジアゼパム5～10 mgの静脈内投与を行う ④産後に抗てんかん薬の血中濃度が速やかに回復することがあり，投与量を調整する ⑤授乳による睡眠不足や過労は，てんかん発作を誘発するので，夜間は授乳を避け人工栄養を併用すること，育児への家族の協力を求めること等を検討する

注）児への注意事項は割愛した．
（文献3, 5～7を参考に作成）

分娩やその後の授乳による疲労からくる発作の誘発に注意する．入院管理中には，個室収容を避ける，持続的モニタリングの実施等により，発作の早期発見に努める．なお，抗てんかん薬の血中濃度は，出産後約1～2週で妊娠前レベルになるとされており，妊娠中に薬剤の投与量を増量した場合には，血中濃度モニタリングにより，減量を考慮する．

てんかん患者の予期せぬ突然死，SUDEP

「良好な状況にあるてんかん患者に起きる，突然の，予期せぬ，外傷や溺水が原因ではない死」と定義されている．一般的なてんかん患者におけるSUDEPのリスク因子として，若年発症（15歳未満），男性，IQ70未満，抗てんかん薬の多剤服用等があげられている[10]．また，SUDEPに至る6カ月以内に，大半の患者が発作の頻度や程度が増悪していることが明らかとなっており[11]，発作を防止することがSUDEPのリスクを下げると考えられている．その他，全般性強直性間代性痙攣の既往がある場合もリスク因子とされている．しかし，病態等まだ十分な解明には至っておらず，予防法も確立していない．今回の検討では，いずれも長期間発作が生じていないコントロール良好な症例も含まれており，SUDEPの予測は困難であった．予測困難であるため，てんかん合併の妊産婦管理においては，発作のコントロールの有無にかかわらず，自宅で一人きりとなる時間を少なくする，入院では個室管理を避ける等，急変の早期発見を可能とする体制を検討していくことが必要と考えられた．

英国の報告では，14例のてんかんによる妊産婦死亡のうち，SUDEPは11例であった[1]．今回のわが国の検討では，5例のてんかんによる妊産婦死亡のうち，SUDEPと判断されたのは3例であった．英国に比べ，てんかんによる妊産婦死亡数も少なかった．人種差による可能性も否定できないが，わが国においても今後増加していく可能性がある．てんかんの専門診療科と連携し，SUDEPを含め，わが国におけるてんかんによる妊産婦死亡の実態を明らかにし，発症が予測される場合には慎重に観察する等，防止策を確立していくことが求められる．

今後の対策として，プレコンセプションケアや「妊娠と薬情報センター（https://www.ncchd.go.jp/kusuri/）」等の第三者機関の利用等により，疾患の理解を促し，自己判断で休薬しないように努めること，また妊娠中や産褥期には，可能な限り常に誰かが居合わせる状況となるような環境づくりへの配慮が望まれる．

文献

(1) Edey S, et al：SUDEP and epilepsy-related mortality in pregnancy. Epilepsia 55：e72–74, 2014
(2) Viale L, et al：Epilepsy in pregnancy and reproductive outcomes：a systematic review and meta-analysis. Lancet 386：1845–1852, 2015
(3) 日本神経学会(監修)，「てんかん診療ガイドライン」作成委員会(編)：第13章 てんかんと女性．てんかん診療ガイドライン，2018
(4) Leach JP, et al：Epilepsy and Pregnancy：For healthy pregnancies and happy outcomes. Suggestions for service improvements from the Multispecialty UK Epilepsy Mortality Group. Seizure 50：67–72, 2017
(5) 岩崎 弘：精神科日常診療で診るてんかん―状況に応じた治療戦略 妊娠を合併したてんかん患者に対する治療．臨床精神薬理 21：775–783, 2018
(6) 兼子 直，他：てんかんをもつ妊娠可能年齢の女性に対する治療ガイドライン．てんかん研究 25：27–31, 2007
(7) 加藤 昌：産婦人科外来パーフェクトガイド-いまのトレンドを逃さずチェック！疾患編 周産期 妊婦・褥婦の合併疾患とその増悪 てんかん発作．臨婦産 72：311–314, 2018
(8) Rauchenzauner M, et al：Generalized tonic-clonic seizures and antiepileptic drugs during pregnancy--a matter of importance for the baby? J Neurol 260：484–488, 2013
(9) Campbell E, et al：Malformation risks of antiepileptic drug monotherapies in pregnancy：updated results from the UK and Ireland Epilepsy and Pregnancy Registers. J Neurol Neurosurg Psychiatry 85：1029–1034, 2014
(10) Shankar R, et al：Sudden unexpected death in epilepsy (SUDEP)：development of a safety checklist. Seizure 22：812–817, 2013
(11) Shankar R, et al：A community study in Cornwall UK of sudden unexpected death in epilepsy (SUDEP) in a 9-year population sample. Seizure 23：382–385, 2014

〔小谷 友美〕

各論　間接産科的死亡

劇症型溶血性レンサ球菌感染症

commentary

劇症型溶血性レンサ球菌感染症とは

　劇症型溶血性レンサ球菌感染症は，別名，severe invasive streptococcal infection，または streptococcal toxic shock syndrome（STSS）と呼ばれ，メディア等で「人食いバクテリア」といった病名で取り上げられることがある感染症である。原因菌は，A群溶血性レンサ球菌（GAS：Group A *Streptococcus*，*Streptococcus pyogenes*）で，GASは通常ペニシリン系の抗菌薬が効く菌であるが，稀に劇症化し，急速な転帰で敗血症，DIC，臓器障害を引き起こす。わが国では年間100〜250例の患者が確認され，約30％が死亡するきわめて致死率の高い感染症である。わが国の妊産婦死亡原因の約9％が敗血症を主原因としており，そのなかでもSTSSによる死亡例が顕著で，年間1〜3人が死亡している。STSSは，発熱や上気道炎症状，筋肉痛等，非特異的なウイルス感染症のような症状で発症することが多く，特異的な臨床症状はなく，劇症化後に疑われる場合がほとんどである。劇症化後は急速に増悪し，数十時間以内にDIC，ショック，多臓器不全を呈する。そのため高次施設での速やかな集学的治療が必要とされ，感染症法に基づく届出を要する（表1[1]，2[2]）。

表1　アメリカ疾病管理予防センター（CDC：Centers for Disease Control and Prevention）によるSTSSの定義の概略

①低血圧：収縮期血圧≦90 mmHg
②多臓器障害（以下の2項目以上） ・腎機能障害：血清クレアチニン≧2 mg/dL ・凝固障害：血小板≦10万/mm^3，もしくはDICを認める ・肝機能障害：AST，ALT，総ビリルビンが基準値の2倍以上 ・呼吸障害：心不全に起因しない肺水腫 ・全身性紅斑性発疹 ・軟部組織炎（壊死性筋膜炎を含む）

（Prevention CfDCa. Streptococcal Toxic Shock Syndrome（STSS）（Streptococcus pyogenes）2010 Case Definition. https://wwwn.cdc.gov/nndss/conditions/streptococcal-toxic-shock-syndrome/case-definition/2010/）[1]

表2　劇症型溶血性レンサ球菌感染症の感染症法に基づく医師および獣医師の届出について

(1)定義
β溶血を示すレンサ球菌を原因とし，突発的に発症して急激に進行する敗血症性ショック病態である。
(2)臨床的特徴
初発症状は咽頭痛，発熱，消化管症状(食欲不振，吐き気，嘔吐，下痢)，全身倦怠感，低血圧等の敗血症症状，筋痛等であるが，明らかな前駆症状がない場合もある。後発症状としては軟部組織病変，循環不全，呼吸不全，血液凝固異常(DIC)，肝腎症状等，多臓器不全をきたし，日常生活を営む状態から24時間以内に多臓器不全が完結する程度の進行を示す。A群レンサ球菌等による軟部組織炎，壊死性筋膜炎，上気道炎・肺炎，産褥熱は現在でも致命的となり得る疾患である。
(3)届出基準
ア　患者(確定例) 　　医師は，(2)の臨床的特徴を有する者を診察した結果，症状や所見から劇症型溶血性レンサ球菌感染症が疑われ，かつ，(4)の届出に必要な要件を満たすと診断した場合には，法第12条第1項の規定による届出を7日以内に行わなければならない。 イ　感染症死亡者の死体 　　医師は，(2)の臨床的特徴を有する死体を検案した結果，症状や所見から，劇症型溶血性レンサ球菌感染症が疑われ，かつ，(4)の届出に必要な要件を満たし，劇症型溶血性レンサ球菌感染症により死亡したと判断した場合には，法第12条第1項の規定による届出を7日以内に行わなければならない。
(4)届出に必要な要件(以下のアの(ア)および(イ)かつイを満たすもの)
ア　届出のために必要な臨床症状 　　(ア)ショック症状 　　(イ)(以下の症状のうち2つ以上) 　　　　肝不全，腎不全，急性呼吸窮迫症候群，DIC，軟部組織炎(壊死性筋膜炎を含む)，全身性紅斑性発疹，痙攣・意識消失等の中枢神経症状 イ　病原体診断の方法

検査方法	検査材料
分離・同定による病原体の検出	通常無菌的な部位(血液，髄液，胸水，腹水)，生検組織，手術創，壊死軟部組織

(厚生労働省．劇症型溶血性レンサ球菌感染症．https://www.mhlw.go.jp/bunya/kenkou/kekkaku-kansenshou11/01-05-06.html)[2]

▼事例　30代，経産婦

　特記すべき既往歴はない。妊娠32週，悪寒と39℃の発熱を認め，急患センターを受診した。インフルエンザ迅速検査は陰性で，アセトアミノフェンが処方され帰宅した。10時間後に急激な腹痛と性器出血が出現したため，かかりつけの総合病院へ救急搬送となった。

　来院時，39℃の発熱，著明な腹痛を認めていた。胎児心拍は消失しており，胎盤肥厚を認め，常位胎盤早期剥離，子宮内胎児死亡，全身性感染症と診断された。その後間もなく自然死産となった。分娩2時間後，急激な腹痛，弛緩出血が出現し，血圧と意識レベルが低下した。血液塗抹標本でA群β溶血性レンサ球菌を認めた。呼吸・循環管理を行いながら，クリンダマイシン，メロペネム，γグロブリン，DICに対して，大量輸血，Fib製剤，ATⅢ製剤を投与し集学的治療を行ったが全身状態は徐々に悪化し，分娩後1日目に死亡確認となった。初回発熱後24時間，急患センター受診から20時間，総合病院搬送から12時間の経過であった。

▼評価

　急患センター受診時には全身感染症が疑われる状態であり，抗菌薬の投与が考慮されるべきであった。しかし，受診当初からA群溶血性レンサ球菌感染を疑い管理が開始された場合でも，きわめて重症な劇症型A群溶血性レンサ球菌感染症であり，救命は困難であった可能性が高い。

▼提言

- 急激な感染徴候を伴うDIC症例では，鑑別として，STSSを念頭におく。
- 溶血性レンサ球菌感染症の鑑別にCentorスコアを用いる（表3）。
- A群溶血性レンサ球菌感染症を疑った場合はA群溶血性レンサ球菌感染症の抗原検査キットによる鑑別を行う。
- STSSは，発熱や上気道炎症状，筋肉痛等，非特異的なウイルス感染症と同様の症状で発症することが多く，簡易検査による確認，陽性例では適切な治療が必要である。

表3　Centorスコア

C	Cough absent	咳がないこと
E	Exudate	滲出性扁桃炎
N	Nodes	圧痛を伴う前頸部リンパ節腫脹
T	Temperature	38℃以上の発熱
OR	young OR old modifier	15歳未満は＋1点，45歳以上は－1点

（解釈）
左記の項目をそれぞれ1点としてカウントする。
0～1点：A群溶血性レンサ球菌感染症の可能性は低い（10％未満）→抗菌薬は処方しない。
2～3点：迅速抗原検査を行って判断する（2点：15％，3点：32％）
4～5点：40％以上の可能性があるので，速やかな抗菌薬の投与を考慮する。

各論　間接産科的死亡　劇症型溶血性レンサ球菌感染症

疫学・病態生理

　A群溶血性レンサ球菌は，非妊婦に比べて褥婦で20倍の頻度で検出される[3]。病態は不明な点も多いが，劇症化するA群溶血性レンサ球菌感染症では，さまざまな毒素やサイトカイン等を産生することで，好中球の機能障害により菌自体が殺菌されることを回避し，それによって高い病原性と劇症型感染による病態を引き起こしていると考えられている[4,5]。

　最初の感染経路（上気道感染や経腟的感染等）についても明らかではないが，妊娠中のSTSSにおいては，母体内で増殖した菌によって子宮筋層炎を惹起し，強い子宮収縮を起こすことが知られている。そのため，子宮内胎児死亡となるだけでなく，自然娩出に至ることが多い[6,7]。さらに，子宮筋層に定着，異常増殖したA群溶血性レンサ球菌はその強い子宮収縮によって，血液中に多量に菌が放出され，急激な臨床経過をとると考えられる。

　わが国における2010〜2013年のSTSSが原因であった死亡例の概要を表4に示す[7]。

- 2010〜2016年の妊産婦死亡265例のうち13例は，STSSが原因の死亡例であった（4.9％）。
- 多くは経産婦であった。
- 事例の大半は，冬から春にかけて感冒様の初発症状で発症した。
- すべての死亡例は，初発症状から4日以内に劇症化した。その2/3は劇症化後1日以内に死亡に至った。
- 劇症化後，DIC治療等の集学的治療に加えて，透析や子宮全摘等が考慮されている症例もあるが，対応以上に経過が速かった。
- 妊娠中の発症例の90％は胎児死亡となり，続いて強い子宮収縮によって自然娩出された。
- A群溶血性レンサ球菌は，初発症状の段階で培養検査や簡易検査で検出されていた例はなかったが，劇症化した後は，全身の培養検査で検出やトキシンの検出によって診断された。
- 解剖・病理所見では，敗血症とDICが最終的な死因と考えられた。
- STSSは，感染症法に基づく医師の所轄保健所への届出が必要である（表1,2参照のこと）。

診断

- STSSは急激な転帰をとる感染症であるが，その初発症状は発熱，上気道炎，筋肉痛等の非特異的なウイルス感染症のような症状で発症することが多い。したがって，早期にSTSSと診断することは難しい。
- 咽頭痛を訴える患者に対してCentorスコア（表3）を用いたA群溶血性レンサ球菌の存在または咽頭炎を用いた鑑別が有用である。
- A群溶血性レンサ球菌感染症を疑った場合，咽頭培養や迅速抗原検査によって，A群溶血性レンサ球菌による上気道感染の有無を鑑別することが可能である[8]。
- 感染に関連すると考えられる胎児死亡や流早産例では，本疾患の鑑別を念頭におくべきである。
- 感染症の症状を呈する患者に対して，quick SOFA (sequential organ-failure assessment) を評価し，バイタイルサインから臓器障害の徴候を捉える（表5）[10]。
- 血液培養等からA群溶血性レンサ球菌が同定されなかった場合でも，トキシンで感染が証明できる場合がある。劇症型A群溶血性レンサ球菌感染症の菌株の遺伝子検査は国立感染症研究所・細菌第一部（代表電話：03-5285-1111）や，地方衛生研究所で施行可能であるので，症例がある場合は相

表4 劇症型溶血性レンサ球菌感染症による妊産婦死亡例（2010〜2013）

症例	年齢	発症月	妊娠歴	初発妊娠週数	症状	初回治療	始発症状から劇症化までの時間	劇症化妊娠週数	症状	治療	児の転帰	菌の検出部位	解剖	劇症化から死亡までの時間
1	38	3月	1G1P (1CS)	34週	腹痛、上気道炎症状、下痢（自宅）	ABPC/MCIPC, CLDM, 抗DIC	劇症化で発症	34週	腹痛、上気道炎症状、下痢（自宅）	ABPC/MCIPC, CLDM, 抗DIC, CPR	IUFD（激症化時）＞自然娩出	培養（膣、母体血、臍帯血）	母（肺炎、多臓器不全、肺血症）、児（敗血症、脳出血）	31日
2	35	5月	1G1P (1CS)	18週	発熱、咽頭痛（自宅）	CTRX, CFPN-PI	3日	18週	腹痛、血尿（自宅）	ABPC, 抗DIC, CPR	IUFD（激症化で受診時）	培養（母体血、喀痰）	母（多臓器不全、敗血症）、児（特記すべき所見なし）	18日
3	36	2月	2G2P	35週	発熱（自宅）	アセトアミノフェン	2日	36週	発熱、ショック症状（病院）	ABPC/MCIPC, ステロイド, CPR	IUFD（初発症状後劇症化前）	トキシンで検出、培養陰性	司法解剖	7時間
4	40	4月	3G1P SA1AA	10週	発熱（自宅）	NSAIDs	10時間	10週（IUFD）	発熱、腹痛、ショック症状（自宅）	CPR	IUFD（激症状の3日前）＞D&C（激症化後）	培養（母体血、子宮）	母（子宮動脈、卵巣動脈から菌塊）	8時間
5	26	11月	0G	分娩後1日(39週)	心窩部痛（病院）	経過観察	1日	分娩後2日(39週)	心窩部痛、ショック症状（病院）	腹膜炎の診断で開腹、PIPC, CLDM, IPM/CS, グロブリン	生存	培養（膣、母体血、腹水）	施行せず	3日
6	32	5月	3G3P	15週	咳嗽（自宅）	鎮咳薬	4日	15週	腹痛、性器出血、ショック症状、意識消失（自宅）	EM, SBT/ABPC, CLDM, VCM, 抗DIC, グロブリン	IUFD（激症化時）＞自然流産	培養（鼻腔、腟）、胎盤、遺伝子検査（emm type：emm1）	施行せず	10時間
7	35	8月	1G1P (1CS)	37週	発熱（自宅）、簡易検査陰性	入院、帝王切開、CMZ	2日	帝王切開後2日(37週)	発熱、腹痛、呼吸苦、ショック症状、DIC（病院）	ABPC, MEPM, CLDM, 抗DIC, 透析	生存	培養（母体血）	母（多臓器不全、DIC、咽頭壊死、子宮筋壊死）	31時間

GAS：group A *Streptococcus*, SA：spontaneous abortion, AA：artificial abortion, CS：cesarean section, ABPC：ampicillin, MCIPC：cloxacillin, CLDM：clindamycin, CTRX：ceftriaxone, CFPN-PI：cefcapene pivoxil, CMZ：cefmetazole, PIPC：piperacillin, IPM/CS：imipenem/cilastatin, EM：erythrimycin, SBT：sulbactam, MEPM：meropenem, NSAIDs：nonsteroidal antiinflammatory drugs, DIC：disseminated intravascular coaglation, MOF：multiple organ failure, IUFD：intrauterine fetal death, D&C：dilatation of curettage, CPR：cardiopulmonary resuscitation

(Hasegawa J, et al：Cases of death due to serious group A streptococcal toxic shock syndrome in pregnant females in Japan. Arch Gynecol Obstet 291：5-7, 2015) [7]

表5　quick SOFAの3項目

意識変容（Glasgow Coma Scale＜15点）
呼吸数≧22回/分
収縮期血圧≦100 mmHg

2項目以上が存在する場合には，高次医療機関においてSOFAスコアによって敗血症の確定診断が必要となる

（Singer M, et al：The third international consensus definitions for sepsis and septic shock (sepsis-3). JAMA 315：801–810, 2016 より引用，一部著者改変）[10]

談可能である。

治療

- 重症感染症やDICに準じた対症療法が中心となるが，その経過の速さのため，速やかな集学的治療が必要である[9]。
- 簡易検査陽性例や，培養検査結果を待たなくても本疾患が疑われる場合は，速やかな治療開始が必要である。
- STSSに限らず，敗血症および多臓器障害を疑った場合は抗菌薬（ペニシリン）大量投与等の初期治療が重要である。
- ABPC 2 g静注4時間ごと（12 g/日）＋CLDM 600〜900 mg静注8時間ごと[3]
- バイタルサイン，尿量，中心静脈圧等をモニタリングしながら，十分な輸液，輸血の投与，呼吸管理，抗ショック療法を行う。
- 感染病巣の除去を目的とし，全身状態をみながら外科処置（子宮全摘）も考慮する。
- 抗菌薬大量投与および全身支持療法等，適切な治療を行っても経過は急で，救命困難な症例が多い。免疫グロブリン投与，持続的血液濾過透析（CHDF），エンドトキシン吸着療法（PMX），遺伝子組換えヒトトロンボモジュリン製剤投与等も考慮すべきである。
- 重症感染症を疑った場合，高次施設と連携をとりながら診療を行う。

文献

(1) Prevention CfDCa. Streptococcal Toxic Shock Syndrome (STSS)（Streptococcus pyogenes）2010 Case Definition. https://wwwn.cdc.gov/nndss/conditions/streptococcal-toxic-shock-syndrome/case-definition/2010/

(2) 厚生労働省：劇症型溶血性レンサ球菌感染症. https://www.mhlw.go.jp/bunya/kenkou/kekkaku-kansenshou11/01-05-06.html

(3) Deutscher M, et al：Incidence and severity of invasive Streptococcus pneumoniae, group A Streptococcus, and group B Streptococcus infections among pregnant and postpartum women. Clin Infect Dis 53：114–123, 2011

(4) Ato M, et al：Incompetence of neutrophils to invasive group A streptococcus is attributed to induction of plural virulence factors by dysfunction of a regulator. PLoS One 3：e3455, 2008

(5) 阿戸学，他：技術講座　微生物step up編　劇症型溶血性レンサ球菌感染症の発症メカニズムと検査. 検査と技術 44：40–46, 2016

(6) Udagawa H, et al：Serious group A streptococcal infection around delivery. Obstet Gynecol 94：153–157, 1999

(7) Hasegawa J, et al：Cases of death due to serious group A streptococcal toxic shock syndrome in pregnant females in Japan. Arch Gynecol Obstet 291：5–7, 2015

(8) 太田雅之：2章 臨床感染症に関するガイドライン 気道感染症 下気道感染症（2012年, ERS/ESCMID）Guidelines for the management of acute sore throat. 臨床検査 62：1166–1171, 2018

(9) Stevens DL：Streptococcal toxic-shock syndrome：spectrum of disease, pathogenesis, and new concepts in treatment. Emerg Infect Dis 1：69–78, 1995

(10) Singer M, et al：The third international consensus definitions for sepsis and septic shock (sepsis-3). JAMA 315：801–810, 2016

（中田　雅彦）

各論　間接産科的死亡

敗血症

commentary

敗血症とは

　敗血症とは，感染という侵襲により，サイトカインを中心とした免疫-炎症反応といった，非特異的な全身生体反応が過剰に引き起こされた状態をいう。世界では年間約800万人が死亡しているとされ，数秒に1人が世界のどこかで敗血症により死亡している計算になる。つまり敗血症は特別な病気ではなく，一般的な，致死率の高い病気である。この敗血症は1992年に感染に伴う全身性炎症反応症候群（SIRS：systemic inflammatory response syndrome）と定義され，さらに臓器障害を伴うものは重症敗血症，ショックを伴うものは敗血症性ショックと定義されていた[1]。

　しかし，"走ったらSIRS"，"風邪をひいたらSIRS"と揶揄されたように，敗血症のなかには軽症例も数多く含んでしまうため，実際に治療方法などの臨床試験に重症敗血症や敗血症性ショック以外の敗血症が用いられることはほとんどなかった。

　2016年に定義が変更され，敗血症とは"感染症に伴う全身性炎症反応症候群"から，"感染症によって重篤な臓器障害が引き起こされている状態"へと変更された[2]。以前に定義されていた，"重症敗血症"とほぼ同じである（図1）。しかし，以前の重症敗血症は臓器障害の具体的な定義がなく，診断がきわめて曖昧であることが指摘されていた。このため，今回新しい定義での"敗血症"における臓器障害の診断は，救急・集中治療領域で広く重症度評価法として用いられている，sequential organ failure assessment（SOFA）スコア（表1）[2]（303ページ，コラム参照）2点以上の急上昇を用いることとなった。これにより，明確な基準で定義づけがなされたことになる。

　SOFAスコアはその測定項目から考えると，集中治療室などに入室する重症患者では連日血液検査が行われるため使い勝手がよいものの，一般病棟や救急外来などでは必要な測定項目すべての検査が日常的には行われていないため，絶えず評価できるわけではない。そこで，新たにquick SOFA（qSOFA）が考案された（表2）[3]。qSOFAは3項目中2項目以上を満たす場合に敗血症を強く疑い，SOFAスコアを用いた臓器障害の評価に進むためのものである。

　さらに，敗血症性ショックの定義も，

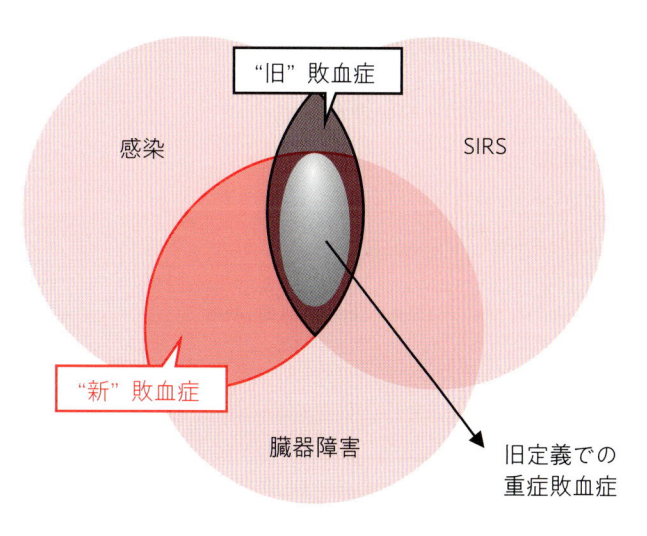

図1　新しい敗血症の定義

以前は「敗血症＋循環不全」であったものが「敗血症＋循環不全＋細胞代謝障害」となった。詳細には、「敗血症でありかつ適切な輸液をしても平均血圧を 65 mmHg 以上に維持するために血管作動薬の使用が必要であり、かつ、血中乳酸値が 2 mmol/L を超えた状態」と定義されている。

表1　SOFA (Sequential Organ Failure Assessment) スコア

スコア	0	1	2	3	4
		臓器障害		臓器不全	
肺：PaO₂/FIO₂ (mmHg)	>400	≦400	≦300	≦200*	≦200*
腎：クレアチニン (mg/dL) or 尿量	<1.2	1.2〜1.9	2.0〜3.4	3.5〜4.9 または <500 mL/日	≧5.0 または <200 mL/日
肝：総ビリルビン (mg/dL)	<1.2	1.2〜1.9	2.0〜5.9	6.1〜11.9	≧12.0
心血管：低血圧	低血圧なし	平均動脈圧<70 mmHg	ドパミン≦5 またはドブタミン（投与量問わず）	ドパミン≦5 またはエピネフリン≦0.1 またはノルエピネフリン≦0.1	ドパミン≧15 またはエピネフリン>0.1 またはノルエピネフリン>0.1
凝固：血小板数（×10³/mm³）	>150	≦150	≦100	≦50	≦20
中枢神経：Glasgow Coma Scale	15	13〜14	10〜12	6〜9	<6

＊呼吸補助下　カテコラミンは最低1時間投与 (μg/kg/分)

(Vincent JL, et al：The SOFA (Sepsis-related Organ Failure Assessment) score to describe organ dysfunction/failure. On behalf of the Working Group on Sepsis-Related Problems of the European Society of Intensive Care Medicine. Intensive Care Med 22：707-710, 1996)[2]

表2　qSOFA

意識変容
呼吸数≧22 回/分
収縮期血圧≦100 mmHg

(Singer M, et al：The third international consensus definitions for sepsis and septic shock (sepsis-3). JAMA 315：801-810, 2016)[3]

▼事例　20代，経産婦

　20歳時に発作性夜間血色素尿症(PNH)と診断され，妊娠23週より血液内科にてエクリズマブ※投与が開始された．その後，妊娠経過は良好であった．妊娠40週4日陣痛発来にて入院となり，高位破水疑いにて抗菌薬の内服が開始された．38℃台の発熱を認め，オキシトシン点滴静注で陣痛促進を行い，翌日に経腟分娩に至った．児は3,004 g，Apgarスコア7/7点であった．胎盤病理で絨毛膜羊膜炎と診断があった．ただし，その後発熱など出現することなく順調に経過し，産褥5日で退院した．産褥21日血液内科外来にてエクリズマブを投与された．同日昼過ぎから39.5℃の発熱と悪寒・頭痛があり，22時頃に救急受診し血液内科に入院となった．翌日午前4時には全身に紫斑が出現，血圧60 mmHg台に低下し敗血症によるショック・DICが疑われPIPC/TAZ投与が開始された．WBC 2,300/μL, Plt 3万/μLと低下，PT，APTT，Fibは測定不能となっていた．午前7時にはSpO$_2$低下し気管挿管，人工呼吸管理が開始され，急速輸液，昇圧薬の投与等の集学的治療が行われたものの効果なく，午前10時死亡確認となった．髄膜炎菌ワクチンは接種されていたが，血液培養より髄膜炎菌が検出され，血中エンドトキシンが高値だった．

※エクリズマブ：PNHにおける溶血抑制を効能・効果とするヒト化モノクローナル抗体で，終末補体(C5C5開裂)阻害薬．終末補体複合体C5b-9の生成を抑制するため，特に莢膜形成細菌（髄膜炎菌，肺炎球菌，インフルエンザ菌等）による感染症に罹患しやすくなる可能性がある．

▼評価

　臨床経過および血液培養検査の結果から髄膜炎菌による敗血症が死因と考えられ，髄膜炎菌による敗血症の進行が重篤で治療に抵抗性だったと考えられる．妊産褥婦が高熱を認めた際は，細菌感染症を念頭におくこと，そして他科疾患を有した妊産褥婦では，その後基礎疾患によって急変する場合があることを認識する必要がある．

▼提言

- 感染症がある場合，qSOFAを用いて評価し，2点以上であれば敗血症を疑ってSOFAスコアを評価する．
- 敗血症と診断した場合には，まず「最初の1時間にすべきこと(Hour-1 Bundle)」を念頭に，早期の治療を開始する．
- 子宮内感染症が疑われ，子宮内胎児死亡を合併した事例は劇症型溶血性レンサ球菌感染症を考慮した対応に移行する．

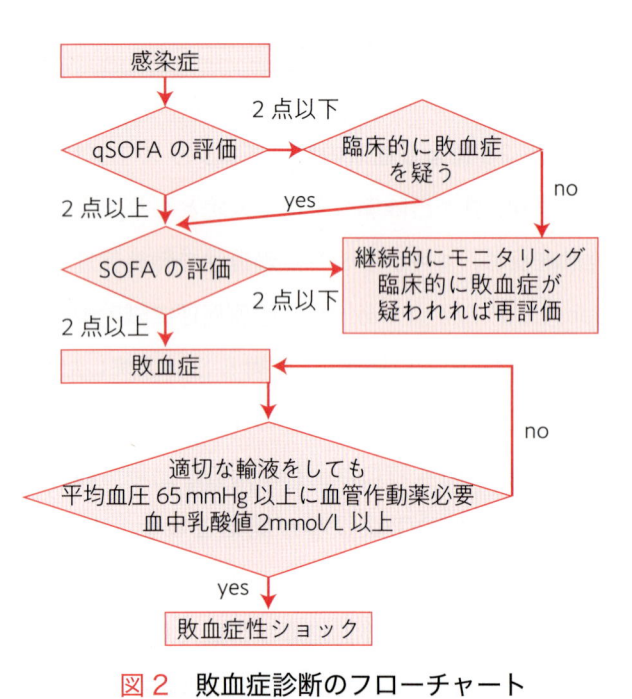

図2 敗血症診断のフローチャート
(Singer M, et al：The third international consensus definitions for sepsis and septic shock (sepsis-3). JAMA 315：801-810, 2016 を一部改変)[3]

病態と症状

　感染によって活性化された免疫担当細胞から放出される炎症性サイトカインは，制御がかからずにサイトカインストームとなると全身性炎症反応が重症化，遷延化する。これが臓器灌流異常や血管内皮傷害，微小血栓などを引き起こし，各種の臓器に障害が及んだものが敗血症である。

　敗血症の具体的な症状は障害された臓器により多様であるが，共通する症状はその診断基準を考えればよい。すなわち以前の診断基準にあったSIRSの診断項目に含まれる，発熱や体温低下，頻脈，頻呼吸が共通の症状である。さらにqSOFAにある意識変容，血圧低下(症状としては末梢冷感)も重要である。

検査・診断

　検査としては，感染症を明らかにして治療につなげるための検査と，敗血症の重症度を判断するための検査に分けられる。まず感染を診断するためには各種培養検査を行うことが求められ，特にその後の抗菌薬投与のためにも，抗菌薬投与前に血液培養検体を採取することの重要性が強調されている。そして感染巣をみつけるために積極的に画像検査を行うが，特に感染巣が不明の場合には早期の全身造影CTを考慮する。感染症の補助検査としては白血球数やCRPが日常的に用いられているが，重症患者ではプロカルシトニンやプレセプシンといったバイオマーカーの評価も推奨されている[4]。特定の感染症(レジオネラ，肺炎球菌)の同定には尿中抗原も有用である。

　敗血症の重症度の判断には，敗血症性ショックの定義として血清乳酸値>2 mmol/L (18 mg/dL)があるため，血清乳酸値の測定が必須である。図2[3]に敗血症の診断フローチャートを示した。

治療

　敗血症に立ち向かうべく，米国集中治療医学会が中心となりSurviving Sepsis Campaignが行われている。このキャンペーンは，それまで40～60%とされていた重症敗血症の死亡率を5年間で25%低下させることを目標として2002年10月に立ち上げられた国際的なプログラムであり，この目標を達成すべく2004年に作成されたのがSurviving Sepsis Campaign Guidelines (SSCG)である。すでに3度の改訂を経てSSCG 2016が発表されており[5]，わが国でもこのSSCGを参考に「日本版敗血症診療ガイドライン」が作成され，これも2016年に改訂されている[4]。新しい日本版ガイドラインでは，敗血症の治療に関するだけでも16領域にわたって取り上げられており，すべてを網羅して記述することは困難であるため，産科領域の敗血症で特に重要と思われる

ものをいくつか取り上げて概説したい。

まず，敗血症に対する治療は大きく以下の2つ，感染症対策と臓器障害に対する全身管理に分けられる。

1．感染症対策

感染によって免疫担当細胞が活性化されるため，この感染のコントロールが最も重要となる。感染源の除去（ドレナージ，外科的切除，カテーテル抜去など）が必要であれば可及的速やかに行い，同時に有効な抗菌薬の投与を行う。ただ，最初から原因菌が判明していることはほとんどないため，敗血症を認識してから1時間以内に，そして各種培養検体を採取した後に，まずは広域スペクトラムの抗菌薬を十分量投与することが推奨されている。そして原因菌が判明したのちに，最も適切，安全で，より狭いスペクトラムの抗菌薬に変更（de-escalation）する。また，臨床上感染が強く疑われながら感染巣が不明であることも稀ではないが，この場合にも，早期の広域スペクトラムの抗菌薬投与が重要である。

2．臓器障害に対する全身管理

1）初期蘇生と循環作動薬

敗血症が重症化した敗血症性ショックでは，末梢血管の拡張から血管内容量減少による血圧低下が引き起こされている。このため，まずは十分な晶質液（細胞外液）の投与（初期輸液）が必要である。初期輸液として30 mL/kg以上の晶質液投与が推奨されている。ただし，妊産婦は周産期（産褥）心筋症が起こりうるため，できれば初期蘇生の開始時に心臓超音波検査にて心機能の評価を行うことが望ましい。この場合の「超音波を用いた心機能評価」とは，循環器専門医による詳細な心機能検査ではなく，ベッドサイドで簡易的に行う超音波検査で，心臓の動きや下大静脈径などを大まかに測定するものを指す。

そして30 mL/kg以上の初期輸液で血圧上昇がみられない場合には循環作動薬の投与が必要である。以前はドパミンが広く用いられていたが，不整脈などの副作用が認められるため，第一選択としてノルアドレナリンが，それでも昇圧効果が不十分な場合にはアドレナリンやバソプレシンの追加投与が推奨されている。Surviving Sepsis Campaignではここまでの対応について，敗血症を診療する際の「最初の1時間にすべきこと（Hour-1 Bundle）」としてまとめているのでこれを紹介する（表3）。

2）敗血症性ショックに対するステロイド投与

敗血症性ショック患者では，コルチゾールの分泌不全（相対的副腎不全）に加え，糖質コルチコイド受容体の減少や組織反応性の低下により，糖質コルチコイド活性が低下することが知られている。このため敗血症性ショック患者が初期輸液と循環作動薬によりショックから回復した場合にはステロイドを投与すべきではないが，初期輸液と循環作動薬に反応しない敗血症性ショック患者に対しては，ショックの離脱を目的として低用量ステロイド（ハイドロコルチゾン）を投与することが推奨されている。ショック発生から6時間以内に，300 mg/日以下の量で，ショック離脱まで（最長7日間程度）の投与が行われる。

表3　最初の1時間にすべきこと（Hour-1 Bundle）

① 乳酸値の測定
② 抗菌薬投与前に血液培養の実施
③ 早期の広域スペクトラム抗菌薬投与
④ 低血圧や4.0 mmol/L以上の乳酸値上昇に対し，30 mL/kgの晶質液を急速輸液
⑤ 急速輸液に反応しない低血圧（平均血圧 < 65 mmHg）に対して血管作動薬投与

表4 急性期DICスコア

スコア	0点	1点	3点
SIRS	2項目まで	3項目以上	
血小板数	12万以上	8～12万	＜8万 or 24時間以内に50％の減少
PT比	＜1.2	1.2以上	
FDP(μg/mL)	＜10	10≦, ＜25	25以上

3）輸血療法

赤血球輸血は，輸血量が少ないほうが死亡率が低いか同等であり，感染症や輸血副反応の発生率も低いとされ，敗血症性ショックの初期蘇生においては，ヘモグロビン値7 g/dL未満で開始することが推奨されている。

FFPについては，出血傾向がなく外科的処置も要しない場合には，凝固異常値を補正する目的でのFFPの投与は行わないこととされ，出血傾向が出現した場合や外科的処置が必要な場合に，わが国の血液製剤の使用指針に沿って投与を考慮する[6]。

4）DIC対策

妊産婦では出血症状が前面に現れる産科的DICが多く，この場合には複合的な凝固因子の補充のためにFFPの投与が最優先で行われるが，敗血症が原因のDIC（敗血症性DIC）の場合は凝固亢進型とも呼ばれ，産科的DICとは病態が異なると考えられている。通常敗血症性DICの診断には，2005年に日本救急医学会DIC特別委員会によって作成された「急性期DIC診断基準」が用いられ，4点以上でDICと診断する（表4）。この敗血症性DICの治療としては，一般にAT製剤，蛋白分解酵素阻害薬やリコンビナント・トロンボモジュリンの投与などが考慮されるが，SSCGと日本版敗血症診療ガイドラインで推奨が全く異なる（AT），SSCGには記載がなく日本版では作成メンバーで意見が分かれ推奨がない（リコンビナント・トロンボモジュリン），といったように，治療方法の有用性がはっきりしないのが現状である。ちなみにヘパリンと蛋白分解酵素阻害薬については，いずれのガイドラインでも投与しないことが弱く推奨されている。

劇症型溶血性レンサ球菌感染症

敗血症性ショックのなかでも，きわめて激烈な経過をたどる感染症として劇症型溶血性レンサ球菌感染症がある。母体安全への提言2017では[7]，劇症型溶血性レンサ球菌感染症による妊産婦死亡は過去7年間での全妊産婦死亡の4.9％を占め，約半数は医療機関への受診から24時間以内に死亡するという激烈な経過をたどるため，事例に取り上げるとともに，あえて独立した項目立てをした。

初発症状は咽頭痛，発熱，消化管症状，全身倦怠感など，感冒様の非特異的なものが多いため，病初期には劇症型だということに気がつきにくい，という問題がある。しかしその後，急速に全身状態が悪化し多臓器不全に進行するため，早期発見，早期医療介入以外に救命し得ない感染症である。感染を疑う際には必ずこの劇症型溶血性レンサ球菌感染症を頭の片隅に起き，鑑別する習慣をつける必要がある。通常の感染症では考えられないスピードでの全身状態の悪化を感じた場合には，その時点で菌が同定されていなくとも劇症型溶血性レンサ球菌感染症と考えて対応を開始してよいだろう。妊産婦死亡の検討において，妊娠中発症例では子宮内胎児死亡が90％を占めたことから，子宮内感染症が疑われ子宮内胎児死亡を合併した事例は劇症型溶血性レンサ球菌感染症を考慮した対応に移行し，早期に抗菌薬投与を開始し，母体集中治療が可能な高次施設への早期転院搬送を検討することが提言されている（各論「劇症型溶血

性レンサ球菌感染症」291 ページ参照)。

文献

(1) Bone RC, et al：Definitions for sepsis and organ failure and guidelines for the use of innovative therapies in sepsis. The ACCP/SCCM Consensus Conference Committee. American College of Chest Physicians/ Society of Critical Care Medicine. Chest 101：1644–1655, 1992
(2) Vincent JL, et al：The SOFA (Sepsis-related Organ Failure Assessment) score to describe organ dysfunction/failure. On behalf of the Working Group on Sepsis-Related Problems of the European Society of Intensive Care Medicine.Intensive Care Med 22：707–710, 1996
(3) Singer M, et al：The third international consensus definitions for sepsis and septic shock (sepsis-3). JAMA 315：801–810, 2016
(4) 西田 修, 他：日本版敗血症診療ガイドライン 2016. 日救急医会誌 28：S1–S232, 2017
(5) Rhodes A, et al：Surviving Sepsis Campaign: International Guidelines for Management of Sepsis and Septic Shock: 2016. Intensive Care Med 43：304–377, 2017
(6) 厚生労働省医薬食品局血液対策課：「血液製剤の使用指針」(平成29年3月). http://www.mhlw.go.jp/file/06-Seisakujouhou-11120000-Iyakushokuhinkyoku/0000161115.pdf
(7) 妊産婦死亡症例検討評価委員会, 日本産婦人科医会：母体安全への提言 2017, 2018

（貞広 智仁）

---

column　Sequential Organ Failure Assessment (SOFA) スコア

　重症患者の重症度評価法の一つ。1996年に発表されたが[1]，当初は sepsis-related organ failure assessment として敗血症に起因する臓器不全評価法として発表されていた。しかしその後，この評価法が特に敗血症に限ったものではないことから，名称を変更し，現在の sequential organ failure assessment となっている。6つの臓器(肺，凝固，肝臓，心血管，中枢神経，腎臓)を，それぞれ0〜4までの5段階に分けて個々の臓器の障害の程度を表し，各臓器のスコアの総和で重症度を表す(**表1**；298ページ)。各臓器の評価には，1日のなかで最悪のデータを用いることになっており，また，スコアが1〜2を臓器障害(dysfunction)，3〜4を臓器不全(failure)と評価することになっている。どの施設でも測定可能な身近な項目を用いて臓器不全を評価しうるため，主に救急・集中治療領域での重症度評価法として広く用いられてきた。簡便さを重視して作成されているため，各臓器の不全の程度を正確に反映する訳ではないが，重症度評価法としては数多くの多施設共同試験で評価され，その有用性が確認されている。発表されてかなりの年月が経過しているが大きな変更はされていない。最近では新しい敗血症の定義(sepsis-3)にこれが用いられるようになり，広く脚光を浴びることとなった。

（貞広 智仁）

1. Vincent JL, et al：The SOFA (Sepsis-related Organ Failure Assessment) score to describe organ dysfunction/failure. Intensive Care Med 22：707–710, 1996

各論　間接産科的死亡

その他の感染症
—オウム病，結核，大腸菌 等

commentary

感染症とは
(劇症型溶血性レンサ球菌感染症以外)

　感染症による妊産婦死亡の原因として最も多いのは劇症型溶血性レンサ球菌感染症であるが，そのほかにも表1のような病原体による妊産婦死亡が報告されている。肺結核による死亡例(窒息)を除けば，すべての事例で敗血症から多臓器不全に至り死亡するという経過をたどっていた。年齢・経産回数・発症時期に一定の傾向はみられず，初発症状も非特異的なものが多かった。原因となる病原体も多岐にわたり，検出部位もさまざまであるため，初発症状から診断をつけ，適切な抗菌薬等の治療選択を行うことは困難である。

　発熱の精査においては，体系的な病歴聴取を行い，病歴や症状あるいは基礎疾患から可能性のある感染症をある程度絞り込んで，極力多くの箇所から検体を採取することが重要である。そのための基礎的な情報として，その時々の流行状況を国立感染症研究所のホームページ等から入手しておくとよい。

表1　妊産婦死亡報告事業に報告された主な感染症(原因病原体の判明したもの)

患者年齢	初産/経産	発症時期	直接死因	病原体	検出部位	初発症状	初発症状から心停止までの時間
30代	経産	妊娠中	肺結核	*Mycobacterium tuberculosis*	喀痰	咳嗽	3カ月
30代	経産	妊娠中	肺結核	*Mycobacterium tuberculosis*	喀痰，他	喀血	15日
20代	初産	妊娠中	オウム病	*Chlamydophila psittaci*	血清	発熱	5日
30代	初産	産褥	感染性心内膜炎	*Staphirococcus aureus*	血液	発熱	27日
30代	経産	妊娠中	感染性心内膜炎	*Staphylococcus aureus*	血液	点滴刺入部腫脹	11時間
30代	経産	妊娠中	細菌性髄膜炎	*Streptococcus constellatus*	血液	発熱・頭痛	9日
20代	経産	産褥	細菌性髄膜炎	*Neisseria meningitidis*	血液	発熱・頭痛	22時間
20代	経産	産褥	敗血症	*Escherichia coli*	血液	発熱	11日
20代	初産	妊娠中	敗血症	*Klebsiella pneumoniae*	血液	発熱・腹痛	3時間
20代	初産	妊娠中	子宮内感染症	*Prevotella bivia*	腟	悪臭帯下・下腹部痛	11日
30代	初産	妊娠中	伝染性単核球症	Epstein-Barr virus (EBV)	血中抗体価	発熱・頭痛	16日

▼事例1　30代，経産婦

妊娠20週頃より咳嗽が出現し，妊娠30週に多呼吸・頻脈を認めたため胸部単純X線を撮影したところ左肺野に広範囲な空洞を認めた。喀痰検査ガフキー10号の肺結核と診断された。抗結核薬3剤投与を開始し徐々に軽快していた。妊娠32週，多量の喀血後に意識消失して心停止となり，死亡確認となった。結核による感染性動脈瘤の破裂による多量の喀血，血塊による気道閉塞による窒息が死因と考えられた。

▼評価

初期臨床症状の咳嗽の出現から結核の診断まで時間を要した。その期間に結核の病状が進行したことは否定できない。産科医が結核を的確に診断するのは困難な面もあるが，結核はわが国でも毎年3万人の新規患者が診断されている。呼吸器症状が継続し，加療に反応しない場合，common disease以外に結核等を疑い，精査する必要性があった。

▼事例2　30代，初産婦

妊娠17週，39℃の発熱を認め，受診した。インフルエンザは陰性で，アセトアミノフェンが処方され帰宅した。2日後に40℃台の高熱と意識レベルの低下がみられたため救急搬送された。来院時，40.4℃の発熱，DICのため重症感染症による敗血症と診断された。抗菌薬（カルバペネム系），抗ウイルス薬の投与に加え，DICに対し集学的治療を行ったが全身状態は徐々に悪化し，死亡確認となった。初回発熱後6日，近医受診から5日，総合病院搬送から72時間で死亡した。後日，国立感染研究所へ送付された凍結血清から，微生物遺伝子の網羅的解析にてオウム病クラミドフィラ（*Chlamydia(Chlamydophila) psittaci*）が検出された。

▼評価

オウム病に対してはテトラサイクリン系薬が第一選択薬で，マクロライド系，ニューキノロン系薬がこれに次ぐ。本事例ではカルバペネム系が使用されたが，オウム病の診断は死亡後に判明したためであった。

▼提言

・発熱の精査においては，体系的な病歴聴取と培養検体の採取を行う。
・感染症の流行状況をアップデートしておく。

感染症による妊産婦死亡

妊娠中および産褥期に発生する感染症による敗血症の発生率は，全分娩の0.002〜0.01%といわれている[1,2]。妊娠中は，絨毛羊膜炎や腎盂腎炎，細菌性肺炎に起因したものが多く，産褥期は子宮内感染に起因したものが多い[3,4]。また，敗血症性ショックから多臓器不全に陥った妊婦の死亡率は20〜28%ともいわれ[3]，妊産婦死亡の重要な原因の一つとなっている。

わが国の妊産婦死亡報告事業では，解析の完了した妊産婦死亡のうち，感染症が原因であるものが9%を占め，その割合は近年上昇傾向にある[5]。感染症による妊産婦死亡の原因として最も多いのは，劇症型溶血性レンサ球菌感染症である。こちらに関する解説は他稿に譲るが，そのほかにも表1のような病原体による妊産婦死亡が報告されている。肺結核による死亡例（窒息）を除けば，すべての事例で敗血症から多臓器不全に至り死亡するという経過をたどっていた。年齢・経産回数・発症時期に一定の傾向はみられず，初発症状も非特異的なものが多かった。原因となる病原体も多岐にわたり，検出部位もさまざまであるため，初発症状から診断をつけ，適切な抗菌薬等の治療選択を行うことは困難であると思われる。一方で，初発症状から心停止に至るまでの時間が比較的長い（数日程度）事例が多いため，発熱が持続する患者に対して，早期診断のためあらゆる部位から培養検体を採取する，早期に感染症の専門家のいる医療機関へ紹介する等の教訓があげられる。

2. 結核

わが国における肺結核罹患率は，2017年で人口10万対13.3と減少傾向にあるが，未だに先進国のなかでは高い傾向にある。近年の生殖可能年齢女性の結核罹患数は2011年をピークに減少傾向にあるが，2017年でも約3,000人の新規患者発生を認めている（図1）[6]。妊娠中の結核発症率は，非妊娠時と比較して増加しないものの，産褥期には増加するといわれている[7,8]。妊娠中に発症する肺結核の初

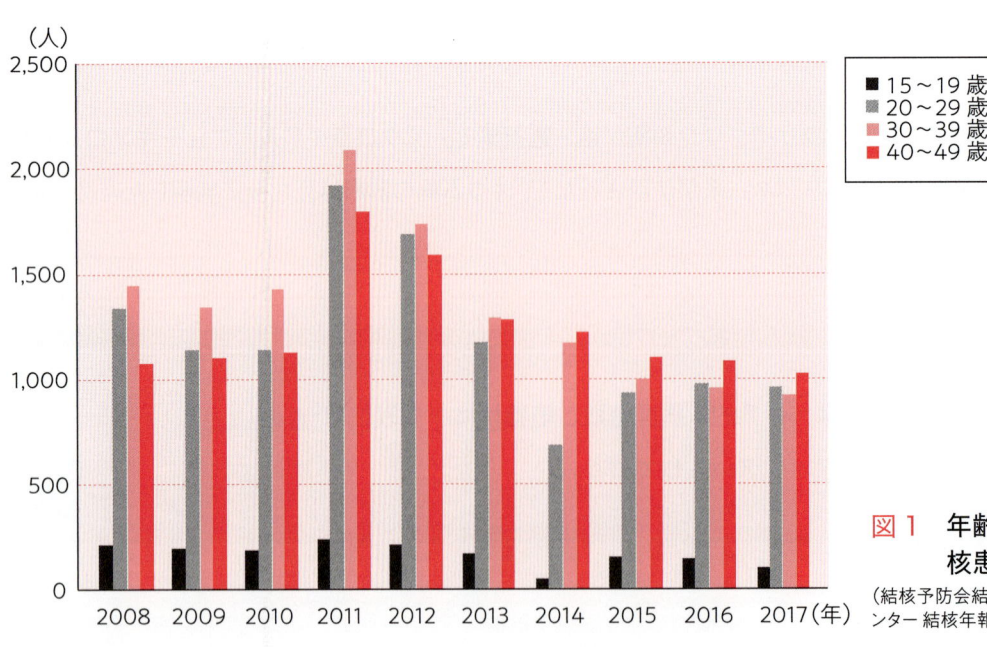

図1 年齢階級別の肺結核患者発生動向
（結核予防会結核研究所 疫学情報センター 結核年報より著者作成）[6]

期症状は，発熱，咳嗽，体重減少，易疲労感等，一般的な肺結核の初期症状と同様である。体重減少や易疲労感は，妊娠により症状がマスクされてしまうこともあるため，初期症状のみから肺結核を疑うことは困難である。さらに，妊娠中であるため胸部X線検査や胸部CT検査が敬遠されることにより，妊娠中の結核の診断は遅れる可能性がある。そのため，慢性的な微熱や上気道症状を認める妊婦においては喀痰検査に加え，画像検査等の精査を考慮すべきである。肺結核が重症化し，粟粒結核症からARDSへ進行すると死亡率が上昇する一方，適切に治療が行われた場合には死亡率は低い（人口10万対1.8）ため[6]，早期診断・早期治療がきわめて重要である。妊娠中の結核に対する治療はイソニアジド，リファンピシン，エタンブトールの3剤による治療が推奨されている[9]。3剤とも妊娠期，授乳期に安全に使用できるとされている[10]。

結核による妊産婦死亡を防ぐためには，結核の早期診断および早期治療介入が必須である。そのために，「わが国では（肺）結核は決して過去の病気ではない」という現状を認識しておくとともに，慢性的な咳嗽や発熱を訴える妊産婦に対しては（肺）結核を鑑別に入れた検査を実施することが肝要である。

3. オウム病

本稿で紹介した事例は，オウム病が原因となったわが国の妊産婦死亡として唯一のものである[11]。凍結血清が国立感染症研究所に送付され，微生物遺伝子の網羅的解析にてオウム病クラミドフィラが検出されたことで診断が確定，これが死因と推定された。

オウム病は鳥（オウム，インコ，ハト等）が主な感染源であるが，大型の家畜あるいは飼育動物（ウシ，ヒツジ，ヤギ）の出産時等のヒトへの感染報告もある。ペットショップや公園等において主に病原体の吸入により感染するほか，ペットに噛まれる，口移しで餌を与える等により感染する。1〜2週間の潜伏期間の後，発熱，咳嗽，頭痛，全身倦怠感，筋肉痛，関節痛等の症状が認められる。診断は各種検体（喀痰，血液等）からの病原体の検出，PCR（polymerase chain reaction）法による病原体遺伝子の検出，血清抗体価の測定等による。オウム病は感染症法上の全数把握疾患の4類感染症に指定されているため，診断した場合は最寄りの保健所を経由して都道府県知事に直ちに報告する必要がある。

2006〜2017年の11年間に，オウム病はわが国で129例が報告されており，都市部でやや多く，5〜6月に多く発生する傾向がみられた。死亡例は3例（2.3％）でいずれも女性であり，発症から死亡までの日数は4〜6日であった[12]。妊娠中に発症したオウム病については海外でも報告例がみられ，死亡例も報告されている[13〜16]。現時点では妊娠がオウム病の重症化リスクや死亡リスクを上昇させるかについては明らかではない。妊婦においてオウム病が疑われた場合には，検査用の検体を採取後，速やかに抗菌薬による治療を行うことが重要である。治療には，βラクタム系抗菌薬は効果がなく，またテトラサイクリン系抗菌薬およびキノロン系抗菌薬は妊婦・小児には使用が制限されるため，マクロライド系抗菌薬の使用が推奨されている。

本事例のように希少な病原体による感染症の治療において，感受性のある抗菌薬による早期治療開始のためには，極力多くの箇所から培養検体を採取し，起因病原体を同定することが肝要である。本事例では肺，肝臓，脾臓，胎盤の各臓器から*C. psittaci*遺伝子が検出された[11]。また，他のオウム病報告事例においても，診断は血清抗体価上昇や，喀痰，咽頭拭い液からの病原体検出等，多岐にわたっている[12]。

表2 発熱精査における病歴聴取

1. 経過
   - 発熱の経時的変化(いつから, どの程度の発熱があるのか)
   - 症状発現の速度(急激に始まったのか)
   - 熱型(変動があるのか)
2. 随伴症状
   - 倦怠感, 悪寒戦慄等の全身症状
   - 性器出血, 子宮収縮等の産婦人科的症状
   - 咳, 痰, 下痢, 疼痛等の局所症状
3. 誘因
   - 既往歴
   - 家族歴
   - 生活歴：海外渡航歴, ペットの有無等
   - 身の回りの感染症流行状況(インフルエンザ, 結核等)
   - 薬物服用歴

(日本臨床検査医学会ガイドライン作成委員会(編)：臨床検査のガイドラインJSLM2018 検査値アプローチ/症候/疾患.125-130, 2018 より引用, 一部改変)[17]

表3 発熱精査における主な検査

基本的な検査
1. 血液検査
   血算(血液像), CRP, 血糖, 凝固系, 生化学(肝機能, 腎機能, 電解質)
2. 尿検査
   尿一般, 尿沈渣
3. 画像診断
   胸部・腹部単純X線(患者の同意を必ず得る), 心電図

感染症関連検査
1. 細菌検査
   血液培養(好気, 嫌気を2セット), 体液, 穿刺液等の塗抹・培養検査
   抗酸菌塗抹・培養(特に気道系検体)
2. 気道感染症が疑われる場合(主に抗原検出)
   溶血性レンサ球菌・インフルエンザ・RSウイルス(以上, 咽頭ぬぐい液)
   肺炎球菌(尿・喀痰), マイコプラズマIgM(血清)
3. 消化管感染症が疑われる場合(便中の抗原検出)
   ロタウイルス, ノロウイルス, *Clostridium difficile*
4. 肝炎他の病原体(抗原, 抗体)
   肝炎(HAV, HBAV, HCV), HIV, EBV, 梅毒
5. 真菌感染症が疑われる場合(抗原)
   アスペルギルス, クリプトコッカス, β-D-グルカン
6. 全身感染症, 他
   末梢血スメア(マラリア等), エンドトキシン, プロカルシトニン

(日本臨床検査医学会ガイドライン作成委員会(編)：臨床検査のガイドラインJSLM2018 検査値アプローチ/症候/疾患.125-130, 2018 より引用, 一部改変)[17]

発熱, 咳嗽, 倦怠感等の感染症が疑われる妊産婦の診察にあたっては, 各種感染症の血清抗体価測定, 血液培養のほか, 喀痰, 咽頭, 腟等の分泌物の微生物学的検査を行って病原体を同定することに努めるとともに, 患者の同意を得てX線撮影, CT, MRI等の画像診断も積極的に行う。

4. 感染症による妊産婦死亡を防ぐために

1) 発熱の精査においては, 体系的な病歴聴取と培養検体の採取を行う

一般外来で診察する発熱性疾患の多くは, 一過性かつ軽症の感染症であり大部分は対症療法で治療される。一方で, 発熱が重要な病態の徴候であることもあるため, 緊急度や重篤度の高い疾患の鑑別をまず行い, 適切な診療を行う必要がある。発熱は何らかの随伴症状を伴っていることが多いため, 注意深く病歴を聴取する(表2)[17]。

感染症を疑った場合には, 基本的な検査に加え, 感染症関連検査が必要である(表3)[17]。しばしば迅速診断検査が実施されるが, 病原体特異的検査において迅速診断として有用なのは抗原検査である。抗体検査は, IgM検査を除き主にその感染症の免疫の有無や感染症治癒後の病原体診断に用いられる[17]。病歴や症状, あるいは基礎疾患から可能性のある感染症をある程度絞り込んで, 極力多くの箇所から検体を採取することが重要である。

2) 感染症の流行状況をアップデートしておく

感染症は季節性に流行するもの(インフルエンザ, 食中毒等)のほかに, 慢性的に患者が発生しているもの(結核, 性感染症等), 特定の時期に感染者が増加するもの等がある。近年流行している感染症のうち, 妊産婦に関連するものとしては, 梅毒, 麻疹, 風疹

等があげられており,これらは国立感染症研究所のホームページ上で,「注目すべき感染症」として適宜取り上げられている[18]。感染症の診断は,的確な問診や検査がきわめて重要であるが,そのための基礎的な情報として,その時々の流行状況を把握しておくとよい。

文献

(1) Bauer ME, et al：Maternal sepsis mortality and morbidity during hospitalization for delivery：temporal trends and independent associations for severe sepsis. Anesth Analg117：944–950, 2013
(2) Al–Ostad G, et al：Incidence and risk factors of sepsis mortality in labor, delivery and after birth：population–based study in the USA. J Obstet Gynaecol Res 41：1201–1206, 2015
(3) Barton JR, et al：Severe sepsis and septic shock in pregnancy. Obstet Gynecol 120：689–706, 2012
(4) Sheffield JS, et al：Community–acquired pneumonia in pregnancy. Obstet Gynecol 114：915–922, 2009
(5) 妊産婦死亡症例検討評価委員会,日本産婦人科医会：「母体安全への提言2018」, 2019
(6) 結核予防会結核研究所 疫学情報センター 結核年報. http://www.jata.or.jp/rit/ekigaku/toukei/nenpou/
(7) Mathad JS, et al：Tuberculosis in pregnant and postpartum woman：epidemiology, management, and research gaps, Clin Infect Dis 55：1532–1549, 2012
(8) Zenner D, et al：Risk of tuberculosis in pregnancy：a national, primary care–based cohort and self–controlled case series study. Am J Respir Crit Care Med 185：779–784, 2012
(9) Nahid P, et al：Official American Thoracic Society/Centers for Disease Control and Prevention/Infectious Diseases Society of America Clinical Practice Guidelines：Treatment of Drug–Susceptible Tuberculosis. Clin Infect Dis 63：e147–e195, 2016
(10) 伊藤真也,他：妊娠・授乳期における医薬品情報.抗菌薬.伊藤真也,他(編)：妊娠と授乳 改訂2版,134–153,南山堂,東京, 2014
(11) 厚生労働省健康局結核感染症課：「死亡した妊婦の検体からオウム病病原体を同定した事例について(情報提供)」.事務連絡29.3.17
(12) 厚生労働省健康局結核感染症課：「日本におけるオウム病症例発生状況と妊娠女性におけるオウム病について(情報提供)」.事務連絡29.7.25
(13) Janssen MJ, et al：Sepsis due to gestational psittacosis：A multidisciplinary approach within a perinatological center--review of reported cases. Int J Fertil Womens Med 51：17–20, 2006
(14) Hyde SR, et al：Gestational psittacosis：case report and literature review. Mod Pathol 10：602–607, 1997
(15) Jorgensen DM：Gestational psittacosis in a Montana sheep rancher. Emerg Infect Dis 3：191–194, 1997
(16) Gherman RB, et al：Chlamydial psittacosis during pregnancy：a case report. Obstet Gynecol 86：648–650, 1995
(17) 日本臨床検査医学会ガイドライン作成委員会(編)：臨床検査のガイドラインJSLM2018 検査値アプローチ/症候/疾患, 125–130, 2018
(18) 国立感染症研究所：患者発生動向調査. https://www.niid.go.jp/niid/ja/idwr.html

(早田 英二郎)

各論　間接産科的死亡

悪性腫瘍

commentary

悪性腫瘍合併妊娠とは

　妊娠年齢の高齢化に伴い，悪性腫瘍合併妊娠の割合は増加してきている。その発生頻度は1,000分娩に約1例と報告されている[1,2]。癌種別にみると米国や欧米では乳癌，子宮頸癌，悪性黒色腫，リンパ腫，白血病が多い[1〜3]。

　わが国において，初めて行われた妊娠と悪性腫瘍に関する調査として，日本産科婦人科学会が実施した悉皆調査である「妊娠に関する悪性腫瘍の調査2008」がある。2008年1月から12月までに日本産科婦人科学会研修施設(1,745施設)ならびに全国がんセンター協議会加盟施設(32施設)から227例の悪性腫瘍合併妊娠が報告された。癌種別にみると子宮頸癌162例(71.4%)が最も多く，次いで卵巣癌16例(7.0%)，乳癌15例(6.6%)，白血病7例(3.1%)，大腸癌5例(2.2%)，胃癌5例(2.2%)，悪性リンパ腫4例(1.8%)，甲状腺癌3例(1.3%)，脳悪性腫瘍3例(1.3%)，子宮体癌2例(1.9%)，頭頸部悪性腫瘍2例(0.9%)の順であった[4]。

　また，2014年にも同様に，日本産科婦人科学会によって悪性腫瘍合併妊娠について全国悉皆調査が実施された。周産期母子医療センター，またはがん診療拠点病院(510施設)を対象にアンケート調査を行い，411施設より回答が得られた。総分娩数207,750例で，悪性腫瘍合併妊娠は189例(0.09%)であった。解析可能なデータが得られた157例について検討を行ったところ，癌種別にみると子宮頸癌56例(35.7%)，乳癌37例(23.6%)，卵巣癌24例(15.3%)，血液悪性腫瘍15例(9.6%)，甲状腺癌6例(3.8%)，大腸癌5例(3.2%)，胃癌3例(1.9%)，その他11例であった。診断時期としては妊娠前9例，妊娠中130例，産褥14例，不明4例であった。診断時に進行例(Stage III期以上)であった症例は子宮頸癌ではなかったが，乳癌では28%，消化管悪性腫瘍では88%に認めた。乳癌については，妊娠中，生理学的に乳房が腫大するために診断が難しくなることが進行例で発見される原因と推測された。消化管悪性腫瘍については，妊娠悪阻などの症状との鑑別が難しく，放射線検査が避けられるためと推測された[5]。

　わが国における悪性腫瘍合併妊娠は，婦人科悪性腫瘍の占める割合が多い。そのため，子宮頸癌と卵巣癌の2癌種に限定した全国調査が進行中である。

▼事例　30代，経産婦

　自然妊娠成立後，産科診療所にて妊婦健診を受けていた。妊娠16週より腰痛が出現し，妊娠29週には食欲低下が著明であった。妊娠30週に構音障害，下肢脱力が出現し，高次施設へ救急搬送となった。CT・MRIで右脳梗塞とともに，胃内腫瘍とリンパ節腫大，骨転移を認め，進行胃癌に伴うトルソー症候群と診断された。母体の全身状態は悪く，入院2日目に帝王切開術を施行したが，入院16日目に死亡確認となった。

▼評価

　妊娠中に進行胃癌を合併し，原病死となった事例である。診断された時点で，すでに臨床進行期Stage Ⅳであり，救命は困難と考えられた。妊娠16週に腰痛を訴えているが，その時点で悪性腫瘍による骨転移を疑うのは困難である。仮に精査を行っていたとしても，病状は進行しており，最終的な予後は変わらなかったと考えられる。

▼提言

- 悪性腫瘍合併妊娠は稀ではあるが，妊娠年齢の高齢化に伴い，今後，増加すると予想される。悪性腫瘍合併妊娠では，初発症状が妊娠に伴う生理的変化との鑑別が難しい症例が多い。また，妊娠中のX線検査や侵襲的検査が避けられる傾向にあり，診断が遅れやすい。妊娠中であっても，悪性腫瘍の合併を疑う場合（胃癌であれば，妊娠中期以降も持続する悪阻様症状等）には診断および検査を躊躇する必要はなく，非妊時と同様に行うべきである。

日本の妊産婦死亡における悪性腫瘍の現状

　2010〜2016年に日本産婦人科医会に報告された323例の妊産婦死亡のうち，悪性腫瘍による死亡は12例（3.7％）であった。12例の内訳は，胃癌4例（低分化腺癌2例，印環細胞癌1例，組織型不明1例），白血病3例（急性骨髄性白血病2例，アグレッシブNK細胞白血病1例），尿管癌2例（組織型不明），悪性リンパ腫1例（びまん性大細胞型B細胞リンパ腫），脳腫瘍1例（神経膠腫），子宮頸癌1例（すりガラス細胞癌）であった。進行例が多く，悪性度も高かった（表）[6]。固形癌についてはほとんどが診断時にStage Ⅳであった。その理由としては4つ考えられる。

① 妊娠中，腰痛や消化器症状は妊娠に伴う生理的変化とみなされ，悪性腫瘍の症状が見落とされてしまうことがある。
② 胎児へのX線被曝を心配し，侵襲的な検査が避けられる。
③ 妊娠中の循環血液量・心拍出量の増加が急速な遠隔転移を促している可能性がある。
④ 解剖学的・病理学的特徴が悪影響を及ぼしている

各論　間接産科的死亡　悪性腫瘍

表　妊産婦死亡における悪性腫瘍の臨床的特徴

症例	癌種	病理	診断時の進行期	初発症状
1	胃癌	低分化腺癌	IV	胃痛
2	胃癌	不明	III	腰痛
3	胃癌	低分化腺癌	IV	胃痛
4	胃癌	印環細胞癌	IV	腰痛
5	白血病	アグレッシブNK細胞白血病	−	発熱
6	白血病	急性骨髄性白血病	−	倦怠感
7	白血病	急性骨髄性白血病	−	なし
8	尿管癌	不明	IV	腰痛
9	尿管癌	不明	IV	下肢痛
10	悪性リンパ腫	びまん性大細胞型B細胞リンパ腫	IV	倦怠感
11	脳腫瘍	神経膠腫, グレード4	IV	頭痛
12	子宮頸癌	すりガラス細胞癌	IIA2	なし

(Katsuragi S, et al：Analysis of preventability of malignancy-related maternal death from the nationwide registration system of maternal deaths in Japan 2：1–7, 2019)[6]

(大きくなった子宮により尿管癌の診断は難しくなる，スキルス胃癌の予後はきわめて不良である)。

分娩適応は，5例が母体の状態悪化のため，3例が原疾患の治療のため，3例が自然陣痛発来で，1例は分娩を拒否された。分娩週数の中央値は29週であった。

これら12例の悪性腫瘍による妊産婦死亡は回避困難と考えられたが，胃癌の2例では妊娠前より消化器症状を認めていたため，妊娠前に検査をしていれば，早期の段階で診断がついていた可能性はある。また，有意な症状がある場合は，妊娠中でも放射線検査をはじめ，必要な検査を行うべきである[6]。

まとめ

悪性腫瘍合併妊娠は稀ではあるが，進む妊娠年齢の高齢化と癌罹患年齢の若年化によりさらに増加することが予想される。予後改善のために早期診断が重要なのはいうまでもないが，妊娠中であれば，悪性腫瘍の症状と妊娠に伴う生理的変化を鑑別し，必要な検査を的確に行わなければならない。また，診断から治療まで他科と十分に連携することが重要である。

文献

(1) Salani R, et al：Cancer and pregnancy：an overview for obstetricians and gynecologists. Am J Obstet Gynecol 211：7–14, 2014
(2) Smith LH, et al：Cancer associated with obstetric delivery: results of linkage with the California cacer registry. Am J Obatet Gynecol 189：1128–1135, 2003
(3) Pavlidis NA：Coexistence of pregnancy and malignancy. Oncologist 7：279–287, 2002
(4) Sekine M, et al：Malignancy during pregnancy in Japan: an exceptional opportunity for early daiagnosis. BMC Pregnancy Childbirth 18：50, 2018
(5) Kobayashi Y, et al：A Japanese survey of malignant disease in pregnancy. Int J Clin Oncol 24：328–333, 2019
(6) Katsuragi S, et al：Analysis of preventability of malignancy-related maternal death from the nationwide registration system of maternal deaths in Japan 2：1–7, 2019

(高倉　翔，桂木　真司，池田　智明)

各論　間接産科的死亡

自殺，精神疾患

自殺と精神疾患とは

・自殺と希死念慮

妊婦は自殺念慮を抱く割合が高いという報告がある[1]。一般人口に比べて妊産婦が自殺で亡くなる頻度が高いというエビデンスはないが，死にたいという気持ちの訴えはその先の自殺につながるような精神的苦悩の表現であり，身近にいる産科医や助産師はそういった妊産婦の気持ちに率直に向き合い，受けとめる心構えをもっておかなければならない。希死念慮や自殺に関して話し合うことは自殺を後押しすることにはならず，むしろ安心して話す相手がいることで孤立を防ぎ，予防的に作用する。

・精神疾患

自殺既遂に至る人の多くは精神疾患に罹患した状態にあるといわれ[2,3]，妊産婦に生じる精神疾患についてもよく理解しておく必要がある。ここではうつ病と産褥精神病について述べる。

1）産後うつ病

産後うつ病は軽症例も含めて10～15％程の割合で認められる。その半数は妊娠中から抑うつ症状が生じており，産後だけでなく妊娠中の精神状態にも気を配っておかなければならない。

うつ病の主要な症状は，気分が沈む，憂うつ，物悲しいといった気持ちの落ち込みと，何事にも興味がわかない，楽しめないといった意欲の低下である。うつ病ではこのいずれかの症状が2週間以上続くことになる。こういった感情の変化にはさまざまな心理社会的要因も関与するため，もともとの人柄やものの考え方，家族や社会との関係性等についても把握しておき，それらが妊娠出産という人生の重大なイベントにどのような影響を与えるかにも目を向けなければならない。

軽症の場合は心理支援と環境調整に重点をおき，薬物療法を行わないこともある。妄想や強固な希死念慮にとらわれるような重症例では薬物療法の重要性が高まる。ストレスは再発や症状悪化のリスクになり，出産を境にして急に心身への負担が高まることがないよう，あらかじめ支援体制を整えておくことも大切である。

2）産褥精神病（産後精神病）

産褥精神病は産後2週間以内という早期に発症し，自殺や嬰児殺に至ることもある緊急性の高い精神疾患である。統合失調症や双極性障害のある女性で頻度が高くなる[4]が，産褥精神病は単にそれらの疾患の再燃や増悪ということではなく，特有の経過をたどることに留意しなければならない。

不眠やイライラ等，マタニティブルーズに似た軽い症状から，せん妄のような幻覚妄想，奇妙で混乱した言動，焦燥，興奮等激しい精神病症状まで産褥精神病の病像は多彩である。症状は変動しやすく，唐突な遁走や自傷に至ることもあるため，一時的に落ち着いた状態がみられても十分な監視を怠ってはならない。

安全の確保が難しい場合は精神科入院も考慮される。統合失調症や双極性障害の既往だけでなく，本人や実母に産褥精神病の既往があること等もリスク因子であり[4]，これらが重なる場合では事前に対策を講じておくことが必要となる。

▼事例1　30代，初産婦

未婚での妊娠。うつ病のため定期的に精神科に通院し，抗うつ薬を服用していたが，妊娠がわかった後は相談なく通院を中止した。かかりつけの産婦人科医は精神科受診を勧めたが，受診しなかった。妊娠中は特に問題なく経過し，正常経腟分娩に至った。産後1カ月に保健師の自宅訪問時に育児の不安を訴えていたが，保健師の説明を理解し，納得している様子であった。産後3カ月，同居している実母が帰宅したところ，自室で縊死しているところを発見された。

▼評価

妊娠をきっかけにうつ病の治療を自己判断で中断し，産後に自殺既遂に至った事例であった。通院や服薬の中断によって精神状態が悪化する危険が高まるが，妊産婦では治療を続けることに不安や抵抗を感じることも多く，それが治療中断と症状悪化につながる。どのような理由で受診したくないのか，治療や服薬についてどのように考えているのかを尋ね，妊産婦の感じている気持ちをまずは受けとめることが大切である。助産師や保健師らと情報交換をしながら経過を見守り，精神科とも連絡を取り合う体制を整えることが望まれた。

▼事例2　20代，初産婦

双極性障害と診断され，気分安定薬による薬物療法を継続していた。詳細は不明であるが，実母も産後一時的に不安定な精神状態になったことがあった。妊娠40週で正常経腟分娩し，経過は良好であったが，産褥3日の夜はよく眠れなかったといい，産褥4日には涙を流して辛い気持ちをとりとめなく語る等の様子がみられた。精神科医が往診したところ，診察時点では落ち着いた様子であった。産褥5日後，病棟で姿がみえなくなり，その後，病院近辺にある橋から転落して亡くなっているところが発見された。

▼評価

出産直後の時期に，急激で重篤な精神状態の変化を認めることがあり，このような時には産褥精神病の鑑別を忘れてはならない。症状は変動しやすく「万華鏡様」とも言われ，精神科医が診察した時には落ち着いていたとしても，その後に急変する可能性もある。希死念慮がなくとも，混乱した思考のなかで危険な行動をとってしまうこともあり，医療者はこのようなリスクについてもよく知っておく必要がある。

> **▼提言**
> - 産婦人科医はメンタルヘルスに配慮した妊産褥婦健診を行い，産後数カ月を経た時期であってもメンタルヘルスの相談をしやすい環境を整えておく。
> - 妊婦・褥婦が必要な精神科治療を開始・継続できるよう精神科専門医と協力し，支援する。
> - 産褥精神病のリスクのある産褥婦は，自殺可能な場所や危険物から遠ざけ，家族や地域の保健師に対して十分な注意喚起を行う。
> - 周産期の病態に精通する精神科医を育成し，日頃からよく連携しておく。

自殺の報告事例

2010～2016年の7年間に日本産婦人科医会医療安全委員会に報告された自殺による妊産婦死亡は14例で，このうち8例が妊娠中の自殺，6例が産後の自殺であった（表1, 2）。

東京23区内で発生した妊産婦の異常死に関する調査では，2005年からの10年間で妊婦と1年未満の産褥婦の自殺が63件あり，出生10万に対する

表1　検討事例

報告年	報告件数	備考
2010	0例	
2011	1例	妊娠中1例
2012	0例	
2013	1例	妊娠中1例
2014	3例	妊娠中1例，産後2例
2015	3例	妊娠中1例，産後2例
2016	6例	妊娠中4例，産後2例

表2　妊産婦の自殺の概要

	症例	年齢	経産	自殺手段	自殺場所	精神科診断	不妊治療歴
妊娠中	1	−	−	飛び降り	自宅	−	−
	2	20代	0	首吊り	自宅	−	なし
	3	20代	1	首吊り	自宅	−	なし
	4	30代	0	飛び降り	自宅	情緒不安定性パーソナリティ障害，発達障害疑い	なし
	5	30代	0	薬物	自宅	うつ病	あり
	6	20代	−	首吊り	自宅	うつ病	−
	7	30代	0	飛び降り	自宅	躁うつ病	なし
	8	40代	0	首吊り	自宅	精神科受診なし	なし
産後	9	30代	0	飛び降り	入院中・院外	統合失調症	−
	10	30代	0	首吊り	入院中・場所不明	躁うつ病	なし
	11	30代	0	首吊り	自宅	−	なし
	12	30代	0	首吊り	自宅	統合失調症	なし
	13	30代	1	轢死	駅のホーム	うつ病	−
	14	40代	2	首吊り	−	うつ病	なし

空欄（−）は情報なし・不明

自殺率が8.7であったことを報告している[5]。全国でも同様の自殺率であったと仮定すれば，自殺による妊産婦死亡と後発妊産婦死亡は全国で年間に60～80例発生していることになる。

日本産婦人科医会に報告された事例はそのわずか数パーセントに過ぎず，また報告された事例には，精神科治療歴や自殺に至った経緯，重要な情報が不足しているものも散見された。妊産婦の死亡事例を詳細に検討し，医療上の問題点や課題を明らかにしていくためには，十分な情報の量と質の確保が必要である。

メンタルヘルスに関する情報の不足は，それらに対する関心の低さの現れといえる可能性がある。今後，妊産婦の精神疾患や自殺への意識を高め，それによって全国の産科医療機関でのメンタルヘルス対策が充実し，残念ながら自殺既遂に至ってしまった場合でも，十分な情報をもとにした再発防止に向けての質の高い検討が可能となることを期待する。

自殺の時期

報告された事例の自殺の時期に着目すると，妊婦では妊娠4カ月が1例，妊娠6カ月が2例，妊娠7カ月が2例，妊娠9カ月が1例，不明が2例であり，妊娠中期から後期に分布していた。産褥婦では産後1カ月以内が3例，産後2カ月が1例，産後3カ月が1例，産後4カ月が1例で，出産直後の自殺が半数を占めた(表3)。一方，東京都の調査では妊婦の自殺23例のうち12例(52.2%)が妊娠2カ月での自殺で妊娠初期に集中しており，産褥婦の自殺は産褥4カ月がピークで，産褥1カ月以内の自殺は30例中2例と少数であった[5]。

妊娠中期から後期の報告が多く，妊娠初期の報告が少なかった理由としては，妊娠初期は産科を受診する前や，受診して間もない時期であり，自殺があっても妊産婦の死亡事例として認知されにくいことが考えられる。しかし，この時期にこそ自殺が生じやすいのだとしたら，そのような妊産婦を誰がどのように見守り，支援していけばよいであろうか。まず，精神科に通院中であれば，妊孕性のあるすべての女性に対し，妊娠する以前から精神科医が必要な情報提供や相談を行うという対応が考えられる。精神科治療歴がない場合は，妊婦が産科を初診した後，できるだけ早い段階で心理社会的なリスクを評価し，必要な支援を速やかに開始することが重要であろう。精神科治療歴があっても黙っている妊婦は多く，メンタルヘルスの重要性を説明した上で，必ず産科医のほうから病歴を確認しなければならない。精神科医との協力関係も重要である。あるいは，性教育や性に関する啓発活動を行う時に，自殺や精神疾患に関する情報を加えていくことも有用と考えられる。

また，産後については，1カ月健診以降は産科の関与が終了してしまい，産科医はそれ以降の自殺を知ることができないということが考えられる。助産師や保健師の訪問による産後の支援と同時に，妊娠出産を通して信頼関係が構築されている産科医は，産後数カ月を経た後であっても気軽にメンタルヘルスの相談ができる窓口となることが望ましい。また，産科から小児科へと支援の場を引き継いでいくことも検討すべきであろう。

産褥精神病

報告された産後の自殺事例6例のうち3例は産褥精神病であった可能性が高いと考えられた。2例は入院中，1例は退院直後であり，いずれも出産してわずかな期間での自殺である。2例が統合失調症，1例が双極性障害であり，1例では双極性障害の

表3 妊娠中・産後の自殺の概要

	症例	自殺時期	妊娠した時点での精神科治療	希死念慮の表出（発言や遺書等）	経過
妊娠中	1	妊娠7カ月	−	−	−
	2	妊娠6カ月	なし	あり	妊娠後に精神科を初診。精神科ではコントロール良好と評価されていた
	3	妊娠7カ月	−	あり	妊娠後に精神科を受診し、入院を勧められたが拒否した。その数日後に自殺した
	4	妊娠6カ月	あり	あり	妊娠後に別の精神科に転医。頻回に精神科診察があったが、最終受診の翌日に自殺した
	5	−	あり	あり	精神科受診状況は不明。前夫からDV被害、5回の習慣流産あり
	6	−	あり	−	精神科受診状況は不明。妊娠後、自傷行為があった
	7	妊娠9カ月	なし	−	妊娠後に精神科を初診。被害妄想等を認めたが通院しなかった。産科で「精神的にまいっている」との発言があり、その数日後に自殺した
	8	妊娠4カ月	なし	−	精神科受診歴なし。産科外来で不眠と喉のつかえ感を訴え、その数日後に自殺した
産後	9	産後1カ月未満	あり	−	妊娠後も精神科に通院。入院中に精神科の診察あり。入院中に自殺
	10	産後1カ月未満	あり	−	妊娠後も精神科に通院。入院中に精神科の診察あり。入院中に自殺。双極性障害の家族歴あり
	11	産後4カ月	−	−	−
	12	産後1カ月未満	あり	なし	妊娠中も精神科に通院。入院中に精神科の診察あり。退院直後に自殺
	13	産後2カ月	−	−	−
	14	産後3カ月	なし	あり	出産直後に情緒が不安定となり、保健センターで希死念慮を訴えた。精神科を初診し、入院を勧められたが本人、夫ともに拒否した。その後、通院しなかった

空欄（−）は情報なし・不明

家族歴も有していたが、これらは産褥精神病のリスク因子に合致する。妊娠中から精神科医がかかわり、出産後にも入院中に診察が行われ、報告では詳細が不明であるものの、明らかな希死念慮や精神症状の悪化は認められていなかったと考えるべきであろう。しかし、それにもかかわらず自殺に至っており、これも急性に発症し、短期間で症状が変動しやすいという産褥精神病の特徴に合致していると考えられる。

このように、精神科医が介入していても自殺を防ぐことが難しい事例がありうることを認識しておかなければならない。産褥精神病は誰にでも起こりうる疾患である。しかし、ベースラインの発症頻度は1,000分娩に対して1〜2例であり、すべての産褥婦に注意を払うことは難しい。また、リスク因子を有し発症する確率が高いと思われる患者、あるいは発症したことが疑われる患者であっても、精神科への搬送や入院のタイミング等は非常に難しい判断になると思われる。

産科病棟等でまず行うべき現実的な対応として，自殺手段へのアクセス制限がある[6]。刃物や紐状のもの等自殺の道具となりうるものを管理すること，職員の目の届かないような院内の死角を減らすこと，知らぬ間に院外や屋上，ベランダ等に出てしまうことがないよう院内の患者の動線を把握すること等である。退院後も同様の対策は必要で，家族や地域の保健師等への情報提供と注意喚起を徹底しなければならない。

これらの対策によって混乱した精神状態での突発的な自殺をひとまず食い止め，その後は速やかに精神科への入院につなげる。そのためにも産科と精神科は密に連絡が取り合えることが必要である。また，そのような連携を通して精神科医が育成されていくものと思われる。

文献

(1) Gelaye B, et al：Suicidal ideation in pregnancy：an epidemiologic review. Arch Womens Ment Health 19：741–751，2016
(2) Cavanagh JT, et al：Psychological autopsy studies of suicide：a systematic review. Psychol Med 33：395–405，2003
(3) Bertolote JM, et al：Psychiatric diagnoses and suicide：revisiting the evidence. Crisis 25：147–155，2004
(4) Sit D, et al：A review of postpartum psychosis. J Womens Health (Larchmt) 15：352–368，2006
(5) 竹田 省：妊産婦死亡"ゼロ"への挑戦. 日産婦会誌 68：1815–1822，2016
(6) Mann JJ, et al：Suicide prevention strategies：a systematic review. JAMA 294：2064–2074，2005

（安田 貴昭）

業績一覧

原著（英文）

- Kobori S, Toshimitsu M, Nagaoka S, Yaegashi N, Murotsuki J；Utility and limitation of perimortem and cesarean section：a nationwide survey in Japan. *J Obstet Gynecol Res 2019*：45, 325–330

- Katsuragi S, Tanaka H, Hasegawa J, Kanayama N, Nakata M, Murakoshi T, Osato K, Nakamura M, Tanaka K, Sekizawa A, Ishiwata I, Yamamoto Y, Wakasa T, Takeuchi M, Yoshimatsu J, Ikeda T：Analysis of preventability of malignancy-related maternal death from the nationwide registration system of maternal deaths in Japan. *J Matern Fetal Neonatal Med 2019*：1–7

- Katsuragi S, Tanaka H, Hasegawa J, Nakamura M, Kanayama N, Nakata M, Murakoshi T, Yoshimatsu J, Osato K, Tanaka K, Sekizawa A, Ishiwata I, Ikeda T；Maternal Death Exploratory Committee in Japan and Japan Association of Obstetricians and Gynecologists：Analysis of preventability of hypertensive disorder in pregnancy-related maternal death using the nationwide registration system of maternal deaths in Japan. *J Matern Fetal Neonatal Med 2019*：32, 3420–3426

- Hasegawa J, Wakasa T, Matsumoto H, Takeuchi M, Kanayama N, Tanaka H, Katsuragi S, Nakata M, Murakoshi T, Osato K, Nakamura M, Sekizawa A, Ishiwata I, Ikeda T：Analysis of maternal death autopsies from the nationwide registration system of maternal deaths in Japan. *J Matern Fetal Neonatal Med 2018*：31, 333–338

- Hasegawa J, Tanaka H, Katsuragi S, Sekizawa A, Ishiwata I, Ikeda T：Maternal deaths in Japan due to abnormally invasive placenta. *Int J Gynaecol Obstet 2018*：140, 375–376

- Tanaka H, Katsuragi S, Hasegawa J, Osato K, Nakata M, Murakoshi T, Sekizawa A, Kanayama N, Ishiwata I, Ikeda T：Relationship between reproductive medicine for women with severe complications and maternal death in Japan. *J Obstet Gynaecol Res 2019*：45, 164–167

- Tanaka H, Katsuragi S, Hasegawa J, Tanaka K, Osato K, Nakata M, Murakoshi T, Sekizawa A, Kanayama N, Ishiwata I, Ikeda T：The most common causative bacteria in maternal sepsis-related deaths in Japan were group A Streptococcus：A nationwide survey. *J Infect Chemother 2019*：25, 41–44

- Katsuragi S, Tanaka H, Hasegawa J, Nakamura M, Kanayama N, Nakata M, Murakoshi T, Yoshimatsu J, Osato K, Tanaka K, Sekizawa A, Ishiwata I, Ikeda T；on behalf of the Maternal Death Exploratory Committee in Japan and Japan Association of Obstetricians and Gynecologists：Analysis of preventability of stroke-related maternal death from the nationwide registration system of maternal deaths in Japan. *J Matern Fetal Neonatal Med 2018*：31, 2097–2104

- Hasegawa J, Wakasa T, Matsumoto H, Takeuchi M, Kanayama N, Tanaka H, Katsuragi S, Nakata M, Murakoshi T, Osato K, Nakamura M, Sekizawa A, Ishiwata I, Ikeda T；Maternal Death Exploratory Committee in Japan and Japan Association of Obstetricians and Gynecologists：Analysis of maternal death autopsies from the nationwide registration system of maternal deaths in Japan. *J Matern Fetal Neonatal Med 2018*：31, 333–338

- Hasegawa J, Tanaka H, Katsuragi S, Sekizawa A, Ishiwata I, Ikeda T；Maternal Death Exploratory Committee in Japan and the Japan Association of Obstetricians and Gynecologists：Maternal deaths in Japan due to abnormally invasive placenta. *Int J Gynaecol Obstet 2018*：140, 375–376

- Katsuragi S, Tanaka H, Hasegawa J, Nakamura M, Kanayama N, Nakata M, Murakoshi T, Yoshimatsu J, Osato K, Tanaka K, Sekizawa A, Ishiwata I, Ikeda T；on behalf of the Maternal Death Exploratory Committee in Japan and Japan Association of Obstetricians and Gynecologists：Analysis of preventability of stroke related maternal death from the nationwide registration system of maternal deaths in Japan. *J Matern Fetal Neonatal Med 2018*：31, 2097–2104

- Tanaka H, Katsuragi S, Osato K, Hasegawa J, Nakata M, Murakoshi T, Yoshimatsu J, Sekizawa A, Kanayama N, Ishiwata I, Ikeda T：The increase in the rate of maternal deaths related to cardiovascular disease in Japan from 1991-1992 to 2010-2012. *J Cardiol 2017*：69, 74–78

- Tanaka H, Katsuragi S, Osato K, Hasegawa J, Nakata M, Murakoshi T, Yoshimatsu J, Sekizawa A, Kanayama N, Ishiwata I, Ikeda T：Value of fibrinogen in cases of maternal death related to amniotic fluid embolism. *J Matern Fetal Neonatal Med 2017*：30, 2940–2943

- Hasegawa J, Sekizawa A, Tanaka H, Katsuragi S, Osato K, Murakoshi T, Nakata M, Nakamura M, Yoshimatsu J, Sadahiro T, Kanayama N, Ishiwata I, Kinoshita K, Ikeda T；Maternal Death Exploratory Committee in Japan, and the Japan Association of Obstetricians and Gynecologists. Current status of pregnancy-related maternal mortality in Japan：a report from the Maternal Death Exploratory Committee in Japan. *BMJ Open 2016*：6, e010304

- Tanaka H, Katsuragi S, Osato K, Hasegawa J, Nakata M, Murakoshi T, Yoshimatsu J, Sekizawa A, Kanayama N, Ishiwata I, Ikeda T：Efficacy of transfusion with fresh-frozen plasma：red blood cell concentrate ratio ≥ 1 for amniotic fluid embolism with coagulopathy：a case–control study. *Transfusion 2016*：56, 3042–3046

- Hasegawa J, Sekizawa A, Yoshimatsu J, Murakoshi T, Osato K, Ikeda T, Ishiwata I：Cases of death due to serious group A streptococcal

業績一覧

- toxic shock syndrome in pregnant females in Japan. *Arch Gynecol Obstet 2015*：291, 5–7
- Tanaka H, Katsuragi S, Osato K, Hasegawa J, Nakata M, Murakoshi T, Yoshimatsu J, Sekizawa A, Kanayama N, Ishiwata I, Ikeda T：Increase in maternal death-related venous thromboembolism during pregnancy in Japan (2010-2013). *Circ J 2015*：79, 1357–1362
- Farhana M, Tamura N, Mukai M, Ikuma K, Koumura Y, Furuta N, Yaguchi C, Uchida T, Suzuki K, Sugihara K, Itoh H, Kanayama N：Histological characteristics of the myometrium in the postpartum hemorrhage of unknown etiology：a possible involvement of local immune reactions. *J Reprod Immunol 2015*：110, 74–80
- Tamura N, Kimura S, Farhana M, Uchida T, Suzuki K, Sugihara K, Itoh H, Ikeda T, Kanayama N：C1 esterase inhibitor activity in amniotic fluid embolism. *Crit care med* 2014：42, 1392–1396
- Kanayama N, Tamura N：Amniotic fluid embolism：pathophysiology and new strategies for management. *J Obstet Gynaecol Res 2014*：40, 1507–1517
- Tamura N, Nagai H, Maeda H, Kuroda RH, Nakajima M, Igarashi A, Kanayama N, Yoshida K：Amniotic fluid embolism induces uterine anaphylaxis and atony following cervical laceration. *Gynecol Obstet Invest 2014*：78, 65–68
- Kanayama N, Inori J, Ishibashi-Ueda H, Takeuchi M, Nakayama M, Kimura S, Matsuda Y, Yoshimatsu J, Ikeda T：Maternal death analysis from the Japanese autopsy registry for recent 16 years：significance of amniotic fluid embolism. *J Obstet Gynaecol Res 2011*：37, 58–63
- Morikawa M, Umazume T, Hosokawa-Miyanishi A, Watari H, Kobayashi T, Seki H, Saito S：Relationship between antithrombin activity and interval from diagnosis to delivery among pregnant women with early-onset pre-eclampsia. *Int J Gynaecol Obstet 2019*：145, 62–69
- Koizumi J, Hara T, Sekiguchi T, Ichikawa T, Tajima H, Takenoshita N, Tanikake M, Suyama Y, Kaji T, Kato K, Sone M, Arai Y, Anai H, Kichikawa K, Fujieda H, Nishibe T, Yamada N, Nakamura M, Nakano T, Kunieda T, Kuriyama T, Sugimoto T, Takayama M, Kobayashi T, Goto S, Kanazawa M, Itou M, Shirato K：Multicenter investigation of the incidence of inferior vena cava filter fracture. *Jpn J Radiol 2018*：36, 661–668
- Sugiura K, Ojima T, Urano T, Kobayashi T：The incidence and prognosis of thromboembolism associated with oral contraceptives：age-dependent difference in Japanese population. *J Obstet Gynaecol Res 2018*：44, 1766–1772
- Ota S, Matsuda A, Ogihara Y, Yamada N, Nakamura M, Mori T, Hamada M, Kobayashi T, Ito M：Incidence, characteristics and management of venous thromboembolism in Japan during 2011. *Circ J 82*：555–560, 2018
- Kobayashi T, Kajiki M, Nihashi K, Honda G：Surveillance of the safety and efficacy of recombinant human soluble thrombomodulin in patients with obstetrical disseminated intravascular coagulation. Thromb Res 159：109–115, 2017

【原著（和文）】

- 田中博明, 池田智明：妊産婦死亡からみるフィブリノゲンと産科危機的出血. 日産婦新生児血会誌 2018：27, 63–68
- 照井克生：産科救急への対応. 日臨麻会誌 2018：38, 718–725
- 朝倉英策, 髙橋芳右, 内山俊正, 江口　豊, 岡本好司, 川杉和夫, 小林隆夫, 瀧　正志, 辻仲利政, 松下　正, 松野一彦, 窓岩清治, 矢冨　裕, 和田英夫：日本血栓止血学会DIC診断基準 2017年版. 日血栓止血会誌 2017：28, 369–391
- 田中博明, 桂木真司, 大里和広, 仲村将光, 長谷川潤一, 中田雅彦, 村越　毅, 吉松　淳, 関沢明彦, 金山尚裕, 石渡　勇, 池田智明：日本における静脈血栓塞栓症（VTE）関連妊産婦死亡の後方視的検討. 日産婦新生児血会誌 2015：25, 5079–5080
- 田中博明, 池田智明：産科出血における生存例と死亡例の検討. 日産婦新生児血会誌 2015：24, 31–35
- 竹内　真, 金山尚裕, 吉松　淳, 植田初江, 中山雅弘, 若狭朋子, 木村　聡, 松田義雄, 池田智明：妊産婦死亡に対する剖検マニュアル委員会, 妊産婦死亡の剖検方法とその注意点 厚生労働省研究班で作成した妊産婦死亡剖検マニュアルについて, 診断病理 2011：28, 8–17

【総説】

- Hasegawa J：Maternal death in Japan from the 10th J-ReSS symposium "Critical care of mothers". *JRC Newsletter 2018*：2, 3
- Murotsuki J：The current status of perimortem cesarean delivery in Japan. *JRC Newsletter 2018*：2, 8
- Takeda S：Education and training approaches for reducing maternal deaths in Japan. *Hypertens Res Pregnancy*. September *2018*. DOI：10.14390/jsshp.HRP2018-007
- Suzuki S, Taked S a, Okano T, Kinoshita K：Recent strategies in perinatal mental health care in Japan. *Hypertens Res Pregnancy*. July *2018*. DOI：10.14390/jsshp.HRP2018-001
- 桂木真司, 池田智明：疫学研究, 妊娠高血圧症関連の妊産婦死亡―妊産婦死亡調査から. *産と婦 2019*：29, 171–179
- 若狭朋子, 植田初江, 竹内　真：妊産婦死亡の病理解剖. 病理と臨 2019：37, 976–981
- 長谷川潤一, 関沢明彦, 岡井　崇：キャリアアップのための専門医・認定医ガイド 日本母体救命システム普及協議会 ベーシックコース・インストラクター. *産と婦 2018*：85, 130–142.
- 竹田　純, 竹田　省：子宮破裂の予知・危険因子. 脳性麻痺を如

- 何に予防するか？. 周産期医 2018：48, 323–328
- 竹田　省：周産期メンタルヘルスと自殺対策. 埼玉産婦会誌 2018：48, 20–25
- 竹田　省：我が国の周産期メンタルヘルスの実情とその対策. 日新生児看会誌 2018：24, 23–27
- 竹田　純, 竹田　省：常位胎盤早期剥離. 産科医療補償制度に学ぶ 妊娠・分娩マネジメント講座. ペリネイタルケア 2018：37, 72–75
- 竹田　省：産婦人科歴 40 年を振り返って 産婦人科からメンタルヘルスを考える. 日周産期メンタルヘルス会誌 2018：4, 9–15
- 竹田　省：日本の周産期メンタルヘルス対策に関する産科医からの提言. 総病精医 2018：30, 312–318
- 竹田　省：急速遂娩～産科医療補償制度原因分析報告書からの教訓～. 急速遂娩術のための適切な判断と方法とは～鉗子遂娩術を中心に～. 日産婦学会誌 2018：70, 2480–2484
- 中田雅彦, 梅村なほみ, 早田英二郎, 大路斐子：妊産婦の生理学 総論 妊娠に伴う生体の変化について. ICU と CCU 2018：42, 339–343
- 田中佳世, 田中博明, 池田智明：母体死亡原因解析からみた産科出血管理. 産と婦 2017：84
- Hasegawa J, Ikeda T, Sekizawa A, Tanaka H, Nakamura M, Katsuragi S, Osato K, Tanaka K, Murakoshi T, Nakata M, Ishiwata I；Maternal Death Exploratory Committee in Japan, the Japan Association of Obstetricians, Gynecologists：Recommendations for saving mothers' lives in Japan：Report from the Maternal Death Exploratory Committee（2010-2014）. J Obstet Gynaecol Res 2016：42, 1637–1643
- 長谷川潤一, 関沢明彦, 桂木真司, 石渡　勇, 池田智明, 岡井　崇：蘇生を含む緊急対応が必要な妊婦の取り扱い 妊産婦死亡の現状と課題. 周産期医 2016：46, 441–444
- 長谷川潤一：産科救急疾患 弛緩出血. 救急医 2016：40, 1021–1027
- 桂木真司：意識消失. 周産期医学 2016：46, 453–458
- 田中佳世, 田中博明, 池田智明：妊婦における感染症の"Susceptibility"と"Severity". 薬局 2016：67, 1987–1991
- 田中佳世, 田中博明, 村林奈緒, 大里和広, 神元有紀, 池田智明：自殺が最大の妊産婦死亡原因である可能性についての検討. 産婦の実際 2016：60, 1791–1794
- 村越　毅：蘇生を含む緊急対応が必要な妊婦の取り扱い 分娩後出血（PPH）. 周産期医 2016：46, 467–473.
- 村越　毅：産科救急疾患 子宮破裂. 救急医 2016：40, 1051–1060
- 中田雅彦, 大路斐子, 梅村なほみ, 長崎澄人：産科救急疾患 常位胎盤早期剥離. 救急医 2016：40, 1037–1043

- 若狹朋子, 松岡圭子：学んで活かす 病理解剖の流れと介助業務の実際 胎児・新生児および妊産婦の病理解剖. Med Technol 2016：44, 993–997
- 長谷川潤一：事例からみた妊産婦死亡の原因と予防対策 産科危機的出血症例に対する母体救急連携. 日産婦誌 2015：67, 2045–2051
- 長谷川潤一：事例からみた妊産婦死亡の原因と予防対策 産科危機的出血症例に対する母体救急連携. 日産婦誌 2015：67, 460
- 田中博明：妊産婦救急死亡の現状. 産婦の実際 2015：64, 133–136
- 関沢明彦, 石渡　勇, 長谷川潤一：学会の取り組み 日本産婦人科医会. 産婦の実際 2015：64, 1176
- 村越　毅：第 1 章 周産期分野 分娩時の異常 子宮内反症. 産と婦 2015：82（Suppl）, 127–130
- 田中佳世, 田中博明, 池田智明：妊産婦死亡があったら病理解剖をすすめることを怠るべからず. 周産期医 2015：45（増刊）, 367–368
- 加藤里絵：妊産婦救急対応における産婦人科医と麻酔/救急/集中治療科医との連携のために. 産婦の実際 2015：64, 1133–1139
- 若狹朋子, 竹内　真：第 2 章 肺（非腫瘍）羊水塞栓症. 病理と臨 2015：33（臨増）, 20
- 村越　毅：産後の過多出血（PPH）の原因と対応. 臨婦産 2014：68, 772–777
- 長谷川潤一, 関沢明彦, 池田智明：妊産婦死亡症例検討評価委員会からみた産科異常出血への対応. 産婦の実際 2013：62, 207–214
- 池田智明, 大里和弘：わが国の母体死亡の現状－母体安全の提言より－. 臨婦産 2013：67, 1264–1269
- 池田智明：母体安全への提言～妊産婦死亡の検討から～. 分娩と麻 2013：95, 1–7
- 池田智明：妊産婦死亡事例分析からみた「母体への提言 2013」. 日産婦会誌 2013：67, 2038–2041
- 村越　毅：子宮破裂. 周産期医 2013：43, 33–35
- 村越　毅：劇症 1 型糖尿病. 周産期医 2013：43, 97–99
- 加藤里絵, 奥富俊之：「産科危機的出血への対応ガイドライン」周辺の話題. 周産期医 2013：43, 661–664
- 加藤里絵, 奥富俊之：妊産婦の心停止時の蘇生法. 周産期医 2013：43, 805–808
- 加藤里絵：妊産婦における心肺蘇生法の啓発. 日臨麻誌 2012：32, 858–865
- 若狹朋子：産褥子宮の形態的変化について－弛緩出血・子宮復古異常の診断基準確立のために－. 産と婦 2011：78, 208–212
- 若狹朋子：前置胎盤と癒着胎盤. 産と婦 2011：78, 213–217

業績一覧

- 加藤里絵:妊産婦死亡の変遷と妊婦の心肺蘇生法. *麻酔 2010*:59, 303–310
- 田中佳世, 田中博明, 池田智明:周産期心筋症(産婦人科領域における難病を考える−新たに成立した難病法の視点から). *産と婦 2017*:84, 854–857
- 田中佳世, 田中博明, 池田智明:母体死亡原因解析からみた産科出血管理. *産と婦 2017*:84, 525–529
- 田中博明:識る 循環器疾患合併妊娠と妊産婦死亡. *Heart View 2017*:21, 345–349
- 田中博明, 池田智明:母体救命システム, 母体安全への提言 2015. *救急医 2016*:40, 999–1003
- 田中博明:第2章 母体の急変 羊水塞栓症. *ペリネイタルケア 2016*:(2016 新春増刊), 192–201
- 田中博明:母体急変時対応 羊水塞栓症. *ペリネイタルケア 2015*:34, 984–987
- 田中博明, 池田智明:わが国における産科出血による妊産婦死亡の検討 妊産婦死亡報告事業 2010〜2012年. *産婦の実際 2015*:63, 2015–2019
- 田中博明, 池田智明:6. 妊娠と妊婦にまつわるトピックス 妊婦と死亡率. *調剤と情報 2014*:20, 1392–1394
- 小林隆夫:連載「DIC診療の新たな展開」第6回 産科DICにおける遺伝子組換えトロンボモジュリン製剤の有用性. *Thromb Med 2019*:9, 63–68
- 小林隆夫:産科領域のDICの取り扱い. *臨検 2018*:62, 1018–1024
- 小林隆夫:産科領域における血栓塞栓症に対する薬物療法. *周産期医 2018*:48, 92–94
- Kobayashi T, Sugiura K, Ojima T:Risks of thromboembolism associated with hormone contraceptives in Japanese compared with Western women. *J Obstet Gynaecol Res 2017*:43, 789–797
- 小林隆夫, 杉浦和子:わが国における女性ホルモン剤使用に関連する血栓塞栓症の現況. *日生殖内分泌会誌 2017*:22, 9–15
- 小林隆夫:診療ガイドに基づいた静脈血栓塞栓症の予防と治療. *臨血 2017*:58, 875–882, 2017
- 小林隆夫:(2)静脈血栓塞栓症の危険因子 7)妊娠. 動脈・静脈の疾患(上). *日臨 2017*:75 (増刊号), 120–123
- 小林隆夫:遺伝子組換え活性型血液凝固第Ⅶ因子製剤. *産と婦 2017*:84, 547–552
- 小林隆夫:女性と静脈血栓塞栓症. *日医雑誌 2017*:146, 42
- 森川 守, 板倉敦夫, 前田 眞, 小林隆夫, 水上尚典:わが国における産科領域の回収式自己血輸血の現況. *Thromb Med 2017*:7, 22–25
- 小林隆夫:わが国における遺伝子組換え活性型血液凝固第Ⅶ因子製剤使用の現況. *Thromb Med 2017*:7, 16–21
- 小林隆夫, 杉浦和子:血栓症・脳卒中 性ステロイドホルモンの副作用の疫学. *臨婦産 2017*:71, 140–147

【著書】

- 妊産婦死亡症例検討評価委員会・日本産婦人科医会:母体安全への提言 2018 Vol. 9. 東京, 2019
- 妊産婦死亡症例検討評価委員会・日本産婦人科医会:母体安全への提言 2017 Vol. 8. 東京, 2018
- 妊産婦死亡症例検討評価委員会・日本産婦人科医会:母体安全への提言 2016 Vol. 7. 東京, 2017
- 妊産婦死亡症例検討評価委員会・日本産婦人科医会:母体安全への提言 2015 Vol. 6. 東京, 2016
- 妊産婦死亡症例検討評価委員会・日本産婦人科医会:母体安全への提言 2014 Vol. 5. 東京, 2015
- 妊産婦死亡症例検討評価委員会・日本産婦人科医会:母体安全への提言 2013 Vol. 4. 東京, 2014
- 妊産婦死亡症例検討評価委員会・日本産婦人科医会:母体安全への提言 2012 Vol. 3. 東京, 2013
- 妊産婦死亡症例検討評価委員会・日本産婦人科医会:母体安全への提言 2011 Vol. 2. 東京, 2012
- 妊産婦死亡症例検討評価委員会・日本産婦人科医会:母体安全への提言 2010 Vol. 1. 東京, 2011
- 産科危機的出血への対応ガイドライン. 山蔭道明, 廣田和美(監修):麻酔科学レビュー 2018. 総合医学社, 東京, 193–197, 2018
- 櫻井 淳:母体救命における高次施設への搬送基準. 日本母体救命システム普及協議会, 京都産婦人科救急診療研究会(編):母体急変時の初期対応 第2版. メディカ出版, 大阪, 208–212, 2017
- 櫻井 淳:母体救命での指標. *産婦の実際 2017*:66, 1263–1270
- 照井克生:スッキリフローチャートで診る産科重症患者ケア. 克誠堂出版, 東京, 2017
- 母体救命アドバンスガイドブックJ-MELS編集委員会(編):母体救命アドバンスガイドブック(J-CIMELS公認講習会アドバンスコーステキスト). へるす出版, 東京, 2017
- 妊産婦死亡時の剖検と病理検査の指針作成委員会 厚生労働科学研究費補助金地域医療基盤開発推進研究事業:妊産婦死亡剖検マニュアル 改訂版. 2016
- 石渡 勇, 池田智明(企画), 日本産婦人科医会医療安全委員会, 厚生労働科学研究費補助金(地域医療基盤開発推進研究事業)池田班(監修), 関沢明彦, 長谷川潤一(編):日本の妊産婦を救うために 2015, 第1版. 東京医学社, 東京, 2015
- Osato K:Maternal Death in Japan. Ikeda T, Kamiya AC(eds):Maternal and Fetal Cardiovascular Disease. Springer, Singapore, 89–96, 2019
- 照井克生, 加藤里絵, 池田智明:妊婦の心肺蘇生法. 照井克生, 奥富俊之(編):周産期麻酔. 克誠堂, 東京, 365–372, 2012

- 竹田　省(編)：妊娠中の手術・胎児手術 Obstetric Gynecologic Surgery Now 15. メジカルビュー社, 東京, 26–35, 2013
- 小林隆夫：血液疾患合併妊娠. 永井良三(総監修), 綾部琢哉, 大須賀　穣(編)：産婦人科研修ノート. 診断と治療社, 東京, 456–459, 2019
- 小林隆夫：産科・婦人科領域のDIC. 丸山征郎(編)：ファーマナビゲーター DIC編改訂版. メディカルレビュー社, 東京, 156–165, 2019
- 小林隆夫：産褥期の静脈血栓塞栓症. 猿田享男, 北村惣一郎(監修)：1361専門家による 私の治療 2019–20年度版. 日本医事新報社, 東京, 1369–1371, 2019
- 小林隆夫：肺血栓塞栓症の予防と治療指針. 岡元和文(編著)：救急・集中治療最新ガイドライン 2018-'19, 総合医学社, 東京, 327–331, 2018
- 小林隆夫：血栓塞栓症合併妊娠. 日本産婦人科・新生児血液学会(小林隆夫, 瀧正志, 板倉敦夫編集委員)(編集)：産婦人科・新生児領域の血液疾患診療の手引き. メディカルビュー社, 東京, 41–52, 2017
- 小林隆夫：産科DIC. 日本産婦人科・新生児血液学会(小林隆夫, 瀧正志, 板倉敦夫編集委員)(編集)：産婦人科・新生児領域の血液疾患診療の手引き. メディカルビュー社, 東京, 97–108, 2017
- 小林隆夫：産科DIC診断基準. 丸藤　哲(編)：徹底ガイド DICのすべて 2019-20 救急・集中治療. 総合医学社, 東京, 192–198, 2018
- 小林隆夫：産科DIC診断基準. 松田直之(専門編集)：救急・集中治療アドバンス, 重症患者における炎症と凝固・線溶系反応. 中山書店, 東京, 37–43, 2017
- 小林隆夫：産科領域のDIC. 朝倉栄策(編著)：臨床に直結する血栓止血学改訂2版. 中外医学社, 東京, 387–393, 2018
- 小林隆夫：産褥期の静脈血栓塞栓症. 猿田享男, 北村惣一郎(監修)：私の治療 2017-2018年度版. 日本医事新報社, 東京, 1541–1543, 2017
- 小林隆夫：深部静脈血栓症. 小澤敬也, 中尾眞二, 松村　到(編)：血液疾患最新の治療 2017-2019. 南江堂, 東京, 252–255, 2017
- 小林隆夫：妊娠中の血栓塞栓症. 金山尚裕(監修)：今日の臨床サポート(改訂第4版). エルゼビア・ジャパン, 東京, 2018
- 厚生労働科学研究費補助金成育疾患克服等次世代育成基盤研究事業：妊産婦死亡剖検マニュアル, 2010

【学会開催】

- 池田智明, 金山尚裕：第1回 妊産婦死亡症例病理カンファレンス, ウインクあいち, 2012年11月
- 竹内　真, 若狭朋子, 植田初江：第2回妊産婦死亡症例病理カンファレンス, メディカ出版(ニッセイ新大阪ビル16F), 2013年2月
- 池田智明, 金山尚裕：第3回 妊産婦死亡症例病理カンファレンス, 甲府富士屋ホテル, 2013年11月
- 池田智明, 金山尚裕：第4回 妊産婦死亡症例病理カンファレンス, 三重大学医学部附属病院, 2014年5月
- 池田智明, 金山尚裕：第5回 妊産婦死亡症例病理カンファレンス, 産業振興センター・結の街 沖縄, 2014年11月
- 池田智明, 金山尚裕：第6回 妊産婦死亡症例病理カンファレンス, 東京大学, 2015年11月
- 池田智明, 金山尚裕：第7回 妊産婦死亡症例病理カンファレンス, 金沢市文化ホール, 2016年11月
- 池田智明, 金山尚裕：第10回 妊産婦死亡症例病理カンファレンス, 筑波国際会議場, 2019年11月

索　引

2回チャレンジルール　147
5分間ルール　132

A
ABC　62
ACLS：advanced cardiovascular life support　130
AED　127
Ai：autopsy imaging　69
ALS：advanced life support　123
AT：antithrombin　121, 230
A群溶血性レンサ球菌　291

B
BLS：basic life support　123, 130
B-Lynch法　105
Brandt-Andrews法　218
bridging vessels　198
bulging　198
β刺激薬　245

C
C1インヒビター　76, 231
C1エステラーゼインヒビター　75
C3　76, 93, 229
C4　76, 93, 229
Centorスコア　293
compression suture　105, 186, 193
concealed abruption　204
Couvelaire　206
CT造影剤　143
CUS　147

D
DIC　76, 220, 228, 292
Dダイマー　93

E
Ehlers-Danlos症候群　263
EIA法　76
Eisenmenger症候群　254, 272
EPDS　176

F
FDP：fibrin/fibrinogen degradation products　93
FFP：fresh frozen plasma　230
FLAIR画像　282
Fontan手術　254

H
Haultain法　218
Hayman法　105
HELLP症候群　220, 274
HPLC法　76
Huntington法　218

I
ICD-10　2, 41
ICD-MM　2
IL-8　76, 93
iSBAR　66
IVR：interventional radiology　104, 105, 110

J
JALA　13, 17, 167
J-CIMELS　26, 44, 46
J-MELS　47, 156, 173
J-MELS硬膜外鎮痛急変対応コース　50, 96, 156

L
late maternal death　2
Load and Go　152, 159
Loeys-Dietz症候群　263

M
Marfan症候群　254, 263, 264, 266
Matsubara-Yano法　105
MBRRACE-UK　34
MEOWS：modified early obstetric warning system　56
Mississippi protocol　224
MRI造影剤　143

N
NBCA：N-butyl-2-cyanoacrylate　110

O
O'Leary stitch　105
OMI　62

P
Parallel vertical suture　105
PCPS：percutaneous caidiopulmonary support　132, 247
PCR法　307
PGF2α　101
placenta lacuna　198
PTE：pulmonary thromboembolism　3
PUBRAT　61

Q
quick SOFA　294, 297

R
RCVS：reversible cerebral vasoconstriction syndrome　281
reproductive rights　284
revealed abruption　204

S
Saving Mothers' Lives 2020　30
SBAR　146
shared decision making　287
SI：shock index　24
Simon氏腟鏡　184
SIRS：systemic inflammatory response syndrome　297
SOFA：sequential organ failure assessment　297, 303
SpO2　57
sponge like echo　192
Square suture　105
Stanford分類　264
STN　76
SUDEP：sudden unexpected death in epilepsy　286

T
T2強調画像　282
TGF-β受容体遺伝子異常　263
TIA法　76
Torsade de pointes　249
Turner症候群　263

V
VTE　236

X
X線被曝　311

Z
ZnCP1　76

あ
赤ちゃんへの気持ち質問票　176
アクションリスト　149
悪性疾患　4
悪性腫瘍　236, 310
圧迫止血　185
圧迫縫合法　105, 186, 193
アテローム血栓性脳梗塞　281
アドレナリン　66, 127, 231, 301
アナフィラキシー（様）反応　77, 93, 230

索引語	ページ
アナフィラクトイド反応	272, 76, 79, 31
アナフィラトキシン	231
アピキサバン	240
アフリカ系人種	243
アルシャンブルー染色	78
アレルギー疾患合併妊娠	232
アレルギー様反応	231
アンチトロンビン	121, 230
アンチトロンビンIII欠損症	279
アンチトロンビン欠乏症	240

い
イオンチャネル異常	251
息切れ	246, 270
息苦しさ	235
育児支援チェックリスト	176
異型輸血	231
意識障害	55, 279, 281
意識消失	75, 228, 252, 258, 292
意識レベル	58
異常出血	184
異常プロラクチン	246
異所性妊娠	4
一次救命処置	123, 130
一時的塞栓	110
一時的塞栓物質	111
遺伝カウンセリング	268
遺伝子組換え活性型第VII因子製剤	120
遺伝子組換え(ヒト)トロンボモジュリン製剤	121, 296
遺伝子検査	266, 294
遺伝性血管浮腫	75
易疲労感	268, 307
医療安全に向けての会員支援事業	16
医療事故調査制度	11, 13, 21
咽頭拭い液	307
インフルエンザ様	67

う
ウリナスタチン	121, 230
運動麻痺	279

え
永久塞栓	110
永久塞栓物質	111
英国の妊産婦死亡レポート	34
栄養不良	206
エコノミークラス症候群	233
エジンバラ産後うつ病質問票	176
エドキサバン	240
エノキサパリン	240
エフェドリン	57
エルゴメトリン	101
エンドトキシン吸着療法	296

お
嘔吐	233, 281
オウム病	304, 307
オキシトシン	34, 101, 193

か
ガーゼパッキング	101, 183
会陰裂傷	184
回収式自己血輸血	120
回収式フィルター	241
外傷	206, 236, 263
外傷性頭蓋内出血	87
回旋異常例	211
咳嗽	235, 307, 307
開頭血腫除去	278
開腹圧迫	186
カウンセリング	284
下顎挙上法	63
過強陣痛	209, 211
拡散強調画像	281
喀痰	307
拡張型心筋症	82, 246, 270
拡張期血圧	57, 222
確率的リンケージ	39
下肢静脈瘤	236
加重型妊娠高血圧腎症	219
過少届出問題	19
家族性高脂血症	84
家族歴	83, 236, 243, 250
下大静脈フィルター	241
過短臍帯	217
合併症妊娠	137
家庭環境	177
カテーテルインターベンション	240
カテーテル治療	109
カテコラミン	247
下腹部縦切開	132
川崎病	84

き
間欠的空気圧迫法	234, 237
観血的整復	218
肝酵素上昇	220, 275
間質浮腫	80
鉗子分娩	211, 232
間接産科的死亡	2, 27
関節痛	307
完全子宮内反症	215
完全子宮破裂	212
感染症	4, 67, 301, 304
感染性心内膜炎	258, 268
完全大血管転位心房位血流転換手術	254
乾燥フィブリノゲン製剤	120
冠動脈解離	69, 84
冠動脈硬化症	84
冠動脈閉塞	84
冠動脈瘤	84
肝被膜下出血	220
肝被膜下破裂	220
肝不全	292

き
奇異性脳塞栓症	88
既往歴	236
機械弁置換術	254
気管挿管	64, 127, 161
危機的出血への対応ガイドライン	117
起坐呼吸	246
喫煙	206, 279
気道確保	63, 125, 127
気分不快	233
吸引分娩	211, 232
救急医との連携	150
急性呼吸窮迫症候群	292
急性腎不全	220
急性大動脈解離	263
急速遂娩	211
急速輸液	65
急変	60
仰臥位低血圧症候群	132
凝固亢進型	302
胸骨圧迫	65, 123, 132
行政解剖	91
胸痛	55, 75, 235
協働システム	137

索引

京都産婦人科救急診療研究会	46
京都プロトコール	26, 47
胸背部痛	233, 262
胸部X線	246
局所麻酔薬	97
局所麻酔薬中毒	97, 127, 165, 168
虚血性心疾患	84, 268
巨大児	211
記録	66
緊急IVR	111
緊急時の適合血	119
緊急帝王切開	128, 189
緊急度	145, 177
緊急度コード	117
緊急輸血システム	161, 164
金属コイル	110
筋肉痛	307

く
偶発的妊産婦死亡	2
クエン酸中毒	119
くも膜下出血	4, 86, 274
クリステレル圧出法	232
クリッピング	277

け
計画的な妊娠・出産	284
経カテーテル的動脈塞栓術	110
頸管裂傷	116, 231
頸管裂傷既往	232
警告出血	190
刑事訴訟法	90
頸動脈触知	123
経鼻エアウェイ	63, 128
経皮酸素飽和度	57
痙攣	258, 292
外科的血栓摘除術	240
外科的止血	104, 105, 110
劇症型A群溶血性レンサ球菌感染症	58
劇症型溶血性レンサ球菌感染症	291, 302
血液検査	266
血液製剤	98, 161, 302
血液濃縮	236
結核	304, 307
血管攣縮	228, 248
血管造影検査	186
血管内治療	104, 105, 110
血管内皮傷害	300
血小板減少	220, 275
血清検査	75, 76
血清マーカー検査	76
血栓性素因	206, 240
血栓塞栓	85, 206, 254, 258, 268, 271
血栓遊離	233
血栓溶解療法	240, 279
血痰	235, 270
血中STN上昇	113, 227
決定的リンケージ	39
幻覚妄想	313
言語障害	279
原発性肺高血圧症	272

こ
コイル塞栓	278
抗DIC製剤	121
抗悪性腫瘍薬	141
降圧薬	222
高位脊髄くも膜下麻酔	165, 168
高カリウム血症	120
後期母体死亡	2
恒久的フィルター	241
抗凝固療法	87, 234, 237, 239, 282
抗菌薬	296
高血圧	206, 219, 250, 258, 268, 279
高血圧緊急症	222
高血圧性脳内出血	86, 277
膠原病	272
高サイトカイン血症	76
抗ショック療法	218, 296
合成プロテアーゼ阻害薬	121
厚生労働科学研究「妊産婦死亡班」	18
高ナトリウム血症	120
後腹膜出血	100, 104, 116
抗プロラクチン療法	248
興奮	313
硬膜外麻酔	165, 168, 271
硬膜外無痛分娩	96
抗リン脂質抗体症候群	234, 236, 240, 279
高齢妊娠	206, 236, 243, 245, 274
呼吸	123, 296
呼吸窮迫症候群	220
呼吸苦	75, 228
呼吸困難	55, 228, 233, 235, 270
呼吸数	58, 61
呼吸不全	228
固形癌	311
子育て世代包括支援センター	180
骨折	236
骨盤位牽出術	211
コッヘル	193

さ
錯綜配列	83
鎖骨下静脈破裂	268
さざ波様所見	209
産科DICスコア	116
産科危機的出血	2, 28, 100, 104, 109
産科救急トレーニング	173
産科麻酔	165, 168, 170
産科麻酔教育	173
産後うつ病	313
産褥期	236
産褥精神病	313
産道裂傷	211

し
シアリルTn抗原	76
死因	23
死因究明等推進基本法	91
死因・身元調査法	91
子癇	220
弛緩出血	182, 228
時間尿量	57
子宮圧痕	215
子宮型羊水塞栓症	72, 150, 226
子宮頸管裂傷	184, 211
子宮左方移動	65, 125
子宮弛緩症	228
子宮収縮薬	101
子宮手術既往	197, 212
子宮整復	218
子宮全摘術	105, 218
子宮腟上部摘出術	105, 201
子宮底圧出法	211, 213
子宮摘出	183, 188, 201
子宮動脈結紮術	107
子宮動脈塞栓術	110, 186, 231

326

子宮動脈本幹の結紮	105
子宮内感染	206
子宮内胎児死亡	236
子宮内胎児発育不全	236
子宮内反症	184, 215
子宮の組織所見	80
子宮の肉眼所見	79
子宮破裂	116, 184, 211
子宮用手圧排	132
子宮―卵巣血管吻合部の結紮	105
事故	4
自殺	5, 43, 175, 313
死産	258
脂質異常症	279
死戦期呼吸	123
死戦期帝王切開	128, 130
持続的血液濾過透析	296
死体検案書	93
失神	233
自動除細動器	127
児娩出後胎盤	199
司法解剖	68, 89
脂肪乳剤	127
シミュレーション	150
若年性高血圧	263
習慣流産	236
周産期死亡	20, 220
周産期心筋症	243, 268
収縮期血圧	57
重症肺高血圧症妊婦	270
修復術後チアノーゼ残存	255
修復術後の高度遺残	254
修復術後の続発病変	254
絨毛膜羊膜炎	206
手術	236
出血	258, 268
出血性ショック	150
昇圧薬	218
常位胎盤早期剥離	72, 116, 220, 236
焦燥	313
情報共有	137
静脈血うっ滞	254
静脈血栓塞栓症	233
静脈注射薬	222
症例検討評価報告書	23

初期治療	62, 101
初期輸液療法	65
ショック	55, 64, 228, 233, 235, 252, 292
初療チェックリスト	149
心移植	248
心筋炎	268
心筋梗塞	84
心筋症	82
心血管疾患	4
心原性脳塞栓症	87, 281
人工呼吸	64, 125, 132, 161, 247
人口動態調査	40
人工破膜	231
心疾患	69
心室細動	249
心室頻拍	249
心室捕捉	251
心収縮能	245
新生児血小板減少症	220
心停止	127, 131, 235
侵入胎盤	195
心肺虚脱型羊水塞栓症	226
心肺蘇生法	123
心拍数	57
深部頸管裂傷	69
深部静脈血栓症	85, 233
心不全	254, 258, 268, 271
腎不全	292
心房圧	254

す

頭蓋内出血	86
スキルス胃癌	312
健やか親子21（第1次）	44
頭痛	55, 281, 307
ステロイド	231
ストレス	313

せ

性器出血	55
精神疾患	313
生物学的結紮	183
生命維持	61
咳	246, 270
切迫早産	232
切迫早産徴候	208
ゼラチンスポンジ	110

遷延分娩	232
前回帝王切開	197
前期破水	206
全国妊産婦死亡登録制度	7, 10
全身倦怠感	307
全身性炎症反応症候群	297
全身性痙攣発作	289
全身性紅斑性発疹	292
全身性浮腫	228
全前置胎盤	191
喘息	246
前置胎盤	192, 196, 232
前置癒着胎盤	190, 196, 197
穿通胎盤	195
先天性QT延長症候群	249, 252
先天性血栓性素因	236
先天性心疾患	254, 272
全内反症	215

そ

造影CT	57, 186, 214, 239, 264, 300
造影剤	143, 239, 277
臓器灌流異常	300
早期警告バイタルサイン	57
早期診断基準	76
双極性障害	313
早産	220
早産期の子宮収縮	206
双手圧迫	101, 185
僧房弁狭窄症	268
塞栓子	233
組織構築	137
組織(型)プラスミノーゲンアクチベータ	240, 282

た

体温	58
胎児機能不全	76, 228
胎児毒性	142
胎児発育不全	206, 220
胎児被曝線量	143
体重減少	307
大腸菌	304
大動脈炎症候群	263
大動脈解離	84, 85, 258, 261, 268
大動脈拡張性先天性心疾患	254
大動脈縮窄症	263

索引

大動脈二尖弁	263
大動脈バルーンパンピング	247
大動脈弁高度狭窄	254
胎盤早期剝離	204
胎盤早期剝離既往	206
胎盤剝離	202
胎盤娩出	199
タイムキーパー	132
大量出血のメカニズム	188
多産	206
多職種連携	176
多胎	206, 243, 245
単純子宮全摘術	201
単純癒着胎盤	195
弾性ストッキング	237

ち

チアノーゼ型疾患	254
チアノーゼ増強	258, 268
地域連携	175
チェックバック	66
致死性不整脈	249
中心静脈圧	254
中心静脈カテーテル留置	132
長期ベッド上安静	236
直接経口抗凝固薬	240
直接産科的死亡	2, 27

て

低 SpO_2	270
帝王切開既往	196, 197, 213
帝王切開術後	236
低カルシウム血症	120
低酸素症	161
低出生体重児	258
低心拍出量	254
低体温	120
低置胎盤	191, 232
低フィブリノゲン血症	206
適時破水	231
てんかん	137, 284

と

動悸	246, 268, 270
統合失調症	313
動静脈奇形	86, 274
糖尿病	250, 279
動脈解離	268
動脈塞栓術	183
怒責	211
突然死	233, 271
特発性心筋症	82
ドパミン	66
トラネキサム酸	120, 230

な

内腸骨動脈結紮	186
内反漏斗	217
軟部組織炎	292

に

二次救命処置	123
二次心肺蘇生法	130
ニトログリセリン	218
日本母体救命システム普及事業	26, 44, 46
乳幼児死亡と妊産婦死亡の分析と提言に関する研究	18
尿管癌	312
尿管ステント	199
尿中抗原	300
妊産婦死亡	2, 3, 34, 220, 275
妊産婦死亡研究	42
妊産婦死亡症例検討評価委員会	25, 46
妊産婦死亡事例検討	15
妊産婦死亡調査票	12
妊産婦死亡届け出	11
妊産婦死亡報告事業	10, 23, 25, 45
妊産婦死亡報告様式	11
妊産婦死亡率	2, 6, 8, 20, 33
妊産婦死亡連絡票	11
妊娠高血圧症候群	4, 206, 219, 232, 243, 245, 274
妊娠高血圧腎症	219

ね

粘膜鉗子	184, 193

の

脳血管障害	250
脳梗塞	87, 279
脳実質内出血	4
脳室ドレナージ術	278
脳室内出血	274
脳出血	220, 274
脳低酸素症	161
脳動脈解離	69
脳動脈瘤破裂	274
ノルアドレナリン	66, 301

は

バイオマーカー	300
肺結核	304
敗血症	297, 300, 303
敗血症性 DIC	302
敗血症性ショック	301
肺血栓塞栓症	3, 233
肺高血圧症	254, 268, 270, 271
肺障害	120
肺水腫	220, 228, 228
肺塞栓症	233
バイタルサイン	24, 54, 61
肺動脈血栓塞栓症	69
肺動脈造影	239
肺の組織所見	78
肺の肉眼所見	78
ハインリッヒの法則	30
バソプレシン	301
バッグ・バルブ・マスク	63, 125
発色性合成基質法	76
発熱	55, 307
発熱精査	308
バルーン閉塞術	111
バルーンタンポナーデ	101, 185, 231
パルスオキシメータ	241
バルプロ酸	288
瘢痕	211
犯罪	5, 68
板状硬	208
搬送	145

ひ

鼻咽頭エアウェイ	63
非凝固性器出血	76, 228
微小血栓	300
非侵襲的陽圧呼吸	247
肥大型心筋症	82
肥満	236, 279
病院間連携	157
病診連携	24, 156
病理解剖	231
病理検査	71, 75

ふ

フィブリノゲン製剤	120
フィブリノゲン値	228
不穏	76, 228
フォンダパリヌクス	240
腹腔内出血	116
腹痛	208
腹部緊満感	208
不整脈	254, 258, 268
不全子宮破裂	212
不全内反症	215
部分前置胎盤	191
不眠	313
プレコンセプションケア	287
プロテインC欠損症	279
プロテインC欠乏症	240
プロテインS欠損症	279
プロテインS欠乏症	240
分娩時出血量	114, 182
分娩場所	6

へ

米国の妊産婦死亡レポート	34
ヘパリン	239, 277
ヘパリン起因性血小板減少症	239
辺縁前置胎盤	191

ほ

法医解剖	92
剖検	68, 231, 266
剖検マニュアル	10, 70
膀胱鏡	199
縫合止血法	105
房室解離	251
放射線検査	139
放射線防護	142, 277
補助人工心臓	247

ま

母体安全への提言	45
母体情報チェックリスト	148
母体貧血	206

ま

マグネシウム製剤	34
マクロライド系抗菌薬	307
麻酔科医	97, 170
麻酔管理	98, 171
麻酔記録	96
麻酔・蘇生	4
麻薬	206

み

未修復チアノーゼ型先天性心疾患	255
ミソプロストール	101

む

無痛分娩	17, 161, 168, 170, 271
無痛分娩関係学会・団体連絡協議会（JALA）	13, 17, 167
無痛分娩有害事象調査票	14
無脈性心室頻拍	252

め

メディカルコントロール協議会	151, 159
めまい	281
免疫グロブリン	296
メンタルヘルス	17, 175, 315

も

もやもや病	274, 278
モンテプラーゼ	240

や

薬剤変更時	141
薬物投与	139

ゆ

輸液	296
輸血	113, 132, 161, 118, 218, 296
輸血システム	160
輸血用血液製剤	119
癒着胎盤	69, 73, 188, 195, 196, 217

よ

溶血	220
用手圧排	65
用手的整復	218
羊水過少	206
羊水過多	206
羊水混濁	232
羊水塞栓症	4, 69, 81, 184, 226
腰背部痛	208

ら

ラクナ梗塞	281
ラモトリギン	284
卵管角	211
卵巣過剰刺激症候群	236

り

リザーバー	62
リバーロキサバン	240
リピーター医師	44
流産	258
流出路狭窄	254
リンケージ法	19, 39
臨床的塞栓症（子宮型）	76
臨床的塞栓症（心肺虚脱型）	75

れ

レベチラセタム	284, 288
連携	132, 137

ろ

ロードアンドゴー	152, 159

わ

ワルファリン	239

右ページは，妊産婦死亡時における「病理解剖のお願い」（70 ページ参照）の参考用の例文です．切り取ったのち，コピーしてご使用ください．
また，PDF 版を東京医学社のサイト（下記）よりダウンロードできます．
url. https://www.tokyo-igakusha.co.jp/asset/byourikaibou.pdf

※転載等で商用利用する際は出典を記載してください．また，編集・加工等して利用する場合は，上記出典とは別に，編集・加工等を行ったことを記載してください．

日本の妊産婦を救うために 2020

定　価	本体 5,800 円＋税
発　行	2020 年 4 月 15 日　第 1 刷発行
企　画	石渡 勇　池田 智明
監　修	日本産婦人科医会医療安全部会，妊産婦死亡症例検討評価委員会
編　集	関沢 明彦　長谷川 潤一
発行者	株式会社 東京医学社
	代表取締役 蒲原 一夫
	〒101-0051　東京都千代田区神田神保町 2-40-5
	編集部　TEL 03-3237-9114　販売部　TEL 03-3265-3551
	URL：https://www.tokyo-igakusha.co.jp　E-mail：info@tokyo-igakusha.co.jp

デザイン・制作　森 由美
印刷・製本　三報社印刷株式会社

本書に掲載する著作物の複製権・翻訳権・上映権・譲渡権・公衆送信権（送信可能化権を含む）は（株）東京医学社が保有します．
ISBN 978-4-88563-716-2
乱丁，落丁などがございましたら，お取り替えいたします．
正誤表を作成した場合はホームページに掲載します．

JCOPY〈出版者著作権管理機構 委託出版物〉
本書の無断複製は著作権法上での例外を除き禁じられています．複製される場合は，そのつど事前に出版者著作権管理機構（TEL 03-5244-5088，FAX 03-5244-5089，e-mail：info@jcopy.or.jp）の許諾を得てください．
© 2020 Printed in Japan

病理解剖のお願い

　この度はご家族・ご親族の方がお亡くなりになり、謹んで故人のご冥福をお祈りいたします。

　お悲しみのところ誠に恐縮ですが、病理解剖のご承諾をお願い申し上げます。妊産婦死亡は突然発生することが多く、死因も不明なことが多いのが実情です。病理解剖は、生前の臨床診断が妥当であったか、あるいは現在の診療技術では明らかにできなかった病気や異常がなかったかなどをはっきりさせるため行います。癌の患者さんであっても癌で亡くなるとはかぎりません。最後の直接死因は感染であったり、出血であったり、場合によっては治療が原因であったりします。

　病理解剖は患者さんが受けることのできる唯一で、最後の、最も正確な診断の機会です。妊産婦死亡においても病理解剖を行えば多くの死因の究明が可能となります。逆に、病理解剖をしなければ、死因が判らないまま荼毘に付されることになります。死因が判明することにより、ご家族、ご親族の心労が軽減されることでしょう。今後、故人と同じような転帰をとるかもしれない妊婦さんへの救命にも繋がります。先進国では妊産婦死亡例のほとんどは病理解剖されます。日本ではまだ法律化されてはいませんが、妊産婦が亡くなられた場合、病理解剖することが推奨されています。

　ご心配、ご不安はお有りと存じますが、どうか主治医から十分説明をお聞きいただき、病理解剖の意義をご理解の上、ご承諾をお願い申し上げます。